D1645937

JEAN-PAUL II

DU MÊME AUTEUR

Marguerite Duras, essai, Seghers, 1972.
Anthologie de la poésie fantastique française, essai, Seghers, 1973.
Bonaventure, essai sur Bona de Mandiargues, Stock, 1977.
Amore Veneziano, roman, Stock, 1979.
Introduction au Journal de ma vie de Thérèse d'Avila, Stock, 1979.
Vivre en poésie, entretiens avec Eugène Guillevic, Stock, 1980.
Maman la Blanche, roman, Albin Michel, 1981.
Alger l'Amour, récit, Presses de la Renaissance, 1982.
Tant que le jour te portera, roman, Albin Michel, 1983.
La vie la vie, roman, Albin Michel, 1985.
La Nuit de Mayerling, roman, Plon, 1985.
Séraphine de Senlis, biographie, Albin Michel, 1986.
Le Petit Frère de la nuit, roman, Albin Michel, 1988.
Le Monde merveilleux des images pieuses, album, Hermé, 1988.
Le Roman de Jacqueline et Blaise Pascal, biographie, Flammarion, 1989.
Introduction à Sainte Lydwine de Schiedam, de Huysmans, Maren Sell, 1989.
J.K. Huysmans, biographie, Plon, 1990.
Duras, biographie, François Bourin, 1991.
La Tisserande du Roi-Soleil, roman, Flammarion, 1992.
Introduction à La Cathédrale, de Huysmans, Le Rocher, 1992.
Naissances d'un père, récit, Le Rocher, 1993.
Saint-Exupéry, coll. Ecrivain/Ecrivain, essai, Julliard, 1994.
Devenir Venise, récit, J.C. Lattès, 1994.
Actes du Colloque de Cerisy-la-Salle sur Marguerite Duras sous la direction d'Alain Vircondelet, Ecriture, 1994.

ALAIN VIRCONDELET

JEAN-PAUL II

Biographie

ÉDITIONS JULLIARD
20, rue des Grands-Augustins
75006 Paris

Pour Astrid et nos enfants

SOMMAIRE

QUATRIÈME PARTIE

LE VICAIRE DE ROME ET DU MONDE

1978-1994

Mais quand le réel fonce sur moi de tout son poids,
il s'emplit de pensée, il sombre au fond de l'homme,
de cet homme que je connais si peu, tout en sachant
que je ne peux m'y disperser davantage,
la vision de l'Objet absolu l'ayant pour abîme commun.
J'en parle rarement, mais je sais alors
et le poids du monde, et mon gouffre.

Andrzej Jawien (Jean-Paul II), *Poèmes*.

AVANT-PROPOS

Il y a seize ans, une fumée blanche qui s'élevait au-dessus de la basilique Saint-Pierre de Rome annonçait au monde entier qu'un nouveau pape venait d'être élu. Au pape du sourire qu'on devinait si fragile, au « pauvre Pierrot vêtu en prince » comme Jean-Paul Ier se décrivait lui-même, au pape des « petits » qui n'avait régné que trente-trois jours, succédait le premier pontife slave de l'histoire de l'Église. Rendant hommage à ses prédécesseurs, il prenait le nom de Jean-Paul II.

De fragmentaires esquisses biographiques issues d'agences de presse et de témoignages de proches parurent en librairie pour combler l'ignorance que le monde avait alors de Karol Wojtyla. On se souvient du silence désemparé que provoqua quelques instants l'annonce du nom du pape dans la foule amassée place Saint-Pierre ce 16 octobre 1978.

Depuis, l'incontestable sens de la communication de Jean-Paul II, sa personnalité charismatique et ses visites pastorales dans le vaste diocèse du monde, plus de cent nations, et la mise en scène médiatique de son activité pontificale ont permis de mieux le connaître et de le rendre même familier.

Pourtant que sait-on réellement de sa vie ? L'éclairage

cathodique et la starification ont-ils pour autant révélé le parcours de cette existence exceptionnelle et n'ont-ils pas contribué paradoxalement à l'enluminer, à la manière de ces vies de saints enchâssées dans la résille des vitraux ou publiées au XIXe siècle dans la fameuse Bibliothèque des Écoles chrétiennes ?

L'intensité des projecteurs braqués sur lui a isolé des clichés qui servent déjà la légende. De l'amateur de courses en kayak sur les lacs de la région de Cracovie au skieur émérite qui descendait les pistes noires du mont Kasprowj, de l'ouvrier à l'usine de soude Solvay de Cracovie au cardinal-archevêque si proche de ses fidèles, du résistant au nazisme au résistant au communisme défilent des séquences propres à illustrer l'épopée lyrique d'un pape hors du commun, apparemment étranger aux *combinazioni* subtiles de la Curie et que la singularité polonaise a contribué à mythifier.

En outre le dessein mystérieux de Dieu, qui aurait présidé, selon Jean-Paul II lui-même, au déroulement de sa vie et l'aurait transformée en destin, favorisa davantage encore la coloration providentielle et impénétrable de cette existence.

La projection d'une Église-spectacle et d'un pape superstar conjointe à l'idée d'une mission messianique ont donc nourri l'hagiographie au détriment de la biographie, à laquelle personne à ce jour ne s'est essayé vraiment.

Les pilotis de ce pontificat majeur qui conduit l'Église vers l'an 2000 méritent néanmoins d'être décrits, non point par souci de curiosité et de scandale, mais pour mieux comprendre la nature de cette énergie vitale qui anime Jean-Paul II, éclairer les grands axes de son enseignement et de sa « praxis » et peut-être aussi analyser les malentendus qui obscurcissent depuis quelques années son action ecclésiale.

Écrire la vie du pape Jean-Paul II, c'est pénétrer au cœur du contexte polonais sans quoi rien de son pontificat ne peut se comprendre, c'est entendre les résonances de son exil auquel il fait si souvent allusion, et mieux saisir la violence de la foi qu'il proclame. Écrire cette vie, c'est mieux déceler le sens de sa pastorale, mieux discerner les orientations politiques, morales, spirituelles qu'il a infléchies. Tenter la biographie de Jean-Paul II, c'est découvrir que cette vie n'est explicable que par rapport à l'ancrage polonais, que la ferveur de Jean-Paul II, son mysticisme, sa volonté farouche de promouvoir l'homme et la force du dépôt dont il a la charge, la tâche quasi inhumaine de vouloir « confirmer » les chrétiens du monde entier dans leurs vœux de baptême, sa fidélité à Marie et à l'enfance, tout ce qui est constitutif de sa vocation de prêtre, est né de la Pologne.

Le monde a découvert Karol Wojtyla en 1978. Son action pourtant était déjà connue et intense au-delà des frontières polonaises, mais de ceux-là seuls que la vie internationale de l'Église intéressait. Il conquit le monde en quelques heures, même ceux qui ne croyaient pas en Dieu, parce que sa silhouette virile et sportive, son franc-parler et sa puissance de conviction tranchaient enfin avec l'idée que se faisait ce monde des apparatchiks de l'Église, monsignori fragiles et trop diplomates. Jean-Paul II correspondait au siècle, il en avait l'urgence et l'efficacité, il semblait aimer les défis, et ne pas craindre les combats. Ses voyages, ses discours servirent de programmes. Prit-on cependant le soin de les analyser, de les entendre même ? Le monde, poursuivant sa route en avant, finit par ne voir de ce pape que ses « scoops », ses inlassables marathons en jet, ses messes dans les stades et son goût pour les bains de foule. La dérive médiatique renforçait la légende, éloignait le message. Des BD autorisées par le Vatican parurent alors, relatant la vie de ce pape sans peur et sans reproche. Certains commencèrent à s'en irriter et dénoncèrent ce qu'ils appelèrent « les nouvelles croisades façon Barnum Circus », d'autres, la plupart, trouvaient qu'il se coulait bien dans l'esprit du siècle et qu'il était un « pape vraiment moderne ». Peu prêtaient attention au sens profond des discours, à la revendication mystique qui sous-tendait ses propos, à cette conviction qu'il propageait partout qu'« en tout homme il y a un tabernacle de Jésus-Christ » et que c'était son rôle de le clamer inlassablement. Peu à peu les sondages révélèrent cette vérité : on l'admirait, mais on ne l'écoutait pas.

Ce décalage entre la réception du message et l'accueil fait à l'homme trahit à lui seul toute la solitude et l'exil de Jean-Paul II. Convaincu que l'Église a l'éternité pour elle, sûr de son action, et pas seulement en vertu de son infaillibilité papale, mais surtout en vertu de sa foi, il persiste pourtant et signe toujours ce qu'il avait proclamé dans sa première homélie le premier dimanche de son élection.

« Polonia, semper fidelis », a-t-il l'habitude de dire à tous les paroissiens du monde comme il voudrait dire : « Mexico semper fidelis, France semper fidelis, Afrique... » La référence constante à la Pologne affirme une action lourde de tous les jours passés au pays natal, des combats qu'il y a menés, de ce désir de Dieu qu'il a à cœur de susciter auprès des hommes. Lourde de cette piété populaire, de ces pèlerinages à Jasna Gora, de ces manifestations exubérantes de ferveur, de cette certitude d'être chrétien et d'oser le dire. C'est pourquoi, provocateur de Dieu, il ose aller à contre-courant des mœurs ambiantes pour restaurer la loi de l'Église, lui rendre son autorité et sa puissance, opposer aux hégémonies de toutes sortes, aux laxismes et aux invasions du délétère la force d'âme du christianisme. C'est en vérité là toute l'exhortation de son sacerdoce polonais, tout ce qu'il a proclamé dans son diocèse de Cracovie, et qu'il a voulu étendre à celui de la terre entière. Il faut comprendre que la vie du pape Wojtyla ne peut se déployer que dans ce contexte polonais où la tension mystique a toujours soutenu la conscience patriotique, où le romantisme de la ferveur mariale a servi de contre-pied à la lutte politique, où l'Évangile, pris à la lettre, faisait de ce peuple l'un des derniers bastions de la fidélité intégrale à Jésus-Christ. Ce qu'une vie de Jean-Paul II peut révéler, c'est la robustesse de ses soubassements, l'intégrité du substrat. Lue à la lueur de cette Pologne millénaire s'affirme alors la cohérence d'une existence et d'une action spirituelle dont le caractère propre emporta d'abord l'adhésion enthousiaste puis sembla en freiner l'élan initial.

La vie des autres papes du XXe siècle, italiens et formés dans le sérail, n'avait pas la singularité de celle de Jean-Paul II ni l'ampleur romanesque, presque gorkienne, que le cardinal de Cracovie a su donner à la sienne.

Seize ans donc après son élection, quarante-huit ans après qu'il a été ordonné prêtre, à l'heure où les temps forts et créatifs de ce pontificat ont vraisemblablement déjà eu lieu, une biographie de Jean-Paul II peut permettre de mieux approcher le mystère de cet homme, la matière humaine et spirituelle dont il est pétri, et d'analyser son influence sur le destin de l'Église qu'il préside.

PREMIÈRE PARTIE

«NAISSANCE» DE JEAN-PAUL II
16 OCTOBRE 1978

I

LE PREMIER PAPE POLONAIS DE L'HISTOIRE

« Habemus Papam ! »

Cardinal Pericle Felici,
16 octobre 1978, 18 h 43.

Jamais autant que cet après-midi du 16 octobre 1978 la place Saint-Pierre de Rome n'a révélé le projet du Bernin. Ce qu'il avait conçu en 1656, ce parvis en forme de trapèze, puis cette place délimitée de part et d'autre par une quadruple colonnade couronnée d'une balustrade portant cent quarante statues de saints, illustre absolument la métaphore de l'Église universelle : lieu d'accueil, lieu d'unité. Les deux immenses bras de pierre et de marbre semblent embrasser les pèlerins, les rassembler, leur donner l'impression d'être au cœur de l'Église, d'en être les fils et d'en comprendre le mystère. Et c'était bien cela qu'avait voulu le Bernin, dans cette mise en scène baroque, par le jeu concave des façades, attirer les fidèles vers le balcon central où bientôt apparaîtrait le pape, faire que cette place devienne un organisme vivant doté d'un cœur qui batte, à l'unisson d'une même foi et d'une même prière. C'est pourquoi la place Saint-Pierre est agitée cet après-midi d'une houle puissante, qui fait converger tous les regards vers la basilique, et jamais ce qui se dégage alors n'a autant ressemblé à une eucharistie, à l'espérance d'une incarnation.

Pèlerins, Romains et fidèles sont venus par milliers se serrer entre les bras de pierre taillée, et malgré les voix multiples qui en surgissent, une grande unité se ressent, un désarroi mêlé de certitude, une confuse impression d'être à la fois orphelins et de ne plus l'être bientôt, sûrs du travail intérieur de l'Esprit.

La place donc frémit d'une intensité dramatique particulière. Elle est faite pour ces grands vents qui soufflent dans les moments d'apothéose. La gesticulation épique des saints de pierre au-dessus des fidèles accompagne leurs prières et leurs interrogations, les fait prendre part à l'événement, les rapproche du sacré.

La journée a connu cette douceur légendaire de l'automne romain, la lumière est presque dorée, renforcée étrangement par les projecteurs des caméras de toutes les télévisions du monde qui se sont installées là. Une foule dense et fervente attend son pape. La ferveur n'empêche pas l'impatience et l'inquiétude. Il est 18 heures et le conclave n'a pas encore achevé son vote, des supputations de toutes sortes courent dans la foule, des noms circulent, mais à mesure que les minutes passent, les noms des papabili les plus couramment désignés, Giovanni Benelli, archevêque de Florence, Giuseppe Siri, archevêque de Gênes, s'effritent, et quoique l'on ne puisse imaginer un pape non italien, l'on se prend néanmoins à en évoquer la possibilité.

Le foule massée sur la place ignore encore que les urnes ont déjà parlé depuis près d'une demi-heure. Dans la chapelle Sixtine, cernés par les corps puissants qui surgissent des fresques de Michel-Ange, les cent onze cardinaux réunis en conclave depuis quarante-huit heures sont parvenus au bout du huitième tour de scrutin à isoler un nom, celui du cardinal Karol Wojtyla. Rien de ce qui y fut dit n'a pu filtrer, conformément à ce qu'avait décidé Paul VI dans la constitution apostolique *Romano pontifici eligendo* en date du 1er octobre 1975 : toute délivrance d'une quelconque information menace en effet son auteur d'excommunication, hormis les cardinaux tenus néanmoins au devoir de réserve, *graviter onerata ipsorum conscientia*, selon leur conscience.

Des paroles lâchées laconiquement par quelques cardinaux permettent cependant de reconstituer la scène, de comprendre ce qui s'est passé entre 17 h 30 et 18 h 43, heure à laquelle le cardinal Pericle Felici porte au monde la nouvelle. Karol Wojtyla, depuis l'annonce de la mort de Jean-Paul Ier, redoute ce conclave ; la nouvelle de cette mort soudaine l'a surpris alors qu'il célébrait la messe à la cathédrale du château du Wawel à Cracovie, le 28 septembre, vingtième anniversaire de sa consécration comme évêque. On prétend que cette nouvelle le retint plusieurs jours chez lui, accablé, réglant quelques affaires courantes, en proie à une nervosité mal contenue, inquiet, des nouvelles de Rome indiquant par ailleurs que les cardinaux seraient prêts à élire un pape étranger. Le cardinal Wojtyla n'ignore pas non plus que son nom avait, lors du précédent conclave, rassemblé quelques voix, qu'il est, quoique le dernier de cette liste, parmi les vingt papabili possibles. N'a-t-il pas évoqué le 17 septembre, dans l'homélie prononcé à Mogila, les lourdes tâches d'un pape, pressentant déjà qu'elles seraient les siennes ? « Le nouveau pape, déclarait-il alors, a pris sur ses épaules la croix de l'homme moderne. La croix de la famille humaine contemporaine. La croix de toutes ces tensions et de tous ces dangers. Le danger inimaginable d'une nouvelle guerre qui nous reste toujours présent à l'esprit. Il a également pris sur ses épaules la croix de toutes ces tensions, de tous ces dangers nés des multiples injustices, violations des droits de l'homme, asservissement des peuples, nouvelles formes de colonialisme, les souffrances innombrables des hommes et des nations que seule la Croix du Christ peut réussir à vaincre. Car elles ne peuvent être vaincues que par la justice et l'amour. » Ces devoirs d'un pape, il les avait spontanément placés sous le signe de la Croix, sous l'instance d'une douleur qu'il fallait assumer et porter afin d'atteindre à la clarté de la

Rédemption. Peut-être même intuitivement pressentait-il aussi que le pape Luciani, doué de cette immense compassion et d'une foi de « ravi », ne pourrait pas porter cette croix, que les combats du monde moderne seraient trop féroces pour lui et engloutiraient cette « vague d'amour » que Jean-Paul Ier appelait de tout son cœur.

Aussi les bribes de confidences laissées par les acteurs de ce conclave rapportent-elles toutes cette « peur » de Karol Wojtyla qui s'empara de lui à la question du camerlingue : « Acceptes-tu ton élection ? »

Se remémore-t-il l'homélie de Mogila, se souvient-il de cette croix qu'il faudrait porter, se sent-il capable d'une telle force ? Des larmes, dit-on, coulent de ses yeux, il fait silence en lui ; dans la chapelle Sixtine, tous retiennent leur souffle, il affronte sa peur, pèse l'enjeu de cette grâce, en mesure le « scandale », et le défi. Ces quelques minutes, seul Karol Wojtyla sait ce qu'elles contiennent. Il est seul à savoir où il puise ses forces, à quelle prière il se confie, mais les mots qu'il lâche d'une voix puissante, à peine altérée par l'ampleur de l'émotion, révèlent ses sources : « Pour mon Christ, pour la Vierge, ma mère, par respect pour la constitution apostolique de Paul VI qui invite "celui qui sera élu comme Notre successeur à ne pas se dérober à la charge à laquelle il est appelé"... j'accepte. »

Dans une sorte de soulagement, et d'euphorie reflétant en ce sens la formidable vitalité de l'Église, la modernité qu'elle a manifestée par son choix, les cardinaux applaudissent à tout rompre. Désormais tout va très vite. Le cardinal Karol Wojtyla s'éclipse pour revêtir la soutane blanche et, selon le protocole, reçoit l'obédience des cardinaux, mais, première exception au rituel, il reste debout, en signe de simplicité, de fraternité, d'égalité. Par ce geste, il délivre déjà le premier signe de sa démarche de pape : être à l'écoute des hommes, près d'eux, au même rang qu'eux.

Dehors la foule s'impatiente, mais trouve aussi dans les groupes de prières dispersés sur la vaste esplanade des moyens de participer par l'Esprit à l'issue du conclave, d'être, par sa ferveur, membre vivant du grand corps de l'Église.

Il est 18 h 48 exactement. L'air est un peu plus frais, la nuit est tombée, et soudain une fumée blanche, incontestablement blanche, monte de la cheminée de la chapelle Sixtine. Une immense clameur s'échappe de la place Saint-Pierre. Des hommes, des femmes s'embrassent, des chants s'élèvent, disent leur joie, sans savoir encore le nom du pape désigné. Des orchestres précaires de plusieurs nationalités expriment leur bonheur, des musiques locales forment néanmoins unité; une sorte de convergence affective à laquelle tend l'architecture de la place rejoint le balcon qui s'allume lentement, les fanfares de la garde suisse et des carabinieri signalent que le moment est proche où le nom sera proclamé. On déroule un grand tapis aux armes du Vatican, il se déploie le long du balcon, puis, à 18 h 43, le cardinal Pericle Felici apparaît. Conscient sûrement de l'ampleur de la nouvelle, de l'émotion qu'elle suscitera, de ce nouvel élan qu'elle ordonnera à l'Église, il lance dans une joie non dissimulée, dans une allégresse pascale: « Habemus papam ! » Le cardinal semble mesurer ses effets, jouir de cet instant de grâce, retarder presque le moment de prononcer le nom tant attendu. Les cris de la foule lui laissent cependant à peine le temps de poursuivre. « Nous avons un pape, poursuit-il. Son Éminence révérendissime Mgr Carlum » et dans cet instant précis, l'émotion du cardinal Felici est à son comble, une fraction de seconde, il hésite, se rend peut-être compte qu'il a prononcé Carlum au lieu de Carolum, qu'il a omis l'autre titre, « cardinal de la Sainte Église romaine » qu'il prononce alors, prolongeant d'autant le suspense. La foule est suspendue à ses paroles, croit ne pas connaître de cardinal italien qui s'appelle Carlum, pressent en une bribe de seconde qu'il s'agit d'un pape non italien, le premier qui serait élu depuis 1522. Enfin le cardinal Felici lance au monde « Wojtyla, qui a pris pour nom Jean-Paul ».

Un moment de stupéfaction, de trouble saisit la foule mais des ovations fusent de toutes parts, le nom de Wojtyla court de lèvres en lèvres, certains, plus informés, ayant en main la liste des cent onze cardinaux, cherchent fébrilement la nationalité du nouveau pape, découvrent qu'il est l'archevêque de Cracovie. Non seulement il serait le premier Polonais à monter sur la chaire de saint Pierre, mais le premier pape venu d'un pays communiste. Les chaînes de radio et de télévision du monde entier interrompent leurs programmes, en quelques minutes la planète est au courant de la nouvelle.

Quelque chose de stupéfiant vient de se passer. L'Église semble sortir de sa torpeur, un sang neuf lui est injecté, qui bouleverserait les données du monde.

È il Polacco !

Il est à présent 19 h 15. Depuis une heure la chrétienté a un nouveau pape à sa tête. La rumeur d'un pape non italien est devenue certitude. Dans la foule, comme il est encore difficile de retenir son nom, court cette parole : *É il Polacco, É il Polacco !*

Il apparaît enfin à la loggia de la basilique Saint-Pierre de Rome. Une immense ovation l'accueille. Les autorités avaient pu craindre une déception de la part des Romains, une amertume qu'un des leurs ne fût pas choisi, mais il n'en est rien. La foule de plus en plus dense est en liesse. Elle attend le message papal. Jean-Paul II a retrouvé son calme et son autorité. Sa voix est ferme quand il lance « Loué soit Jésus-Christ ». La foule trépigne. A la face du monde, un homme venu des pays communistes affirme la toute-puissance de Jésus-Christ, offre à ceux qui l'écoutent de se reconnaître en Lui. Il est bien le premier depuis longtemps à faire applaudir le nom de Jésus-Christ avec cette joie comme si, en une seconde, il redonnait identité au peuple catholique.

« Très chers frères et sœurs, poursuit-il, nous sommes encore tous attristés par la mort du pape très aimé Jean-Paul Ier. » Les fidèles amassés sur la place se déchaînent. libèrent un tonnerre d'applaudissements en hommage au pape défunt. « Et voici que les éminents cardinaux ont élu un nouvel évêque de Rome. » L'émotion gagne Jean-Paul II. La voix est altérée mais forte encore, ne cherche pas néanmoins à dissimuler l'intensité du moment. Des rafales d'ovations ponctuent chacune de ses phrases. Une complicité naturelle, spontanée, se noue entre lui et la foule. « Ils l'ont choisi d'un pays lointain. » Une fraction de seconde, le pape fait silence en lui, cette solitude qu'il redoutait, cette peur, il la revit à présent, par-delà la personne publique qu'il est devenu. Il va assumer sa tâche, sans pour autant oublier ce pays de Pologne qu'il laisse, et cet archevêché de Cracovie qui lui est si cher. « Lointain, mais toujours très proche par la communion, la foi, la tradition chrétiennes. » La parole qu'il dispense révèle déjà à elle seule la nature de son enseignement : fidélité aux valeurs du christianisme, et surtout à la plus vaste d'entre elles, la communion, maître mot de sa théologie qui, de la communion trinitaire à celle des saints, de la communion de la hiérarchie à celle des fidèles, tisse et noue cette histoire d'amour entre Dieu et les hommes, que Michel-Ange dans sa fresque *La Création d'Adam* a symbolisée par cette main de Dieu tendue vers celle de l'homme.

« J'ai eu peur en acceptant cette élection, mais je l'ai fait dans un esprit d'obéissance à Jésus-Christ et avec une confiance totale en Sa Mère, la Très Sainte Madone... » Des cris, des trépignements secouent la place Saint-Pierre, c'est la première fois qu'un pape exprime avec cette simplicité désarmante ses états d'âme, crée une étrange familiarité avec ceux auxquels il s'adresse, avec un naturel qui sera la marque future de son pontificat. Il semble qu'il veuille par là redonner courage et confiance aux fidèles amassés devant lui, la parole n'est pas convenue, elle sourd d'une émotion profonde, d'une vérité qui ne trompe personne. Jean-Paul II se souvient : il y a quelques instants encore, à la chapelle Sixtine, cette force que le cardinal Stefan Wyszynski, primat de Pologne, lui avait transmise par son regard, par son accolade, oui, c'était par obéissance à Jésus-Christ qu'il avait accepté, sûr que Dieu lui accorderait le pouvoir de soulever la Croix, de rendre compte de la parole de Son Fils devant le monde, de la porter sur tous les continents.

La Vierge Marie est au cœur de ses prières, il veut l'inscrire elle aussi dans son discours, lui faire partager l'allégresse générale. Il sait qu'elle y est pour quelque chose, lui le pèlerin de Czestochowa, qui accompagnait ses compatriotes au pied de la Vierge noire, pour leur insuffler la ferveur qu'il déployait toujours pour elle.

Il parle italien avec un accent indéfinissable, mais tous le comprennent. « J'essaie de parler votre langue, notre langue italienne », croit-il devoir ajouter. Ce message projette une nouvelle image de la papauté. Désormais tous savent ici que le pape n'est plus cet homme lointain, cloîtré dans ses appartements, porteur d'une parole rigide, tenant d'un dépôt immense qui l'accable, le sépare, l'isole des autres. Le pape qui s'exprime là, sous les yeux du monde, révèle aussi ses inaptitudes, ses faiblesses, ses manques, et ces failles deviennent des hardiesses qui soudain permettent de renouer le dialogue, de rendre toute sa sève au message de l'Église.

« Si je me trompe, vous me corrigerez. » Quelques minutes d'applaudissements viennent interrompre le pape dans sa confession, dans cette intimité nouvelle qu'il vient d'instaurer entre le peuple de Dieu et lui-même. La jeunesse de sa voix, son sourire, cet humour qu'il manifeste le rendent immédiatement sympathique aux jeunes réunis sur la place. On entend des trompettes, des bruits de grosse caisse, une manière de saluer dans un affectueux irrespect le nouvel élu. « Je me présente à vous tous, pour confesser notre foi commune, notre espérance et notre confiance dans la Mère du Christ et de l'Église, et aussi pour vous inviter à vous engager et à poursuivre sur le chemin de l'Église et de l'Histoire, avec l'aide de Dieu et celle des hommes. »

Viva il papa, entend-on de tous côtés.

La brève allocution de Jean-Paul II n'est pas cependant improvisée. Certes elle laisse une large part à l'émotion, au débordement du cœur, à l'allégresse, comme si la parole catholique avait retrouvé l'enthousiasme des orthodoxes, quand ils clament dans les nefs « Christ est ressuscité ». A bien analyser, on observe que le nouveau pape a en quelques mots proposé un programme de foi, évitant les pièges des stéréotypes et de la « langue de bois ». C'est ce qui surprend aussitôt les commentateurs. A chaud, tous expriment leur étonnement devant ce « parler vrai », expression qui dans le monde politique européen fait alors fureur, devant cette spontanéité, comme si le pape ressourçait ce qui s'était sclérosé, redonnait vigueur à une parole trop figée.

Jean-Paul II réhabilite soudain le chrétien, lui permet de ne pas avoir honte d'affirmer sa foi dans une société moderne largement laïcisée et livrée au matérialisme, donne courage à ceux que l'oppression politique bâillonne, fait du christianisme un moyen de lutte contre la chape de silence de toutes les tyrannies. Poursuivre, s'engager, confesser notre foi, louer Jésus-Christ : tels sont les mots d'ordre d'un pape à la voix chaleureuse, persuasive, et qui donne à cette terminologie que tous croyaient désuète une proximité familière. Jean-Paul II par ses paroles restitue le message le plus vivant de l'Église, que le symbole de la Croix révèle, horizontalité parce que le chrétien est homme avec les hommes et verticalité parce qu'il aspire néanmoins à la transcendance de Dieu. Et c'est là que Jean-Paul II attend son peuple : à la croisée de ces chemins, dans un même élan vers les hommes et vers Dieu, dans l'Histoire et dans l'Église.

Mais ce qui est perçu de manière presque vibratoire dans les premières paroles de Jean-Paul II, c'est la qualité de silence de sa voix. Il ne parle ni comme un tribun ni comme un acteur, il n'est pas en représentation, il n'a pas l'intention de convaincre par des arguments éculés ou obligés. Ce qu'il donne à entendre d'abord, c'est une sorte de prière dans le phrasé même du discours, quelque chose d'autre, rarement capté.

Confusément la foule saisit la typologie de Jean-Paul II. Sans connaître vraiment la nature de son visage, elle sait déjà à quelle sorte d'homme il appartient. La voix, la diction, la teneur du message ont donné des indications essentielles, Jean-Paul II n'aura ni la raideur intellectuelle d'un Paul VI ni la candeur souriante d'un Jean-Paul Ier, elle l'associe à un être encore jeune, fort et sportif, doué d'un élan spirituel contagieux et puissant, volontaire et rigoureux.

Les téléspectateurs du monde entier ont cet avantage-là sur les fidèles de la place Saint-Pierre de le voir de près, de découvrir ses traits, de se familiariser avec lui. Il apparaît sur le petit écran dans sa soutane blanche de pontife, paré d'une étole grenat et or. Ce qui frappe, c'est ce sourire complice avec l'humanité à laquelle il s'adresse, cette bonhomie paisible, et cette force dans le visage, inhabituelle.

Le bas de ce visage est massif, carré, les lèvres sont fines et mobiles, le regard « se protège au fond des orbites » mais regarde la foule, avec une bienveillance attendrie. Aucune soif de pouvoir ne semble le posséder, il exprime une formidable sérénité, une sagesse étonnée par tout ce qui vient d'arriver. Tout chez lui est mesuré, il arbore souvent ce demi-sourire amusé, maîtrisé aussitôt par une gravité qui vient de l'intérieur. On sent au moment où il dit sa « peur » une sorte de fatigue, d'effroi presque devant la tâche qui lui est demandée et qu'il accepte comme une croix.

De suite, le peuple chrétien comprend qu'à la tête de l'Église vient d'être nommé un chef spirituel d'une autorité indiscutable. Il a su exprimer en quelques minutes de la douceur, de la simplicité, du silence, de l'autorité, de la fermeté, de l'énergie. La peur qu'il a signalée à son peuple n'a soulevé aucune inquiétude, il n'apparaît ni nerveux ni fragile psychiquement, la force terrienne de son visage l'enracine dans sa foi, ce sourire ancré en lui même quand il ne rit pas le rapproche des bouddhas de pierre, lui accorde cette sérénité qui rassure. Il affirme aussi une joie de vivre, une joie d'être chrétien, les jeunes le trouvent sympathique dans l'affirmation de sa foi libérée de tout complexe, sa foi qui semble celle des croisés, à l'assaut et du capitalisme et du communisme.

Peu dans le monde connaissent l'état de la Pologne, muselée dans son étau de silence, asservie sous la botte communiste, peu connaissent les prouesses de son clergé pour maintenir vivante une foi sans cesse combattue par la force et l'oppression. Peu encore peuvent imaginer la persévérance du cardinal Wojtyla pour imposer le catholicisme comme une alternative au communisme, pour gripper par des actions aussi déroutantes que la prière et le pèlerinage la machine à broyer de la tyrannie.

Peu en effet mais tous ce soir-là du 16 octobre 1978 savent que rien ne va plus aller de soi dorénavant dans cette Europe de l'Est, et que l'Église universelle pourrait bien servir dans le monde de modèle pour combattre, comme le dira plus tard Jean-Paul II, « les injustices et les discriminations de tous ordres, qu'elles concernent la vie économique, sociale ou politique, ou la liberté de conscience ».

Cette nuit-là à Rome, le peuple chrétien va connaître une euphorie particulière. Une joie délivrée de toute peur règne dans les rues de la ville, tous commentent l'événement, expriment une joie rarement vécue, une impression de fraternité. Ce sera le premier effet de la popularité du nouveau pape et de cet enthousiasme qu'il suscitera à chacun de ses voyages surtout dans les années 1979-1985.

Naissance d'une légende

Dans tous les organes de presse, les journalistes rédigent à la hâte des biographies à partir des quelques renseignements que leur ont fournis les services du Vatican. Mais très vite on aura besoin de signes hagiographiques qui combleront les lacunes biographiques, comme si la personne même du pape incitait à des déploiements surnaturels et magiques.

L'astrologie, la poésie prophétique slave, Nostradamus, la psychomorphologie seront requis pour traduire des signes, fournir des explications que la vie de Jean-Paul II, trop méconnue, ne pouvait encore apporter.

Ainsi l'épiscopat polonais ne se trompe-t-il pas quand il associe la prophétie de Juliusz Slowacki, poète polonais né en 1809 et dont la dépouille repose dans la citadelle du Wawel à Cracovie, au destin particulier de Jean-Paul II. Sa parole n'est-elle pas le signe obscur d'une vérité à venir et que, cent trente ans auparavant, le poète, renouant avec la tradition pythique de la poésie, profère avec des accents épiques et grandioses ?

> Au sein des discordes, Dieu fait retentir l'énorme bourdon :
>
> C'est à un pape slave qu'il ouvre l'accès au trône des trônes.

> Celui-là ne fuira pas devant l'épée comme cet Italien !
> Celui-là, hardi comme Dieu, affrontera en face l'épée !
> – C'est le monde qui est poussière ! –
> Les foules s'enfleront et le suivront vers la lumière que Dieu habite !
> Il débarrassera les plaies du monde de leur sanie et de toute vermine,
> Il nettoiera le sanctuaire des églises et balaiera le seuil.
> Il révélera Dieu aussi clair que le jour.
> Il en faut de la force pour restituer à Dieu un monde qui est sien.
> Voici donc qu'il arrive, le pape slave, le frère des peuples !

L'aubaine était en effet trop belle pour négliger pareil texte et ne pas lui donner une portée prémonitoire. Il est vrai que les actions dévolues à ce nouveau pape ressemblent déjà fort au programme que Jean-Paul II a énoncé en quelques jours : courage d'affronter un monde hostile aux valeurs chrétiennes, de l'Est à l'Ouest, défi valeureux lancé aux forces délétères, joie d'affirmer la toute-puissance de Dieu dans un monde voué au mal. Est-il possible même que Jean-Paul II n'ait pas médité devant ce poème, lui le cardinal de Cracovie, familier de cette citadelle du Wawel, et n'en ait pas tiré des enseignements ?

Faute de détails biographiques, la presse relaie abondamment des matériaux troublants qui fondent inconsciemment une légende, font du pape un héros providentiel. Des psychomorphologues éminents étudient ainsi ses photographies, veulent saisir dans une expression, un geste, ce qui encore échappe à l'opinion internationale, et intrigue. Les proportions de son visage sont analysées en fonction du nombre d'or : « Je vois, dit l'un, le typique "visage-fer" de la morphopsychologie chinoise (ou siang-men) qui s'inscrit dans un carré presque parfait, l'alignement tempe-mâchoire étant pratiquement parallèle. Le "visage-fer" est celui des chefs, mais pas n'importe quel chef. Des chefs incorruptibles défenseurs de causes. Fermes, stables, immuables, intraitables. Des chefs qui ne bronchent jamais. »

Le front du pape est aussi méticuleusement observé, on y décèle la marque fameuse de la *vena frontalis*, la veine centrale frontale très apparente, et qui « depuis la plus haute antiquité, [...] marque des talents extraordinaires, de même qu'un caractère noble et enthousiaste ». Mais de l'observation clinique à l'interprétation surnaturelle, il n'y a qu'un pas que notre morphopsychologue franchit. De son aveu même, « à force de scruter, de détailler le front de Jean-Paul II, j'ai la tentation irrépressible de mettre du mysticisme dans ma morphopsychologie. Car à certains cadrages, sous certains éclairages, au centre de ce relief à la fois tourmenté et paisible, soudain se révèle une croix. [...] Le christianisme n'a certes jamais été avare de signes et de prodiges. Mais à quelques encablures de l'an 2000, découvrir, matérialisé, le signe de la croix inscrit dans la peau, la chair, l'ossature d'un successeur de saint Pierre me fait question. »

L'astrologie aussi a été sollicitée pour tenter de mieux comprendre la personnalité du nouvel élu, de saisir dans l'indicible des éléments qui toucheraient à l'exceptionnel, comme si de Dieu au pape la passerelle s'était spontanément établie.

En effet, la présence dans son thème astral du soleil, en position culminante, le rapproche métaphoriquement des phares, des astres, de tout ce qui dispense de la lumière. La célèbre prophétie de Malachie revient alors en mémoire : « Du labeur, du soleil... » On cherche encore des anecdotes dans sa vie passée qui pourraient conforter cette idée d'une origine démiurgique sinon messianique que la mort soudaine de Jean-Paul Ier au bout de trente-trois jours de règne (trente-trois comme l'âge du Christ !) renforce et accrédite.

Ne rapporte-t-on pas ainsi que lorsque le siège épiscopal de Cracovie fut vacant, en 1963, les autorités religieuses présentèrent trois candidats, les deux premiers appartenant à la noblesse polonaise, et Karol Wojtyla d'origine plus modeste. Ces trois noms furent soumis à l'appréciation du chef de l'État, comme l'exigeait la règle, qui possédait un droit de veto. Le pouvoir politique usa de son droit en refusant les deux aristocrates, et nommant ainsi par la force des choses Karol Wojtyla. Qu'un gouvernement communiste soit à l'origine de l'ascension prodigieuse de Jean-Paul II ne manque évidemment pas de sel, mais augure bien du destin du pape !

La presse internationale cherche avidement des anecdotes significatives pour affiner le portrait encore impénétrables de Jean-Paul II. On enquête à Cracovie, dans son entourage familier, à Wadowice, cette petite ville de quinze mille habitants à cinquante kilomètres de Cracovie où il naquit le 18 mai 1920, auprès de ses compatriotes pour lesquels il était toujours, dit-on, disponible. Le propos alors confine à cette littérature affadie du XIXe siècle, relatant pour la jeunesse des vies de saints, exemplaires et vertueuses. On rapporte ainsi qu'au moment où sa voiture l'attendait pour l'emmener à l'aéroport de Cracovie afin d'assister à Rome au conclave historique, une vieille femme vint lui demander secours. C'était son jour de réception à l'archevêché et la pauvre femme ne pouvait connaître les impératifs du futur pontife. Le cardinal apprit que des voisins de la paroissienne avaient volé son chat et elle le suppliait de l'aider. Sans hésiter, Jean-Paul II emmena la vieille femme dans sa voiture, se rendit au domicile des voisins, récupéra le chat, puis partit pour l'aéroport.

L'assistance au prochain semble être une de ses règles de morale, et le rapproche ainsi de la piété populaire, de cette théologie du cœur, à laquelle la Vierge Marie (la « Madone » comme il l'appelle) prend sa part.

Dès sa nomination, Jean-Paul II est « pisté », aucun de ses gestes ne laisse indifférent, chaque parole est signe. Il va rompre avec cette tradition – à vrai dire déjà quelque peu entamée par Paul VI, son maître – de réclusion et de mystère à laquelle l'opinion est habituée. Le premier jour après son élection, alors que tant de tâches encore peu familières l'accablent, il révèle la marque de son « style ». Pape d'action, mais aussi pape d'écoute et de contact, pape compatissant à la souffrance des autres, il se rend à la polyclinique Agostino-Gemelli où est alité son ami, Mgr Deskur. Apprenant d'un de ses proches que son compatriote déplorait de ne le revoir que dans de longues semaines, Jean-Paul II prend tout son entourage de court et se porte au chevet de son ami. La presse, la foule le poursuivent, une nuée de micros l'attend à la sortie de la polyclinique, il n'en a que faire, manifeste même son contentement, vit cet « état de grâce » dans une jubilation qu'il ne cherche pas à dissimuler. Il oublie de bénir selon la coutume le personnel hospitalier qui s'est assemblé dans le hall de la clinique, on lui signale discrètement cet oubli, il en parle publiquement avec une simplicité qui ravit les assistants : « Ah ! j'ai encore beaucoup à apprendre, je ne suis pas encore habitué à être pape ! » déclare-t-il avec bonhomie. Des photographies le montrent faisant de ses mains un porte-voix pour dominer le chahut, il sourit, manifestement heureux, s'adresse à la foule avec humour.

Cette image d'un pape descendu de son piédestal frappe ses nouveaux paroissiens. L'évêque de Rome est venu comme le clamait Slowacki « révéler Dieu aussi clair que le jour ».

II

LES PREMIERS JOURS DU PONTIFICAT : ÉLÉMENTS D'APPROCHE

Discours des 17-18-20 et 21 octobre 1978

Souhaitant prolonger le conclave jusqu'au lendemain, Jean-Paul II célèbre à 9 h 30 la messe dans la chapelle Sixtine en présence de tous les cardinaux. Devant l'immense fresque du *Jugement dernier* de Michel-Ange, il apparaît fragile et grave, comme écrasé par le poids de la tâche. A 10 h 40, il prononce sa première homélie urbi et orbi, écrite dans la nuit, que toutes les télévisions et les radios vont diffuser. Son ami Mieczyslaw Malinski raconte qu'à la différence de son prédécesseur, qui avait « manifestement lu un document rédigé par des hommes de la Curie », il a tenu à ce que ce premier texte soit très personnel comme témoignage de son engagement. S'il adopte le « nous » de circonstance, le document n'en a pas moins un rythme et un ton qui déjà augurent de sa personnalité. Après les préliminaires d'usage, il place son propos sous le signe de la Providence. Son élection « inopinée » tient, dit-il, du miracle et d'un « mystérieux dessein » qu'aucune explication rationnelle ne pourrait déchiffrer. Aussi est-ce en aveugle et dans la posture du psalmiste obéissant et fidèle qu'il se présente aux cardinaux. Il restitue d'emblée une image mystique de l'Église et de la foi : adorer, prier, tels sont les seuls gestes qu'il convient d'accomplir devant cette situation singulière et

« mystérieuse », il y revient deux fois. Tout de suite, c'est dans le champ mystique qu'il se place, et dans la méditation. La catéchèse qu'il dispense en quelques instants va signer tous les gestes de son futur pontificat. La fermeté de son discours contraste avec sa posture : il est comme ramassé sur lui-même tandis qu'il lit, donnant l'impression de s'enfoncer dans sa parole, s'y abîmant en quelque sorte. La voix néanmoins est forte, distincte, cherche à convaincre. En quelques paragraphes, il dessine les « lignes directrices » de son action à venir : « reprendre en main », « porter à maturité », « se mettre en harmonie », « communier avec Dieu en Christ », « éclairer par l'exemple du vouloir et de l'agir », tels sont les grands axes de sa pensée. Les cardinaux, les chrétiens dans le monde comme tous les observateurs comprennent que le nouveau pape est un homme de fermeté et d'action, pape de combat qui n'a pas peur des mots et de sa foi, pape de l'affirmation doctrinale, pape temporel et mystique tout à la fois : « sel de la terre », « lumière du monde », « rocher », comme il se définit lui-même. Il rappelle à ses frères cardinaux la fidélité au concile de Vatican II, à ses orientations, à ses normes, insiste sur « la collégialité qui associe intimement les évêques au successeur de saint Pierre et entre eux tous », insiste sur leur mission sacrée, et entend rester ferme cependant sur les dogmes : respecter « les normes liturgiques », exclure « les innovations arbitraires et incontrôlées », être contre vents et marées les dépositaires de la foi, garder intact le message.

Mais, dans le même temps, Jean-Paul II associe cette intégrité de la doctrine catholique à une ouverture sur le monde : l'Église ne peut rester muette à la douleur des hommes et des peuples. Les mots d'oppression et de discrimination sont bel et bien prononcés. Quoique l'Église ne doive s'immiscer dans aucune gestion des affaires politiques et temporelles, il convient de l'engager dans l'aide aux peuples exclus et bâillonnés, mais uniquement sur des « motivations religieuses et morales ». Dès le début, Jean-Paul II ne s'est jamais défait de son identité polonaise. La Pologne, la « semper fidelis », comme il l'appelle, celle qui connaît la résistance, qui a su dans son histoire, malgré les massacres et les spoliations, être fidèle à la parole du Christ, qui, mieux encore, a fait de cette foi une redoutable arme non-violente, un moyen de conserver son identité de nation libre, cette Pologne revient comme une nostalgie et une référence essentielle, une leçon de vie. Paul VI, la Pologne, le Christ, la Vierge Marie sont les points d'ancrage de Jean-Paul II, il les interpelle aux heures graves et angoissantes. Les cardinaux perçoivent cette nouvelle dimension que leur pape est en train de dessiner. Ils savent que ce sera un pape exigeant, comme l'est la religion catholique, qui n'ignore pas le monde mais appelle aussi à se fondre dans le grand corps mystique de l'Église. *Totus tuus*, rappelle-t-il, c'est sa devise depuis son ordination épiscopale, il y a vingt ans. « Tout à toi », « tout entier tien », il demande au peuple chrétien d'adopter lui aussi cette maxime qui réclame de s'abolir dans Dieu, de ne vivre qu'en lui, de n'obéir qu'à ses commandements, seule manière de trouver la paix.

L'adresse aux pauvres, aux faibles, aux affligés qui clôt son discours témoigne bien de sa volonté d'écoute et de communion qu'il a, en quelques lignes déjà, la veille, esquissée. Il en appelle à tous et aux plus simples surtout pour l'aider dans sa tâche, demande aux cardinaux de prier avec lui, de ne pas l'abandonner dans son exercice. A la fois démuni comme le plus infirme d'entre tous, parce que, sans les autres, il ne pourra rien accomplir, mais aussi revêtu soudain, par sa nomination, du manteau de père, de guide. Un « sentiment de paternité » surgit, dit-il, de son cœur, c'est dans cette complexité et cette dualité qu'il entend diriger l'Église. Jean-Paul II, entre l'allocution prononcée du balcon de Saint-Pierre de Rome et ce discours devant les cardinaux, affiche le même statut d'homme fragile, qui réclame de l'aide, et d'homme fort et inaliénable. Faible fils implorant sa Mère et « rocher » de la foi, tout en même temps.

Faisant alterner le nous de majesté avec le je plus personnel, Jean-Paul II manifeste ainsi dès le début de son pontificat l'empreinte qu'il entend lui donner : responsabilité fondée sur une réelle autorité et disponibilité de l'écoute, désir de communiquer et d'affection. Aussi, lorsqu'il s'adresse le mercredi 18 octobre à Rome aux cardinaux, c'est avec cette volonté de partage et de confiance qu'il leur parlera. Insistant sur l'aspect providentiel de son élection, l'établissant comme un signe de foi et une marque divine que seule la lumière de l'Esprit peut prétendre éclairer, rappelant avec force qu'il relève le défi de cette élection avec « tranquillité intérieure » et sérénité, il donne à son discours, pourtant assez court, un souffle épique, comme s'il voulait par là raviver la foi de son Église, lui redonner cet enthousiasme qui s'est quelque peu éteint dans les pays capitalistes. La référence polonaise, si elle n'est pas constante dans tous ses discours d'intronisation, est cependant toujours en filigrane dans ses propos, si on lui associe cette foi populaire, cette piété fervente et de combat, cette nécessité subversive d'affirmer sa foi, qui animent le peuple polonais. Aussi rappelle-t-il la véritable vocation de l'engagement religieux et particulièrement celui des cardinaux dont la pourpre est « le signe de cette fidélité *ad effusionem sanguinis* ». L'acceptation de Jésus-Christ jusqu'au martyre, l'autre référence au cardinal Fisher clamant sous la hache du bourreau en 1535 : « Peuple chrétien, j'affronte la mort pour la foi en la Sainte Église catholique du Christ » donnent soudain au discours du pape une tonalité de combat et de passion. Le Saint-Siège, que certains observateurs pouvaient imaginer, comme toute institution, assoupi dans un ronron convenu, est comme réveillé sous l'impulsif tempérament de Jean-Paul II. Il lui dit dans la proximité de la première personne, et dans cette fraternité qu'il relève, en citant le Psaume 132 : « qu'il est bon et agréable d'être unis comme des frères ! », que l'Église doit revenir à cette certitude des premiers temps, à cette foi indéfectible et sans hésitation que lui, le Polonais, s'est forgée au contact des obstacles et des reniements. La vigueur de sa parole, si elle apparaît quelque peu insolite, ravit néanmoins les cardinaux, leur insuffle une force de vie et de foi redoublée. Les observateurs notent que Paul VI est cité dans chacun de ses discours, comme dans l'homélie urbi et orbi de la veille. La dimension internationale que Paul VI avait en effet imposée en nommant au Saint-Siège des cardinaux étrangers est réaffirmée, d'autant plus fortement qu'il est, comme il le dit lui-même, « un non-Italien ». Ce sont autant de détails qui offrent déjà des perspectives sur le pontificat de Jean-Paul II : ouverture au monde, internationalisme et intercontinentalisme, et en même temps respect de la tradition. La Vierge Marie est ainsi la conclusion de tous ses discours. Il l'évoque toujours comme la Mère suprême, capable d'entendre les malheurs des hommes, et de les porter. Lorsqu'il convoquera trois jours plus tard un public de journalistes hétérogène sur le plan de la foi, il osera les confier à Marie, les implorant d'ouvrir leur cœur et de lui livrer leurs « soucis personnels et familiaux ».

La virtuosité du nouveau pontife à rassembler, à donner confiance est extrême, ce sera un des charismes les plus évidents de son sacerdoce. C'est pourquoi, plus qu'une habileté rhétorique, la demande expresse aux cardinaux de bénir avec eux tous l'Église apparaît comme le signe d'un nouvel âge, fondé sur la collégialité, la fidélité et l'universalité.

Le vendredi 20 octobre, Jean-Paul II accorde une audience aux diplomates. La presse internationale est particulièrement attentive à cette rencontre qui peut donner quelques pistes sur l'action politique du pape. A 11 heures, l'audience est ouverte dans la vaste salle du Consistoire du Palais apostolique. C'est le doyen du corps diplomatique accrédité au Saint-Siège, Luis Valladares y Aycinena, ambassadeur du Guatemala, qui se fait le porte-parole de ses pairs pour présenter leurs vœux. L'accueil de Jean-Paul II est chaleureux, fidèle à l'image qu'il a donnée depuis deux jours. Après avoir évoqué comme d'habitude les personnalités de Paul VI et de Jean-Paul Ier, rite auquel il semble particulièrement tenir, il précise ses intentions en matière de relations internationales : l'Église sous sa conduite adoptera toujours un comportement religieux et non politique. Entretenir des relations avec un pays étranger ne voudra pas dire à ses yeux approuver sa politique, mais faire respecter les droits de chacun, « contribuer à diminuer les misères », ouvrir aux valeurs spirituelles, rechercher, en solidarité avec chaque nation, le « bien commun ». C'est dans cet esprit d'ouverture affichée que Jean-Paul II s'adresse aux diplomates. Il réaffirme la non-ingérence de l'Église dans quelque nation que ce soit, mais, subtil rhétoricien, appelle d'un autre côté l'Église à soulager les souffrances des hommes qui seraient contraints dans leur dignité par « la négligence, l'égoïsme, l'aveuglement ou la dureté ».

La frontière est fragile entre le refus de s'immiscer dans les affaires des gouvernements et le devoir, pour l'Église, de « diminuer » les misères humaines. Mais le pape semble avoir l'habitude de ruser avec cette ligne de démarcation, les leçons de Cracovie lui soufflent déjà des réflexes d'habile stratège, de fin diplomate. Le « rôle pastoral » qu'il assigne à sa fonction est ainsi tout entier calqué sur le double statut de Jésus-Christ, fils de Dieu (et à ce titre il s'agit de « préparer, comme il dit, le salut éternel des hommes »), et fils de l'Homme (et par là même, ne pas « se désintéresser du bien et des progrès des peuples en ce monde »).

Les discours achevés, l'audience n'est pas close pour autant. Rompant avec un certain protocole, le pape poursuit son propos en s'ouvrant à chacun des diplomates, parlant avec eux, s'attachant ainsi tout le corps diplomatique. Souci politique ou réel besoin de contact ? Il semble que chez lui cette spontanéité ne soit pas feinte, mais à la source de sa popularité en Pologne. Ses proches, témoins de ses faits et gestes, soulignent tous cet enthousiasme qu'il savait susciter auprès de ses paroissiens de Cracovie, cette familiarité intime, presque affectueuse, qu'il nourrissait avec chacun d'entre eux. Les diplomates tombent sous son charme, comme les Romains, les fidèles de toutes les nations venus l'applaudir, les journalistes. Il parle, interroge, passe d'une langue à l'autre avec une virtuosité déconcertante qui ravit l'auditoire, crée un véritable mouvement d'empathie.

Ce que Jean-Paul II parvient à rendre réel, tangible, c'est un rapport personnel avec chacun de ses interlocuteurs. Chaleureux et plein d'humour, il n'hésite pas à désacraliser sa fonction, à lui donner une dimension humaine, plus que solennelle, sachant que c'est dans ce rapport de fraternité que se joue le christianisme, dans cette « civilisation d'amour » comme il aime à répéter cette parole de Paul VI qu'il veut annoncer.

Jour après jour, le pape remporte les défis. Son autorité naturelle semble se moquer des difficultés, il surmonte ces rencontres capitales avec une aisance désarmante. « Faire le pape » oui, comme il dit, mais à sa manière.

Et de fait l'opinion internationale commence à comprendre cette nouvelle manière. Quand il reçoit les journalistes le lendemain, samedi 21 octobre, c'est toujours dans une relation de séduction que la rencontre se passe. Ce sens du contact humain n'est pas affectation, ceux qui l'approchent sont surtout saisis par la différence qu'il exprime, une stabilité que la vie sacerdotale semble lui avoir procurée. Dans la salle des bénédictions ouverte aux mille cinq cents journalistes de la presse internationale, Jean-Paul II joue peut-être là sa partie la plus dure. Il sait que de cette rencontre dépend la nouvelle image de l'Église, il n'ignore pas que s'il compte lui redonner la dimension mystique qu'il a lui-même toujours recherchée, il faut aussi que l'Église se conduise dans le monde moderne avec toutes les armes du monde moderne, et singulièrement celles de la communication. Parler aux journalistes, c'est risquer d'offrir une fausse représentation de l'Église, la dénaturer. Il connaît cet enjeu-là mais il ouvre la rencontre avec une générosité et une simplicité qui d'emblée vont jouer en sa faveur. Il parle à contre-courant du discours ambiant, de la nécessité du silence, de ce métier difficile qu'ils font et qui leur impose la « hâte », donne en quelque sorte une vraie leçon de vie. N'allez pas au sensationnel auquel vous obligent vos rédactions, leur dit-il, allez plutôt au spirituel, soyez responsables de votre parole, rendez compte objectivement de la parole de l'Église et du fonctionnement du Saint-Siège, de ses rouages difficiles et subtils, que la transmission des événements soit loyale. Il ébauche un parallèle entre la « vocation » du journaliste à transmettre des informations et la sienne qui est d'« évangéliser » : chacun a pour devoir d'« élever l'esprit et le cœur des hommes de bonne volonté » ; cette complicité qu'il sait créer implique l'autre dans sa perspective, permet des rapprochements. Entre les journalistes et lui-même, il veut, dit-il, un « pacte loyal ». Son aisance lui permet toutes les audaces. Il leur parle comme s'il s'adressait à des catéchumènes : « Confiez vos problèmes à la Vierge Marie. [...] Au nom du Christ, je vous bénis de tout cœur. »

Comme il l'avait fait la veille avec les diplomates, il va à leur rencontre, entame un dialogue impromptu, parle à bâtons rompus dans toutes les langues. Jamais journaliste n'avait vu pape plus disponible, plus moderne. Il s'adresse à eux avec une volubilité, une assurance qui paraissent même l'amuser, prend plaisir à être assailli de questions, ne manifeste aucun signe de fatigue. Il répond pêle-mêle à toutes sortes de questions, sur le ski, le Liban, la Pologne, le Vatican, avec un sourire vaguement facétieux. Cette apparente dualité, en réalité, selon ses proches, se fond en une unité de vie qui fascine. Il est avant tout homme de prière, nostalgique de saint Jean de la Croix sur lequel il a beaucoup travaillé, « fou de Dieu », capable de s'abîmer dans une méditation insondable et en même temps curieux de tout, apte à tout entendre, manipulant les concepts de la modernité avec brio, homme de son siècle.

22 octobre 1978, première messe solennelle du pontificat

Rome, ce matin du 22 octobre 1978, connaît une agitation particulière mais il faut dire que, depuis près d'une semaine, la ville est en état de choc, manifeste une euphorie rarement vue, une exubérance même, une allégresse presque naïve. La place Saint-Pierre et la place Pie-XII sont combles, dès 8 heures, plus aucun espoir d'apercevoir l'autel où se déroulera la messe d'intronisation de Jean-Paul II. Trois cent mille personnes ont débordé jusque sur la via della Conciliazione. Des hommes, des femmes de toutes nationalités sont présents, c'est une rumeur joyeuse qui s'en échappe, des Africains, conscients que l'élection du pape doit beaucoup aux Églises du tiers-monde, manifestent bruyamment leur bonheur ; vêtus de boubous de toutes les couleurs, ils reflètent la vitalité de l'Afrique catholique, une piété aussi bonhomme, enfantine, avec laquelle Jean-Paul II va vouloir renouer, réaffirmant une foi puisée aux sources du peuple, aux vérités les plus simples.

Les représentants de toutes les Églises non catholiques sont là, ceux du patriarcat de Moscou, du patriarcat copte, du patriarcat œcuménique de Constantinople. L'archevêque de Canterbury a fait aussi le voyage. Dans l'assistance, à droite de l'autel, on cherche à mettre des noms sur les chefs d'État, les rois, les reines.

A 10 heures précises, la messe commence. Une procession apparaît au bout de laquelle marche le pape, qui tient à la main le bâton de pasteur de Paul VI. Le chœur chante *Veni Creator*. La foule ne peut s'empêcher malgré la solennité du moment d'applaudir Jean-Paul II qui la bénit, mais le visage marque sa gravité, il est comme ramassé sur lui-même, lourd de tout le poids dont il va être investi. Le monde entier observe cet homme, il n'est pas seulement avide de pittoresque ou nostalgique de cérémonial pompeux et baroque, mais depuis quelques jours il pressent qu'un homme neuf, et libre, tenant un langage tout aussi neuf, va peut-être changer quelque chose dans l'ordre des nations. Sa soif d'espérance et de foi s'exprime dans l'explosion de joie qui accueille le pape. Quarante-quatre télévisions du monde entier filment en direct la cérémonie, donnant une ampleur universelle à cet instant, un milliard et demi d'hommes regardent en même temps que les privilégiés de la place Saint-Pierre l'événement exceptionnel dont le porte-parole de Radio-Vatican dira qu'il « est la manifestation religieuse dont la télévision et la radio ont le plus parlé dans le monde ».

Celui qui avait annoncé la nouvelle de l'élection dans ce cri de liesse, « habemus papam », Mgr Pericle Felici, doyen des diacres cardinaux, remet à Jean-Paul II, qui s'est assis sur le siège pontifical, le fameux pallium. Rite ancien qui consiste à entourer le cou du Saint-Père d'une étole de laine blanche terminée par deux bandes, l'une descendant dans le dos et l'autre sur la poitrine. L'origine de ce rite remonte au moins au pape Marc, qui régna au IVe siècle. Le pallium est tissé par les bénédictines du monastère Sainte-Cécile à Rome avec la laine de deux agneaux bénits lors de la Sainte Agnès, le 21 janvier. Les religieuses brodent ensuite le pallium de six croix noires. Les palliums sont conservés dans une urne d'argent, elle-même déposée dans une cache près du tombeau de saint

Pierre, sous l'autel papal. Ainsi le pallium est-il consacré par la proximité même du saint tombeau, qui joue le rôle de force sacrale irradiante, et confère à ce qui le touche la valeur de relique. Le pallium a pour fonction de relier le pape au fondateur de la chrétienté, et sa charge éminemment symbolique enracine celui qui le porte dans une foi millénaire. Le cardinal Felici impose donc le pallium autour du cou de Jean-Paul II. Un moment d'intense émotion s'empare alors de la foule. Les caméras tentent de le saisir au risque de sombrer dans l'impudeur, mais le pape n'est pas conscient du tout que des milliards de regards sont braqués sur lui ; tassé sur son siège, soudain vieilli, il reçoit la charge suprême. Son visage semble plus massif encore.

Il porte à présent l'étole, signe de pureté et d'acceptation de la tâche, il a refusé la tiare comme son prédécesseur, la triple couronne pouvant être interprétée comme un symbole de puissance et de richesse. Mais dans son homélie, il s'en expliquera, rappelant que c'est peut-être la société qui n'a pas su déceler le véritable sens de la tiare : « Si autrefois on déposait sur la tête du pape la triple couronne, c'était pour exprimer, à travers ce symbole, le dessein du Seigneur sur son Église, à savoir que toute la hiérarchie de l'Église du Christ, et tout le pouvoir sacré exercé par elle, ne sont qu'un service, le service qui tend à un unique but : la participation de tout le peuple de Dieu à cette triple mission du Christ et sa constante fidélité à demeurer sous le pouvoir du Seigneur, lequel tire ses origines, non des puissances de ce monde, mais du mystère de la Croix et de la Résurrection. »

Tradition donc, rappel constant de la tradition.

Le rite accompli, les cardinaux font de nouveau obédience au pape. Ils se jettent à ses genoux pour réaffirmer solennellement leurs vœux d'obéissance à l'Église. Un à un les cardinaux embrassent l'anneau du pêcheur que porte Jean-Paul II qui, à son tour, leur donne le baiser de paix en Jésus-Christ. Le cardinal Confalonieri le premier s'avance vers lui, puis c'est le cardinal Wyszynski qui embrasse l'anneau, mais l'émotion est trop grande, et Jean-Paul II, dont la spiritualité semble non seulement fortement charpentée par la doctrine, mais aussi travaillée par l'affectif, relève le cardinal et baise à son tour sa main. C'est par des instants de si intense vérité que Jean-Paul II conquiert son auditoire, par cette humanité spontanée, presque lyrique, qui l'intègre dans la communauté banale des hommes.

Puis le cortège reprend, le pape relève les plus âgés, les invite même à ne pas s'agenouiller, s'attarde avec quelques cardinaux africains pour lesquels il a une estime particulière. Les cardinaux de l'Est, dont l'archevêque de Prague, Frantisek Tomasek, qui connut les geôles tchèques, sont étreints par le pape, en signe de solidarité.

Alors le pape se lève et, ainsi que tous l'observent, retrouve une autre stature ; il y a quelques minutes encore il paraissait écrasé par la mission qui venait de lui être confiée, et soudain, comme le dit Jean-Marie Benjamin, « sa voix [est] magnifique et claire, la ponctuation exacte et réfléchie, le geste sobre et noble ». Jean-Paul II cite la profession de foi de saint Pierre : « Et pour vous, qui suis-je ? – Tu es le Christ, le Fils du Dieu vivant. » Le pape, par cette affirmation dont la simplicité rejoint néanmoins le souffle épique, peut commencer son homélie.

Comme si le pallium lui avait soudain donné l'investiture spirituelle, il compare la mission qui lui est confiée si mystérieusement à celle de Pierre : « Qu'est-ce qui l'a guidé et conduit vers cette ville, le cœur de l'Empire, sinon l'obéissance au commandement reçu du Seigneur ? Peut-être ce pêcheur de Galilée n'a-t-il pas voulu venir jusque-là ? » Lui-même peut-être, Jean-Paul II, aurait préféré rester en Pologne, comme Pierre sur les rives du lac de Génésareth avec sa barque et ses filets ? « Mais conduit par le Seigneur et obéissant à son commandement, il est venu jusqu'ici. » Un grand élan oratoire anime son homélie, qui lui donne des accents bibliques, « Quo vadis, domine ? » s'exclame-t-il en citant les paroles de Pierre. « Je vais à Rome pour être crucifié une seconde fois. »

Son discours est toujours scandé par cette peur qu'il confesse, qui lui donne humanité, et qu'il veut à chaque fois dépasser, assumer. Reprenant la métaphore de la tiare, il rappelle ce que sont désormais son rôle et sa vie : l'Église continue la mission du Christ, prêtre, prophète et roi. Il revendique cette exigence, il sera l'humble prêtre à l'écoute de ses paroissiens, il rappellera autant qu'il le faudra la doctrine de l'Église, et, par son autorité, étendra l'unité de l'Église de manière universelle.

Puis, alors que la voix tranquille et posée prononce ces paroles, Jean-Paul II, comme porté par l'élan de sa mission, presque exalté, lance au monde un appel pathétique, qui redonne à tous les chrétiens une soif de foi, cette violence du glaive : « Frères et sœurs, n'ayez pas peur d'accueillir le Christ et d'accepter son pouvoir ! » « N'ayez pas peur », c'est l'ordre qu'il intime à tous, redonnant au Christ une présence de chair et de sang, clamant avec une passion rarement perçue dans le discours d'un pape sa foi personnelle dans l'Église, montrant qu'on peut en vivre. Et, n'hésitant pas à utiliser toutes les figures de rhétorique propres à promouvoir un élan, l'anaphore, l'interjection, il poursuit : « Ouvrez, ouvrez toutes grandes les portes au Christ ! A sa puissance salvatrice, ouvrez les frontières des États, les systèmes économiques et politiques, les immenses domaines de la culture, de la civilisation, du développement. N'ayez pas peur ! Le Christ sait "ce qu'il y a dans l'homme" et lui seul le sait. »

Dès lors, les assistants, les téléspectateurs sont sous le charme de ce nouveau pape à la spiritualité si brûlante, de ce courage de la foi qui fait penser aux premiers chrétiens, à leur façon d'oser. L'athéisme militant des pays de l'Est comme le scepticisme de l'Occident ont tenté d'étouffer la ferveur. La Pologne devient l'exemple, la Pologne qui, coûte que coûte, malgré les répressions, a gardé le culte du Rosaire, l'adoration du Saint-Sacrement, le Chemin de Croix, la dévotion mariale.

Alors Jean-Paul II se met à parler en polonais, accroissant l'émotion : « Que reste le grand silence devant Dieu, le silence qui se traduit en prière. » Tout revient chez lui à la prière, comme le montre cette anecdote que son ami le père Malinski raconte à la radio pendant ces jours d'intronisation : « C'est un homme qui prie beaucoup. Si je cherchais une image pour caractériser sa personnalité, [...] je dirais : c'est un homme agenouillé devant le Saint-Sacrement [...] [dans sa chapelle privée], il reste ainsi très très longtemps. Parfois il s'étendait à même la terre, les bras en croix. C'est son chauffeur qui me l'a dit : il l'a surpris en entrant sans prévenir dans la chapelle ».

Il est vraiment à ce moment-là le porteur d'un fardeau dont il sait qu'il sera le seul à assumer la responsabilité, mais il implore l'aide des autres, et d'abord celle de ses compatriotes : « Je vous en prie, soyez avec moi ! A Jasna Gora et partout. Ne cessez pas d'être avec le pape. »

C'est cette humilité-là qui porte l'assistance aux larmes, on observe des visages bouleversés, comme rendus à la ferveur. Les commentaires de la télévision insistent beaucoup sur ce pathétique non affecté, sur cette sincérité réelle, presque désarmée. Inspiré par son appel en polonais, il parle en français, en anglais, en allemand, en espagnol, en portugais, en ukrainien, en lituanien, en slovaque...

La foule applaudit à tout rompre, les fidèles sont transportés. Un Te Deum, après la bénédiction, et, contre tout usage protocolaire, Jean-Paul II descend de l'autel et s'avance vers les assistants. Le chef du protocole est quelque peu dérouté, les hommes de la sécurité cherchent à juguler l'enthousiasme des fidèles, le pape n'a cure de leurs craintes, il est ravi, emporté dans ce grand élan de fraternité, il se dirige vers ceux qu'il a invités de Cracovie, ses proches, l'émotion est à son comble, c'est son chauffeur de Pologne, la concierge du palais archiépiscopal, son valet de chambre, tous ses fidèles, on lui lance des fleurs, des enfants lui offrent des bouquets, il y a quelque chose de retrouvé sur cette place, la peur, l'indifférence, le cynisme, le pessimisme sont comme vaincus. « Il passe outre, il va au-delà des règles non essentielles, déclare le père Malinski. Il le fait pour être lui-même et pour rejoindre tous ceux qui sont venus pour participer à cette messe solennelle. »

Le monde entier mesure l'audace du discours, et l'authenticité de l'homme : « Hommes, priez pour moi, aidez-moi, afin que je puisse servir. » C'est cette apostrophe finale qu'il retient, cette arche d'alliance que Jean-Paul II lui a présentée, ce travail commun qu'il lui propose, cette main qu'il tend.

Il est 2 heures de l'après-midi, juste un quart d'heure après l'issue de la grande messe, le pape réapparaît à la fenêtre de sa bibliothèque, pour réciter l'Angélus ! « Je veux m'adresser aux jeunes, clame-t-il, vous êtes l'avenir du monde, l'espérance de l'Église, vous êtes mon espérance ! »

La qualité de son contact, la franchise qu'il sait communiquer enthousiasment la jeunesse présente, qui lui répond avec force. De la musique partout s'élève. Puis, comme pour déployer tous ses talents d'homme, Jean-Paul II sourit, salue la foule, lui dit avec humour en italien : « Il faut finir maintenant ; c'est l'heure d'aller manger, pour le pape comme pour les autres ! » Il bénit alors de nouveau la foule, après être rentré lui fait signe trois fois de la main et disparaît enfin.

Rome connaît cette après-midi-là une autre vie, la ville baigne dans une espèce de paix et de joie douces. Les marchands de bimbeloteries pieuses tapissent leurs étalages du portrait de Jean-Paul II, souriant, jeune, et inspirant la force. Les Romains se l'arrachent.

Totus tuus

C'était par déférence à Jean XXIII et à Paul VI que Jean-Paul Ier avait voulu les associer dans son pontificat, en portant leurs noms, originalité dans l'histoire de la papauté. Son successeur souhaitera à son tour assumer non seulement l'héritage de Jean-Paul Ier mais, par delà, celui de l'initiateur du concile de Vatican II et de celui qui l'a poursuivi et porté à son terme. Prenant le nom de Jean-Paul II, Karol Wojtyla se veut le pape de l'unité, celui qui boucle l'histoire moderne de l'Église de l'après-guerre, se réclamant par là de la générosité de Jean XXIII et de l'intelligence suraiguë de Paul VI, et tentant de recueillir du pape si précocement défunt, la grâce du gentil, le sourire du ravi, sûrement le message le plus fort que Jean-Paul Ier ait laissé.

Accédant à la charge suprême, Karol Wojtyla perd son nom. Il en éprouve une puissante nostalgie que tous ses proches observent : le lundi 23 octobre quand, dans la salle Nervi, il donne audience à ses amis polonais, dans la rumeur confuse des chants populaires *My chcemy Boga, Sto lat*, le visage noyé d'émotion, il écoute l'adieu du primat de Pologne, le cardinal Wyszynski : « Nous savons très bien, Saint-Père, combien cette décision vous a coûté. Nous savons bien que cela n'a pas été facile, parce que vous aimez tellement votre patrie et surtout votre Cracovie préférée. Nous savons bien que vous avez aimé les montagnes, les Tatras, les forêts, les vallées, les excursions solitaires qui vous donnaient tant de joies. »

C'est dans les pleurs, qu'il laisse repartir ses compatriotes, des montagnards de Koscielisko lui chantent des mélodies nostalgiques et rudes, mais il sait qu'il a répondu de manière irréversible à la question du Christ qu'il a rappelée la veille, dans son homélie au monde : « Quo vadis ? », et comme Pierre il choisit Rome.

Nouvelle naissance donc de Karol Wojtyla, c'est dans ce dernier geste d'affection, dans cette sorte d'étreinte qu'il avait déjà esquissée lors de la messe solennelle du 22 octobre, qu'il peut devenir pape, se séparer de son passé. Quand le primat de Pologne, après son message d'adieu, s'agenouille à ses pieds et embrasse son anneau, Jean-Paul II, n'écoutant que son cœur, se met lui aussi à genoux à côté du vieux cardinal, embrasse à son tour son anneau, et l'étreint avec force. Le père Malinski confie dans son livre de souvenirs que le cardinal Wyszynski, relatant ce moment, déclarait : « Je voulais m'arracher à cette étreinte, ce n'était pas possible : le pape, qui était agenouillé à côté de moi, l'a senti et il m'a empoigné avec une telle force que je ne pouvais plus bouger. Je ne pouvais même plus respirer ! »

L'ultime geste du cardinal Wojtyla se trouve là, dans ce cordon ombilical qu'il coupe à cet instant précis. Il n'appartient plus désormais à ses paroissiens de Cracovie, il est le pasteur de tous les chrétiens, celui qui devra, envers et contre tout, être le « rocher » inaliénable.

Sa réelle identité, il l'avait signifiée aussi par ses armes. La devise qu'il avait faite sienne en Pologne, *Totus tuus*, trahissait l'absolu abandon du cardinal polonais à son Dieu, et par extension à la Sainte-Trinité. Il réaffirme par le choix de son « meuble » cette appartenance mystique à Dieu. Ce sera une croix qui occupera tout l'espace, en signe de foi en la Rédemption, la croix comme signe absolu de sa conduite, preuve de son humanité, preuve de sa résurrection. Mais cette croix est fortement décentrée sur la gauche, laissant une vaste place à un M triomphant, symbole de la présence de Marie. Le blason de Jean-Paul II rappelle ainsi métaphoriquement le lieu du Calvaire, la compassion de la Mère auprès de son fils, et sa certitude de la résurrection. Par ce blason seul, le pape réaffirme la simplicité de sa foi, il n'y a que cette croix, comme mystère de l'espérance, et Marie, comme soutien à l'attente.

Il faut penser aussi qu'en acceptant sa mission, Jean-Paul II abdique toute identité, toute singularité sociale, comme si sa biographie désormais s'abîmait dans le cours millénaire du christianisme, comme si sa vie n'avait désormais plus d'autre sens que dans cet abandon de soi, *Totus tuus*, dans le corps mystérieux de l'Église. Comme si encore tout ce qu'il avait été, tout ce qu'il avait aimé « reposait maintenant, comme le lui disait le cardinal Wyszynski, sur le bûcher du sacrifice de [son] cœur ».

III

À LA DÉCOUVERTE DE JEAN-PAUL II

Les retombées médiatiques

Si la presse internationale n'a pas encore assez d'éléments pour fournir une biographie élaborée, elle peut déjà, et en quelques jours, non seulement grâce au service de presse du Vatican mais encore et surtout grâce à Jean-Paul II lui-même, cerner sa personnalité et le sens probable de son pontificat à venir. La grande adaptation du nouveau pape aux moyens modernes de communication surprend et séduit, et peu d'observateurs mettent l'accent sur la qualité mystique de son engagement, plus attentifs à sa manière d'être, à son dynamisme, à sa différence. Or ceux qui aujourd'hui critiquent son manque d'ouverture, le conservatisme de son action, et manifestent leur désenchantement ne font pas remarquer que Jean-Paul II est toujours resté fidèle à ce qu'il avait dès le premier jour proclamé, à savoir qu'il serait avant tout un pasteur et un gardien de l'Église. Dans l'enthousiasme débordant que son élection a provoqué, dans cette euphorie qui a même gagné ses adversaires et la presse anticléricale, c'est surtout sa silhouette et la force qu'il dégage, par rapport à la fragilité d'un Jean-Paul Ier ou à l'intelligence aristocratique d'un Paul VI, qui ont été l'objet des manchettes des journaux et de tous les articles. C'est peut-être de là que naît le malentendu qui plane sur le bilan de ses quinze années de pontificat. Le successeur de saint Pierre est apparu comme un homme de combat, qui a su tenir tête aux dirigeants communistes, un homme qui n'a pas froid aux yeux, qui n'a pas, comme a pu le dire presque aussitôt André Frossard, « les deux pieds dans la même mule[1] », un homme moderne et qui pourrait donc adapter la doctrine aux exigences du siècle. Cette erreur d'appréciation a tendancieusement conduit les observateurs politiques et les chrétiens d'Europe et d'Amérique latine (ceux-là fondant particulièrement de grandes espérances dans cette élection, estimant un peu trop rapidement que Jean-Paul II serait aussi à la suite de son action en Pologne, le pape de la libération) à reléguer les affirmations très appuyées cependant du pape, dans chacune de ses premières interventions, concernant le raffermissement de la foi et, comme le dit Pierre de Boisdeffre, « la remise en honneur d'une théologie indiscutée[2] ».

On a donc préféré retenir l'image d'un pape médiatique, jeune et sportif, plus « baroudeur » que doctrinal. C'était méconnaître la vraie personnalité de Jean-Paul II, ses ancrages théologiques – saint Jean de la Croix et le thomisme –, et surtout la pratique de sa foi directement issue du fonds polonais. André Frossard n'hésite pas ainsi à s'écrier dans une exclamation lyrique[3] : « Des visages comme celui de Jean-Paul II, je peux vous dire, pour avoir eu la chance de pouvoir l'observer d'assez près, que je n'en ai jamais vu qu'aux maquisards des Glières ! » Mais ses lecteurs n'ont peut-être pas assez noté qu'il rajoute : « Nous entendrons, dans un autre style, le langage de la foi. Pure et dure. »

Même le très insolent *Libération* d'alors insiste sur ce pape de choc : « L'Église catholique a l'impression d'avoir trouvé son leader maximo pour longtemps », titrant « Un pape qui vient du froid », parodiant le titre d'un livre de John Le Carré.

Toute la presse met l'accent sur la jeunesse retrouvée de l'Église grâce à ce nouveau pape, sur l'indéniable autorité qu'il révèle, comme si un pape aussi présent au monde, aussi apte à user des techniques les plus modernes de communication, aussi à l'écoute de la jeunesse et à l'aise avec elle, aussi sympathique, n'hésitant pas à plaisanter et à rire, serait plus complaisant à l'égard des apparentes nécessités du monde moderne.

Il semble dès la première semaine que tout ce que Jean-Paul a pu déjà annoncer n'ait été entendu que d'une oreille distraite. Ce qui compte, c'est que ce pape ressemble à tous les autres hommes. Les photographies qui sont publiées en masse dans les quotidiens et les revues déconcertent et enthousiasment. A-t-on déjà vu un pape prendre comme tout un chacun un remonte-pente, rire à gorge déployée les skis sur l'épaule, a-t-on déjà vu un pape pratiquant la randonnée avec ses amis, aimant se baigner, ayant fait, dit-on, du théâtre ? Des rumeurs même circulent sur le fait qu'il ait été fiancé, comme le rapporte son ami Malinski :

« Ils [la presse] disent qu'il a été fiancé, et même marié, et qu'il a décidé de devenir prêtre quand les Allemands ont tué sa femme à Wadowice. Entre nous, dites-moi, est-ce vrai ?

– Oui en principe, c'est vrai, rétorque amusé Malinski, comme dans cette blague. Écoutez, Radio-Arménie dit : "Un de nos auditeurs demande si c'est vrai qu'à Moscou, sur la place Rouge, on distribue des vélos. En principe oui, cela se passe à Moscou, sur la place Rouge, il s'agit de vélos ; seulement on ne les distribue pas, mais on a tout simplement volé un vélo à un citoyen." C'est la même chose ici. En principe c'est vrai : un homme originaire de Wadowice et habitant Wadowice a décidé de devenir prêtre, après la mort de sa fiancée ; seulement il ne s'appelait pas Wojtyla... »

On insiste encore beaucoup sur ce nouveau « look », sur sa personnalité originale. Poète, comédien, faisant du canoë-kayak, il devient l'ami des médias, qui décident d'en faire une superstar. « Madonna n'a qu'à bien se tenir», ironisera en 1993 une journaliste du *Jour*, C. Colonna-Cesari, au regard du bilan pontifical, qu'elle juge négatif.

Ce qu'il dévoile cependant de son travail de pape n'appelle aucune ambiguïté : assumer et accomplir l'œuvre du concile de Vatican II, ouvrir l'Église à la collégialité, agir pour la réconciliation des Églises, rassurer ceux qui doutent, veiller à la liberté de l'homme et à sa dignité partout dans le monde. Rien d'autre en fait que ce qu'avaient pu proclamer les papes précédents. Ne sont restées dans l'esprit des fidèles, comme éblouis, que la vigueur du propos, la liberté du ton, direct et offensif.

Le formidable capital de sympathie suscité par Jean-Paul II a ainsi occulté le véritable sens de son action. Si certains journalistes n'ont pas manqué de souligner le « gage de continuité pour la haute hiérarchie de l'Église » que signifiait cette élection (les diverses interventions du cardinal Wojtyla lors de plusieurs congrès ne laissaient aucune ambiguïté sur sa pensée à propos du célibat des prêtres, de la contraception et du divorce), l'enthousiasme l'a emporté sur la réalité des faits, et le monde entier a surtout privilégié la personnalité du nouveau pape, l'installant même d'ailleurs avec son tacite consentement, dans un système de « vedettarisation ». Le « papa Rimski » comme l'acclamèrent ses compatriotes devint vite « une star planétaire ».

Ont été remisés pour l'heure les problèmes que laissaient devant eux les papes précédents, l'internationalisation de la Curie, sa décentralisation, la réorganisation du statut sacerdotal, le rôle des femmes aux postes de responsabilité, la volonté d'accélérer la réalisation œcuménique, repenser les catéchèses en fonction des milieux socioculturels différents, la présence de l'Église dans les grands conflits internationaux et sa fonction de témoin et de vigile dans les drames humains nés du politique.

L'élection de Jean-Paul II a fait l'effet d'un électrochoc dans le monde en cet automne 1978. Elle a réveillé des énergies, suscité des curiosités et des attentes, sans qu'on ait pour autant et pour l'instant mesuré la portée profondément mystique de la pensée de Jean-Paul II ni l'exigence de son enseignement. Ce n'est pas faute de l'avoir proclamé cependant, puisque le nouveau pape n'a cessé de scander ses convictions. L'exemplarité de son rôle en Pologne, celui du résistant de la foi, engage le peuple chrétien à une radicalisation qu'il n'a peut-être pas encore évaluée. Est-il prêt en cette première semaine de pontificat à lutter contre un « monde arraché à son créateur », est-il prêt à fustiger un « temps où l'on oublie Dieu », est-il prêt à se convertir à cette ferveur polonaise, qui est la dynamique de Jean-Paul II ? Les ovations et la joie qui se lisent sur les visages à Rome comme à Cracovie ont-elles le même sens ?

A-t-on entendu ici et là que la seule référence de Jean-Paul II serait le Credo ? Quelle signification ces ovations ont-elles vraiment ?

Au-delà de la liesse populaire et de la médiatisation, a-t-on mesuré les vraies questions ? Un homme issu d'un monde si farouchement catholique pourra-t-il contrer la vague immense d'indifférence qui balaie l'Europe ? Entendra-t-il la vibrante revendication libertaire de certains peuples et la demande expresse des Occidentaux concernant la morale sexuelle ? Saura-t-il discuter avec des chrétiens à la foi tiède et parviendra-t-il à raffermir sur ses fondations une Église emportée comme toutes les valeurs traditionnelles dans la grande marée du capitalisme et de la consommation ?

« Qu'en Pologne, personne ne pleure,
Priez plutôt. Moi aussi je prierai pour vous. »

Jean-Paul II, 24 octobre 1978

A Cracovie, dans le « pays du froid », aux terres et à la liberté gelées, la nouvelle de l'élection a engendré, on s'en doute, une immense joie. Pour mieux comprendre la ferveur de ce peuple démoralisé, un groupe d'intellectuels de Lublin esquisse cette analyse : « L'énorme influence de l'Église catholique en Pologne, sans pareille dans aucun autre pays, repose essentiellement sur trois facteurs : l'existence d'une forte religion populaire qui, à la différence de ce qui se passe en Occident, trouve son expression à l'intérieur de l'institution, l'absence de tout élément de société de consommation, et enfin, face à ce que vous appelez en Occident, à tort, le socialisme – et que, nous, nous appelons un régime totalitaire –, son rôle de ciment national. »

C'est pourquoi dès que l'élection fut annoncée, cette ferveur s'est répandue sans retenue dans les rues de Cracovie, de Lublin, avec une fulgurance que les communistes n'avaient pas imaginée, et qu'ils ne tardèrent pas à étouffer dès le lendemain. Dans les journées froides et pluvieuses qui suivirent, la grisaille de la vie quotidienne, les tracasseries, les suspicions des autorités, les mesquineries et brimades, tout revenait, continuant d'user les Polonais.

C'est après d'extravagantes négociations que l'hebdomadaire catholique de Cracovie *Tygodnik Powszechny* put obtenir quinze mille exemplaires supplémentaires sur les quarante mille demandés pour annoncer l'élection.

« Ce qui s'est passé, ici, à Cracovie, est inoubliable, rapporte le père Malinski. Les foules chantaient dans les rues, des cris, la joie. Des messes de nuit. La messe du Wawel à 2 heures, celle de Sainte-Anne, à laquelle ont assisté des milliers de personnes, puis une grande procession en direction du Rynek, défilant devant la statue de Mickiewicz comme le veut la tradition, puis devant le palais de l'archevêché. On a bien dit que l'atmosphère de ces jours était comparable à celle de la Libération ou de la fin de la guerre. »

Tous les édifices religieux, si nombreux à Cracovie, se sont drapés des couleurs jaune et blanche du Saint-Siège, et blanche et rouge de la Pologne. Des queues interminables se sont formées devant l'archevêché pour signer le livre d'or et manifester ainsi la joie des fidèles. On y trouvait aussi, d'après les témoignages, des Polonais athées, heureux pour leur pays. « On chantait, on brandissait des drapeaux, raconte un des journalistes du *Tygodnik Powszechny*. Les cloches sonnaient à la volée, et des orchestres plus amateurs jouaient sur la chaussée. Les jeunes riaient, mais les plus anciens, ceux qui ont vécu les heures tragiques de l'Église de Pologne, pleuraient[4]. »

Le monde découvre la réalité de cette Église. Puissamment ancrée dans les mentalités, elle est une Église de masse. Le taux de pratique religieuse est de l'ordre de 70 p. 100, les vocations font florès, le corps religieux ne compte pas moins de quarante-cinq mille prêtres, religieuses et religieux, les séminaires sont remplis, et dans la ville de la « nouvelle forge », Nowa Huta, forte de son énorme complexe métallurgique, quatorze messes sont célébrées chaque dimanche.

C'est imaginer la fierté de la Pologne catholique et sa joie quand elle apprit la nomination de son archevêque.

Tout cela s'exprime le jour de l'intronisation, le dimanche 22 octobre. Entre les rires et les larmes, dans tous les foyers, dans les lieux de rencontres, la messe est diffusée par les radios et les télévisions. Le gouvernement, bon prince, a même installé quelques récepteurs dans les halls des usines pour que les ouvriers à tour de rôle puissent suivre l'événement. Un ami du père Malinski déclare dans le livre de ce dernier :

« Adam, mon frère, se trouvait en ville quand la télévision transmettait la messe d'intronisation. Il est allé au club où se trouve la télévision. Il y avait beaucoup de monde et ceux qu'on ne pensait pas être croyants participaient comme les autres. Ils se levaient pour l'évangile, ils s'agenouillaient pour la consécration...

– Comment ? Dans un club !

– Mais bien sûr, au cours de la messe papale. Nous tous, nous avons fait cela. On ne peut pas décrire l'état de notre ville. Le matin, en me rendant au travail, j'ai vu les gens qui pleuraient dans l'autobus, des inconnus s'embrassaient... »

Partout, les rues sont désertes, chacun est à l'écoute de la retransmission, et sûrement les membres du gouvernement, attentifs à déceler dans l'homélie du pape quelques éléments qui pourraient les renseigner sur l'attitude à adopter ultérieurement. Pour l'heure, le pouvoir en place d'Edward Gierek préfère après un moment de stupéfaction déclarer que la nouvelle est « un grand succès national » et le porte-parole affirme que « notre grande patrie socialiste a donné un pape à l'Église ».

L'intransigeance de Jean-Paul II laisse le pouvoir perplexe. A la différence du cardinal Wyszynski qui, en habile tacticien, connaît les limites de l'affrontement et les marges de manœuvre dont il dispose, le pape est moins fin politique. Plus impulsif, il gère les problèmes et les conflits plus instinctivement, situe le débat ailleurs que sur le plan politique, davantage sur le plan mystique. Plus redoutable en ce sens, il était jusqu'alors extrêmement suspect aux dirigeants politiques qui craignaient que le primat ne choisît Karol Wojtyla comme successeur. La nouvelle donne ne peut donc que susciter de graves interrogations, sans parler du discrédit que l'État satellite devra supporter de la part de l'URSS et des autres pays du bloc de l'Est.

C'est pourquoi le gouvernement décide de se faire représenter à Rome en la personne de son ministre des Cultes, Kazimir Kakol, le jour de l'investiture du nouveau pape.

Les fidèles polonais, après avoir déserté exceptionnellement les églises ce dimanche 22 octobre, toutes les messes étant annulées, écoutent dès le retour de leur primat et de leurs évêques le message que Jean-Paul II leur a confié à leur intention. Il y en a deux, l'un destiné à être lu dans toutes les églises de Pologne et à toute la diaspora polonaise dispersée dans le monde, et le second plus particulièrement aux églises du diocèse de Cracovie.

Là encore, le discours témoigne du nouveau « style » que le pape entend donner. Ses compatriotes, qui savent quel homme ils perdent pour la générosité d'écoute et d'accueil qu'il leur a toujours manifestée et dont ils font sans cesse état, reconnaissent dans ces messages le ton de leur archevêque, franc, affectueux, puissamment émotionnel, sachant faire référence aux figures les plus glorieuses non seulement de l'Église, mais aussi de la nation polonaise, tel Adam Mickiewicz. Le discours que transmet le primat insiste par trois fois sur l'identité polonaise de son auteur, il le martèle : « pape polonais », faisant de la Pologne mère le cœur vibrant de l'Église, le signe de la particulière attention que Dieu lui porte. « L'Église de Pologne a acquis une voix nouvelle, déclare-t-il, elle est devenue l'Église d'un témoignage particulier vers lequel le monde entier tourne son regard. » Est-ce la reconnaissance de Dieu à l'égard d'une Église qui lui est toujours restée fidèle, le signe de son ineffable remerciement ? « Nous, fils de la Pologne, nous avons gardé la fidélité au Christ et à son Église, au Siège apostolique, au patrimoine des saints Pierre et Paul. »

Puis le pape s'adresse au primat, solennisant ses combats, et le tutoyant, en faisant un héros national. Les figures de rhétorique les plus porteuses d'émotion et de rythme sont mises à contribution pour exalter les fidèles, l'anaphore surtout, « s'il n'y avait pas eu toi [...], s'il n'y avait pas eu ton espérance [...], s'il n'y avait pas eu Jasna Gora [...] ».

Le ton s'enflamme pour évoquer en un vaste élan lyrique propre à l'âme slave les monts, les vallées, les lacs et les rivières de Pologne, « les champs riches des fleurs les plus variées, argentés de froment et dorés de seigle », citant ainsi le poète national Mickiewicz.

Une émotion presque douloureuse transparaît dans le texte, une nostalgie dont il sait qu'il aura du mal à la contenir, comme une solitude qui déjà s'exprime, celle de Pierre revenu à Rome pour porter la croix. « Rappelez-vous qu'il est venu de chez vous et qu'il a un droit tout particulier à votre affection et à votre estime. »

Le second message à l'intention des fidèles de Cracovie conserve le même ton que le précédent, mais se fait plus intime encore. On comprend mieux la personnalité de Jean-Paul II à sa lecture, car a-t-on déjà vu un prélat, et a fortiori un pape, se livrer à un autoportrait aussi nu, à une confession aussi personnelle ? « Intellectuel et sage », « fraternel plutôt que paternel », tels sont bien les termes qui le qualifient.

En effet le pape rédige ici la plus émouvante et la plus sobre des autobiographies. En une vingtaine de lignes, il décrit tout ce qu'il emporte avec lui à Rome, « tout ceci me suit sur la chaire de Pierre ». Homme de toutes les fidélités, il reconnaît ses dettes : « Je me dois de regarder vers tous ceux qui, sans le savoir, m'ont préparé à cette journée. C'est-à-dire mes très chers parents qui ne vivent plus depuis bien longtemps, ma paroisse de Wadowice, dédiée à la Présentation au Temple de la Vierge Marie ;

les écoles élémentaires et moyennes; l'université Jagellon, la faculté de théologie; le séminaire ecclésiastique. Que devrais-je dire de mon prédécesseur sur la chaire de saint Stanislas , le cardinal Adam Stefan Sapieha, et du grand exilé Eugeniusz Baziak, des évêques, des prêtres et de tous ces fervents pasteurs, ces profonds et excellents professeurs, des religieux et religieuses exemplaires; et tous les laïcs de milieux divers que j'ai rencontrés dans ma vie? Que dire de mes anciens compagnons d'école, d'université, de séminaire; des ouvriers de Solvay; des intellectuels, écrivains, artistes, gens de professions diverses; et encore de tant d'époux, d'universitaires, de groupes apostoliques, de garçons et de filles en recherche du sens de la vie, l'Évangile en main, et qui parfois trouvent la voie de la vocation sacerdotale ou religieuse?» Ce que Jean-Paul II dans cette confession émouvante «tient» comme il dit, avec lui, et veut retenir, comme terreau de son avenir, c'est encore la Pologne, et Cracovie, l'ancienne et la nouvelle, et les sanctuaires du Christ et de Sa Mère. Alors le rythme de sa confidence devient litanie, évoquant «Mogila, Ludzmierz, Myslenice, Staniatki ou Rychwald, et particulièrement Kalwaria Zebrzydowka avec ses sentiers que je parcourais avec tant de plaisir».

Et toujours cette instance finale, presque pathétique de tant d'affects étalés, priez pour moi, ne m'oubliez pas dans vos intentions, ne m'oubliez pas.

Premiers déplacements

Très vite, Jean-Paul II révèle à ses proches le rythme qu'il entend donner à ses journées. A la différence de son prédécesseur qui avait manifesté bien malgré lui son intention de s'adapter au style curial en en respectant les usages et le protocole, Jean-Paul II bouleverse aussitôt l'atmosphère de travail feutrée qui existait jusqu'alors. Homme des synthèses, Latin et Oriental, conjuguant des qualités diverses, sportif et intellectuel tout à la fois, il va mettre à l'épreuve son entourage en lui imposant une manière de travailler qui ne lui est pas habituelle. Peu attentif aux impératifs du protocole et aux rigueurs des horaires, il déroute ses proches en agissant d'instinct, s'accordant la liberté de corriger impromptu son calendrier, préférant l'imprévisible et l'imprévu aux rendez-vous trop rigoureux. Le père Gérard Dufois, secrétaire général de l'épiscopat français et que cite Jean Chélini dans son portrait de Jean-Paul II, « pèlerin de la liberté », note que « par rapport à nous, par rapport à un certain nombre d'habitudes ecclésiastiques, par rapport à un certain nombre d'habitudes administratives, ce pape nous apparaît comme un homme libre, car je crois que c'est un homme foncièrement libre... j'oserais presque ajouter : jaloux de sa liberté ».

Ses premières apparitions publiques ont déjà montré la capacité d'accueil et de spontanéité qu'il possède. Ni aseptisé, ni romanisé, n'ayant pas la timidité presque maladive de Paul VI, sa pudeur et sa modestie, ni le geste emprunté de Jean-Paul Ier, il étonne d'emblée par son dynamisme, par le train qu'il fait mener à ses proches, à sa garde rapprochée. C'est pourquoi les Romains l'ont adopté parce qu'il n'a pas peur de sortir en ville seul, échappant à ses gardes du corps, défiant en cela les terroristes, libre donc.

Toutes ses interventions publiques après son intronisation du 22 octobre seront sous le signe de cette énergie qu'il entend transmettre à ses interlocuteurs. Il aime à dire qu'il est passé de la paroisse de Cracovie à celle du monde, et que le temps est compté pour la visiter, l'évangéliser, lui donner foi et force morale. Dès le lendemain donc du 22, il exprime sa façon de « faire le pape ». Pape de l'urgence, pape de la certitude et de la présence. Présent partout, sur tous les fronts, devant les diplomates et les chefs d'État comme devant les plus pauvres de ses paroissiens, devant les handicapés comme devant les enfants. On dénote chez lui très rapidement une soif de convertir et de convaincre, un élan qui force l'admiration et étonne cependant.

Le 23 octobre, jour où Jean-Paul II s'adresse à ses compatriotes polonais, les regardant partir avec une authentique nostalgie, il reçoit les délégations spéciales qui ont assisté la veille à son intronisation.

Il leur rappelle l'engagement de l'Église dans la coopération et l'unité entre les peuples, le souci qu'elle a de reconstituer l'humanité « au feu de sa charité », s'inspirant en cela de saint Augustin qui évoquait l'humanité brisée par le péché et « remplissant de ses débris tout l'univers ». Face aux représentants internationaux, il n'hésite pas, comme la veille, à placer son discours sur un plan spirituel, éclairant ainsi le vrai sens de sa mission : retrouver l'unité perdue, faire de l'homme « brisé » moderne un homme réconcilié avec lui-même et avec Dieu. C'est dans cette voie eschatologique du salut qu'il se place, au risque de surprendre déjà par un engagement trop mystique.

A Rome, depuis son intronisation, les pèlerins affluent de toutes parts. Le mercredi 25, Jean-Paul II reçoit plus de dix mille fidèles venus pour sa première audience générale. La salle Nervi, pourtant vaste, ne peut les contenir, et c'est en deux groupes que le pape les reçoit dans la salle des audiences et à la basilique Saint-Pierre elle-même.

Faisant référence une nouvelle fois à Jean-Paul Ier, il reprend, pour bien montrer que la filiation n'est pas interrompue par la mort, l'exposé là où le pape Luciani l'avait arrêté lors de sa dernière audience publique, le mercredi 27 septembre. L'audience portait alors sur les trois vertus théologales, la foi, l'espérance et la charité, et le pape avait eu l'intention de poursuivre avec quatre vertus cardinales. Aussi, déclare Jean-Paul II, « je veux continuer ce schéma que le pape disparu avait préparé, et parler brièvement de la vertu de prudence ». Il met alors l'accent sur une définition théologique de la prudence, comme « clé pour la réalisation de la tâche fondamentale que chacun de nous a reçue de Dieu ». De sorte qu'être prudent, ce n'est point « s'arranger dans la vie, [savoir] en tirer le plus grand profit, mais construire toute sa vie selon la voix de la conscience droite et selon les impératifs de la justice morale ». « Faire le pape » devient à ses yeux « faire le pasteur prudent de l'Église », tâche que lui a assignée Dieu. En pasteur interrogeant ses fidèles et leur donnant avec simplicité quelques règles de vie morale, il les invite à un examen de conscience. « Est-ce que je vis de manière conséquente et responsable ? Le programme que je réalise sert-il le bien commun ? Sert-il au salut que veulent pour nous le Christ et l'Église ? » Il en appelle aux étudiants, aux lycéens, aux pères et aux mères de famille, aux chefs d'État, aux ministres et aussi à lui-même, implorant pour tous le don de conseil que l'Esprit

Saint délivre aux hommes de bonne volonté. Ce qui ressort de cette première rencontre publique, c'est cette capacité de pédagogie que Jean-Paul II a conservée de ses années de pastorale à Cracovie, voulant par lui-même toujours se rendre régulièrement au chevet de ses fidèles, mettre en pratique cette assistance, ce secours que Jésus, et la Mère du Bon Conseil, qu'il ne manque jamais d'évoquer et d'implorer, pratiquent par essence. Le charisme du nouveau pape se ressent là, dans cette catéchèse au quotidien, manifestant une piété plus populaire qu'intellectuelle, capable d'être entendue.

Sa sensibilité lui permet d'entrer immédiatement en contact avec les autres et, après avoir invité ses visiteurs à réciter avec lui le Notre Père et adressé sa bénédiction apostolique, là où Jean-Paul Ier n'avait pas cherché à entrer en contact, encore mal assuré dans son rôle de pape, Jean-Paul II casse le protocole. Il va au-devant d'un groupe de malades (avec les enfants et les personnes âgées, ceux dont il se préoccupe le plus, avec lesquels s'exerce le mieux sa compassion), il leur parle, les bénit personnellement, leur tend ses mains, et les mêmes phénomènes de liesse se renouvellent. Les fidèles ici rassemblés sont saisis d'une folie papolâtre, ils veulent le toucher, croiser absolument son regard, instaurer ne serait-ce qu'un millième de seconde une relation, une complicité, comme si, par là, ils pouvaient soudain accéder au sacré plus aisément. Cette idolâtrie ira croissant d'ailleurs les jours suivants, où la popularité de celui qu'on nomme désormais « le pape des foules », à cause de ces milliers de chrétiens qu'il draine derrière lui à chacune de ses apparitions, prend des proportions presque inquiétantes. On peut observer sur certains clichés photographiques des fidèles tentant d'arracher les boutons de sa soutane pour les garder en reliques, créant de véritables émeutes. Cette première audience publique conforte Jean-Paul II dans sa stratégie. Il sera bien le pape de l'ouverture, nullement engoncé dans un rôle dévolu séculairement, quitte à ce qu'on déplore son manque de « style curial ».

Il a des idées qui ravissent ses fidèles et qui, symboliquement, font mesurer déjà les moyens qu'il entend mettre à sa disposition pour « faire le pape ». Ainsi fait-il installer ce jour-là une haute estrade sur le parquet de l'allée centrale pour que tous puissent le voir, et il arpente la salle d'audience, vu de tous ses paroissiens. Il prétend tenir le même discours de la paroisse de Cracovie à celle de Rome, plus universelle, il sera un homme de rencontres, à l'écoute de ses ouailles.

L'enthousiasme est si grand que plus personne ne s'entend dans la salle, c'est une cacophonie, une liesse générales qui ravissent le pape lui-même, qui semble connaître les foules, joue de ses souvenirs d'homme de théâtre, connaît les réflexes qui séduisent les spectateurs et emportent leur adhésion. Les enfants ont sa faveur. Comme Jean XXIII, il sait leur parler, les caresser, il impose ses mains sur leur tête, les bénit en souriant. Et comme il faut bien que la séance soit levée, il décide de la clore par une boutade comme il l'a déjà fait le dimanche précédent, prétextant qu'il fallait à présent aller déjeuner. S'emparant du micro, revenu à son siège, il déclare d'un sourire amusé : « Je vois qu'un seul pape ne suffit pas pour saluer tout le monde. Mais il ne peut y en avoir qu'un et je ne sais pas comment le multiplier. Grâce à Dieu, les apôtres étaient non pas un mais douze. Et avec la collégialité, il est possible de saluer tout le monde. »

Le vendredi 27 octobre, Jean-Paul II se rend à Castel Gandolfo, la traditionnelle résidence d'été des papes, située à une trentaine de kilomètres de Rome, sur la via large et triomphale qui mène à Naples. Tout le long de la route, ce n'est qu'une foule amassée criant et chantant sa joie. Jean-Paul II est debout dans sa voiture qui va presque au pas. Jamais la qualité de pape n'est à ce point visible, il est celui qui va « vers », « à la rencontre de », celui qui n'est pas enfermé dans sa tour d'ivoire, mais, en vrai pèlerin, vient témoigner de sa foi et réchauffer celle de ses paroissiens, leur apporter la bonne nouvelle que Dieu les aime.

Mgr Bonicelli l'accueille au palais d'été. Deux mille fidèles lui manifestent leur affection, des enfants viennent le saluer, lui offrir des canaris et des colombes, jaune et blanc comme les couleurs du Vatican...

Le pape semble très à l'aise, polonais en cela qu'il ne manifeste jamais aucune pudeur pour affirmer sa foi, la clamant au contraire avec une simplicité de paysan. Quand il parle, il le fait toujours comme un homme ordinaire, avec une simplicité déconcertante : « Je suis maintenant votre concitoyen. Notre première rencontre est très chaleureuse et très bruyante, mais très religieuse, je l'espère. Je vous salue tous et je souhaite que ce nouveau citoyen de Castel Gandolfo soit un citoyen honorable ! »

Il s'intéresse au lieu, demande à le visiter, veut rencontrer le personnel, se le fait présenter, demande à prier dans la chapelle privée au-dessus de laquelle veille la Vierge noire de sa Pologne natale.

Son attachement à Marie et la restauration de son culte qu'il entend très vite susciter, manifestés déjà lors de sa première intervention du balcon de Saint-Pierre – « confiance totale en la Madone » –, il va les concrétiser par son pèlerinage au sanctuaire marial de la Montorella, traditionnellement occupé par des Polonais. Située à quarante kilomètres de Rome environ, au bout d'une route qui s'ouvre à Capranica Prenestina, à 1 200 mètres d'altitude, au milieu des cyprès et des pins, isolée dans un océan de verdure, la petite église pelotonnée contre la montagne du Guadagnolo fait figure d'ermitage et de lieu de retraite. Le sanctuaire est confié à une communauté polonaise depuis plus d'un siècle et le monastère est actuellement occupé par des frères et des pères résurrectionnistes polonais. C'est dire que le déplacement fait figure de symbole pour Jean-Paul II. Ce lieu ne lui est pas étranger car le futur pape y allait très souvent, ne manquant jamais, lors de ses déplacements à Rome, de visiter les religieux et de venir prier dans la solitude quelque peu farouche de la Montorella. Le 7 octobre, juste avant le conclave qui l'élirait, le cardinal Wojtyla avait tenu à revenir en ce lieu, voulant y puiser manifestement des forces spirituelles qui l'aideraient dans l'épreuve qu'il pressentait. Il y était allé à pied, n'hésitant pas à faire les dix kilomètres qui séparent le village du sanctuaire. Cette disponibilité d'esprit et de corps est tout le caractère du nouveau pape. *E voi, Romani*..., lance-t-il aux Romains amassés pour l'angélus, place Saint-Pierre, « connaissez-vous le chemin du sanctuaire marial de la Montorella ? », invitant ainsi spontanément ses paroissiens à le rejoindre. De fait, pour ce premier dimanche de pape, Jean-Paul II décide d'entreprendre l'ascension. Signe de sa nouvelle fonction et des obstacles qu'elle provoquerait sur sa liberté et son indépendance plutôt instinctive, il s'y rend en hélicoptère, mais ce signe est ressenti comme presque féerique par les milliers de Romains qui ont répondu à l'invitation, et qui ne pourront d'ailleurs pas pour la plupart accéder au sanctuaire. La cérémonie est émouvante, comme si le pape, en quelques heures, avait par contagion incité ses fidèles à une pratique soudain plus émotive, à la manière des pèlerins de Jasna Gora. Il semble que son exemple et sa conviction aient réveillé les consciences et surtout la spiritualité italienne, sentimentale et populaire, propice aux épanchements. On rappelle que le cardinal de Cracovie faisait très souvent autrefois le pèlerinage à vélo avec des jeunes pour révérer la Madonna Santissima à Jasna Gora.

C'est à la Montorella que Jean-Paul II accomplira également un autre geste symbolique en recevant la communion des mains de l'évêque du lieu, comme il le fera quelques jours plus tard à Assise, manifestant ainsi son attachement à la collégialité. Au-delà encore de ce rituel où se dessine déjà une action, la visite du pape à la Montorella revêt une dimension mystique que l'on ne peut ignorer. Enseigné aux sources mêmes de saint Jean de la Croix, animé de la foi farouche et solitaire du saint de Salamanque, Jean-Paul II rappelle par là la nécessité du dialogue intime avec Dieu, le besoin de cette tension que la prière solitaire doit solliciter. « C'est un endroit, dit-il à ceux qui l'ont accompagné, où, d'une façon particulière, on s'ouvre à Dieu. Loin de tout, mais en même temps, en contact avec la nature, on peut parler tranquillement à Dieu. »

La Montorella, lieu de fidélité – « au cours de mes séjours à Rome, ce lieu m'a beaucoup aidé à prier, c'est pourquoi j'ai tenu à y revenir aujourd'hui » –, est aussi un lieu d'intimité avec Dieu, une manière de renouer avec lui. La quête pastorale de Jean-Paul II passe par ces repères, simples et surtout lourds de tradition.

Multipliant les déplacements, Jean-Paul II ne manque pas cependant de se rallier ses paroissiens romains en accomplissant des gestes symboliques propres. Ainsi le 5 novembre, il veut rendre hommage aux saints patrons de l'Italie : saint François d'Assise et sainte Catherine de Sienne, signifiant par là son rôle d'évêque de Rome. Il se rend donc en hélicoptère auprès de la tombe du plus « doux » et du plus populaire des saints catholiques, celui dont la piété naïve a inspiré une foi émotive et affective. Célébrant le saint patron, il ne manque pas de rappeler, comme un signe providentiel, la relation qui existe entre saint François et lui-même. Jean-Paul II croit aux symboles, aux signes, aux gestes du destin ; certains pensent déjà qu'il manifeste une certaine tendance à considérer son élection comme un acte hautement divin, ainsi qu'il le proclamera une semaine plus tard, le 12 novembre, à Saint-Jean-de-Latran : « C'est le Seigneur qui m'a élu. »

Il rappelle donc qu'il habitait à Cracovie près d'une ancienne église franciscaine « et j'y allais de temps en temps pour prier, faire le chemin de croix, visiter la chapelle de Notre-Dame-des-Sept-Douleurs ». Il précise que la Pologne a été terre d'accueil du message franciscain, que « du magnifique tronc de la spiritualité franciscaine [...] est sorti le bienheureux Maximilien Kolbe », mort à Auschwitz et béatifié par Paul VI le 17 octobre 1971 à Rome en présence du cardinal Wojtyla qui assistait le pape avec le primat de Pologne.

Interpellant saint François, il lui lance : « Aide-nous ! » Chacun comprend bien que cette ferveur en appelle d'abord au cœur, à une sorte de relation directe avec le divin, et c'est cette proximité qu'il installe avec l'au-delà, avec le peuple des saints et des anges, avec la Trinité, avec la Sainte Famille, qui lui donne cette présence familière auprès des autres, cette chaleur. Ainsi Jean-Paul II renoue avec la piété d'autrefois, celle de temps plus sacrés, plus poétiques. Il ravive chez les Italiens, avides de cette foi naïve, des élans de ferveur qu'ils risquaient d'oublier à cause « de [leurs] doutes, de [leurs] négations, de [leurs] débandades, de [leurs] tensions, de [leurs] complexes, de [leurs] inquiétudes ».

Pape de l'an 2000 qui n'hésite pas à emprunter les voies les plus modernes de la communication, l'hélicoptère comme la télévision, il parle néanmoins au saint d'Assise avec une familiarité qui restaure la fonction de pape auprès de ses paroissiens. L'autorité quelque peu ébranlée de cette fonction, il la réaffirme avec force, donnant à son investiture tout le poids de grâce et d'autorité qu'il lui assigne par tradition. Aussi proclame-t-il l'universalité de la prière de l'Église, et cette communion des saints et des chrétiens entre eux qu'il appelle de ses vœux. « Moi, le pape Jean-Paul II, fils de la terre polonaise, je te demande cela, à toi, fils saint de l'Église, fils de la terre italienne. » Il sait trouver les mots qui tissent le merveilleux, installe un rapport miraculeux entre l'invisible et le visible, rend facile en quelque sorte la relation mystique. Il ne s'agit que de parler simplement à saint François, comme la piété populaire l'a toujours pratiqué, « et j'espère que tu ne le lui refuseras pas, que tu l'aideras ».

Ce ne sont pas des mots convenus qu'il utilise, attendus ou stéréotypés, il frappe les consciences par un dialogue, par une certitude contagieuses, et les Italiens présents, habitués à cette relation quasi merveilleuse et cependant aisée avec le divin, écoutent et croient ce pape qui parle leur langage, car avec les pèlerins de Jasna Gora et ceux de San Damiano et d'ailleurs, il y a cette confiance, comme Jean-Paul II lui-même l'affirmera à Czestochowa, le 4 juin 1979 : « Je suis un homme rempli d'une grande confiance. »

Pasteur inlassable, il donne par ses déplacements le style de sa mission. Aussitôt rentré d'Assise, il repart quelques instants après pour le centre de Rome, à l'église de la Minerve où se trouve le corps de sainte Catherine de Sienne. Il veut par là même signifier sa présence à la Ville, montrer qu'il est bien le successeur de Pierre, prêtre suprême certes, mais prêtre quand même de Rome, et à ce titre proche de ses paroissiens. « Cette terre m'a toujours été proche, maintenant elle doit devenir ma seconde patrie, déclare-t-il, [...] je désire faire partie de cette terre, dans toute sa richesse historique et, en même temps, dans toute sa réalité d'aujourd'hui. »

Il revient toujours à lui-même, se livrant à la confidence personnelle, à ces anecdotes qui, mieux que les aveux de certains cardinaux présents au conclave, rendent compte de la force de l'événement : « Dans l'enceinte du conclave, après l'élection, je pensais : que dirai-je aux Romains quand je me présenterai à eux comme leur évêque provenant d'un “pays lointain”, de la Pologne ? Et j'ai pensé ceci : il y a presque deux mille ans vos aïeux ont accepté un Nouveau Venu ; maintenant donc vous m'accueillerez aussi. »

De Cracovie, surnommée la Rome polonaise, à la Rome éternelle, c'est dans ce dessein de Dieu qu'il se situe, dans un projet eschatologique.

La spécificité de la sainte de Sienne l'amène à évoquer le rôle de la femme et de sa mission dans l'Église. L'opinion internationale attend le pape à ces types d'interventions publiques qui en disent long sur certaines attitudes à venir du pontife. Évoquant « l'Église mère » et « l'Église épouse », et l'inscription de la femme dans son mystère, il annonce que le « court espace de temps de cette journée » ne lui permet pas d'approfondir ce rôle, ce qu'il fera au mois de décembre en rappelant aux femmes leurs devoirs inaliénables de mère et d'épouse, et en condamnant de fait la contraception et une morale de la libération : « Le pape des droits de l'homme contre le droit des femmes[5] », titrera un quotidien français.

Les 9 et 10 novembre, il poursuit au rythme qui désormais sera le sien ses rencontres avec le clergé de Rome et les religieuses. Partout, il suscite la même joie, une allégresse qui déchaîne son auditoire et lui rend la ferveur des nouveaux baptisés. L'exigence pastorale est au centre de son projet pontifical.

Jean-Paul II est conscient qu'à la différence de son pays d'origine où le problème des vocations n'existe pas (pas moins de onze séminaires à Cracovie, le grand séminaire diocésain est archicomble au point que les jeunes élèves « s'entassent à quatre par chambre[6] »), l'Église traverse une crise sérieuse de pratique et de conviction. Aussi a-t-il immédiatement mis l'accent sur le renouveau de cette Église : susciter des vocations, profiter de son élection pour pratiquer une sorte d'électrochoc qui réveillera les consciences, leur redonnera la force d'assumer leur croyance.

Les prêtres et les religieuses doivent redevenir les témoins de ce dépôt pour lequel ils ont engagé leur vie. Il réclame une attitude plus militante, un engagement comparable à celui qu'il veut éveiller chez les chrétiens. Il souhaite que son Église retrouve les mêmes accents qu'il a entendus et provoqués en Pologne. « Le monde a besoin de notre témoignage sacerdotal, de notre service, de notre sacerdoce », clame-t-il aux religieux de son diocèse qu'il a convoqués à la basilique Saint-Jean-de-Latran. Devant les mille trois cents prêtres et religieux, c'est aussi à tous les prêtres du monde qu'il s'adresse, et la conviction de son allocution rejoint celle qu'il a manifestée depuis son élection. L'unité de ton frappe tant les esprits qu'il semble qu'on le connaît depuis longtemps, la parole est attendue mais les fidèles et les prêtres ont besoin de l'entendre, comme si tous scellaient de nouveaux vœux de baptême. Il proclame la grandeur et la dignité de sa tâche et déclare sur le mode de la confidence (ces aveux personnels qui enchantent son auditoire et lui donnent l'impression d'une plus grande complicité) qu'il a eu besoin de presque un mois pour les rencontrer, le temps de se couler dans cette terre d'Italie à laquelle il se doit maintenant, mais qui est cependant la « racine de l'universalité ». « Prendre possession de Rome en tant que diocèse, [...] assumer la responsabilité de cette communauté », c'est aussi symboliquement prendre en charge l'Église du monde, tous les fidèles qui s'y rassemblent. Il est normal alors que ce soit ce jour-là et devant cet auditoire que Jean-Paul II dessine les grandes lignes de ce sacerdoce et les impératifs de la charge ecclésiastique.

Le discours qu'il prononce vaut manifeste et programme. Il rappelle, comme il le fait dorénavant chaque fois qu'il s'exprime en public, les activités qu'il a, il y a peu encore, déployées en Pologne, c'est-à-dire son action inlassable en faveur des paroisses et surtout cette écoute qui l'ont rendu si populaire à Cracovie. Le père Malinski raconte avec beaucoup de pittoresque ce qu'il appelle les « pastorales inventives » du cardinal Wojtyla : les « visites de Noël » par exemple : « Un jour choisi à l'avance, dans l'après-midi, il allait d'un logement à l'autre, tout comme un simple vicaire ; il bénissait chaque pièce, chaque habitant ; il priait et s'en allait plus loin... » ou ces pastorales de la charité, des familles, des jeunes : « Il était présent comme personne d'autre ; il était sensible à tout ce qui se passait à l'intérieur de son diocèse, il réagissait instantanément à toutes les actions, à tous les courants, à tous les projets, à tout ce qu'il considérait comme important. Il avait un sixième sens pastoral ! »

A Rome, il affirme que toute pratique ecclésiastique passe d'abord par la rencontre, que l'enjeu de la foi et du rassemblement de tous les chrétiens nécessite une participation constante des « cadres » de l'Église, une vigilance attentive.

Il sait par ailleurs que l'évangélisation doit s'adapter ; l'Église de Pologne ne peut s'offrir en exemple de piété pour l'Église d'Italie ou de tout autre pays occidental où, reconnaît-il, « les églises se dépeuplent, en même temps que se créent de nouveaux quartiers et cités auxquels il faut pourvoir ». Mais la méthode, si elle doit subir quelques adaptations, au fond reste la même : dans une société traversée par la laïcisation, seul le témoignage personnel, « vivant de foi » peut freiner la dérive de l'incroyance et du scepticisme. Provoquer les vocations en privilégiant le séminaire, la « pupille de l'œil », comme il le nomme, fortifier l'enseignement des sciences théologiques, et surtout réanimer la paroisse. « C'est là, dit-il, avec un évidente jubilation, que l'évêque se sent le plus à son aise. »

Il aborde ensuite les points principaux de son programme de choc. Il souhaite tout d'abord aider à l'unité du corps ecclésiastique. (Il tend ainsi une perche du côté des traditionalistes de Mgr Lefebvre qu'il ne tardera pas d'ailleurs à rencontrer, bien décidé à crever l'abcès qui empoisonne à ses yeux la communion sacerdotale. Comment peut-on prétendre rassembler les hommes autour de Dieu si l'on n'est pas soi-même un témoignage d'unité ?) Échange, disponibilité, engagement, tels sont les points qu'il énonce avec cette clarté et cette affirmation de chef qui désormais le caractérisent, marque même de sa personnalité qu'il avait imprimée à Cracovie : « Ceux qui l'entouraient brûlaient d'envie de travailler. Notre cardinal ne gouvernait pas, il dirigeait, il savait susciter les initiatives des autres. »

La revendication majeure de Jean-Paul II semble être

celle de la restauration de l'identité pastorale, « diluée », le terme est de lui, dans la mouvance sceptique de la société. C'est pourquoi il martèle ses propos pour redonner foi au peuple sacerdotal, et affirmer sa spécificité. Pour être témoin, faut-il encore être singulier. Aucune division ne devrait altérer le charisme qui a conduit à la vocation. Il a pour le dire des accents vibrants et forts par les formules qu'il emploie, propres à frapper les esprits : « Nous sommes immensément nécessaires, non pas à temps partiel, à mi-temps comme des “employés”. » A travers ce qu'il veut transmettre à ses prêtres, c'est sa propre activité de prêtre, polonais et actif, voire activiste, qu'il exprime : « Nous sommes nécessaires comme ceux qui donnent un témoignage et réveillent chez les autres le besoin de donner à leur tour un témoignage. » Aussi invite-t-il les siens à oser « singulariser » leur fonction, à ne pas hésiter à montrer leur différence par le « vêtement extérieur ». La soutane est ainsi explicitement préférée à la tenue de clergyman qui « laïcise » les façons de vivre, et entraîne fatalement des comportements de vie inadéquats avec la vie sacerdotale. Ce qui en Europe occidentale pourrait paraître réactionnaire et traditionaliste est paradoxalement banalisé en Pologne. Le prêtre est « certes dans le monde, mais il n'est pas du monde ». C'est cet enthousiasme militant et prosélyte auquel il convie la communauté sacerdotale de Rome et du monde entier qu'il voudrait communiquer, au risque de faire croire, comme le constatent déjà quelques observateurs internationaux, que les chrétiens doivent se conduire désormais comme des Polonais à la ferveur intense et combattante. Dans la foulée, le pape rappelle l'exigence du célibat. Qu'aucune obscurité ne vienne altérer la limpidité du message de Jésus-Christ. La figure de Maximilien Kolbe est de nouveau donnée en exemple à toute la communauté. Le discours de Jean-Paul II se présente comme une véritable profession de foi : les prêtres doivent aussi susciter des vocations, encourager les appels, et pour cela seul le témoignage personnel, limpide et expressif de l'Évangile est nécessaire. Le peuple de Dieu est tout entier entre les mains des hommes, c'est l'entière liberté que Dieu leur accorde pour proclamer le « royaume des cieux », il ne tient qu'à soi d'en être le messager. Pour que la « vigne » fructifie, il faut toujours plus d'ouvriers sollicités, exaltés par l'exemplarité. C'est à cette contagion de la foi que Jean-Paul II appelle les siens. Qu'ils soient tous des convertisseurs, des fruits de la vigne suffisamment généreux pour donner envie de s'engager aux hésitants, aux sceptiques, aux êtres en recherche. Il semble par là qu'il résume sa catéchèse à celle qu'il appliquait à sa paroisse de Cracovie. L'étendre à la mesure planétaire n'est pas à ses yeux une utopie, il se présente comme un combattant dont la foi déplace, comme dit l'Évangile, les montagnes. Les prêtres de Rome qui l'écoutent subissent à leur tour la même fascination, sentent en eux, communicative, la foi de leur pape ; c'est sur cette impression charismatique de conviction que Jean-Paul II va d'abord œuvrer. Inlassable, il se veut le propagateur d'une mission à laquelle il convie les siens, et, le lendemain, c'est dans une atmosphère proche de la transe qu'il va s'adresser aux religieuses. La télévision se fait l'écho de cette extraordinaire rencontre du 10 novembre. « Il paraît que le Vatican n'a jamais vécu un tel enthousiasme, raconte le père Malinski. [...] Il y avait à peu près quinze mille sœurs. Le Saint Père non seulement autorise une telle allégresse, mais il la provoque. Il suscite une vague de joie éclatante. »

L'euphorie de cette soirée est telle qu'on a assisté à des scènes d'idolâtrie, des sœurs voulant prendre la main du pape, la serrer, allant jusqu'à déchirer sa manche, réclamant à grands cris des bénédictions particulières, etc.

Le pape se prête à ces manifestations, l'exubérance de la piété et de l'enthousiasme ne l'effraie pas, au contraire, elle est le signe d'une santé retrouvée, d'un engagement ouvert, d'une dynamique qui s'ébranle.

Ce qu'il va dire aux religieuses du diocèse de Rome,

au-delà des consignes et des vœux qu'il avait formulés la veille aux religieux – l'apostolat moderne doit tendre à éveiller les conversions et les vocations, l'état religieux est un témoignage vivant sans « compromis », sans « préventions injustifiées ni imprudences naïves, mais avec une ouverture cordiale et un équilibre serein » –, revêt cependant un tour plus mystique comme s'il attachait à l'apostolat des femmes une fonction encore plus aiguë que celle qu'il attribue aux religieux. Le combat qu'il affirmait la veille était plus militant, à l'« âme féminine » il assigne une tâche dont il trouve les racines chez saint Jean de la Croix et sainte Thérèse d'Avila. Après leur avoir rappelé la vérité de leurs vœux, chasteté, obéissance et pauvreté, il s'adresse à elles dans un langage d'une acuité mystique rarement entendue dans de telles circonstances : vous serez, leur dit-il en substance, confrontées à la « nuit de l'esprit », mais cette nuit-là sera justement nécessaire à l'aube du Royaume, vous devrez ne pas craindre les difficultés, les aridités, et engager votre être avec une disponibilité totale, avec un don de tout votre être humain, « corps et âme », dans cette quête de Dieu qui passe d'abord par la quête de l'homme souffrant, pauvre, misérable. C'est dire qu'il dessine là une nouvelle fois la fonction qu'il avait assignée à la femme et plus encore à celle qui se donne au Christ « comme une flamme vivante d'amour », en mettant en relief le rôle spécifique de la femme, mère et sœur. Les religieuses doivent donc endosser cette suppléance maternelle et sororale que leur vocation exige d'elles, et qui sera source de joie. Joie qu'il veut transmettre lui aussi par la violence farouche qu'il exprime, par la force persuasive qu'il met dans sa diction, et dont les quelques fautes tonales dues à la scansion irrégulière de son italien renforcent la puissance.

A toutes ces religieuses qui ont comme retrouvé soudain leur identité, il communique un souffle vital, celui de leur propre consentement à Dieu peut-être déçu ou affadi par les difficultés de la vie moderne. L'audace d'un tel propos ne manque pas d'étonner les observateurs. Jean-Paul II, en plein XXe siècle matérialiste, tient le plus farouche des discours, que n'aurait pas démenti un Jean de la Croix dans une Espagne rigide et inquisitoriale. Après le discours social que l'Église a entretenu pendant quelques décennies et qui a vu en Europe l'abandon des signes extérieurs de l'engagement religieux, et toute cette perdition des vocations, il vient à parler de « corps mystique du Christ », d'« holocauste ». Le seul acte fondateur de l'apostolat, c'est d'abord la prière, « invoquer assidûment le Maître de la moisson », et vivre cette vie-là dans l'urgence. « L'amour du Christ nous presse » prophétise-t-il. Mêlant pédagogiquement le registre mystique et le plan personnel, il rappelle son propre engagement à Cracovie pour que toutes sachent qu'il est le premier sur le terrain, que sa parole est d'abord d'action, avec ces temps d'abandon à Dieu que lui-même sait se procurer. Le père Malinski témoigne que le cardinal, à Cracovie, vivait entièrement pour accomplir son devoir pastoral, déployant une activité presque surhumaine, faisant alterner son rôle de berger et celui de « martyr » de la foi, cherchant dans l'abîme de la prière à rejoindre le corps douloureux du Christ. Il croit, devenu pape, à la vertu de l'exemple, au fait que le chef ne doit dans aucun domaine, et surtout pas le spirituel, être « à mi-temps », un nanti de la foi, mais être exposé en première ligne. Comment, dans de telles circonstances, comme dynamisées par ce discours, les religieuses pouvaient-elles ne pas répondre avec une émotion renouvelée à cet « appel à la sainteté » que leur lançait le nouveau pape ? Cette aspiration mystique qu'il veut susciter auprès des religieuses singulièrement, il la réaffirmera devant l'Union internationale des supérieures générales, convoquée le 16 novembre. Au-delà d'elles et de leurs filles, c'est le rôle de la femme qu'il « marque » dans le grand projet de l'Église, qui ne va pas sans inquiéter certaines représentantes féministes et membres de communautés les plus hardiment engagées dans le monde. Il croit leur rappeler la vertu d'imitation. Que la femme, et plus particulièrement bien sûr celle qui a consacré sa vie à Dieu, suive les traces de sainte Catherine de Sienne, de sainte Thérèse d'Avila, et de « tant d'autres ». Il réaffirme son désir de les voir plus précisément encore dans leur pratique suivre les « conseils évangéliques ». Renouveau et tradition désignent ainsi les premiers axes de cette pastorale pontificale qui, d'abord adressée au corps sacerdotal, n'en indique pas moins les intentions d'une catéchèse universelle à laquelle il compte s'employer. Le nouveau pape jouera donc sur les deux registres, de la tradition la plus stricte et des moyens les plus modernes.

Le 22 octobre, en s'installant dans la grande basilique Saint-Jean-de-Latran et en « prenant possession » de la cathédrale de Rome, « première demeure de l'Église universelle », il redit avec une force plus solennelle et presque démiurgique les signes qu'il entend donner à son pontificat. Il alterne plus habilement les deux plans, mystique et humain, le rôle social et celui plus profondément charismatique dont l'Église doit témoigner. Rappelant le caractère proprement fatal de son élection, « c'est le Seigneur qui m'a élu » (affirmation quelque peu mégalomaniaque ne laissant pas de doute sur la force du pontificat à venir), puis l'abandon à l'amour de Dieu qu'il réclame de tous les chrétiens, Jean-Paul II ouvre des perspectives plus temporelles sur la vigilance à apporter dans les rapports interprofessionnels, insistant sur l'« amour social ». Il prend comme exemple, et en tant qu'évêque de Rome, la grève des hôpitaux qui sévit à ce moment précis dans la capitale italienne, préférant n'accorder d'intérêt qu'à l'amour à déployer pour les faibles et les démunis.

Ce qui est apparemment nouveau, c'est ce qui le distingue des autres prélats, italiens en particulier. Homme-orchestre, capable de discuter avec tous les milieux sociaux, aussi apte à tenir une conversation avec un intellectuel, un artiste, un dirigeant politique, un paysan ou un ouvrier, un pauvre ou un riche, ne s'enfermant pas dans un rôle curial, il se présente comme un homme d'ouverture. Attitude paradoxale car il a tenu jusqu'alors des propos doctrinaux très stricts et sa pratique du politique l'a toujours amené à affronter les dirigeants communistes avec une très grande pugnacité. Or, il va surprendre tout le monde lorsque, le dimanche 12 novembre, dans le milieu de l'après-midi, empruntant la voie traditionnelle des évêques de Rome pour se rendre à la basilique Saint-Jean-de-Latran, après avoir visité l'église polonaise Saint-Stanislas-l'Évêque, il va arrêter son cortège pour rencontrer... le maire communiste de Rome au Capitole. L'événement est immédiatement retransmis par les médias qui voient dans cette visite un signe de la disponibilité de Jean-Paul II ; mieux encore, après l'échange des allocutions, il donnera l'accolade à Carlo Argan, entouré de ses conseillers municipaux, en gage de cette volonté de paix qu'il affirmera tout aussi fort devant les membres de la commission pontificale Justice et Paix : « Ouvrez les frontières des États, les régimes économiques et politiques, les immenses domaines de la culture, de la civilisation, du développement, [...] créez du neuf à la mesure des exigences présentes de l'évolution de l'humanité. »

Et c'est en entrant pour la première fois dans « sa » basilique que Jean-Paul II inaugure ce geste qu'il répétera dans tous les pays qui l'accueilleront, une génuflexion et un baiser de paix au seuil de l'église en témoignage de vérité.

Répondant au discours d'accueil du cardinal Gantin, président de la commission Justicia et Pax, initiée par Vatican II et mise en place par Paul VI dans le but d'inciter la communauté catholique à promouvoir l'essor des régions pauvres et la justice sociale entre les nations, Jean-Paul II rappelle la vocation de cet organisme propre à dynamiser l'action de l'Église « en faveur, comme il le déclare, de la justice, de la paix, du développement, de la libération». C'est ici un moyen pour lui de préciser avec autorité son programme en matière de justice sociale, et de recherche de la paix. Toujours aussi farouche dans son discours sans compromission, il redéfinit le rôle essentiel de l'Église à ce sujet, qui est avant tout de «faire accéder le peuple des chrétiens aux sources mêmes de Jésus-Christ». Pour cela, il affirme comme préjudiciables toute déviation idéologique et tout mode de vie qui fraierait avec «une frénésie de consommation, épuisante et sans joie». La vraie vie est en Jésus-Christ, dans cette «avant-garde» de la foi, à laquelle il convie tous les membres de cette commission. Rejetant donc à la fois le «modèle préfabriqué» (allusion au système communiste) et la société capitaliste avide de plaisirs opposés à la «joie» de Dieu, il déclare que seuls ceux qui pourront vivre de l'Évangile, connaîtront cette appartenance à Jésus-Christ, sauront être les messagers de l'espérance. C'est pourquoi, dans une dialectique presque subversive, mais de cette subversion que le Christ lui-même osait pratiquer, il propose, face aux «réflexes de raidissement» d'une société et à une peur qu'engendreraient les systèmes totalitaires de tous ordres, une foi nouvelle, qui relève la tête. Et, comme il l'avait fait le jour de son intronisation, il répète: «N'ayez pas peur», en scandant bien les syllabes, en suggérant l'idée du «décloisonnement» des cultures et des civilisations, des États et des régimes économiques: «Ouvrez, ouvrez toutes grandes les portes au Christ, à son pouvoir de salut, ouvrez les frontières des États.» La force qui émane alors de lui ébranle son auditoire, son discours est quasi révolutionnaire en ce sens qu'il bouleverse les données politiques et stratégiques du monde et qu'il fait du fidèle en Jésus-Christ le nouveau missionnaire de la liberté. La portée politique de cette rencontre est infinie. Elle désigne d'ores et déjà un pape qui, ayant toujours refusé de transiger avec les dirigeants communistes sur les principes pléniers de l'Église, entend bien demeurer intransigeant et ferme sur le contenu intrinsèque de la doctrine: le monde ainsi doit être «ouvert», ouvert au salut promis par Jésus-Christ, ouvert à la promesse rédemptrice.

Sa catéchèse s'exprime à tous les niveaux de rencontres, des plus intellectuelles aux plus diplomatiques, des plus populaires aux plus professionnelles: ce qu'il proclame, c'est toujours l'abandon à Dieu, la confiance dans Marie, et un état de chrétien nouveau, qui n'aurait pas peur, mais retrouverait le feu de la foi, la brûlure de la grâce.

Son souci de la collégialité énoncé sans faille depuis qu'il est pape le porte à demander de l'aide à ses interlocuteurs qu'il veut partenaires de l'Église; sans cesse il les supplie: priez pour moi, pratiquons la communion des chrétiens comme les saints intercèdent entre eux et pour nous, aidons-nous.

En cette fin de novembre, la trame du pontificat est déjà mise en place. Il sera tissé de fils conducteurs inaliénables: le souci absolu et vigilant de la pastorale, pratiquée au jour le jour et sans distinction hiérarchique, la stricte observance de la doctrine, la participation des chrétiens comme pierres vivantes du foyer ecclésial, le désir de ranimer le feu mystique, voie royale d'accès à Dieu, et enfin le rejet farouche des sociétés fondées sur l'anéantissement de l'homme, le pourrissement moral et l'arbitraire. L'homme, maître mot du discours de Jean-Paul II, mais l'homme né de Dieu, et en ce sens relié à lui. Ce projet pontifical s'avère donc être celui de la réconciliation majeure, celui de l'Alliance à tenter.

Le monde entier a-t-il bien perçu les grands axes du programme du pape? A lire la presse internationale, c'est surtout le pape sportif et non dénué d'humour qui domine. Les photographies qui courent dans les magazines même les plus sérieux le représentent en train de se raser, complaisamment attentif à l'objectif, faisant du camping avec de jeunes paroissiens, ou des randonnées à bicyclette sur les chemins forestiers des alentours de Cracovie. A-t-on seulement bien intégré l'idée d'un pape «fou de Dieu », qui ne « ferait pas le pape », du fond de son palais pontifical, dans le secret quiet de la Curie, mais qui le « ferait en militant de Jésus-Christ, en Polonais dont l'intégrité de la foi est intacte, intouchée par les comportements et les usages capitalistes, fortifiée au contraire par un romantisme sentimental spécifique à l'âme polonaise et par un combat qui l'a toujours mené aux dangers des « catacombes » ?

DEUXIÈME PARTIE

UN ROMAN SLAVE,
LA VIE DE KAROL WOJTYLA
1920-1978

IV

1920-1939 : LES ANNÉES DE FORMATION

« Wadowice. Pologne. 1920. » C'est en ces termes que commence la bande dessinée de Steven Grant publiée en 1982 à l'initiative du père Mieczyslaw Malinski, proche ami de Jean-Paul II. « C'est là, dans la ville de Wadowice, à l'ombre de l'ancienne cathédrale Sainte-Marie, que naît Karol Wojtyla, celui qui deviendra pape. » L'incipit solennel et épique qui ouvre cette biographie du futur pape donne idée de ce que la vie, l'action et l'œuvre de Jean-Paul II peuvent susciter comme récits légendaires et merveilleux. L'ampleur du personnage, son formidable charisme et la fascination que sa fonction exerce sur les imaginations incitent à des constructions narratives exemplaires et édifiantes. De la naissance « à l'ombre de la cathédrale » au conclave d'octobre 1978, « providentiel et mystérieux », c'est toujours une vie que Dieu a élue, désignée du doigt, conduite. C'est dire que la tentation hagiographique est grande, renforcée de surcroît par une certaine opacité dans l'entourage immédiat du pape – la « polaquerie » – auquel ne déplaisent pas les circonstances romanesques et romantiques de sa vocation et qui, pour cela même, entretient lyriquement une vie légendaire comme ont pu le faire les parents de Thérèse de Lisieux.

Essayons néanmoins de découvrir sous l'image pieuse

la vraie histoire de ce Polonais surnommé Lolek qui naquit le 18 mai 1920 à Wadowice, une petite ville de huit mille habitants située à une cinquantaine de kilomètres au sud-ouest de Cracovie.

Si Cracovie est la grande capitale de la culture, le foyer de la résistance nationaliste, une de ces villes aristocratiques comme l'Europe en compte, Saint-Pétersbourg, Florence, Heidelberg..., Wadowice est au contraire une petite cité pastorale, nichée dans les contreforts des monts Beskides, et que longe la Skawa, impétueuse et bouillonnante, affluent de la Vistule. Les frontières entre la ville et la campagne sont précaires, et vivre à Wadowice, c'est être en contact avec une nature pittoresque, composée de forêts de pins et de bois. C'est cette campagne romantique que Karol Wojtyla, les jours qui suivirent son élection, chanta avec des accents dignes des grands poètes de la première partie du XIXe siècle, tel Adam Mickiewicz.

« Je garde dans les yeux, disait-il, et dans le cœur le panorama de la terre de Cracovie, de Zywiec, de Slask, de Podhale, des Beskidy et des Tatras. J'offre au Seigneur cette terre tant aimée et le paysage tout entier de la Pologne[1]. »

L'histoire de la cité est cependant inscrite dans les siècles. Elle remonte à plus de six cents années, et si Wadowice n'a pas conservé de monuments exceptionnels, elle a quelque chose de très doux que la grisaille du communisme n'aura pas effacé. La grâce et la régularité des immeubles et des petites maisons tempèrent la rigueur du climat, et malgré l'humilité des bâtisses, leurs teintes jaunes et grises donnent une certaine unité à la ville. Une place accueille les jours de marchés des étals bruyants et colorés, avec, dans l'angle sud-ouest, l'église de la paroisse où naquit le petit Karol, une église du XIVe siècle très simplement décorée à l'intérieur, avec quelques traces tempérées d'un rococo XVIIIe qui apporte un certain élan à la nef et à l'autel. Wadowice est modeste, elle ne se flatte d'aucun prestige particulier, elle fait partie de cette Galicie pauvre et isolée, mais elle vit paisiblement.

La maison des Wojtyla est tout près de l'église, elle est d'ailleurs située rue de l'Église : autre signe, autre clin d'œil de ce destin hors du commun.

Pour accéder à l'appartement, il faut, raconte Georges Blazynski, pénétrer dans une cour sombre, franchir « ensuite une porte vermoulue », grimper « un escalier de pierre pour [se] retrouver au premier étage sur une galerie extérieure en fer. Une porte donne directement sur la cuisine que [l'on] traverse pour arriver aux deux pièces qui forment l'appartement »[2].

La relation de Blazynski n'est pas misérabiliste. Certes, il insiste sur le caractère pauvre de l'appartement, comme d'autres l'ont fait pour la chaumière des petits bergers de Fatima ou la masure de Bernadette Soubirous. Le contraste bien sûr prête d'autant plus au romanesque quand on sait que le jeune Karol vivra plus tard dans les fastes du Vatican, traversant des salons décorés de fresques et de peintures prestigieuses. Sans compter que, tenace, veille l'idée évangélique que les petits seront les bienheureux du Royaume. Des sombres maisons de l'enfance, Bernadette passera ainsi à la gloire des cieux comme Karol Wojtyla, de l'humble maisonnée à l'accablante richesse du palais du Bernin, du trône de saint Pierre aux splendeurs promises du Paradis.

La famille Wojtyla n'est cependant pas originaire de Wadowice mais du village de Czaniec, près d'Andrychow. Le grand-père de Karol était tailleur, et plus tard, quand son père devint veuf, il n'était pas rare de le voir ravauder ou rajuster un vêtement pour l'un de ses deux garçons. Ce père justement s'appelle aussi Karol. Marié à Wadowice, il s'y installe ; il sert dans le 12e régiment d'infanterie comme officier d'état-major attaché à l'intendance. Capitaine à l'époque de sa retraite, il se voue à l'éducation de ses enfants et à l'érudition et s'intéresse avec passion à l'histoire de l'Église de Pologne.

De la mère de Karol, Emilia, on sait peu de chose. Son nom de jeune fille, Kaczorowska, est originaire de Silésie.

Les rares clichés que l'on possède d'eile la montrent attentive à son enfant, douce et effacée comme ces femmes du temps, tout entières vouées à leur vie d'épouse et de mère, archétypes d'un modèle familial dont Jean-Paul II a reçu si fortement l'empreinte qu'il ne cessera jamais de se conformer à lui et de prôner la nécessité de la famille comme ancrage dans le temps et dans la voie d'accès à Dieu. La mère devient alors l'héroïne majeure, la cheville ouvrière de cette cellule qui, agrégée aux autres, consolide l'harmonie de l'univers, lui donne sa cohérence et sa cohésion.

Il faut comprendre dans ce sens la prédilection de Jean-Paul II pour l'Angélus ; cette prière douce et pleine d'onction est équivalente à la douceur et à la compassion maternelles, elle s'adresse à la Vierge Marie et c'est surtout par les mères qu'on y accède.

A regarder l'une des seules photographies du petit Karol dans les bras de sa mère, on est frappé par l'extraordinaire ressemblance qui les unit. Même visage assez large, même tension dans le regard, mais une nostalgie aussi, quelque chose d'infiniment slave en somme, de fiévreux et de fidèle, de fort et de fragile tout à la fois. Cette ressemblance ira croissant au fur et à mesure, et il est des photographies aujourd'hui de Jean-Paul II qui retrouvent la même expression que ce cliché de 1920 représentant une mère attendrie, avec ce geste propre à toutes les mères, exhibant son enfant comme s'il était l'unique, le Messie. Et de fait, légende ou réalité, l'on prétend que la mère en se promenant dans les rues de la ville aime à dire que son « Lolek ira loin ».

Le frère aîné, Edmond, a treize ans. C'est un garçon sage, studieux et obéissant, dit-on, pieux aussi comme il se doit dans une famille catholique du début du siècle en Pologne. Pour bien comprendre cet aspect de la piété populaire si tenace chez les Polonais, il faut savoir quel était alors l'état du pays à cette époque. A la naissance de Karol Wojtyla renaît la Pologne libre et indépendante.

Les partages de 1772, 1793 et 1795 avaient consacré la partition de l'État polono-lituanien sous la coupe de la Russie, de la Prusse et de l'Autriche. Tout le territoire avait été ainsi livré à des monarchies de confessions différentes : la Russie orthodoxe, la Prusse protestante, l'Autriche catholique. Ce ne fut que dans le maintien farouche de leurs traditions au prix de la clandestinité et du martyre, de la résistance passive ou active, et d'une foi catholique mystique aux démonstrations doloristes que les Polonais purent conserver l'espoir de recouvrer l'indépendance. Ce fut surtout dans les territoires soumis à des occupations brutales que le catholicisme devint une arme de combat pour le cardinal Wojtyla, rappelant en cela l'histoire même de son pays. L'Allemagne du Kulturkampf et la Russie orthodoxe eurent ainsi à combattre la ferveur d'un peuple qui ne désarmait pas et tâchait de maintenir coûte que coûte son génie spécifique. C'est pourquoi le « polonisme » a toujours été lié au catholicisme. La Première Guerre mondiale fut sûrement aux yeux des Polonais le moyen de reconquérir leur indépendance et ce fut en effet grâce aux traités de Versailles et de Riga que la Pologne renaquit de ses cendres. Elle devenait un État étendu sur 389 000 km^2 et comptait 27 millions d'habitants, répartis en 19 millions de Polonais, 4 millions d'Ukrainiens, 2 millions de Juifs, 1 million de Biélorusses, 1 million d'Allemands, plus des groupes de Tatars, de Tchèques, de Russes et de Lituaniens. « État multinational », elle était néanmoins majoritairement catholique[3].

C'est donc dans ce contexte plutôt euphorique de résurrection de l'indépendance que naquit Karol Wojtyla. « La Pologne ressuscitée est toujours la catholique Pologne, la foi religieuse qui fut sa meilleure armure, sa plus ferme défense contre les assauts du Russe orthodoxe et de l'Allemand luthérien, ne reste pas seulement une tradition historique, elle est une force vivante ; son clergé actif et influent est à la tête du mouvement social et ne demeure pas étranger au mouvement politique. La Pologne veut être un État démocratique mais elle entend rester essentiellement un État catholique. » C'est pourquoi la ferveur religieuse qui règne dans ces années 1920 ressemble à l'élan de la Contre-Réforme, à un déploiement spirituel de toutes les pratiques religieuses. Le concordat qui fut signé entre l'État et l'Église en 1925 privilégie grandement l'Église et la renforce dans son autorité morale. « Enserrée par le double garde-fou de l'autorité de l'État et de la richesse foncière, l'Église polonaise était d'emblée orientée vers le nationalisme et le conservatisme social », note G. Castellan[4].

Une véritable symbiose se crée entre les deux signataires. L'État accepte que l'enseignement religieux soit obligatoire dans les écoles publiques, des prières liturgiques sont prononcées pour la République et pour son président chaque dimanche, etc.

Dans cette vaste entente concordataire, la vie religieuse s'épanouit, la piété populaire est encouragée, et le sentimentalisme slave innove, multiplie les pèlerinages et les rosaires ; ainsi « la vie de la paroisse est intense. Églises et chapelles regorgent de monde, le travail du confessionnal est écrasant. La vie liturgique et sacramentelle est orchestrée bruyamment par toutes sortes de manifestations de piété extérieure et collective : neuvaines, bénédictions, processions, pèlerinages[5] ».

Le clergé lui-même multiplie les initiatives en tissant des réseaux associatifs innombrables qui donneront à la vie urbaine et pastorale une dimension conviviale : presse, Association de la jeunesse catholique, Fédération des scouts polonais, corporations étudiantes, Action catholique, etc.

On voit dès à présent dans quel tissu culturel et religieux Karol Wojtyla a été formé ; ayant baigné dans cette pratique, il se souviendra toujours de cette piété immense et naïve. « Pays des processions et des pèlerinages », selon la belle expression de Georges Castellan, la Pologne a puisé dans le catholicisme ses moyens d'exister.

L'écrivain-voyageur Charles Delvert rapporte en 1927 : « On sent que cette foi catholique qui pendant un siècle et demi a donné aux Polonais la force morale de résister à la puissance d'absorption des Prussiens, que cette foi catholique, palladium de leur indépendance, les possède tout entiers[6]. »

La vie familiale chez les Wojtyla répond à cette morale chrétienne, sur laquelle le père ne transige pas. Il apparaît très proche des siens et attentif à l'éducation de ses garçons, délaissant momentanément quelque peu le petit Karol qui alors a davantage besoin de sa mère. Deux mois après la naissance l'enfant est baptisé à l'église Notre-Dame ; le baptistère de pierre est assez banal, mais il sera pour le futur prêtre un lieu majeur, devant lequel il se prosternera régulièrement, aimant y amener ses amis de passage et c'est avec une réelle émotion qu'il s'y jettera à genoux quand il reviendra en chef de l'Église catholique en 1979.

Des témoignages de cette époque, rares et appartenant davantage à la tradition orale, avec tout ce que cela peut comporter d'approximatif et de légendaire, on ne retiendra guère que cette paix qui règne au foyer et surtout cette fidélité à Dieu dont témoignent l'unité de la famille et l'amour qui y règne. Le premier des tabernacles est celui du foyer familial. Le pape ne cessera de le répéter, jusqu'en 1994 où, tonnant contre les projets de résolution de la conférence de l'ONU prévue sur la planification démographique, il s'écriera : « Je leur dis non ! reconsidérez [votre] projet ! convertissez-vous ! La famille n'est pas une institution qu'on puisse modifier à sa guise. Elle appartient au patrimoine le plus sacré de l'humanité. »

La modestie, l'obéissance à Dieu, l'amour sont les vertus dans lesquelles il baigne dès la petite enfance. Quand il est en âge d'aller à l'école, Lolek, comme tous l'appellent ici, apparaît comme un garçon équilibré et studieux. Plutôt porté sur l'activité physique, il aime les jeux du stade, les cours de récréation, les promenades dans les campagnes environnantes. La vitalité qu'il affiche ne l'empêche pas cependant d'être très tôt interpellé par la religion. Ses parents aiment l'emmener dans les grandes manifestations de piété populaire où il fera l'expérience du mystère de la foi et découvrira Jésus-Christ. On rapporte ainsi qu'en 1926 son père, le jour du vendredi saint, le conduit au sanctuaire de Kalwaria Zebrzydowska où se joue chaque année le mystère de la Passion du Christ. Le réalisme outrancier des scènes, la cruauté de la montée au Golgotha dans le froid encore vif, dans une campagne neigeuse, le tremblement des milliers de cierges que tiennent dans leurs mains les pèlerins venus de tous les coins de la région, de Nowy Targ, de Bielsko-Biala, de Cracovie, frappent l'imagination de l'enfant, lui apportent cette familiarité avec le mystère, cette proximité qui le caractérisera dès lors. La piété des pèlerins est violente, exubérante et lyrique. Cette exacerbation des sentiments mêlée au sacré marquera à jamais Lolek. Le sport et la formation du corps vont harmonieusement de pair avec l'appréhension du sacré, comme avec la formation intellectuelle naissante. La rigueur du père y est peut-être pour quelque chose. A l'observer sur ce cliché de 1928 où Lolek est vêtu d'une vareuse à col marin, le père porte encore l'uniforme de l'armée austro-hongroise. Le crâne rasé, de fines lunettes de métal cerclant ses yeux, il a l'air grave et sévère, mais la tendresse de la main du petit Lolek comme cherchant celle de son père donne à cette photographie la mesure de la communion qui les reliait, diffuse une sorte de halo de tendresse.

Le père néanmoins entend former ses deux garçons à la dure. La fierté polonaise s'acquiert à ce prix de maîtrise de soi, de courage, de virilité. Très tôt, les deux frères connaissent des matins froids où il faut se laver avec de l'eau gelée, partir sur les rues verglacées pour aller à l'école. Des souvenirs de l'école primaire, il n'en reste guère, on sait seulement que Karol y est un remarquable élève, excelle en poésie, en récitation, en religion, en histoire et en géographie, en calcul aussi.

Il aime avec un égal bonheur jouer au ballon, s'initie très jeune au football, qui sera un de ses sports favoris. Gardien de but, il est le veilleur du match, le vigile attentif, le déceleur des stratégies.

Cette première enfance semble donc se dérouler paisiblement. Tout destine Lolek à une vie normale, régulière et heureuse. La première expérience de la douleur, de l'exil et de la mort, il la fera en 1929, lorsque sa mère mourra subitement d'une affection rénale. Lolek a neuf ans. Désormais il trouvera refuge dans la douceur d'une autre mère, à laquelle il se confiera entièrement, la Vierge Marie.

Le jeune Lolek se retrouve seul avec son père, son frère, alors âgé de vingt-deux ans, étant parti à l'université de médecine de Cracovie poursuivre ses études. La vie familiale amputée de la présence de la mère n'a plus cette douceur ni cette écoute sensible. Mais Karol Wojtyla n'est pas un père comme tous les autres. D'abord il ne travaille plus et vit à la maison, se consacrant entièrement à l'éducation de son cadet. Il prend soin du logis, prépare les repas, fait réviser les leçons de son fils, prend le temps de l'écouter et lui enseigne les principes de la religion chrétienne, au besoin, se souvient des gestes de son propre père, ravaude, taille une chemise, bref entretient le foyer avec une vigilance et une précision de mère. Premier catéchiste de son fils, il habituera Lolek à une pratique religieuse régulière, et ce n'est pas une légende de raconter que, se rendant à son école, Lolek va prier tous les matins à l'église, faisant de ce rituel un passage de la nuit à l'éveil, de l'abandon nocturne à Dieu à la vie éveillée comme une prière active, toujours présente.

Aussi très tôt Lolek servira la messe ; de tous les enfants de chœur, il sera, dit-on, le plus zélé, le plus pieux. Il semble que très vite il ait compris le vrai sens de la foi, et l'engagement que cela suppose. Pour autant il n'est pas un bigot, ni un garçon complexé qui aurait trouvé refuge dans une piété excessive pour fuir les réalités ou les difficultés. Au contraire Lolek apparaît comme un garçon très équilibré, sachant se partager entre les activités spirituelles, intellectuelles et physiques. Cette harmonie ne cessera de croître au cours de son enfance et sera même un des traits déterminants de sa personnalité. Ceux qui l'ont approché à cette époque racontent qu'il rayonnait, doué d'une paix intérieure que la mort de sa mère n'avait pas altérée. De fait il vivra ce deuil dans la foi, c'est-à-dire dans la confiance en Dieu, comme si, au-delà du manque, il pensait qu'il ne fallait pas s'opposer par une trop grande détresse à Sa volonté. Le futur Jean-Paul II reprendra toujours dans sa catéchèse universelle, les principes ainsi hérités de son père, et son enseignement sur la famille en découle pour beaucoup.

Ainsi heureux, malgré l'exiguïté du logis et les modestes revenus paternels, Lolek vit une existence pacifiée, partagée entre l'apprentissage à la contemplation, (« faire l'Église en soi », comme il le dira plus tard), la régularité dans l'étude et les escapades sportives (football, patinage, ski, promenades dans les forêts alentour).

Dans la ville, Lolek et son père apparaissent comme deux figures inséparables et l'on a beaucoup d'estime pour cet homme qui se voue aussi complètement à son enfant, lui apprenant la tolérance et les principes de l'Église. Lolek manifestera dès ses premières années de catéchèse une prédilection pour la religion. Il se révèle vite un être religieux, vivant la foi plutôt qu'appliquant des règles, comprenant intuitivement l'engagement que suppose la foi en Dieu. A la différence de beaucoup de ses camarades qui reçoivent la même éducation religieuse que lui à l'école, il assimile la foi, l'incarne, la vit de l'intérieur.

Loin de l'isoler, cette foi va lui donner d'aller davantage à la rencontre des autres. Il est un camarade de classe très aimé, très attentif, et surtout très disponible. Sa capacité à se mettre au niveau des élèves, lui qui est de tous le plus doué (il obtient les mentions très bien dans toutes les disciplines sauf en histoire et en physique-chimie où il n'obtient que... bien), et son aptitude à garder les pieds sur le terre font de lui un ami recherché. Un cliché, tiré le jour d'une sortie de classe (le 26 mai 1930), nous montre Karol le crâne rasé, le teint pâle, le visage plutôt rond, mais avec un air grave et un peu triste. Il regarde l'objectif fixement, avec une détermination farouche. Presque à ses côtés, son père apparaît âgé, et tous les deux ont la même tension dans les yeux, la même expression de conviction. Une autre photographie le montre le jour de sa première communion, les cheveux courts cette fois-ci, vêtu de blanc, un cierge à la main. Sur le guéridon placé près de lui, une image de Jésus-Christ accueillant le baptisé, offrant l'hostie. L'intensité du cliché est extrême, le regard de Lolek d'une ardeur presque mystique.

Son enfance est romanesque, singulière déjà par l'absence maternelle, mais surtout par cette plénitude que fonde la pratique de la religion. Ce n'est rien d'autre que prêchera Jean-Paul II dans ses pastorales itinérantes. La leçon de son père, c'est celle de l'humble catéchiste qui affirme que la grande « moisson » que le Christ réclame, c'est la maturation de l'homme « selon Dieu et en Dieu lui-même ».

Le père et le fils vivent alors dans une entente parfaite. Les témoignages montrent tous que Lolek n'a jamais manifesté de crise adolescente, de rébellion, de violence. Au contraire, il se présente toujours aux autres dans une ouverture d'esprit et de sentiment que certains raconteront plus tard dans des récits publiés. Jamais Lolek ne fait figure de « premier de la classe », de fier ou de pédant. L'humilité est, dit-on alors, une de ses grandes qualités.

L'environnement naturel aide Lolek dans cette hygiène de vie. La nature à la sortie de Wadowice est puissante et solide, elle exprime sans grâce une force et une austérité qui lui conviennent, et le climat rude lui va bien parce qu'il le tonifie, le met spontanément en relation avec les forces secrètes de la nature. Il sera un évêque sportif, ne dédaignant pas de skier avec les prêtres de son diocèse, ne répugnant pas à descendre des torrents tumultueux en kayak, trouvant dans la nudité de cette nature une vérité de Dieu, offerte, à prendre. Il connaît intuitivement cette jouissance-là, celle du partage, d'une alliance.

En 1932, à peine retrouvé cet équilibre spirituel et physique que la mort de la mère, quatre ans avant, avait déchiré, il apprend la mort de son propre frère, Edmond. Devenu médecin, celui-ci meurt très rapidement d'une infection de typhus contractée auprès d'une malade, à l'hôpital de Bielsko-Biala. Le père s'effondre, trop de malheur l'accable, a raison de cette paix patiemment conquise. Légende ou fait réel, on prétend que Lolek se montrera cette fois-ci plus fort que son père et sera son consolateur. Il aurait eu ces mots : « Courage, papa. C'est la volonté de Dieu. »

La foi lui donne les moyens d'apaiser sa douleur. Quelque chose en lui se fortifie, grandit, s'assure à mesure que les siens disparaissent et que l'ombre de la solitude s'agrandit. Le père de Karol devient taciturne, sombre dans une sorte de mélancolie et de désarroi qui rendent la vie à la maison plus grise, plus souffrante. Le père vit dans le souvenir de sa femme, de la petite fille morte dès les premiers jours de sa vie, avant Lolek, et à présent dans celui de son fils dont il était si fier. Lolek traverse lui aussi à ce moment-là une crise de solitude qui le pousse à un profond recueillement. Son intelligence lui réclame de trouver sa place, de conquérir de nouvelles forces. La religion est plus que jamais pour lui un recours essentiel. Il rend visite très souvent au curé de sa paroisse, sert la messe avec une grande régularité, mais il semble que l'appel à la vie religieuse ne se situe pas encore à cette époque.

La personnalité de Karol se forge ainsi, à Wadowice, dans ce climat de certitude et de foi fortifié par la rudesse des mœurs montagnardes. Karol est nourri de chants traditionnels, de toute une culture spécifique à cette région de Pologne. Le montagnard des Tatras est rude mais sain, il aime son pays et respecte sa famille, il a pour la nature une véritable passion, cherchant dans son refuge l'énergie vitale ; il s'oppose à l'archétype du citadin, qui a vendu son âme au diable, et vit dans des climats délétères. C'est dans ce fonds imaginaire et collectif de contes et de légendes que Karol est élevé. Inconsciemment il s'en pénètre, reçoit tous les influx de cette terre.

Durant ses études secondaires au lycée de Wadowice, Karol confirme ses grandes qualités intellectuelles et morales. Il se distingue notamment dans les humanités et manifeste déjà une aptitude à conceptualiser qui promet pour son année de philosophie. Il affiche une détermination dans le travail et un très fort esprit de synthèse et exerce, sans en profiter, un ascendant considérable sur ses camarades de classe. Son autorité est reconnue et incontestée : « Il avait, dit un de ses amis d'école, plusieurs longueurs d'avance sur nous dans ses connaissances générales et le nombre de sujets qui l'intéressaient. »

Très dynamique et d'esprit convivial, il participe à beaucoup d'activités sans que cela gêne ses études. Au contraire, il semble que la pratique du football par exemple et celle de poésie, non seulement en acteur mais en créateur, soient pour lui comme une nourriture supplémentaire qui lui donne justement de mieux comprendre le sens du monde. C'est là qu'il acquiert cet esprit de synthèse et de conciliation qui seront parmi les traits les plus marquants de sa personnalité. Karol Wojtyla est un homme curieux de tout, voulant accomplir totalement son humanité. N'est homme que celui qui est à l'écoute du monde et des autres, se nourrit des autres, se convertit sans cesse grâce aux autres. C'est cela qu'intuitivement puis de plus en plus précisément Karol va comprendre et expérimenter. Plus tard quand il entrera dans la vie sacerdotale, il sera « l'oncle », comme on l'appellera, c'est-à-dire celui qui fait le lien adulte entre le frère et le père, et qui est à l'écoute des jeunes, son « espérance », comme il le clamera en octobre 1978.

Sa vie est tendue de signes, de rencontres qui une à une vont former sa personnalité avide. Posséderait-il par exemple cette force de communication, cette faculté d'engager aussitôt le dialogue avec les autres, cet art du discours et de la conviction, ce talent quelquefois roué de séduction, s'il n'avait fait connaissance de cet homme de théâtre amateur qui, à Wadowice, montait des pièces dans un esprit très personnel, avec une troupe enthousiaste ? Toujours est-il que le jeune Karol, pour ses loisirs, demande à entrer dans l'équipe de Mieczyslaw Kotlarczyk. C'est là qu'il apprendra à placer sa voix, à pratiquer une diction claire, à exprimer des sentiments forts et révéler sa présence très dramatique.

Kotlarczyk, au demeurant professeur d'histoire de l'école des filles, est un directeur de troupe connu dans la petite ville. Passionné de théâtre et excellent pédagogue, il accueille dans sa troupe les jeunes du lycée, garçons ou filles, et entretient avec eux une relation très chaleureuse. Il leur enseigne un art dramatique fondé sur la communion entre le texte et les comédiens, entre ce qui se joue sur la scène et les spectateurs, comme s'il s'agissait d'une liturgie. D'ailleurs, pour Kotlarczyk, le théâtre est sacré et doit répondre au même rituel que pour un culte. L'inspiration, le souffle intérieur, une sorte de mysticisme animent son théâtre, à la manière de ce qu'en France Paul Claudel ou Charles Péguy ont tenté de créer.

La vie y est communautaire : aucun n'a de privilège de rôle et chacun met la main à la pâte. La troupe fait les costumes, monte les décors, répète en présence de tous, travaille le texte, l'explique, cherchant toujours à exalter la Pologne et son génie. C'est dire que Karol trouve là une nourriture exceptionnelle qui va lui devenir indispensable. Il fait soudain l'expérience d'un théâtre qui est tout le contraire de ce qu'on pourrait imaginer, frivole et léger, maquillé et travesti. Le théâtre de Kotlarczyk est spirituel, engage l'âme, force à sortir de soi, exige une tension extrême. Le jeune Karol porte en lui tous ces élans, il sent cette force qui le travaille, cette vérité qui doit sortir et se dire, il comprend confusément que ce théâtre est le sien, lyrique et formateur.

Mais cette formation dramatique n'est pas sans faire mûrir en même temps sa vocation religieuse. Elle l'avive, à son insu, le pousse vers elle, jusqu'au jour où, après d'autres signes, il entendra l'appel.

Plus tard, le père Wojtyla sera tellement persuadé de l'influence de son apprentissage théâtral qu'il écrira des pièces de théâtre pour transmettre quelques traces du dépôt, une autre manière de pratiquer la pastorale.

L'autorité de Kotlarczyk est grande. Il porte en lui un vrai message dont il se sent responsable. Il brûle d'un feu ardent, une sorte de Copeau obscur travaillant avec violence et peu de moyens dans une ville pauvre et peu intellectuelle. Il met en pratique sa théorie au jour le jour, au gré des répétitions, définit peu à peu ce qu'il appellera le « théâtre rhapsodique » et qui trouvera sa pleine mesure dans la clandestinité, lorsque la Pologne sera de nouveau rayée de la carte des pays libres.

Théâtre de la parole, il se préoccupe moins de l'anecdote et des péripéties, du luxe des décors et des costumes. Ce qui compte, c'est l'écho du texte dans celui qui le lit et qui le communique à son tour à la salle. Le théâtre devient une sorte de grande messe lyrique qui célèbre un mystère.

Rocco Buttiglione définit ainsi la fonction de conscientisation du texte que Kotlarczyk assigne au théâtre : « La force évocatrice de la parole n'a pas simplement pour but de communiquer une signification, mais aussi d'évoquer une émotion. [...] La valeur que l'auteur a saisie dans son texte, en tant que valeur universellement humaine, plonge dans l'intimité profonde de qui écoute, et l'acteur est celui qui, par une ascèse personnelle particulière, s'introduit dans son intimité[7]. » L'influence du maître discret de province sera déterminante sur la pensée même du philosophe Wojtyla qui, par cette voie, fondera sa théorie de la conscience.

Ce qu'apprend Wojtyla dans cette troupe, c'est une expérience totale, physique, sensible, spirituelle et intellectuelle, de la même manière que le spectacle de Kotlarczyk est total à la manière des grandes tragédies grecques ou des miracles du Moyen Age. Le théâtre est à l'écoute des souffles du monde, il vibre et respire de manière épique, il retrouve la violence des origines, par le geste et par le mot, il fait circuler le visible et l'invisible, il fait prendre conscience de la réalité secrète de l'univers. Kotlarczyk en ce sens n'innove pas tout à fait, sa théorie procède d'une somme de filiations dont il a fait la synthèse, y ajoutant la spécificité romantique du sentiment polonais.

Karol participe donc activement à ce théâtre, y trouvant des énergies vitales propres à éclairer les secrets de ce monde qu'il entrevoit. Buttiglione note avec justesse que le rôle du comédien s'assimile chez Kotlarczyk à celui du médium et par là même à celui du prêtre. Dans cette période d'intense formation spirituelle, Karol mature cette correspondance, il sait que des passerelles se tendent entre les choses, que ses rencontres et ses convictions ne sont pas innocentes mais qu'elles le conduisent vers un but qu'il ne discerne pas encore très précisément. Il jouera entre autres drames romantiques ou grands textes de la littérature polonaise la *Nie-Boska Komedia* de Krasinski *(La Non-Divine Comédie)*, vaste fable sur la guerre civile et la fin du monde occidental. Apologue forcément didactique, comme le seront d'ailleurs tous les textes que le père Wojtyla publiera, la pièce signe la victoire du mal sur la terre mais aussi sa défaite par la vision que le vainqueur a du Christ, contemplant la folie des hommes, irrémédiable, et prédit que seul le Christ a la clé du rachat. De lui seul, de sa compassion, de son amour dépend la vie.

Karol déclame ce texte très oral, puissant dans son rythme et son évocation, se forgeant grâce à son contenu une conception du monde et de Dieu en relation avec ce que ses catéchistes déjà lui enseignaient, les pères Figlewicz et Zacher. De structure psychologique suractive mais sachant néanmoins se ménager des temps de méditation, Karol lit beaucoup, avec avidité, singulièrement les grands romantiques polonais, ceux qui délivrent un messianisme tumultueux, à la scansion lyrique et oratoire : Mickiewicz bien sûr, Slowacki, Krasinski, Norwid, son poète préféré[8].

Mais ces années de formation ne vont pas non plus sans qu'il se frotte aux réalités politiques et sociales. Il n'y a pas que l'insouciance des jeux et l'évasion par la poésie qui vont occuper Karol. Malgré lui, il sera confronté aux tensions secrètes de cette Pologne « multinationale », et singulièrement au problème des Juifs. Plus de deux millions au recensement de 1921, plus de trois à celui de 1931, ils sont membres de professions libérales, commerçants, artisans, et, dans les campagnes, surtout agriculteurs ou aubergistes. Les grandes villes, Varsovie, Lwow et Lodz, comptent une communauté relativement dense (de l'ordre de 30 p. 100 de la population) et dans certaines professions comme celles d'avocat et de médecin, ils sont presque majoritaires. La Constitution de 1921 « leur avait reconnu l'égalité des droits et une série d'ordonnances des années 1925-1927 permit aux communautés de s'organiser en une “Association religieuse juive”, corporation de droit public ayant le pouvoir de s'administrer elle-même, de posséder des biens, et de tester en justice[9] ». Les écoles juives sont très nombreuses, rivalisent quelquefois par leur densité et leur réseau associatif avec les écoles catholiques, et la presse qui soutient la communauté est très active : trente quotidiens et cent quatorze hebdomadaires yiddish en 1930[10].

La réputation d'antisémitisme de la Pologne qui a perduré jusqu'à nos jours vient de ce contexte et au-delà encore de certaines rancunes et de ragots colportés depuis l'arrivée des Juifs après leur expulsion de Russie, et leur soi-disant collaboration avec les Allemands, les Autrichiens et les Ukrainiens : ainsi G. Castellan rapporte-t-il un témoignage qu'il tient lui-même de M. Pernot, auteur de *L'Épreuve de la Pologne* : « A Lwow, aux jours de novembre 1918, on vit des femmes juives vider de leurs fenêtres des pots d'eau bouillante sur les volontaires polonais. » Accusés de subvertir et de miner la nation de l'intérieur, suspectés de trahison, et d'être des agents bolcheviques ayant servi la révolution de 1917, les Juifs ne sont pas néanmoins inquiétés avant 1938. Certes des brimades, des formes de ségrégation sont discernables ici et là, mais il faudra attendre les premiers incidents qui survinrent aussi à Wadowice en 1938 pour comprendre la portée de l'antisémitisme polonais. « Le témoignage rapporté par M. Pernot d'un professeur d'université de Lwow ne fait pas de doute : "Les Juifs se considèrent désormais comme supérieurs à nous, ils se sentent plus forts que nous et aspirent à nous gouverner. Nous nous défendrons[11]." »

Deux camps religieux s'affrontent donc dans cette Pologne des années 30. D'un côté les catholiques, fervents disciples d'un « polonisme » romantique, et de l'autre les juifs, dont l'organisation très structurée constituerait une menace pour l'intégrité nationale. A cette époque, ce relent de suspicion est encouragé par de hauts dignitaires de l'Église et souvent par un enseignement catéchistique qui ne craint pas d'attiser la haine par le récit schématique de la mort du Christ, crucifié à cause des Juifs. L'amalgame entre Juifs et bolcheviks sert aussi de repoussoir. La presse catholique, tout en condamnant les excès antisémites, relaie confusément et habilement les idées reçues et entretient un climat propre à fortifier la haine ; on y lit que les Juifs se livrent secrètement à une « conspiration universelle », que « l'on doit éliminer les Juifs de la vie de la société chrétienne » et qu'il faudrait même « prévoir des écoles séparées pour eux afin que nos enfants ne soient contaminés par le bas niveau de leur moralité »[12].

Le père de Karol Wojtyla n'est pas perméable aux idées antisémites. Fort d'une foi chrétienne évangélique, il apprend à son fils les principes de tolérance et d'écoute des autres, d'amour et de compassion enseignés par le Christ. Il est à Wadowice l'ami du président de la communauté juive, l'avocat Kruger, et lui manifestera plus tard sa sympathie lors des premières exactions antisémites violentes de 1938.

Le jeune Karol, à la différence de certains de ses amis du gymnase, ne profère aucune injure contre ses camarades de classe juifs et même se targue d'en avoir un très proche, Jurek, le fils même de Kruger. Les Mémoires de « l'ami juif » rapportent qu'un jour, ayant voulu annoncer à Karol qu'il était admis au « lycée des grands », et ne l'ayant pas trouvé chez lui, il se précipite dans l'église où Karol servait la messe. Profitant d'un moment où Lolek n'est pas occupé, Jurek lui fait un signe pour lui dire la bonne nouvelle. Des paroissiens reconnaissent le jeune Kruger et s'étonnent de le voir dans une église. A ceux-là, et devant son ami, Karol répond : « Nous sommes tous fils de Dieu. »

Lolek et Jurek sont inséparables et partagent loisirs et études avec une égale joie. Jurek surtout apprend beaucoup de son ami qui lui fait réviser ses leçons, lui réexplique des exercices. L'été ils vont se baigner dans la Skawa, pourtant froide, l'hiver, le lieu de ralliement est le bar Venezia, « où le court de tennis gelé se transforme en piste de patinage[13] ». Ils jouent aussi au hockey avec des battes rudimentaires. Après dix ans, raconte l'ami juif, les grandes « expéditions » commencent. Ils vont jusqu'à Lysa Gora, distante de trois kilomètres où il y a une bonne piste pour skier, ou à Lieskowiec, à près de mille mètres d'altitude. Chaque soir, Jurek se rend chez son ami, dans sa modeste maison de la rue Koscielna : « Une maison, dit-il, qui l'intriguait, une maison d'hommes, à la différence de la sienne, régentée par les femmes. »

De fait, la vie chez les Wojtyla est singulière. Le père joue tous les rôles, et aime aussi à faire le répétiteur auprès des deux amis. Ainsi, avant le dîner, il les interroge sur des points d'histoire, exaltant toujours l'héroïsme de la Pologne ou leur faisant apprendre des poèmes romantiques. Lolek se nourrit de cette histoire légendaire, de ces héros nationaux, Mickiewicz, Slowacki, Chopin, tous exilés, mais fidèles à leur terre.

Ces années-là, 1930-1938, sont des années de bonheur, « et Wadowice est une petite oasis heureuse », à l'abri des grandes manœuvres qui se préparent. Le lycée rassemble des personnalités multiples, il y a ces professeurs dont se souviendra plus tard Kruger, et que Lolek côtoya forcément : Panczakiewicz, le professeur de gymnastique, Heriadin, le professeur de sciences naturelles, qui se confond en excuses quand il met une mauvaise note et oublie systématiquement ses cigarettes sur le bureau, Damiasiewicz, le professeur de grec, aux chaussures tellement reluisantes qu'on pouvait s'y mirer, et Klimczyk, le chauffeur qui emmène les élèves au théâtre de Cracovie.

Sur la quarantaine d'élèves, il y a des personnalités dont Jurek se souvient plus fortement, Stanislaw Banas, le plus riche, Teofil Bojes, le plus pauvre, dont le père travaille à la mine et qui est excellent élève, Zdzislaw Bernas, aux idées socialistes, et Rudolf Kogler, le représentant des élèves, et le responsable de la bibliothèque, Viktor Kesek, le sportif, et Zbigniew Silkowski, sportif lui aussi et véritable mécréant que Lolek peu à peu ramena à la foi, en l'intégrant dans la société Marian de l'école dont il sera pendant trois ans le président.

Il y a encore le don Juan du gymnase, Tadewz Czuprynski, les plus studieux, Jan Kus et Tomasz Romanski, et les jumeaux Piotrowski, qui ont fondé le club des joyeux lurons en réaction au club des abstinents, où Lolek a adhéré...

Il y a aussi l'artiste qui caricature les professeurs, Zdzislaw Przybyla, et les trois garçons juifs de la classe, Kluga, Selinger et Zweig. Et deux antisémites dont l'argument premier est que les Juifs ont été la force majeure de la révolution bolchevique...

Les préoccupations amoureuses ne sont pas absentes. Le lycée de jeunes filles n'est pas loin, et elles ont toutes la passion du théâtre. Lolek évolue avec aisance dans tous les milieux, sportif, artistique, intellectuel, religieux. Il donne l'apparence d'un équilibre rare qui impressionne tous ses amis.

Il n'a pas que Jurek comme ami juif ; Ginka Beer, de deux ans plus âgée que lui, sera sa première *maestra* aux cours de théâtre qu'il prendra avec régularité jusque dans la clandestinité de la guerre. Par Ginka, il découvrira un peu plus tard l'injustice des lois antisémites, et mesurera le danger qu'elles font peser sur l'homme, sur l'espèce humaine[14].

Considérant ces années passées à Wadowice, Jean-Paul II éprouvera toujours une grande émotion. Il les verra comme des années de bonheur et de formation, mais aussi comme des années graves dans une Pologne qui, à peine délivrée du joug des occupants, voit se profiler l'ombre noire du nazisme et la menace de plus en plus évidente d'une nouvelle occupation. L'Allemagne pratique un réarmement à outrance, prône un expansionnisme inquiétant, désigne des communautés comme étant les seules responsables du déclin de l'Allemagne heureusement stoppé par la force d'action du IIIe Reich, tous signes laissant présager un avenir sombre et difficile. Aussi ces années qui précèdent 1938 sont-elles perçues par les jeunes garçons du lycée Marcin-Vadovius comme des temps fragiles à préserver, que la nostalgie plus tard auréolera de tendresse, privilégiant les jours heureux. Il n'empêche que ces années-là sont déjà marquées d'une certaine xénophobie à l'égard des Juifs, et les craintes légitimes d'une guerre où serait entraînée, malgré elle, la

Pologne se dessinent de plus en plus. Des boucs émissaires sont désignés, les Juifs bien sûr mais aussi les francs-maçons et les communistes, soupçonnés d'infiltrer le pays et de le subvertir. Au lycée, des traces d'antisémitisme apparaissent, elles sont encore incertaines, et presque stéréotypées. Que les catholiques accusent les Juifs d'avoir tué le Christ fait partie de la traditionnelle panoplie d'injures que se lancent des écoliers dans les cours d'école, et dans la ville même. D'après les témoignages des amis de Karol, il semble que jamais ce dernier n'ait succombé à ce travers et qu'au contraire il ait toujours défendu à son niveau de lycéen les Juifs. Jurek semble avoir été pour lui le signe sur sa route qui lui a permis de ne pas succomber à la xénophobie ambiante et d'avoir par là « considéré, comme il l'a confié au cardinal Decourtray, les juifs et les chrétiens comme des amis plutôt que comme des rivaux[15] ».

L'expérience de l'antisémitisme violent, Karol la fera cependant de manière brutale en 1938, dans un contexte historique déjà très lourd et préoccupant. Il assiste en effet cette année-là, en même temps qu'il a l'intuition comme tous ses amis du lycée d'une guerre imminente, à des manifestations antijuives très violentes qui le choqueront et donneront en même temps la mesure de l'histoire à venir.

La mort en 1935 de « l'oncle des Juifs », le maréchal Pilsudski, leur a fait perdre son appui et sa bienveillance, et tout depuis s'est détérioré. L'incitation à la haine devient familière et le parti qui domine le Parlement, le parti de la réunification nationale, réclame le boycott économique contre les commerces juifs. Si, à Varsovie, la vague antisémite est devenue chose familière, à Wadowice, elle se fait déjà ressentir par des brimades, des signes d'exclusion qui heurtent la sensibilité du jeune Karol dont le christianisme évangélique ne peut en accepter les effets. De sorte que les deux dernières années de lycée, avant le baccalauréat, la vie se dégrade dans cette Pologne qui, il y a peu encore, avait recouvré la liberté et la paix. Ginka, l'amie juive de Karol, pressentant la persécution, décide un jour de fuir la Pologne pour la Palestine. Des mesures discriminatoires sont infligées aux Juifs, particulièrement l'ordre de changer les prénoms allemands en juifs, et l'atmosphère, même au lycée, a changé. Désormais on se bat dans les cours pour défendre une Pologne débarrassée du fléau juif, les camps sont bien tranchés et des discussions franchement antisémites ont lieu ouvertement, sans craindre même les réactions des professeurs. Wojtyla est de ceux, rares, qui dénoncent cette xénophobie au nom de l'Évangile et affiche une sorte de sagesse qui, cependant, ne parvient pas à convaincre : « N'avez-vous pas entendu le chanoine Prochownick déclarer dans son homélie que l'antisémitisme est anti-chrétien ? Et puis, si nous en sommes arrivés à haïr ainsi un autre homme, j'ai peur que nous ne soyons en train de nous préparer de tristes moments[16]. »

La violence, ces années-là, se déploie rapidement, Karol assiste à des brutalités anti-juives qui le désarment, comme celles qui ont lieu sur la place du marché, le Rynek, menaçant les commerces juifs, y installant des piquets de grève et appelant la population à ne pas se servir chez eux. La nuit, les provocateurs reviennent, cassent des vitrines, dessinent à la peinture des étoiles sur les portes des magasins.

Gian Franco Svidercoschi raconte bien ces moments de trouble et de désarroi au lycée de Wadowice, d'ordinaire peu habitué à ces problèmes. Le professeur d'histoire, M. Gebhardt, leur donne une leçon de morale qui sera décisive dans la formation intellectuelle de Karol Wojtyla. Ne quittant pas des yeux ses élèves, pesant chaque mot, il leur déclame un texte d'Adam Mickiewicz, écrit en 1848.

« Dans notre nation, chacun est citoyen. Tous les citoyens sont égaux au regard de la loi et de l'administration. A Israël (là le professeur s'arrête pour expliquer qu'il s'agit du peuple juif), au Juif, notre frère le plus ancien, estime et aide dans sa voie pour le bien et le bien-être éternel, et à tous, des droits égaux[17]. »

Henri Tincq note avec justesse[18] que des années plus tard, en 1986, lorsque Jean-Paul II rendra visite à la communauté juive dans la synagogue de Rome, il reprendra mot à mot la phrase prononcée par son vieux professeur d'histoire de Wadowice : « Vous, juifs, vous êtes nos frères préférés, et en ce sens, nos frères aînés. »

Adam Mickiewicz joue ainsi le rôle de prophète dans l'imaginaire de Wojtyla qui, peu à peu, se nourrit de l'histoire. De lui il héritera ce goût pour le messianisme, pour ces signes qui à ses yeux, jalonneront sa propre route, et seront le fil conducteur de sa pastorale.

Quelques semaines avant l'examen du baccalauréat, Lolek fait l'expérience d'un autre signe qui va également marquer sa vie. L'archevêque de Cracovie, le cardinal Adam Stefan Sapieha, rend visite aux lycéens de Wadowice. C'est Karol Wojtyla qui est choisi pour prononcer le discours de bienvenue. Est-ce grâce à sa parfaite diction, claire et bien rythmée, qu'il a acquise lors de ses leçons de théâtre où il s'est révélé si brillant, est-ce grâce à sa piété ou à ses bons résultats scolaires ? Toujours est-il que Lolek va être confronté sans qu'il le sache encore au regard pénétrant du cardinal aristocrate, qui aura, sitôt en le voyant, l'intuition de sa vocation.

Le prince-archevêque Sapieha était né en 1867, en Galicie orientale ; issu d'une famille très riche, il vécut une enfance heureuse et reçut une éducation digne de son rang : précepteurs, apprentissage des armes, initiation à la chasse. Il acheva cette éducation au lycée de Lwow puis à l'université de Cracovie. Mais il reçut l'appel de la foi alors qu'il était à Vienne, achevant sa deuxième année de droit. Il entra alors au collège jésuite d'Innsbruck puis partit pour Rome préparer son doctorat de droit canon. Il voulut néanmoins revenir en Pologne, mais sitôt rentré, le pape Pie X le convoqua à Rome pour lui confier le poste de chambellan, chargé des affaires de Russie et de Prusse. Il était d'une honnêteté intellectuelle et d'une droiture morale exceptionnelles. Homme de terrain, il aimait aborder ses interlocuteurs avec une franchise presque déroutante. Très attaché à la pastorale, il manifestait une piété que chacun sentait de manière très sensible. A la mort de Mgr Puzyna, archevêque de Cracovie, le pape Pie X le nomma son successeur et ce fut en 1925 que le prince Sapieha devint prince métropolite, archevêque à son tour, de Cracovie[19].

Il est émouvant de considérer a posteriori la rencontre des deux hommes, Mgr Sapieha et le jeune Karol Wojtyla. L'histoire de Wojtyla est ainsi faite de coïncidences que sa nature slave ne manquera pas d'interpréter en autant de signes divins. Car comment à ses yeux ne pas admettre la voix secrète de Dieu qui souffle à Mgr Sapieha cette question qu'il va poser au professeur d'éducation religieuse, après avoir écouté le discours d'accueil de Lolek : « Mais cet étudiant, après le baccalauréat, qu'a-t-il l'intention de faire[20] ? »

A la réponse évasive de l'enseignant, Karol, intervenant avec cette désinvolture de la simplicité, rajoute : « Excellence, je m'inscrirai en philosophie, à la faculté de littérature polonaise, à l'université Jagellon. »

Et l'archevêque de répondre presque à mi-voix : « Dommage, dommage. » « Dommage, rajoute-t-il au professeur, qu'il ne veuille pas étudier la théologie.[21] »

Mais le destin de Karol Wojtyla n'est pas encore dessiné précisément. Ses années de formation lui donnent une gravité, lui permettent de mieux comprendre où il va, il se nourrit de ses rapports avec ses camarades, de ses études, de ce que lui enseignent au plan moral son père et ses professeurs d'histoire et de religion surtout, il se sait farouchement polonais, fils de cette nation dont il ne cessera plus tard de revendiquer l'identité, il n'a d'a priori sur rien, il aime le football comme l'étude, trouve charmantes les jeunes filles, aimera même danser avec certaines, comme au bal de fin d'année qui couronne ses études secondaires, trouve dans l'apprentissage de la scène des moyens de mieux se comporter physiquement et de connaître ainsi les grands poètes de sa nation. C'est en 1938 qu'il passera donc son baccalauréat avec succès, obtenant le maximum de points. Comme il l'avait affirmé à Mgr Sapieha, il ira à Cracovie poursuivre ses études. Son père, toujours aussi attentif à Karol, décide de s'y installer avec lui. Quelque chose de touchant rejoint le destin de ces deux hommes, inséparables et s'enrichissant l'un l'autre, fondant évangéliquement cette famille dont Jean-Paul II, plus tard, ne cessera de glorifier comme étant la première étape de la connaissance intime de Dieu ; « jardin, dira-t-il, premier séminaire, école d'humanité la plus riche et la plus complète, communauté de sanctification, Église domestique où l'on apprend à vivre la douceur, la justice, la miséricorde, la chasteté, la paix, la pureté du cœur ». (Message aux familles, 26.12.1993.)

V

1939-1945 : LES ANNÉES DE GUERRE, L'APPRENTISSAGE DE LA LIBERTÉ

La conférence de Munich à la fin de 1938 apparaît comme un espoir pour l'Europe qui croit un temps à un recul du IIIe Reich. C'est dans cette espérance que Karol s'installe avec son père à Cracovie. La grande capitale intellectuelle de la Pologne fascine le jeune bachelier : l'université Jagellon est un des plus hauts lieux de la recherche et une des plus vieilles universités d'Europe, fondée sur l'emplacement même de celle créée par le roi Casimir en 1364. Le fantôme de Copernic hante ses vastes amphithéâtres et les plus célèbres professeurs, comme Nitsch et Urbanczyk, y enseignent. Mais Cracovie, c'est aussi la capitale multiforme, lieu historique où les plus imposants monuments, d'allure Renaissance, palais, cathédrale, château des rois, côtoient des places plus populaires comme la place du Marché, médiévale, avec son église Mariacki, flanquée de ses tours imposantes, et ses vieux quartiers sillonnés de ruelles pittoresques. C'est aussi le centre le plus rayonnant du catholicisme, avec son sanctuaire de Jasna Gora, où est honorée la fameuse Vierge, déclarée Reine de la Pologne. Cracovie, dotée encore de la plus moderne bibliothèque d'Europe où ont travaillé Lénine et, dit-on, Staline, Cracovie, qui est composée de multiples quartiers populaires, où vivent en communautés et en corporations les bateliers de la Vistule, les tanneurs, les Juifs, les ferronniers, la bohème artiste aussi. Cracovie, grande métropole ouvrière avec dans sa proche banlieue des usines puissantes, la Semperit, la Solvay, la Zieleniewski...

C'est dans cette bouillonnante cité que Karol Wojtyla s'installe donc avec enthousiasme. Comme prévu il va suivre des cours de philologie polonaise et s'inscrit pour cela au département de philosophie, avec cette passion d'apprendre et de tout connaître qui le caractérise.

Ce que Karol Wojtyla veut acquérir à l'université, ce n'est pas seulement un savoir érudit, mais surtout une connaissance humaine, une vérité de l'homme qui de là le mènera à Dieu. Le savoir est à ses yeux complémentaire de l'appréhension du mystère humain et donc divin. C'est pourquoi il travaille avec une ardeur farouche, voulant tout englober, ne négligeant aucun aspect, le sport comme l'esprit, la foi comme la poésie, le théâtre comme la philosophie. C'est ce qu'il enseignera à ses propres étudiants plus tard comme aux jeunes du monde, son « espérance », comme il dit : apprendre « les divers savoirs qui leur sont offerts, et, à travers eux, l'accès personnel à un autre ordre de vérité, une vérité totale sur l'homme, inséparable de la vérité sur Dieu telle qu'il nous l'a révélée [...] initier à la recherche intellectuelle tout en répondant à la soif de certitude et de vérité. [...] "Que la foi pense", selon l'expression admirable de saint Augustin[1]. »

Les Wojtyla louent un petit appartement dans un quartier populaire de Cracovie, surtout peuplé d'immigrants italiens. Ils logent au 10, rue Tyniecka. C'est un local en sous-sol, où la lumière perce chichement. Mais pour le père comme pour le fils, l'essentiel est ailleurs. Jamais Karol ne montrera de goût pour l'ostentation ou le luxe, et il ne s'attachera guère, même lorsqu'il deviendra pape, à décorer ses appartements. La richesse est intérieure, elle se nourrit à d'autres sources. Comme à Wadowice, le père joue le rôle double du père et de la mère. Il subvient modestement aux frais du ménage, jouissant de sa maigre retraite, et Karol, pour améliorer l'ordinaire, fait des petits travaux, comme celui d'aide-cuisinier sur le chantier d'une rue en construction, rue qui ne fut jamais achevée, et à propos de laquelle il dira plus tard : « A coup sûr, ma cuisine devait être trop mauvaise[2]... »

Mais le jeune étudiant déploie une énergie considérable. Il s'essaie à de multiples activités, se donnant à toutes avec passion, avec ce même dynamisme qui déconcertera toujours plus tard son entourage. Là où d'autres ont besoin de se concentrer sur une seule chose, lui peut en faire plusieurs à la fois, gérant son temps avec une précision implacable. Se souvenant des cours de théâtre et de diction qu'il avait pris à Wadowice, il va participer à la fondation d'une troupe, le théâtre « Studio » qui va mettre en scène une pièce qui s'intitule *Le Célibataire au clair de lune*. Il est tout à fait à son aise, comme généralement dans tout groupe, dans cette nouvelle équipe qui recherche un esprit de type plutôt communautaire.

C'est à cette époque qu'il devient l'ami d'un jeune poète, Juliusz Kydrynski, qui deviendra plus tard très célèbre dans son pays. Karol jouera dans la comédie musicale de Marian Nijnski le rôle d'un signe du zodiaque, le Capricorne. La troupe se produit en plein air et Karol déploie d'admirables talents d'acteur. Il possède déjà le sens de la scène, il a ce charisme essentiel qui fait tenir en haleine son public, il a ce magnétisme qui envoûte et concentre l'attention des spectateurs sur son jeu.

Il participe aussi à des récitals de poésie nationale, remporte de vifs succès avec ses propres poèmes qu'il lit devant un public acquis, tant il a cette capacité de convivialité, cet esprit de rencontre qui feront son autorité et sa légende. Karol Wojtyla jouit de cette vie dont il a rêvé, intellectuelle et spirituelle tout à la fois, dans une sorte d'abondance heureuse mais grave cependant.

L'expérience de la foi lui rappelle en effet à tout moment le sacrifice de la Croix et il sait qu'une spiritualité pleinement vécue ne peut faire l'économie de la douleur. La violence des coups de force d'Hitler lui donne à penser que la guerre est imminente. L'été 1939, il sera requis pour des exercices militaires dans un camp avec ses amis étudiants et cette préparation augure mal de l'avenir. Encore un signe du légendaire destin de Karol Wojtyla ? C'est en servant la messe dans la cathédrale du Wawel que le jeune homme apprendra la déclaration de guerre. Comme chaque vendredi, Karol sert en effet l'office religieux. Ce vendredi 1er septembre 1939, il entend des sirènes violentes traverser la grande nef. Le père Figlewicz confirme les doutes de Wojtyla : « Mais il faut dire cette messe quand même, prier Dieu pour qu'il épargne notre Pologne », lui déclare-t-il. Une attaque aérienne surprend la ville, des détonations éclatent de partout, résonnent dans la cathédrale, mais imperturbablement le prêtre et son servant prononcent les paroles rituelles du sacrifice. Plus vite qu'à l'ordinaire cependant, devant une assistance désemparée et terrorisée. Karol n'a qu'une hâte, celle de retourner chez lui retrouver son père. Il traverse la ville sous le fracas des bombes et dans le harcèlement des sirènes d'ambulances, partout des gens qui se hâtent, qui crient, se mettent à l'abri sous les porches, dans les maisons. Karol trouve son père chez lui, inquiet lui aussi de ne pas voir son Lolek. « Nous devons partir, papa, fuir. Les Allemands seront d'ici peu à Cracovie. – Mais où aller ? – Je n'en sais rien. Mais en attendant, allons-nous-en. Nous verrons après. Sur le chemin, tous disaient d'aller vers l'est. Et de ne pas prendre le train, les avions allemands mitraillent tous les convois[3]. »

L'exode commence. Le père et le fils traversent Cracovie à pied, une petite valise à la main, rejoignent la longue queue des fugitifs, scrutant le ciel, redoutant une attaque éclair. Karol s'inquiète pour son père, déjà âgé, supportant difficilement ce nouvel arrachement, ce nouvel exil. Il obtient d'un camionneur qu'il le prenne à son bord ; c'est le spectacle habituel d'une humanité défaite, livrée à sa peur et à sa misère, « moutons sans berger [...], immense troupeau qui piétine, fourbu, devant l'abattoir [...], livré au macadam[4] ».

L'offensive allemande joue sur la fulgurance de l'attaque, provoquant auprès des civils affolement et sentiment de défaite inéluctable. La Pologne sombre à nouveau dans la nuit, celle des occupations barbares, de l'exil et de la ruine. Le rêve de liberté aura duré vingt années seulement. Vingt années que Karol Wojtyla aura justement vécues, mesurant toute la fragilité de cet État qui était né en même temps que lui, avait recouvré son indépendance et sa dignité, et pour lequel lui et ses camarades étaient prêts à combattre.

Pour l'heure, il marche avec son père, épuisé, sur cette route de l'est, fuyant l'avancée allemande, un peu au hasard, suivant cette mer humaine. Ils vont vers Rzeszow, mais, au bout de deux cents kilomètres, ils apprennent que l'Union soviétique vient de déclarer aussi la guerre à la Pologne, que les soldats russes sont déjà en place. « Mieux vaut retourner à Cracovie, leur dit-on, même s'il y a les Allemands, au moins vous retrouverez vos maisons[5]. »

Ils reprennent donc la route en sens inverse. Ils rencontrent des blessés, croisent des morts, des voitures, des charrettes abandonnées, éventrées, sur le sol des affaires de première utilité. Quand ils arrivent à Cracovie, c'est pour découvrir la ville envahie par les Allemands. Le défi et la promesse d'Hitler se vérifient : « Je ferai de la Pologne un vieux nom oublié sur les cartes de géographie[6]. »

La colonisation sauvage est menée tambour battant. Le plan hitlérien de destruction de l'identité polonaise est mis en œuvre. Sur la cathédrale du Wawel, qui deviendra une salle de concert, flotte le drapeau nazi, les synagogues sont détruites, tous les intellectuels sont pourchassés impitoyablement, l'université Jagellon fermée, trois cents professeurs, après avoir été convoqués prétendument pour discuter de la réouverture de certains départements de la faculté, sont en réalité arrêtés et déportés au camp de Sachsenhausen, les pleins pouvoirs sont donnés à Hans Frank, zélé fonctionnaire de Hitler. Nommé gouverneur général militaire des provinces polonaises, il est chargé de mener à bien la destruction de la Pologne, qui, après la guerre, doit devenir « une réserve d'ouvriers et de paysans où le Reich pourra puiser la main-d'œuvre bon marché[7] ».

Les Juifs, les nobles, les bourgeois, le clergé, les intellectuels sont donc pourchassés et persécutés. Dans la campagne polonaise, se construisent des camps, « Golgotha du monde contemporain », comme dira plus tard Jean-Paul II. Ils ont pour nom : Auschwitz, Treblinka, Majdanek.

Après Cracovie qui se rend le 6 septembre aux ennemis, c'est au tour de Varsovie le 28 de tomber entre les mains des Allemands, tandis que la partie orientale de la Pologne est livrée aux Russes. Cracovie vit sous la terreur, et jamais Karol Wojtyla n'oubliera cette période qui sera reprise comme une litanie dans ses homélies pour dénoncer les horreurs de la guerre et rappeler le droit des hommes à être des hommes : leçon de l'Histoire qui fera de cet homme le pape des droits de l'homme. Dans cette déroute complète, il faut essayer d'échapper aux rafles, aux pièges que tendent en permanence les hommes de Frank. La vie des catacombes va commencer. Elle n'est pas sans rappeler aux yeux du jeune Wojtyla celle des premiers chrétiens ; comme eux, il a l'espérance et la force de vivre rivées au corps, mais aussi la force d'assumer le martyre s'il vient à lui. C'est dans cette période noire que Karol Wojtyla va forger un des traits de son caractère le plus marquant, l'art de la résistance.

On comprend mieux dès lors cet amour de la patrie, de la terre natale qui fonde toute action de Jean-Paul II. L'épreuve est trop forte pour ne pas l'avoir imprégné et la Pologne est pour lui le symbole fervent de la victoire sur le mal, de la victoire de la culture sur la nuit aveugle du totalitarisme, de la victoire du Christ sur Satan.

Très vite, Karol Wojtyla va apprendre à se mesurer à l'ennemi. Il fera ses premières armes avec le nazisme, il les affûtera plus tard avec le communisme. Ne pratiquant ni un héroïsme ostentatoire ni une activité provocatrice qui auraient été suicidaires, il opte pour la clandestinité ; il va se faire Polonais de la nuit et de l'ombre, et en même temps, pour donner le change, il ira au-devant des Allemands réclamant du travail manuel. Délivré en apparence de son étiquette d'étudiant, Karol Wojtyla va essayer de survivre dans la tourmente. Son corps, aguerri par les nombreux sports qu'il a pratiqués dans sa jeunesse, sa constitution puissante et virile font bonne impression aux ennemis qui l'embauchent dans une carrière de pierre. Il obtient une carte de travail, *Arbeitskarte*, qui lui donne droit à un misérable salaire. Il est pour l'instant à l'abri des rafles et des déportations.

Il travaille donc dans une carrière de Zakrzowek, tout près de Cracovie, appartenant à l'usine chimique Solvay. Son labeur est dur et ressemble cruellement à celui des forçats. Cet hiver 1940 est de surcroît extrêmement rigoureux, moins quarante degrés, et il faut casser la caillasse à coups de massue, la charger dans des wagonnets, la décharger, puis recommencer ainsi toute la journée. Les témoignages sont nombreux, relatant la manière dont Karol Wojtyla vécut cette période. On le décrit silencieux et grave, puissant aussi, mettant à profit ces terribles moments pour pratiquer peut-être ce qui est à ses yeux la véritable philosophie, tirer du sens des choses, convertir les épreuves en savoir, en connaissance. Jamais il n'a mieux appris à connaître l'homme qu'en ces temps d'oppression et de douleur. Jamais il ne s'est autant associé à la défaite de sa terre natale que dans ce paysage dénudé et aveugle dont le souvenir le hantera toujours au point qu'à chaque rencontre qu'il effectuera au cours de ses voyages pastoraux en tant que pape, il l'évoquera comme le temps de la connaissance de l'homme et au-delà, de Dieu.

Ainsi le 18 février 1982 à Libreville, au Gabon :

« Lorsque je rencontre des travailleurs manuels, je ne puis m'empêcher de leur confier avec émotion qu'une très grande grâce de ma vie a été de travailler en carrière et en usine pendant près de quatre années. Voilà quarante ans de cela, je m'en souviens encore. Cette expérience de la vie ouvrière, de tous ses aspects positifs, et de ses misères, de même que, sur un autre plan, des horreurs de la déportation de mes compatriotes polonais vers les camps de la mort, ont profondément marqué mon existence. » Où qu'il soit, c'est toujours sur le mode de la confidence que Jean-Paul II raconte son expérience d'ouvrier ; c'est par elle qu'il prétend « continuer l'œuvre divine de la création ». C'est dans cette expérience de travaux forcés qu'il a réfléchi sur le mystère de l'homme, et qu'il s'est « senti irrésistiblement poussé à plaider pour le respect de tout homme, soutenu dans cette action par le Mystère du Christ ». Travailler est pour Karol Wojtyla participer d'une certaine manière à la pratique évangélique, « à l'œuvre rédemptrice du Christ, par l'offrande silencieuse des fatigues inhérentes au travail ». Le travail forcé pour Wojtyla est le moyen d'accéder à cette certitude de la rencontre avec le Christ. S'il ne vit pas encore cela en termes explicites, c'est confusément que cette certitude gagne en lui et lui permettra d'accéder aux voies du sacerdoce. Le labeur auquel l'obligent les Allemands est ainsi un moyen inespéré de rencontre avec la vérité, parce qu'il apprend grâce à lui, à répéter le sacrifice du Christ, modestement, mais en donnant quand même sa part de souffrance et de malheur. Là est son martyre, mais là aussi est son accomplissement. Le poète qu'il deviendra plus tard sous l'identité d'Andrzej Jawien, se souvient de ces années de souffrance et de rédemption néanmoins, comme de l'un de ses amis mort dans un accident de travail. Pour lui, le travail même forcé, vécu dans la persécution est un acte à accomplir dans une grande conscience de soi, avec responsabilité, il s'agit de « tenir » non pas seulement pour sa propre survie, mais surtout pour être en relation avec les autres, ceux que l'on aime, ceux qui permettront plus tard de vaincre. Dans le poème *La Carrière*, Jawien-Wojtyla s'exprime ainsi :

« Les mains sont le paysage du cœur
Il arrive qu'elles se fendent
de ravins que creuse une force mal définie.
Ces mains, l'homme ne les rouvre
qu'une fois recrues de labeur.
Et il voit : grâce à lui iront en paix d'autres hommes.
Les mains sont un paysage. Quand elles se fendent,
la peine court dans leurs plaies, libre comme un torrent.
Mais l'homme ne pense pas à la douleur.
La douleur n'est pas grande à elle seule,
Et sa vraie grandeur, il ne sait pas la nommer. »
(cité in *La pensée de K.W., op. cit.*, p. 343-344).

A l'usine Solvay, Wojtyla fait non seulement l'expérience de la violence et du labeur forcé, mais aussi celle, qui sera exemplaire à ses yeux, de la rencontre avec les autres, d'où il tirera cet art de la communication, cette capacité de mettre en confiance son auditoire, ce charisme si peu curial...

Le travail est, comme il le dira aux ouvriers de Mexico le 30 janvier 1979, de l'ordre de la mystique. Celle de Pâques « qui nous fait accepter chrétiennement les sacrifices et les peines pour faire mieux resplendir le nouvel ordre voulu par le Seigneur ». C'est sûrement en endossant ce statut d'ouvrier-esclave que chemine précisément dans son esprit cette conception du religieux qui sera au cœur de sa pastorale future, celle qu'il révérera aussi dans l'œuvre de Mgr Kolping et dont il fera l'apologie lorsqu'il rendra visite aux mineurs conventuels de Cologne, le 15 novembre 1980 : « Chaque chrétien transforme le monde s'il vit en chrétien. » C'est dans cette carrière qu'il va mûrir la notion de veille qui consiste, à l'instar de ce que proclame Luc, à « tenir les reins ceints et la lampe allumée ».

C'est là encore qu'il apprend, malgré la dureté du climat, des sévices et des brimades, à maintenir vivaces les racines que l'on veut éradiquer du cœur et de l'âme des Polonais, à défendre âprement sa culture, ce qu'il ne cessera d'enseigner aux peuples qu'il visitera : « Restez fidèles à votre patrie et à ses riches traditions spirituelles et culturelles. [...] Demeurez toujours fidèles[8]. »

L'expérience de Solvay représente pour Karol Wojtyla le début de la longue marche vers Dieu, ce qu'il appellera « le grand pèlerinage des hommes qui, depuis Abraham, se mettent toujours en route pour chercher et trouver le vrai Dieu[9] ».

Manifestement Wojtyla découvre sa voie spirituelle pendant ces années de guerre et d'occupation. Il sent son destin pris en charge par Dieu, mais, sans rien provoquer, se laisse porter par lui, tirant de son labeur le vrai sens des paroles apprises auparavant au catéchisme. Le contremaître de la carrière, un certain Krauze, reconnaissant peut-être chez le jeune Wojtyla une personnalité hors du commun, lui assigne une nouvelle tâche ; désormais il sera aide-artificier. Le travail, moins pénible que celui de casseur de pierres, lui vaut d'être à l'abri dans une cabane un peu chauffée et de pouvoir avoir un contact plus humain avec son chef.

Sa résistance à l'oppression s'affirme par cette manière de se couler momentanément dans l'anonymat, seul moyen de survie, mais aussi de nourrir sa vie intérieure de toute une activité clandestine qui va renforcer sa foi et ses forces spirituelles. Quand, après ses rudes journées à l'usine, Karol rentre dans le petit appartement où s'étiole son père, il travaille encore jusque tard dans la nuit pour suppléer l'absence des cours à l'université, « faire l'université » en quelque sorte chez soi, comme il dira plus tard « faire l'Église en soi ». Dans le secret de sa chambre, il reconstitue ainsi toute une vie interdite, comme une sorte de défi à l'ennemi.

Un soir, rentrant de l'usine par moins trente degrés,

Karol est heurté par un camion allemand qui ne s'arrête pas pour lui porter secours. Ce n'est qu'au petit matin qu'on le découvre, le crâne fracturé ; transporté à l'hôpital, il apprend là encore les leçons de l'Évangile, comprend ce que signifie « remettre ses souffrances à Dieu », participer au mystère de la souffrance du Christ.

L'appel de la vocation se fait-il déjà entendre ? Confusément, la voie sacerdotale se précise, mais Wojtyla n'est pas encore tout à fait prêt. Sa vie spirituelle intérieure s'approfondit, s'enrichit d'expériences multiples, il est à l'école de la vie, sur le terrain, affronté à la haine, à la mort, à la violence. La voix de Dieu s'insinue lentement en lui, il ne l'entendra pas cependant dans une fulgurante révélation, à la manière de certains mystiques, elle s'affirmera, s'imposera jusqu'au jour où, évidente, Karol Wojtyla n'aura plus qu'à formuler cette phrase : « Je serai prêtre. »

Son destin revêt des caractères épiques et romanesques qui serviront sa légende. Hors du commun, malgré l'anonymat dans lequel les Allemands veulent faire sombrer les Polonais, Wojtyla a sur sa route des « étoiles » qui le guident, des signes qui structurent chaque jour davantage sa vie. Ainsi, après le travail pénible qui consistait à faire sauter des blocs de pierre à la dynamite, est-il « déporté » à un autre service de l'usine Solvay, à Borek Falecki, celui de la purification de l'eau. « Son nouveau travail consistait, déclare Georges Blazinski, à purifier l'eau des chaudières. Il transportait de la chaux dans des seaux accrochés à un joug en bois, préparait les agents chimiques nécessaires et les mélangeait à l'eau dans les proportions requises[10]. » Durant cette période, sûrement moins pénible que celle des premiers temps, il peut, surtout lorsqu'il travaille de nuit, s'adonner à une certaine méditation spirituelle, approfondir certains ouvrages de philosophie qu'il étudie, défiant les Allemands par sa volonté de savoir, par son activisme intellectuel. Tout le ramène ainsi à l'expérience religieuse, le silence, la souffrance, la solitude, l'éveil.

Cette maturité spirituelle, Karol veut aussi la mettre à l'épreuve des autres. Ce qu'il apprend dans ce travail forcé, c'est encore la fraternité et la solidarité, et il sait que dans cet exil de soi, le don seul compte. C'est pourquoi il intervient pour améliorer les conditions de travail de ses compagnons, et même veut répondre à leurs besoins religieux. Wojtyla va susciter des dialogues spirituels, ne voulant pas laisser le champ libre au néant, à la nuit de la foi. A la volonté de destruction des Allemands, il veut opposer la résistance de la foi polonaise, comprenant déjà que la lutte pour l'homme opprimé peut trouver sa force et son énergie dans la foi dans le Christ ressuscité. Les droits de l'homme se confondent déjà dans son esprit avec la foi chrétienne et la libération de l'homme passe par cette reconnaissance de Dieu, comme salut et comme Rédempteur. C'est alors que la vocation poétique de Wojtyla s'affirme ; il prend conscience de cette réalité de Dieu chaque jour plus grande en lui, qui le submerge, lui donne le sens des choses, et il écrira dans *La Carrière* :

> Quiconque vient à Lui conserve son intégrité
> Celui qui s'y refuse
> En dépit de toutes les apparences
> Ne peut pleinement participer aux affaires de ce monde

Les épreuves cependant poursuivent Wojtyla. Son père, très abattu depuis l'occupation allemande, sombre dans une sorte de prostration douloureuse aggravée par une maladie de cœur.

L'appartement qu'ils occupent, malsain, exigu et humide, n'est pas propice à son rétablissement. Mais tout se passe comme si le capitaine Wojtyla n'avait plus envie de vivre. Sa Pologne pour laquelle il avait tant lutté n'existe plus, et l'impression de défaite qui partout règne à Cracovie, l'abandon forcé des études de son fils, la pauvreté et l'absence de toute espérance proche l'enfoncent dans un désarroi et un désespoir que Karol même ne peut endiguer. Alité, il ne s'occupe plus de la maison, au contraire, il faut une présence à ses côtés pour l'aider, le vêtir, l'assister. C'est le 18 février 1941 que Karol, rentrant du travail, et venant apporter à dîner à son père, le découvre inanimé. Il se précipite auprès de lui mais ne peut que constater le décès. Pour lui, c'est la fin d'une époque, d'une jeunesse. Tous les siens sont à présent disparus, sa petite sœur qu'il n'a pas connue, sa mère, son frère et maintenant son père.

Les récits que certains historiens ont faits de cet événement insistent tous sur la douleur du jeune homme et cette impression de solitude extrême qui l'envahit. Il tentera de la combler par la prière, où il va s'abîmer une nuit durant, à genoux près du lit mortuaire, cherchant à puiser des forces dans la rencontre secrète avec le Christ. On dit que cette nuit-là fut peut-être la nuit de la révélation pour Karol Wojtyla, sa « nuit de feu » qui va changer le cours de sa vie, en faire un prêtre au service des autres hommes.

La formation spirituelle de Wojtyla est nourrie de plusieurs influences qui, depuis l'enfance, ne cessent de lui donner cette force que tous lui reconnaîtront plus tard lorsqu'il se fera le pasteur attentif de ses ouailles. Certes l'éducation religieuse reçue de son père aidera à le bâtir, à lui donner des assises puissantes et inaliénables. Il fait cependant une rencontre capitale en février 1940, en la personne d'un petit tailleur du quartier de Debniki, Jan Tyranowski, dont l'expérience mystique est encore aujourd'hui très vivace à Cracovie. Tyranowski est un laïc engagé dans des activités paroissiales très intenses. L'Église a subi la répression des Allemands, la plupart des prêtres ont été ou massacrés ou déportés, la propagation de la foi est donc le plus souvent laissée à des laïcs qui tâchent coûte que coûte de maintenir vivante l'activité de la paroisse. Période de clandestinité surtout, où être surpris en train de célébrer une eucharistie vaut d'être envoyé en camp de concentration. Cet esprit des « catacombes »,

Wojtyla le gardera tout au long de sa vie, comme si son destin le vouait à être toujours en lutte contre ceux qui, nazis puis communistes, s'acharnent à détruire toute vie spirituelle. C'est de cette conviction de porter témoignage du message du Christ et de conserver, telles les Vierges sages, la lumière, tandis que le Maître est pourchassé, que s'est nourrie la spiritualité de Karol Wojtyla et s'est forgée sa certitude d'être dans la vérité.

L'expérience de Tyranowski va influencer aussi largement sa conception de la pastorale ; en effet, dans la Pologne communiste, l'archevêque de Cracovie se souviendra du travail de Tyranowski, « l'apôtre de la grandeur de Dieu, l'apôtre de l'amour de Dieu », comme il l'appellera, et laissera une grande part d'activités paroissiales aux laïcs, tissant ainsi entre les fidèles, les prêtres et les laïcs engagés une toile ténue apte à s'opposer aux brimades et aux persécutions. Durant le concile Vatican II, il sera d'ailleurs un des fervents initiateurs d'une Église ouverte à tous, engagés dans la même quête.

La rencontre avec Tyranowski est donc capitale pour le jeune Wojtyla. Le tailleur n'impressionne pas par sa prestance. On le décrit « peu imposant, avec une large masse de cheveux gris et un regard d'enfant[11] », mais se dégage de lui une grande violence spirituelle, une tension mystique qui font fortement impression sur Karol. La spiritualité de Tyranowski est en effet tout entière tournée vers saint Jean de la Croix. C'est au cours des rencontres clandestines qu'il va organiser avec les jeunes de la paroisse Stanislaw-Kotska que Wojtyla va découvrir les vertiges du saint de Salamanque, les abîmes de la foi, et les élans grandioses vers Dieu. Au cours de ces rencontres, Tyranowski dispense un enseignement spirituel d'une telle ardeur que Karol pensera plus tard, se souvenant de son vieux maître, à entrer au Carmel.

C'est là qu'il découvrira aussi sainte Thérèse d'Avila et sainte Thérèse de l'Enfant Jésus. L'extrémisme de tels mystiques ne peut que plaire à sa personnalité vibrante et absolue. Lui aussi est dans la nuit de la guerre et de la mort, et va chercher à traquer la lumière.

« Les pierres connaissent cette violence », écrira-t-il dans *La Carrière*. Il la retrouve, intacte, dans les grands mystiques de l'ordre du Carmel.

Tyranowski pratique avec ses jeunes des exercices spirituels vivants, l'enseignement qu'il leur prodigue n'est pas intellectuel, au contraire, il leur donne, dans l'urgence de la situation et dans le danger sans cesse présent, une pratique dramatique et visuelle qui frappe leurs esprits, une scénographie spirituelle qui les nourrit au quotidien. Ainsi invente-t-il le « rosaire vivant ». Comme il y a quinze mystères dans le rosaire, il y aura quinze jeunes qui promettront de vivre en Église, de suivre ses commandements, de pratiquer l'entraide et les grandes vertus chrétiennes, de maintenir vivant le message du Christ. On comprend mieux la catéchèse de l'archevêque de Cracovie qui, plus tard, mettra en scène la pratique religieuse par des pèlerinages, des processions ostentatoires, des anniversaires spectaculaires, des cérémonies enfantines, des veillées aux chandelles, etc.

Ainsi sera-t-il décidé de préparer une neuvaine dans toute la Pologne, dès 1957, pour le millénaire de la Pologne chrétienne en 1966. Cette dramaturgie déployée sous l'alibi de la religion est le plus flagrant camouflet que l'Église infligera au pouvoir totalitaire.

Si Wojtyla compense la dureté de ses travaux « forcés » par du sport (il joue toujours au football avec un bonheur égal à celui qu'il éprouvait à Wadowice), son cheminement intérieur est surtout déterminé par ses occupations intellectuelles clandestines. Avec son meilleur ami Juliusz Kydrynski, futur grand poète polonais, il pratique quotidiennement une résistance spirituelle qui va consister à organiser spontanément des réunions amicales avec ses amis au cours desquelles on lit à haute voix des textes de saint Jean de la Croix ou de sainte Thérèse d'Avila, des grands poètes romantiques polonais, Adam Mickiewicz surtout. Il s'agit de maintenir vivantes la culture polonaise et les racines mystiques du catholicisme que Tyranowski avait su révéler à Wojtyla. Le feu des mystiques espagnols tout autant que l'enthousiasme des romantiques le soulevait, lui injectait des forces et des énergies considérables. Peu à peu ces rencontres informelles devinrent de véritables rites, des lectures on passa à de petites mises en scène, puis à de vraies représentations jouées devant un parterre d'amis, au risque de la délation ou de l'arrestation. La certitude de sa foi et de sa vérité est telle qu'il ne craint rien comme s'il se sentait protégé. Au cours de ces soirées, Wojtyla confirme son talent de conteur et de comédien. Il exerce sur son public une sorte de fascination à laquelle sa stature puissante n'est pas étrangère. Sa voix porte et traduit des émotions très intériorisées qui provoquent chez les spectateurs une vraie rencontre. Ces représentations « sauvages » sont toujours suivies de discussions qui gardent intacte la réalité d'une culture devenue souterraine.

De même qu'il écrivit des poèmes dans les dernières années de lycée à Wadowice, sous l'influence de Kotlarczyk, ce qu'il continuera à faire à Cracovie (ses poèmes seront publiés après la guerre sous le nom de Jawien – celui qui sait – par les éditions Znak), il s'essaie également à l'écriture dramatique ; il en restera des pièces qui, publiées elles aussi après la guerre, constitueront la part originale du futur pape, décidément singulier.

Le destin fait se rejoindre à Cracovie le professeur Kotlarczyk qui avait initié Wojtyla à ce théâtre liturgique dont l'influence sera si forte sur lui. Devenu chauffeur de tramway, soumis lui aussi au travail anonyme, propre à faire des Polonais des bêtes de somme qui seraient après la guerre liquidées (les camps de la mort ne sont pas si loin, à peine à quelques kilomètres), Kotlarczyk mène néanmoins une résistance acharnée contre les occupants. Au risque de sa vie, il poursuit son travail théâtral, fortifiant son répertoire d'œuvres spécialement polonaises, recréant dans la clandestinité le fameux Théâtre Rhapsodique. Wojtyla en fait bien sûr partie, et y jouera un rôle notoire d'animateur, d'acteur, d'auteur et en même temps de soutien spirituel. On y met en scène Slowacki, Mickiewicz, Norwid, Lubicz-Milosz. Et Wojtyla lui-même commence à écrire des fables de source biblique qui vont, à l'instar de l'inspiration des grands Polonais, tenter d'exprimer des vérités universelles, donnant souvent à cette forme de théâtre des airs de poésie didactique et lyrique, où la considération anecdotique et le souci dramaturgique sont quelque peu délaissés au profit d'un message d'ordre éthique. Comme le dit Buttiglione à ce sujet, « l'œuvre d'art est conçue dans la tradition polonaise comme formatrice de l'ethos de la nation ; c'est par elle que la valeur universelle reçoit concrétisation et évidence émotionnelle et c'est elle également qui redécouvre les valeurs dans l'expérience de la vie, après la faillite des grands systèmes[12] ».

Formé par Kotlarczyk autant que par Tyranowski, stimulé par Kydrynski et ses amis, Kwiatowski, Michalowska, Debowska, Wojtyla se forge peu à peu une pensée dont il commence à être certain qu'elle le mène à la vérité de Dieu. Les auteurs du Théâtre Rhapsodique ne sont pas tous, à coup sûr, des dramaturges chrétiens, mais ils sont tous porteurs d'une mission qui transcende les idéologies et convoquent les grandes valeurs de l'esprit, menacées par les tyrannies et les guerres. Il apprend alors qu'il n'y a pas de réalité littéraire – poétique ou théâtrale – qui ne soit reliée à une réalité métaphysique, celle-ci donnant accès à Dieu. La résistance de Wojtyla, c'est l'affirmation proclamée dans sa pièce poétique, *La boutique de l'orfèvre*, sorte de vaste drame claudélien aux accents bernanosiens (dont Tyranowski est un grand lecteur) qui dit la force de l'appel et de la fidélité, la nécessité de la veille dans la nuit de l'adversité, grands thèmes wojtyliens qui surprendront le monde entier dans la bouche d'un pape poète messianique et démiurge :

Pourquoi veux-tu vendre ton alliance?
que veux-tu détruire par ce geste? ta vie?
A chaque instant, nous la vendons,
à chaque geste, nous la détruisons.
Et après? Avoir du courage,
ce n'est pas s'éloigner,
errer des jours, des mois, des années,
c'est revenir à sa place, s'y retrouver.
La vie est une aventure,
mais elle n'est pas pour autant privée de logique,
de rigueur
Il ne faut pas laisser la pensée
seule à seule avec l'imagination.
« Et que faut-il faire? » m'a demandé Anna.
La laisser avec la vérité, bien sûr[13].

Théâtre, réunions poétiques, discussions philosophiques, lectures personnelles, particulièrement autour des disciplines linguistiques, comme si par là Wojtyla voulait défier ceux qui s'employaient à détruire la langue et la culture de son pays, telles sont ses activités souterraines, pratiqués après son labeur à l'usine Solvay. Ce ne sont pas les seules, puisque Wojtyla, avec Kotlarczyk, participe encore à un journal clandestin dont il est souvent le rédacteur, l'éditorialiste, le poète en titre, l'« éveilleur ». *Miesiecznik Literacki* est le titre de cette revue littéraire qui passe sous la barbe de la Gestapo et fait risquer la vie de ses créateurs.

L'université Jagellon étant fermée par les nazis, qui voulaient ainsi éradiquer toute velléité de subversion intellectuelle, la résistance s'organisera dans les caves et les petits appartements sinistres et sombres du quartier de Debniki. Et de la subversion intellectuelle à la pratique de l'évangélisation, il n'y a guère de distance puisque, toutes deux condamnées, elles se confondent dans le même amour pour la patrie, pour la culture et pour ce qui a fait l'essence de cette Pologne toujours ressuscitée de ses cendres, la foi chrétienne.

On rapporte même que Wojtyla, conjuguant théâtre laïc et foi religieuse, crée un rôle prophétique en jouant au Théâtre Rhapsodique saint Stanislas, l'évêque martyr qui fut tué par le roi Boleslas en 1079 au pied de l'autel alors qu'il célébrait la messe[14].

La symbolique du rôle est trop tentante pour Wojtyla qui comprend que la révélation et l'annonce de la Vérité sont toujours soumises aux obstacles du pouvoir temporel et que la vie d'un chrétien est affaire de martyre et de don total. Il s'en souviendra quand il occupera les fonctions ecclésiales les plus hautes en Pologne, mais aussi dans l'Église universelle, ayant à cœur de témoigner du destin de Stanislas, d'en faire le héros de la Pologne, surtout face au pouvoir communiste, l'autre Boleslas, d'en montrer les échos tragiques quand il évoquera l'assassinat du père Popieluszko, et de toujours rappeler aux cadres de l'Église leur vocation au sacrifice.

Wojtyla n'oublie pas pour autant le destin et la persécution des Juifs dans son pays dévasté. A-t-il connaissance des camps d'Auschwitz, de Birkenau où s'expérimentent les premières épurations de masse, où des enfants, des femmes, des Juifs surtout, sont déjà gazés dans des baraquements de bois précaires, bien avant la systématisation des usines de la mort ? Il semble que non, si l'on en croit les témoignages que certains visiteurs du pape ont fournis, laissant à entendre son ignorance réelle. Cependant, par Kruger, son ami juif, il a appris la discrimination, le quotidien d'une vie qui interdit « aux Juifs et aux chiens » l'entrée de certains magasins, la dureté des traitements infligés par une police cruelle, et les déportations dans ce que l'on imagine encore comme de provisoires exils.

L'aide qu'il aurait apportée aux Juifs reste encore incertaine. Si certains historiens affirment que Karol Wojtyla a participé à un réseau clandestin proche des démocrates chrétiens, en vue de fournir des faux papiers à des familles juives (comme Jean Chélini qui déclare : « Il contribua à faire sortir des villes proches de Varsovie de nombreuses familles juives. Il leur procurait de faux papiers et une cachette[15] », corroborant ainsi la thèse de Joseph L. Lichen, porte-parole du B'nai B'rith à Rome), il faut peut-être accorder plus de crédit à l'ami fidèle du cardinal Wojtyla qui tint au jour le jour l'« agenda » de ses activités sacerdotales dans un énorme ouvrage, le père Adam Boniecki, à présent près de Jean-Paul II à Rome, et qui rapporte que le pape lui-même aurait démenti toute activité de ce genre : « Non, malheureusement non » aurait-il dit, comme le raconte Henri Tincq[16].

L'horreur des persécutions et des violences perpétrées contre les Juifs et aussi contre tous les opposants aux Allemands restera néanmoins gravée dans son esprit au point que tout l'enseignement spirituel de Jean-Paul II se rappellera sans cesse le péché qui fut commis envers Dieu en ne respectant pas ses créatures. Sa pastorale est pétrie de cette lancinante douleur qui déplore l'absence chez tant d'hommes de l'amour de Dieu et l'oubli de la dignité de la personne.

C'est toujours dans Cracovie occupée que Wojtyla entend conserver indemnes les énergies qui le nourrissent et lui donnent la force d'avancer et surtout de croire. L'espérance a toujours été pour lui la force motrice majeure de son action, espérance qui lui vient de l'imitation de Jésus-Christ à laquelle il semble désormais se vouer. Il ne veut pas ainsi rompre, ce qui serait à ses yeux une défaite et spirituelle et morale, avec les pèlerinages universitaires organisés depuis 1936 à Jasna Gora, auxquels il a participé avec ferveur et il évoquera sa venue clandestine dans le sanctuaire marial quand il y reviendra le 6 juin 1979. S'adressant à la Vierge noire, il confie devant tous les fidèles réunis : « Je me souviens de tant de ces visites d'adieu, de ces audiences particulières quand j'étais encore lycéen et que j'arrivais ici avec mon père ou avec le pèlerinage de toute ma paroisse natale de Wadowice. [...] Je me rappelle l'audience que tu as accordée à moi-même et à mes compagnons lorsque nous sommes venus clandestinement comme représentants de la jeunesse universitaire de Cracovie durant la terrible occupation. » Déjà en 1941-1942, cette confiance absolue et inaliénable en Marie occupe Karol Wojtyla.

Les nazis le soupçonnent de plus en plus sans jamais le prendre en flagrant délit de résistance. Il est néanmoins inscrit sur la liste des personnes recherchées ; obligé il vit résolument dans le danger. Cette nuit de la persécution ne le laisse pas cependant désespéré ou abattu. Au contraire, c'est dans l'approfondissement de saint Jean de la Croix qu'il puise ses forces, et les poèmes du saint lui reviennent comme autant de soutiens dans l'adversité ; par eux, il sait que la nuit peut être profonde, « mais c'est par son obscurité même qu'elle l'éclaire, et plus l'âme est plongée dans les ténèbres, plus elle l'illumine de ses rayons[17] ». De saint Jean, il découvre que « la foi [...] éclaire [...] par ses ténèbres même, et donne lumière aux ténèbres de l'âme[18] », et que toute la révélation du salut sera pour lui « dans la nuit obscure », comme disait le saint mystique. Il n'est pas étonnant que Jean de la Croix ait influencé la spiritualité de Karol Wojtyla au point qu'il lui consacre, étudiant à l'Angelicum de Rome, sa thèse de doctorat en théologie comme plus tard, s'adressant aux cloîtrés du monde entier, il rappellera toujours cette ascèse nocturne qui cependant atteint au cœur lumineux de Dieu. La théologie de Wojtyla est celle d'une slavitude exacerbée par les oppressions et les atteintes aux droits fondamentaux de l'homme et soutenue à la fois par cette passion sanjuaniste, qui trouve dans la nuit du Golgotha des raisons quand même d'espérer et d'avancer :

> Cette source éternelle est cachée
> en ce pain vivant pour nous donner vie
> malgré la nuit
>
> Elle appelle là toutes les créatures
> et de cette eau s'abreuvent, quoique dans l'obscur
> car c'est la nuit

Cette vive source que je désire
en ce pain de vie je la vois
malgré la nuit[19]

Du fait de l'occupation allemande, Wojtyla fait l'apprentissage des grandes vertus chrétiennes qui scanderont l'enseignement de son sacerdoce : la compassion, le respect de l'homme, sa responsabilité, l'unité de la nation et de la famille, la quête de l'Alliance, la recherche constante de l'Amour, et la fidélité aux « marques chrétiennes » dont la Pologne a été dotée depuis mille ans[20]. La défaite de l'homme dans cette époque de persécution, sa réduction à l'état de chose, tout ce qui fut, comme il le dira à Birkenau, le 7 juin 1979, construit pour la négation de la foi (de la foi en Dieu et de la foi en l'homme), et pour fouler aux pieds radicalement non seulement l'amour mais tous les signes de la dignité humaine, de l'humanité, va servir de terreau à la pastorale future et à l'application pragmatique du message du Christ. L'ensemencement évangélique vient a contrario de la guerre et de ses atrocités, du lieu de la haine. Le rosaire vivant qu'il continue de pratiquer avec ses autres camarades forme ainsi une sorte de réseau clandestin propre à aider les Juifs, les persécutés. Mais sa structure, par essence même évangélique, ne peut se rallier à la cause des maquisards et des résistants armés. Jamais Karol Wojtyla, fort de cette leçon chrétienne de la non-violence, n'acceptera de livrer la pratique liturgique du rosaire à des fins offensives et terroristes, même si elles peuvent paraître justes. C'est tout le sens de ses futures homélies face au pouvoir communiste, face au bras de fer de Solidarnosc comme face à tout recours à la lutte armée pour abattre l'ennemi.

Ce que le jeune Wojtyla met déjà en place, c'est un christianisme des origines, épuré de toutes les tentations du siècle, dénudé de tout arrangement temporel, mais fort justement de l'intégralité du message du Christ. C'est cette limpidité dans la foi, cette transparence dans l'application du dépôt qui impressionneront si fortement tous ceux qui l'approcheront. Implacable dans sa foi et sa détermination, « rocher » dans la certitude de son mandat, conquérant par sa conviction même.

La vocation sacerdotale ne fait donc plus de doute à partir de 1942. Trop de signes s'étaient accumulés sur lui pour ne pas converger vers cette décision qu'il prit avec sa fougue habituelle. Le Carmel lui est déconseillé, et cependant la radicalité de saint Jean de la Croix semblait bien lui convenir, mais les autorités religieuses, auxquelles il cède, discernent avec justesse le tempérament convivial et naturellement pastoral de Wojtyla. Il est vrai néanmoins que deux aspects voisinent chez lui et cohabitent assez harmonieusement. Une tendance forte au mysticisme (c'est toujours avec une certaine fascination et une sorte de regret qu'il évoque la vie des cloîtrés, « être au cœur de l'Église », se donner à « l'holocauste », être dans « l'amour spécial pour le divin époux » et la divine Mère sont des expressions qui reviennent sans cesse sur ses lèvres). Et une autre tendance plus engagée dans le siècle, plus apte à en saisir les rouages, que sa personnalité virile et active peut assumer avec talent.

La vie intellectuelle et religieuse à Cracovie est donc clandestine. Quiconque est surpris à transmettre la culture d'un peuple rayé de la carte par le IIIe Reich est soumis à la déportation.

Si des professeurs de l'université Jagellon organisent des cours clandestins le plus souvent informels, spontanés ou « volants », la hiérarchie religieuse entend elle aussi maintenir vivant l'enseignement de la foi et particulièrement poursuivre la formation des séminaristes. Le séminaire clandestin de Cracovie est alors sous l'autorité du « prince », comme Wojtyla appellera plus tard l'archevêque Sapieha, ce même Sapieha qui avait eu l'intuition, alors que Karol était encore lycéen à Wadowice, de sa vocation religieuse. C'est ce séminaire que Wojtyla va rejoindre, abandonnant ses études de philosophie et de philologie polonaise qu'il avait déclaré vouloir suivre au prince-archevêque en 1938. Les séminaristes acceptés ne sont évidemment pas regroupés mais au contraire dispersés dans des paroisses, officiellement destinés à des activités administratives. Karol n'a pas encore à ce jour quitté son travail à l'usine Solvay et, pendant deux ans, il suivra un enseignement hétérogène mais que ses capacités intellectuelles lui permettront d'harmoniser.

Le 6 avril 1944, il échappera par miracle à la grande rafle nazie. Ce jour-là, appelé le « dimanche noir », les Allemands raflent tous les hommes de quinze à cinquante ans. Partout des tentatives de fuite, des tirs à vue, des violences, des déportations en masse vers les camps. Wojtyla veut échapper à la rumeur de la guerre et s'abandonne au silence et à la prière. Dans le tumulte général qu'il perçoit depuis son modeste appartement, il prie comme les Polonais, couché les bras en croix, se livrant tout entier à la compassion du Christ, l'appelant dans cette nuit de l'amour. Son petit immeuble est déserté par les habitants qui ont tous fui, seul Wojtyla veille, garde la chandelle allumée. Des unités SS ne prennent pas même la peine de monter dans les étages, sûrs que personne ne s'y trouve. Wojtyla entend la violence des bottes, les vociférations de la Gestapo, puis tout s'éloigne, rejoint le silence. Il restera longtemps là, dans une sorte d'extase mystique, certain que le regard de Dieu l'a veillé, et que dans son infinie compassion, il lui a désigné sa voie.

On peut fixer à ce moment l'entrée irrévocable de Wojtyla dans le sacerdoce assumé. Il n'est plus question de doute ni de « mi-temps ». C'est tout entier qu'il va se donner à Dieu.

Adam Sapieha, trouvant désormais la clandestinité partielle trop dangereuse pour ses séminaristes dispersés dans la ville, décide de les rassembler dans les caves mêmes du palais archiépiscopal. Nouvelle épreuve des catacombes, Wojtyla endosse la soutane noire, et vit désormais sous l'autorité de ce prince de l'Église qui, un jour, l'avait reconnu comme le meilleur du troupeau. La vie communautaire est heureuse et fervente. Vingt jeunes séminaristes préparent l'Église d'après la guerre, dans l'enceinte pour l'heure relativement protégée du palais archiépiscopal. Au-delà d'elle, c'est pour Wojtyla le danger absolu, la déportation assurée puisque, déclaré, tous les jours, absent de l'usine Solvay, il est accusé de désertion et soupçonné d'avoir rejoint la Résistance.

Fait-il allusion à ses « souvenirs personnels » comme il dit, lorsqu'il interpelle les prêtres de Rome, le 12 novembre 1978, pour se rappeler l'origine de leur vocation ministérielle ? « N'y a-t-il pas un prêtre exemplaire qui vous a guidés, dans vos premiers pas vers le sacerdoce ? Votre première pensée, votre premier désir de suivre le Seigneur ne sont-ils pas liés à la personne concrète d'un prêtre confesseur, d'un prêtre ami ? Pensez à ce prêtre avec reconnaissance et avec un cœur plein de gratitude. Oui, le Seigneur a besoin d'intermédiaires, d'instruments pour faire entendre sa voix, son appel. »

La forte personnalité de Mgr Sapieha s'impose alors comme cet « instrument » qui permet à Karol Wojtyla de s'engager dans sa mission. Du « prince », il retiendra surtout sa prestance, sa faculté de proximité, mais aussi cette distance qu'il savait mettre, sa disponibilité, son art d'une pastorale active et pratiquée sur le terrain, et enfin sa foi farouche qu'accroissaient son profil aiguisé et sa silhouette nerveuse.

Wojtyla se souviendra de ses qualités naturelles et tâchera de les acquérir. Quand il invoquera auprès de ses prêtres romains la nécessité de garder vivante la paroisse comme lieu de tabernacle et comme foyer du cœur sacré, il parlera comme le prince-archevêque : « C'est là que l'évêque se sent le plus à son aise ! [...] La communion des prêtres entre eux et avec leur évêque est la condition fondamentale de l'union entre tout le peuple de Dieu. Elle constitue son unité dans le pluralisme et dans la solidarité chrétienne. »

Sapieha est le veilleur de Wojtyla. Il décèle en lui toutes les qualités d'un homme d'Église. Il ne sait pas encore ce que sera son chemin, il pressent cependant l'intensité de sa personnalité, la force de son destin. Le directeur de l'usine Solvay est polonais, aussi l'archevêque lui demande-t-il de « perdre » le dossier de Wojtyla et de le faire oublier. L'autorité de Sapieha et la solidarité tacite entre Polonais, fussent-ils à la solde des Allemands, jouent en faveur de Wojtyla qui disparaît de toute liste noire. Wojtyla n'existe plus aux yeux des Allemands, il n'a d'identité que pour l'Église à laquelle il veut se donner.

Le pays est à feu et à sang. Varsovie est ruinée, détruite presque totalement, les Juifs persécutés, condamnés, comme le père Kolbe, à mourir sur place. Cracovie subit aussi des bombardements, moins violents certes que ceux de l'ex-capitale, mais dans la paix précaire du palais archiépiscopal, les séminaristes reçoivent une éducation solide, et un enseignement théologique exemplaire.

La fermeté du « prince » face aux autorités nazies impressionne Wojtyla, il en tirera là encore un enseignement lorsque lui-même affrontera les tracasseries des communistes. Hans Frank avait tous les pouvoirs jusqu'en 1942-1943 où Hitler commença à douter de lui tout en continuant à lui confier le gouvernement de Pologne. Entre Frank et Sapieha, un étrange dialogue s'est instauré. L'autorité naturelle de l'archevêque, son inflexibilité et l'authenticité de sa foi fascinent Frank et peut-être est-ce grâce à cette étrange relation que Cracovie ne subit pas trop de destruction. Sapieha est la figure prémonitoire du cardinal Wyszynski luttant contre le pouvoir communiste, le défiant et s'en faisant respecter.

Le séminaire de Sapieha, dans ces années terribles pour la Pologne devient le rempart du catholicisme bafoué, nié, meurtri. Le martyrologue de l'Église de Pologne n'en finit pas de s'allonger : on ne compte plus les prêtres assassinés ou déportés, les églises détruites. « Le berceau de la foi polonaise, les plus anciens diocèses de la nation, les centres historiques et toujours vivants de l'activité religieuse dans la République sont en train de devenir le lugubre tombeau du catholicisme sous la paix hitlérienne[21]. »

Le Saint-Siège, au cours de ces années, de peur de s'aliéner complètement le IIIe Reich, avait adopté une attitude d'impartialité et refusé de « prendre une attitude décidée contre l'Axe. [...] Comme les années de guerre passaient, l'isolement de la Pologne devint presque total et le désespoir montait dans les cœurs[22] ». Mgr Sapieha, dans une lettre de février 1942, déclarait que « bien que le peuple soit toujours fidèle à notre Sainte Mère l'Église et à son chef, nous ne pouvons nier qu'en ces derniers temps une agitation pernicieuse et hostile au Saint-Siège apostolique se développe ».

Wojtyla, dans ces circonstances, fait l'apprentissage de la complexité d'une situation et le seul recours digne pour lui est la ferveur de sa foi, et la volonté d'être fidèle aux préceptes de l'Évangile. C'est pourquoi il affiche une solidarité sans ambiguïté pour les Juifs, refusant de cautionner l'antisémitisme polonais, le considérant comme antichrétien, s'opposant en cela aux catholiques conservateurs « qui ressassaient les accusations de "déicide" et dénonçaient la corruption morale des Juifs[23] ». Le 13 janvier 1945, l'armée soviétique décide l'offensive finale. Le 17, elle entre dans Varsovie qui n'est plus qu'un amas de ruines. Le 19, elle est à Cracovie et à Lodz. Mais la bataille s'annonce rude, car les Allemands menacent de détruire entièrement Cracovie, et les Polonais assistent, impuissants, au sac de leur ville. Musées, bibliothèques sont pillés et détruits, le pilonnage des ponts de la Vistule semble annoncer celui des monuments et des points stratégiques. Les bombardements sont si violents que Sapieha ordonne à ses séminaristes, l'espoir de l'Église polonaise, de descendre dans les caves du palais, tandis que lui restera aux étages supérieurs.

Karol Wojtyla a vingt-cinq ans. Ses deux années de séminaire lui ont apporté la conviction intime de sa vocation. Il a révélé au cours de ses études une singulière aptitude au développement philosophique et un art de la synthèse qui lui ont valu des mentions prestigieuses à l'issue de ses examens : *eminente et valde bene* (excellent et très bien).

Son maître au séminaire clandestin, le révérend Kazimierz Klosaka, l'a initié à la philosophie de la nature, et lui a ouvert des horizons nouveaux que ses futures études à Rome et ses propres travaux vont explorer, particulièrement les relations entre le thomisme et Kant.

Mais par-dessus tout, ce que Wojtyla a appris de cette période, c'est la réalité du Golgotha, l'actualité toujours vivante du sacrifice du Christ, et la fidélité absolue à son message pour que s'accomplisse le salut.

Il a fait l'expérience de tous les deuils, et cependant sa foi est intacte. L'ardente passion du prince Sapieha est pour lui un modèle : a soixante-dix-huit ans, l'archevêque a tenu tête aux nazis, et maintenu allumée la demeure du Père. Il a montré sa compassion à l'égard des Juifs, tentant par tous les moyens de les arracher à la déportation, délivrant des certificats de baptême, organisant des réseaux clandestins pour cacher des enfants. Il a été aussi l'archétype du prêtre disponible à l'égard de ses fils, ne transigeant pas sur la qualité de l'enseignement fourni, homme d'autorité mais aussi d'écoute, distant et proche, et surtout roc de foi.

La jeunesse de Wojtyla s'est alourdie de toutes ces épreuves, l'insouciance des jours heureux de Wadowice a cédé la place au grand combat entre le bien et le mal ; le spectacle de sa terre natale détruite et de son peuple décimé (six millions de Polonais morts dont trois millions de Juifs) lui a donné la conviction que la mission que Dieu lui a confiée est liée à la défense de l'homme, au respect de sa dignité et de sa liberté. Que servir Dieu c'est encore servir l'homme.

La libération de la ville se passe en janvier 1945. Wojtyla y participe activement, mais la menace d'une Pologne sous domination russe se précise. Le pays tel qu'il avait été défini par le traité de Versailles est maintenant la proie des ambitions des « libérateurs ». Cette Pologne qui, hier encore, s'était affirmée comme indissociable du catholicisme se laïcise et se déclare populaire et athée. La victoire de l'armée soviétique change la donne d'avant la guerre et gomme la légitimité que le catholicisme était parvenu à imposer pendant des siècles. La Pologne est exsangue, c'est un immense chantier à reconstruire, la patrie, l'Église, tout est à redéfinir. A l'invasion des Allemands succède le dépeçage de la Pologne par les Grands alliés, à l'issue des conférences de Yalta (février 1945) et de Potsdam (juillet-août 1945). Mgr Sapieha soupçonne les nouveaux hommes forts, manipulés par Moscou, de vouloir réduire l'Église, mais ses craintes semblent momentanément apaisées s'il considère la prudence des autorités provisoires à son égard : « Le Saint-Siège recevait des nouvelles rassurantes : tous les rapports confirment qu'en Pologne l'Église catholique est très bien traitée. Il n'y a pas d'ingérence dans le culte et les prêtres ne sont pas molestés. [...] L'archevêque Sapieha fut entouré d'honneurs et présenté comme un Polonais modèle dans son attitude de résistance face aux envahisseurs allemands. [...] Les autorités ecclésiastiques, de leur côté, maintiennent une attitude de complète neutralité et ne veulent pas devenir le point de ralliement d'un quelconque mouvement politique ou national[24]. »

C'est dans cette période d'attentisme et d'observation que Karol Wojtyla s'inscrit en troisième année de théologie à l'université Jagellon. On est en mars 1945, l'année universitaire est bien entamée et une autre session est nécessaire (1945-1946) pour qu'il achève ses études. Le prince Sapieha est nommé cardinal par Pie XII, reconnaissant en lui la résistance de l'Église aux nazis. En effet, le primat de Pologne ayant subi l'exil, c'est Mgr Sapieha qui apparut comme la figure emblématique de la résistance intérieure et spirituelle, celui qui avait su maintenir la présence de l'Église dans un pays dévasté et avait tenu tête aux envahisseurs. La stature héroïque du prince d'ailleurs ne déplut pas aux nouveaux maîtres de la Pologne qui voyaient en lui un homme de courage et un obstiné adversaire du nazisme. Dans ces années 1945-1946, Sapieha est l'initiateur d'une revue qui deviendra elle aussi l'organe le plus farouche de résistance au communisme et soutiendra fidèlement l'Église : *Tygodnik Powszechny* (L'Hebdomadaire universel), dont le rédacteur en chef est Jerzy Turowicz, et qui, inlassablement maintiendra vivante la culture polonaise. A cette revue – qui publiera poèmes et textes de Wojtyla –, s'en ajoute une autre, mensuelle celle-là, *Znak*, dont les fondateurs seront Czelaw Zgorzelski, Stefan Swiezawski, Irena Slawinska. Ces deux lieux intellectuels seront la référence absolue de l'intelligentsia polonaise, celle qui tentera de conserver sa spécificité malgré les tentatives d'occultation du pouvoir communiste.

Karol Wojtyla s'insérera tout naturellement dans cette nouvelle mouvance, il y a sa place au regard de ses grandes qualités intellectuelles, de ses connaissances dogmatiques et de ses capacités d'équipe. Blazinski raconte : « [on se souvient de lui] dans cette période de l'immédiate après-guerre [...] comme d'un être exceptionnel d'une brillante intelligence, doué d'une agilité d'esprit presque inquiétante pour discuter de sujets de nature philosophique et théologique des plus ardus. Il était prêt à aborder les sujets exigeant les efforts intellectuels les plus intenses. »

Les clichés photographiques de ces années-là montrent son regard aigu et pénétrant, l'œil est brûlant, animé d'une passion mystique, le nez rectiligne et les lèvres fines, les pommettes sont saillantes et larges, un visage semblable à celui du curé d'Ars, presque violent.

VI

1945-1978 : LES ANNÉES DE SACERDOCE

« L'amour du Christ nous presse »
(2 Co 5, 14, cité *in* adresse aux religieuses de Rome, le 10 novembre 1978).

Karol Wojtyla devient prêtre le 2 novembre 1946. Jour des morts, il célèbre sa première messe en privé pour ses parents et son frère défunts. La cérémonie a lieu dans la crypte Saint-Léonard du château du Wawel. Ce n'est que le lendemain que sera célébrée sa messe d'ordination, dans le quartier de Debniki. Il y a quelque chose d'émouvant et de providentiel dans cette célébration : le jeune séminariste se souvient de l'étrange réflexion qu'avait faite l'archevêque Sapieha en visite dans son lycée de Wadowice : « Dommage, dommage qu'il ne veuille pas étudier la théologie. » Mgr Sapieha crut toujours en la destinée sacerdotale de Wojtyla. Et Wojtyla lui-même n'est pas loin de croire que Dieu aurait exaucé le vœu de l'archevêque. Ce dont il est sûr, c'est qu'il s'est laissé porter par sa vocation, jamais il ne l'a forcée. Au contraire il aurait plutôt installé des freins pour s'assurer d'elle, mais elle a résisté à tous ses désirs. Y compris sûrement celle, sentimentale, que Wojtyla dut repousser spontanément, certain que cet amour qu'il portait en lui ne pouvait se limiter à un seul être mais embrasser tous les hommes. Cette mission, il semble l'avoir vécue de manière pour ainsi dire innée ; les textes qu'il écrira plus tard, et singulièrement *La Boutique de l'orfèvre* et *Amour et*

Responsabilité, montrent cependant que Karol Wojtyla a une connaissance des rapports amoureux, ce qui a fait dire à certains de ses hagiographes qu'il « paraît exagéré d'affirmer que l'amour est un sentiment qu'il n'a pas connu [...] il semble que la tentation ait été présente. Que le jeune homme ait résisté ajoute à son mérite[1] ».

Même si en effet le Vatican ne cessera de démentir cette rumeur, la nature des poèmes qu'il écrivit permet de penser que Wojtyla vécut une sublimation de l'amour, comme s'il était pris lui-même dans le grand brasier d'amour de Dieu et qu'il avait acquis la certitude que son désir d'absolu ne pouvait s'abîmer qu'en Lui. Aussi n'y a-t-il jamais eu de frustration ni de malentendu dans cette chasteté à laquelle ses vœux l'appelaient. Cela explique en grande partie la limpidité de sa parole lorsqu'il évoque de manière presque « obsessionnelle », diront certains, la nécessité de la chasteté même dans le couple marié. L'amour humain est une prémonition de l'amour que Dieu promet, c'est l'autel de Dieu et il ne peut être galvaudé. « La chasteté, dira-t-il le 6 février 1993 aux jeunes de Kampala (mais sa parole s'adresse à tous les jeunes du monde) – c'est-à-dire le respect de la dignité des autres, puisque nos corps sont les temples du Saint-Esprit[2] – vous fait grandir dans l'amour des autres et de Dieu. »

Si l'on relit l'adresse aux religieux et religieuses de Rome prononcée au début de son pontificat, on peut comprendre les raisons qui ont poussé le jeune Wojtyla au sacerdoce. La vocation religieuse est à ses yeux « la disponibilité du don total à Dieu », cette vocation « découle d'une foi vivante, poussant la cohérence jusqu'à ses conséquences extrêmes, qui ouvre à l'homme la perspective finale de la rencontre avec Dieu, lequel est seul digne d'être aimé d'une façon exclusive ». Elle est, poursuit-il, comme l'étincelle qui allume dans l'âme « une flamme vivante d'amour », ainsi que l'a écrit saint Jean de la Croix. Quand, en 1946, Wojtyla prononce ses vœux, c'est dans cette disposition qu'il se situe, celle du don et du témoignage vivant, être au plus près du « trésor caché », de la « perle précieuse » qui ne font pas regretter « d'avoir renoncé à tout ».

Son aspiration à entrer en religion procède aussi à cette époque de plusieurs influences qui, toutes, vont converger dans cet intense appel qu'il ressent en lui encore confusément. « Mes goûts littéraires, artistiques, déclara-t-il en 1942, ont traversé mon âme et en a surgi ma vocation sacerdotale. » La force mystique, on le voit sous-tend sans cesse son discours et les tentatives d'explication qu'il donne de son engagement religieux. Il y a chez lui comme une volonté d'analyse constante, comme s'il pressentait que son destin allait le porter très loin. « Traverser mon âme », écrit-il, dans le plus pur style des écrits de Jean de la Croix, comme pour fixer des repères, légitimer ses héritages.

La cérémonie d'ordination se prolonge par une fête chez son amie Pozniakowa à laquelle il remet une image de la Vierge sur laquelle il a écrit : *fecit mihi magna*[3]...

Mais Wojtyla ne reste pas longtemps en Pologne. Convaincu d'avoir en lui le plus brillant de ses prêtres, le plus prometteur et celui dont la foi est la plus rayonnante, le cardinal Sapieha décide de l'envoyer à Rome. Le jeune prêtre est d'abord surpris mais la perspective de connaître d'autres univers, d'autres climats, et surtout d'être au cœur même de la catholicité emporte ses doutes et balaie ses regrets de quitter la terre natale. Rome est à coup sûr très dépaysante pour lui. Mais il s'y adapte assez facilement, dès la fin de cette année 1946.

La vie à Rome n'a rien à voir avec celle d'une Pologne dévastée, aux rues encore remplie de soldats, fussent-ils apparemment alliés. Toujours Wojtyla mesurera avec quelque dépit l'injustice que le sort réserva à sa terre natale. Le 18 juin 1983, à Jasna Gora, avec les jeunes pèlerins polonais, il déclara : « Peut-être que parfois nous envions les Français, les Allemands ou les Américains, parce que leur nom n'est pas lié à un tel prix de l'Histoire, parce qu'ils sont si facilement libres. Tandis que notre liberté polonaise coûte si cher... » Tout est dit au détour de cette phrase et l'acharnement de Jean-Paul II à défendre l'honneur de la Pologne vient de cette inégalité fondamentale dont sa terre est victime : « Je considère ce pèlerinage comme un devoir sacro-saint et je le considère, en dépit de tout, comme mon droit, en tant qu'évêque de Rome et en tant que Polonais[4] », ou bien : « Je tiens à affirmer que je continuerai à considérer comme mien tout le bien véritable de ma patrie, comme si j'habitais encore cette terre, et peut-être même davantage du fait de la distance. Avec la même intensité, je continuerai à ressentir ce qui pourrait menacer la Pologne, ce qui pourrait lui causer du dommage, être pour elle source de déshonneur[5] ».

L'après-guerre à Rome n'a pas en effet la même gravité qu'en Pologne. La douceur du climat, les paysages pacifiés comparables à ceux de Giotto ou des primitifs italiens, la grâce qui se dégage de la ville ont raison de la violence encore toute proche et tous goûtent après les heures noires du fascisme une liberté retrouvée. A la « dolce vita », Wojtyla préfère la marche à pied dans la campagne romaine, et quelquefois même profite d'une journée de vacances pour aller se baigner au bord de la Méditerranée. Rome cependant l'apprivoise peu à peu, et il aime visiter ses églises et ses palais, se promener dans les grandes perspectives du Bernin au Vatican : « Découvrir Rome est un chapitre, écrit-il dans une lettre à Pozniakowa de janvier 1947, qui ne peut s'expliquer en quelques phrases. [...] Il y a tant de niveaux et tant d'aspects [...], on découvre constamment des détails d'une grande finesse et on trouve en soi-même de plus grandes richesses[6]. »

Il est logé au collège belge et poursuit ses études de théologie au fameux Angelicum, université catholique des dominicains. Le fait d'habiter au collège belge lui permet de se familiariser davantage avec la langue française et avec le problème qui, à l'époque, était pour l'Église au premier plan, l'expérience des prêtres-ouvriers. Il sera très attentif à cette initiative d'origine française surtout et, grâce à sa propre expérience en usine, sera à l'écoute de cette « révolution » spirituelle. Il apprend là l'Église en marche, fidèle à « l'Église des pauvres », comme il l'appelle. Ce qu'il dira à l'épiscopat polonais le 19 juin 1983 résume ce qu'il a appris sur le terrain à Rome ou lors des fréquents et courts voyages que le cardinal Sapieha, depuis Cracovie, lui demandera de faire, en France et en Belgique : « Le prince Sapieha aimerait, écrit-il en juillet 1946, que je passe mes vacances à circuler en France, en Belgique et peut-être même en Hollande, pour y étudier les méthodes pastorales, et à visiter la France du Nord et les Flandres avec leur héritage gothique[7]. »

Et de fait, c'est au cours de ces excursions en Europe occidentale que Wojtyla va mûrir cette mission évangélique de l'Église à laquelle il donnera tout son relief lors de son pontificat : « Église des pauvres signifie qu'elle prend des engagements divers sur le globe terrestre en faveur de l'homme, de ses besoins spirituels et matériels, de ses droits fondamentaux et inaliénables[8]. »

A l'Angelicum, des professeurs vont notoirement influencer la pensée du jeune prêtre : Maximilien de Fürstenberg, Pierre-Paul Philippe, Mario Ciappi, et surtout le père Régilnald Garrigou-Lagrange, le plus réputé des exégètes de saint Jean de la Croix, et spécialiste des études thomistes. C'est grâce au père Garrigou-Lagrange que Wojtyla acquerra une formation thomiste extrêmement rigoureuse dont il tirera plus tard l'essence de sa propre philosophie. En effet, il sera très intéressé par les travaux menés à l'université de Louvain et par ceux de Maritain et Gilson sur le thomisme et la philosophie moderne, donnant « au thomisme une certaine dimension existentielle[9] ».

C'est sous l'autorité de l'éminent sanjuaniste que Wojtyla va préparer sa thèse de doctorat « Sur la *quaestio de fide* dans la pensée de saint Jean de la Croix », doctorat soutenu avec succès en juin 1948 (il obtiendra cinquante sur cinquante lors de la soutenance). La lecture de Thomas et de Jean de la Croix vont lui permettre de faire le lien entre la profondeur de la pensée mystique et la nécessité de l'engagement dans la vie, découvrant avec les œuvres des deux grands saints que, dans la foi, « l'homme fait sa rencontre véridique avec Dieu, et Dieu lui-même devient la forme de l'intelligence de l'homme[10] ». Dieu devient personne, rencontre, Dieu ressemble à l'homme. La philosophie qu'en tire Wojtyla, qu'il développera plus tard dans *Personne et Acte* et dans *Amour et Responsabilité*, c'est que la foi « naît d'une pénétration du cœur de la personne et c'est pour cela qu'elle accompagne la liberté de la personne, en la défendant contre toute possible objectivation et instrumentalisation[11] ».

On comprend dès lors que le grand travail pastoral de Jean-Paul II sera de défendre la dignité de la personne, parce qu'elle est d'abord lieu d'accueil de Dieu. « L'homme, dit-il, qui, par la volonté du créateur, a été appelé dès le commencement à soumettre la terre par le travail, a été créé par ailleurs à l'image et à la ressemblance de Dieu même. Il ne peut se retrouver lui-même, confirmer ce qu'il est, qu'en cherchant Dieu, en le rencontrant dans la prière, l'homme doit nécessairement se retrouver lui-même, puisqu'il est semblable à Dieu. Il ne peut se retrouver lui-même ailleurs qu'en son Prototype[12]. »

L'expérience de la Jeunesse ouvrière chrétienne en France va permettre à Wojtyla de mieux cerner cette pastorale du travail qu'il porte de pays en pays et qui lui sera si chère. Dans un article qu'il publiera dans *Tygodnik Powszechny*, intitulé « Mission de France », il montre combien la JOC rejoint ses préoccupations fondamentales, cette volonté d'inscrire la réalité existentielle de l'homme dans son devenir spirituel, d'insérer sa foi dans le quotidien, faisant de cette foi une présence, une mystique. C'est grâce à la JOC qu'il a l'intuition que l'Église retrouvera, après les doutes engendrés par la guerre, et face aux philosophies de l'existentialisme athée, une nouvelle énergie propre à susciter la foi des chrétiens, à la dynamiser. Ce que le cardinal comme le pape Wojtyla va véhiculer tout au long de sa mission sacerdotale, c'est l'idée que Dieu est présent en chacun de nos actes, que l'homme doit « être fort de la force de sa foi[13] », qu'il doit sans cesse « confirmer » cette foi, faire en sorte que l'Église du Christ « entre dans toute votre vie[14] ».

L'évangélisation du second millénaire doit passer par là, par la présence retrouvée de Dieu dans le quotidien, par l'enrichissement de la foi.

La JOC cependant, en 1947-1948, vit dans l'enthousiasme l'alliance entre foi et travail, la présence de Dieu dans la quotidienneté, et Wojtyla, qui se souvient toujours de son travail forcé sous les Allemands, est en train de fonder, grâce à l'expérience française, une pastorale originale dont on connaîtra les effets jusque dans les soulèvements de Gdansk. « Le pape, dira-t-il aux travailleurs de Nowa Huta, le 9 juin 1979, n'a pas peur des travailleurs. Ils lui ont été toujours particulièrement proches. Il est sorti du milieu d'eux. Il est sorti des carrières de pierre de Zakrzowek, des fournaises Solvay à Borek Falecki, puis de Nowa Huta. C'est à travers ces divers milieux, à travers ses propres expériences de travail que le pape, j'ose le dire, a appris de nouveau l'Évangile. Il s'est rendu compte et il s'est convaincu que la problématique contemporaine du travail humain est profondément gravée dans l'Évangile. Tout comme il est impossible de la résoudre à fond sans l'Évangile. »

Ces deux années à Rome le trouvent dans des dispositions intellectuelles extrêmement ferventes, il travaille beaucoup, fondant qui demeurera son style de vie et son rythme : levé tôt, couché très tard, veillant par l'étude et la contemplation. Il se fait beaucoup d'amis et rayonne spontanément, comme dans les jours obscurs du séminaire clandestin. Il est l'animateur de soirées très animées, lit les poèmes qu'il continue à écrire, comme si le rythme poétique, à l'instar de Jean de la Croix, était parole sacrale, meilleure voie d'accès au divin.

Mgr Sapieha suit très activement les progrès de son favori. Il sait qu'il y aura besoin de prêtres comme lui pour reconstruire l'Église de Pologne et assurer la relève. C'est pourquoi il veille à ce que cette expérience romaine permette à Wojtyla de dépasser les problèmes de la Pologne, mais aussi l'aide à l'inscrire dans l'Église universelle.

Ses études romaines terminées (licence obtenue en juillet 1947, doctorat soutenu en juin 1948), le cardinal Sapieha réclame son retour. C'est en plein stalinisme que Wojtyla retrouve sa terre de Pologne. Staline entend aligner toutes les «créatures» du glacis sur le modèle soviétique. Les différends avec l'Église s'accroissent, le Vatican est soupçonné de sympathies germaniques devant la guerre, et la persécution, insidieusement, commence. L'État entend organiser la jeunesse polonaise autour d'une Union de la jeunesse polonaise (ZMP), en fait un embrigadement comparable à celui des Jeunesses communistes. L'Église y voit de la part du pouvoir la volonté de lui enlever l'autorité qu'elle exerçait auprès de la jeunesse et proteste vivement. L'État répond par des violences accrues, crucifix retirés des salles de classe, enseignement religieux réduit, prières accomplies en classe supprimées, cérémonies du Parti coïncidant avec les fêtes religieuses, etc.[15]

La «guerre menée contre Dieu», comme l'écrivait Mgr Sapieha, est très vive quand un nouveau cardinal-primat est nommé, Stefan Wyszynski, le 10 novembre 1948, à la suite du décès de Mgr Hlond. Il s'agit d'un homme jeune, d'origine modeste (son père était organiste de paroisse), résistant farouche au pouvoir nazi, expert en matière sociale.

La soviétisation de plus en plus affirmée de la Pologne par Staline met l'Église en difficulté. Wojtyla, rentrant sur cette terre dont il a toujours chanté l'amour qu'il lui portait, est nommé dans une paroisse perdue de campagne, à Niegowic, où il va apprendre à être le père à l'écoute de ses fidèles et mettre à exécution cette praxis de la foi, cette actualité de l'Évangile dont il se sent porteur.

Il a vingt-huit ans et déjà une lourde histoire derrière lui. L'expérience de la solitude et de la mort, la rencontre indicible avec Dieu, une manière bien à lui de savoir parler aux hommes avec cette chaleur qui lui est propre, dont tous témoignent, avec ce magnétisme qui donne envie de partager la même certitude que lui, qui assure de l'espérance. Sapieha sait qu'il tient là un de ses meilleurs prêtres. A la fois intellectuel et sûr de sa foi, comme un charbonnier, doté d'une formidable force de persuasion, d'une réelle aspiration à la sainteté, et porteur, à la différence des autres prêtres, d'une culture très vaste, d'expériences laïques, d'un esprit créateur qui sont toute l'originalité de Wojtyla.

A Niegowic, il se manifeste par son amour pour les enfants. Sa catéchèse est adaptée à eux, tout entière tournée vers eux, et il commence à mettre sur pied sa « manière ». Quand il s'adressera plus tard aux fidèles de Gniezno et de Poznan, le 3 juin 1979, c'est en quelque sorte cette expérience qu'il répète : « La tâche fondamentale de l'Église est la catéchèse. [...] Nous savons combien l'action déployée en vue d'une foi toujours plus consciente, toujours introduite à nouveau dans la vie de chaque génération, dépend de l'effort commun des parents, de la famille, de la paroisse, des prêtres pasteurs d'âmes, des catéchistes, du milieu, des moyens de communication sociale, des choses coutumières. De fait les murs, les clochers des églises, les croix des carrefours, les images saintes sur les murs des maisons et à l'intérieur de cellesci, tout cela catéchise d'une certaine façon. »

C'est dans cette humble paroisse aux confins du diocèse de Cracovie que le père Wojtyla apprend à écouter les autres, à être près de leurs problèmes, comme il tâchera toujours de le faire, même lorsqu'il deviendra cardinal, ne ménageant pas son temps pour assister le plus petit de ses fidèles. La vie y est pourtant assez dure, l'électricité n'est pas installée à Niegowic et les relations avec le secrétaire du Parti, qui cherche à rallier les jeunes à la cause communiste, ne sont pas simples, mais la paroisse reste quand même paisible, et l'autorité du prêtre n'y est pas contestée. Wojtyla, bien qu'intellectuel et ayant secrètement pris la mesure de ses possibilités, n'éprouve aucune amertume à avoir été nommé prêtre dans une paroisse de si peu d'envergure, quoique ses origines datent du XIIe siècle et que l'église ait été édifiée en 1700 ; au contraire, tout lui est expérience, moyen de saisir la réalité de l'Église à tous ses niveaux. Le livre du père Godin, qu'il avait lu lors de son séjour en Europe occidentale, *France, terre de mission*, l'avait particulièrement troublé. Il y était question d'une nouvelle approche de l'Église dans ses relations avec le monde, tentant de la rendre plus disponible, plus près des hommes. Cette proximité, Wojtyla avait tout de suite compris qu'elle était la clé de la nouvelle évangélisation dont l'Église ne pourrait pas faire l'économie, et à Niegowic, il essaie déjà, à modeste échelle, de mettre en œuvre ce principe de familiarité : le prêtre est dans un état constant d'écoute, c'est par là qu'il s'attachera ses paroissiens et qu'il témoignera le mieux du message du Christ. De surcroît, déjà extrêmement lucide sur la situation politique en Pologne, il sait que c'est grâce à cette présence constante de l'Église que l'État communiste aura les plus grandes difficultés à s'établir durablement. C'est pourquoi le jeune prêtre, tout empreint de ces convictions glanées à Rome, à Paris ou à Bruxelles, va développer ce qui sera sa pastorale future : prédilection de la famille comme foyer essentiel de la foi, pratique de la religion sous tous ses aspects, dévotion populaire, piété quotidienne, constance de la prière, adoration des images, fidélité aux sacrements et singulièrement celui de la confession, ferveur aux grandes fêtes du calendrier chrétien et goût pour les pèlerinages.

Le père Wojtyla sait qu'à Niegowic il touche au plus près de l'âme polonaise, il sait que cette expérience pastorale est pour lui le meilleur moyen de découvrir les besoins d'une Pologne décontenancée, en quête de son identité, et il veut que sa réunification passe par la religion : vaste programme, ample défi qui ne déplaît pas à Wojtyla qui toujours a aimé les situations excessives, pour la gloire de Dieu.

Tous les témoignages[16] rapportent qu'il « sait parler, et, ce qui est important, sait écouter ». La vie du jeune prêtre s'écoule donc tranquillement, entre ses activités paroissiales et intellectuelles qu'il ne lâche pas, se sentant toujours appelé à une connaissance supérieure, voulant toucher au mystère de Dieu non seulement par des voies mystiques et sacerdotales, mais aussi philosophiques. C'est ainsi qu'il s'adonne à cette époque à de multiples lectures : saint Thomas, les grands mystiques espagnols, et surtout Max Scheler qu'il découvre et qui sera l'objet d'une thèse importante menée les années suivantes à Lublin et à Cracovie, et qui aboutira à un second doctorat de philosophie.

L'apprentissage de la vie paroissiale plaît beaucoup à Wojtyla, il y trouve un équilibre, une sorte de paix intérieure, confirmant la vérité de sa vocation. Mais il veut celle-ci active, toujours en devenir, et c'est par là qu'il se distingue de tous ses camarades, par cette capacité exhaustive de tout embrasser, dans cette connaissance des hommes et de la culture du monde entier, y compris celle qui n'est pas chrétienne. On le voit à la tête de toutes les processions et de tous les pèlerinages, galvanisant les jeunes de sa paroisse, se prêtant à leurs jeux et faisant du sport, mettant la main à la pâte pour construire une nouvelle église (prémice de Nowa Huta), la communauté de Niegowic ne pouvant plus se satisfaire de l'ancienne église. Wojtyla travaille comme maçon, n'hésite pas à monter les murs, à gâcher le ciment. C'est cet enthousiasme qui convertit, rassemble. Bâtisseur, Wojtyla l'est donc spirituellement et physiquement. Un peu à la manière de Kolbe dont l'activisme et la ferveur le poussaient à cet esprit d'entreprise qui exaltait ses fidèles. Bâtisseur de cathédrale et d'église, n'est-ce pas déjà le rôle que le Christ avait assigné à Pierre ?

Mais le cardinal Sapieha n'entend pas laisser son protégé dans une paroisse trop éloignée de la vie intellectuelle et spirituelle. Il le nomme vicaire à la paroisse de Saint-Florian, en plein centre-ville de Cracovie.

Pour Wojtyla, le retour dans sa chère ville universitaire est loin d'être désagréable. Revenir à Cracovie, c'est reprendre contact avec ses amis d'autrefois, fréquenter les cercles intellectuels, retrouver les revues *Znak* et *Tygodnik Powszechny*, se sentir pleinement de cette Pologne millénaire et cependant à refaire entièrement. Il y arrive donc avec enthousiasme, décidé à jeter toute son énergie dans cette nouvelle existence.

Si son professeur Vetulani voulut faire de lui un canoniste, il conservera toujours au fond de lui cette aspiration à la rencontre, cette soif de l'autre et de l'expérience vécue. Il accepte la décision hiérarchique parce que, fondamentalement, il est un homme de discipline et élevé depuis l'enfance dans une vision hiérarchique du monde, mais il se sent intuitivement appelé à ces rencontres émotionnelles, affectives, qui feront de lui l'évêque le plus chaleureux de la Pologne, le plus attentif aux autres. Tout son passé témoigne de cet engagement auprès des hommes, et ce ne sera que dans les années 85-94 que des critiques surgiront prétendant que si Jean-Paul II sait parler de l'homme, il ne sait pas leur parler.

C'est surtout dans le registre pastoral que Karol Wojtyla donnera la mesure de la qualité de son sacerdoce : son dévouement entier à ses paroissiens, sa vie personnelle quasiment abolie, son incitation à la contemplation et à la prière, sa pauvreté exemplaire édifient ses paroissiens qui, très vite, deviennent ses confidents et ses amis. On l'appelle «l'oncle», tant ses contacts sont faciles et familiers. Wojtyla exerce auprès des jeunes une influence particulière. Mettant à profit ses dons sportifs, il organise des matchs de football qui deviennent légendaires et forgent sa réputation de gardien de but redoutable. Il est un excellent marcheur et organise des excursions au cours desquelles il parle de morale, de Dieu, fait passer l'Évangile «à petits pas», il participe à des séances de cinéma, autant d'activités inlassables qui dament le pion aux autorités communistes qui voient ainsi la jeunesse leur échapper. C'est par cette action non violente que commence en vérité l'activisme politique de Karol Wojtyla. Ce ne sera jamais sur un plan idéologique ou directement politique qu'il mènera l'offensive contre un État qui a pour but avoué d'éradiquer la religion dont il est le porte-parole, c'est de biais, par des actions humaines, par tout un système relationnel qui révélera la vraie valeur et le vrai sens du christianisme.

A ces jeunes qu'il connaît si bien, il parle toujours sur un mode familier, volontiers manichéen, comme celui qu'ils peuvent entendre: «Qu'est-ce que ça veut dire: "je veille"? Cela veut dire que je m'efforce d'être un homme de conscience. Je n'étouffe pas cette conscience et je ne la déforme pas; j'appelle par leur nom le bien et le mal, sans les obscurcir; je construis le bien en moi et j'essaie de me corriger du mal.»

Il se souvient encore de ses cours d'art dramatique, du grand Tyranowski, aujourd'hui disparu, et il profite de cette diction si ample dont il est doué, non pas pour séduire au sens où l'orateur use de son éloquence, mais pour persuader, pour fortifier la foi des jeunes qu'on lui a confiés.

Aux journées en plein air il fait alterner des séances de méditation, de poésie et de lecture de l'Évangile. De petites saynètes, des paraboles servent de prétexte à des discussions enflammées. Cela lui redonne envie d'écrire pour le théâtre et la poésie. C'est à ce moment-là que naît vraiment Andrzej Jawien, alias Karol Wojtyla. Le soir, libéré de ses activités pastorales, il se livre à ses passions intellectuelles, travaille sur Max Scheler, confronte les positions phénoménologiques du philosophe allemand aux valeurs de l'éthique chrétienne, écrit des vers de facture libre qui révèlent un grand poète. En 1950, il publie dans *Tygodnik Powszechny* ses premiers textes poétiques, ce sera le début d'une intense collaboration éditoriale qui ne prendra pas même fin avec son élection au pontificat. Jean-Paul II gardera toujours une affection particulière pour les fondateurs de cette revue, la seule qui fera obstacle au communisme et osera dire, malgré les pressions et la censure, l'enjeu d'une société sans Dieu, la seule avec Znak qui témoignera de la vitalité intellectuelle, dissidente et inaliénable d'une intelligentsia devenue maudite sous les crocs féroces du communisme.

Wojtyla se sait porteur de ce qu'il appellera plus tard « abondance de vie », qu'il voudra transmettre aux fidèles du monde entier comme gage de Jésus-Christ, « abondance » dont il se nourrit depuis ces jours de sacerdoce. Il est doué d'un sens de la paternité très développé. Ici la chasteté n'a rien à voir, elle n'est pas obstacle à ce don. Ce que Jean-Paul II possède, c'est une force de vie puisée dans l'histoire même du Christ qu'il réinjecte chez les autres en « abondance ». Cette nourriture, de même qu'il la recevait dans la paroisse rurale de Niegowic, lorsque la neige tombait en excès et qu'elle étouffait les jours et les nuits, permettant ainsi des veillées plus étroites en Dieu, de même il la reçoit à Saint-Florian et la redistribue dans ces camps de jeunesse qu'il organise, dans les monts Tatras, à Wielka Rawka, à Romanka, à Babia, avec cette puissante vitalité qui l'anime.

L'expérience poétique associée au cheminement mystique fait de Wojtyla un grand successeur des romantiques polonais, Mickiewicz, Slowacki, Krasinski, qu'il a beaucoup fréquentés. Mais l'expérience de la guerre et la glaciation progressive du régime communiste sur les forces vives de la Pologne portent le jeune prêtre à une thématique encore plus axée autour des motifs de la conscience à libérer, et de l'initiatique parcours de l'homme pour échapper aux tyrannies, d'où l'exaltation de l'amour, du travail, de la paternité, de la foi comme seuls moyens d'accès à la liberté.

Avant même la chute du marxisme, à une époque où justement le stalinisme ne laissait rien présager de sa défaite, l'abbé Wojtyla combat avec des mots, avec des stances pour témoigner de la force irréductible de la foi, de la certitude de la victoire. La dignité de l'homme est découverte au détour des rencontres du réel amour, du travail conçu comme une étape du salut et une des stations du chemin de Vérité. La poésie que Wojtyla-Jawien est en train de mettre en place à cette époque est emblématique de toute son attitude à venir, de toute sa pastorale pontificale : les forces cosmiques que l'homme détient en lui, il convient de les exalter, de les faire vibrer pour que la conscience s'élève et permette la victoire de l'esprit sur la matière :

> Vois les écailles argentées de l'eau
> où la profondeur tressaille
> comme la prunelle de l'œil quand l'image y surgit

écrit-il avec une rare finesse dans un poème de 1950 donné à *Tygodnik Powszechny*, intitulé *Chant de la splendeur de l'eau.*

L'eau... Ailleurs il chantera la terre, autant de thèmes fondateurs de sa poétique qui sont, bien sûr, allégoriques de sa catéchèse : « L'arbre de la connaissance du bien et du mal a poussé avec nous au bord des fleuves de notre terre, il a poussé avec nous au cours des siècles, il a poussé dans l'Église par les racines de nos consciences[17]. »

L'inspiration poétique est au cœur de l'homélie wojtylienne, elle est celle qui exalte et inspire, elle est étymologiquement souffle de Dieu. Jean-Paul II se souvient du caractère sacré de la poésie antique, il a retenu cette leçon de Kotlarczyk, le créateur du Théâtre Rhapsodique.

La terre, la mer, ces deux thèmes sont constamment filés dans sa pastorale itinérante, mais c'est en Pologne, là où il sait être vraiment entendu, qu'il libère la force de cette langue singulière qu'il a forgée dans les années 50, lorsqu'il était vicaire de Saint-Florian.

« Il faut, dira-t-il aux gens de la mer à Gdynia le 11 juin 1987, qu'en ce lieu résonne le cantique de toute la création, qui rend gloire à Dieu. Il faut que les fleuves et la mer parlent d'une voix de louange. ... O Fleuve, sois béni ! Apprends-nous, par la fidélité à notre terre, à bénir le Père qui est aux cieux.

Et sois bénie toi aussi, mer qui est le destin de la Vistule, de notre fleuve : de même que le Royaume de Dieu est le destin des hommes vivant sur cette terre.

La mer...

Elle parle à l'homme un langage particulier. Et tout d'abord le langage de ce qui est illimité. Voici que de l'embouchure de la Vistule, on aperçoit le lointain, marqué par la dalle de la baltique, le lointain illimité, dont la frontière ne peut être atteinte par l'œil humain... »

Le jeune prêtre, à une époque où l'athéisme montant aurait dû l'inciter par complaisance envers les autorités communistes à adopter un profil bas, développe au contraire une vie paroissiale dense et ostentatoire. L'après-guerre en Europe occidentale a inspiré, sous l'influence peut-être de l'existentialisme, une pratique plus austère, et l'on assiste souvent en France comme en Belgique à une sorte de protestantisation du culte : messes plus dépouillées, rites moins solennels ; la mode est à une foi plus discrète, moins dix-neuviémiste. Nouveau défi du père Wojtyla ou bien fidélité à un rituel polonais ? Toujours est-il qu'il tente de raviver la foi de ses paroissiens par une ritualité digne de la Contre-Réforme, usant de tous les attributs sentimentaux et lyriques que l'Église a mis en scène pour exalter la foi de ses fidèles et pour favoriser leur élan vers Dieu. Alors que lui vit dans un grand dénuement, obéissant aux vœux qu'il a prononcés, il souhaite que rien ne soit trop beau pour glorifier le mystère de Jésus-Christ. Le rite est donc célébré avec toute la pompe nécessaire, chapes brodées, encens, orgues, chants, lenteur des cérémonies qui, de surcroît, correspond à l'esthétique religieuse slave. Même lorsque le concile Vatican II tâchera de moderniser l'Église en recommandant à ses évêques une plus grande simplicité dans le rituel pour être plus près de ses fidèles, le cardinal Wojtyla aura tendance à persister dans cette pratique baroque de la foi, favorisant pèlerinages et rosaires, chemins de croix et chapelets, profitant de tous les anniversaires possibles pour célébrer une fête religieuse, car il sait que l'âme polonaise aime à se nourrir de ces effets ostensibles voire magiques de la piété populaire à laquelle Jean-Paul II restera fidèle en la préconisant dans tous ses voyages comme le retour de la vraie foi et la vraie possibilité d'accès à Dieu.

C'est dire que dès cette époque se sont chevauchées deux tendances pastorales nettes chez l'abbé Wojtyla : moderniste et progressiste en ce sens qu'il inaugure une pratique dynamique de la foi avec ses groupes de jeunes et une assistance sans faille à ses ouailles, mais aussi conservateur et même intransigeant dans une certaine observance quotidienne de la religion.

Ces deux tendances seront bien perçues lors du second conclave comme étant peut-être les deux axes complémentaires d'une Église dont Wojtyla avait fait l'unité dans son expérience polonaise. C'est pourquoi on ne parviendra jamais à cataloguer Jean-Paul II : progressiste il l'est à maints égards, conservateur tout autant, par une foi qui est souvent plus proche de celle des prêtres du XIXe siècle que de cette nouvelle génération qu'exigent sûrement les évolutions du XXe siècle. C'est ici le nœud de sa singularité et aussi la croix de sa mission.

Au début des années 50, il vit dans un petit appartement de Cracovie en compagnie de sa vieille tante, une sœur de son père, qui aide aux soins du ménage, stupéfaite de l'activité si intense de son neveu. Mais lui cherche de nouvelles voies, de nouvelles approches pour « évangéliser », « témoigner » : autant de termes qui, à ses yeux, conduisent la mission d'un prêtre.

Le communisme qui se met en place n'est pas perçu de manière hostile par tous. Le fait que les Soviétiques aient aidé à vaincre les Allemands, les millions de soldats qu'ils ont perdus dans des conditions effroyables, la résistance au nazisme qu'ils ont menée, la volonté de créer un nouveau monde, plus égalitaire, plus « communautaire », tout cela attire les sympathies de l'intelligentsia occidentale, qui ne voit pas la menace ou feint d'ignorer le stalinisme de plus en plus autoritaire. La mode en Europe occidentale est aux sympathies de gauche et l'Église, compte tenu de ses positions pour le moins troubles et équivoques pendant la dernière guerre, et cela malgré quelques cas isolés où la hiérarchie a résisté, est devenue l'ennemie ou est considérée comme un vieil héritage du passé. En Pologne le mouvement Pax, que beaucoup dès cette époque vont considérer comme un mouvement de chrétiens progressistes procommunistes, va rivaliser avec *Tygodnik Powszechny* et *Znak* et semer le trouble dans les esprits. L'abbé Wojtyla ne s'y trompe pas, non plus que les hautes autorités religieuses qui y voient un sous-marin piloté par les communistes : « Le groupe Pax, déclarera ainsi Mgr Wyszynski, use ostensiblement d'étiquettes catholiques, mais dès qu'entre l'Église et la République populaire surgit quelque différend, il prend systématiquement parti pour le gouvernement contre l'Église, en approuvant et en secondant toutes les mesures qui la prennent pour cible[18]. »

La politique de Wojtyla, du moins celle qu'il conduit de

manière plus secrète, est celle de la résistance. D'emblée méfiant envers un pouvoir qui proclame que la « religion est l'opium du peuple », selon le bon mot de Marx, il va se forger intérieurement, et sans faire appel à une quelconque praxis offensive, une méthode de résistance qui restera la sienne même lorsqu'il sera pape. Le cardinal Wyszynski, dont on dira souvent qu'il est en désaccord avec Wojtyla, sûrement à mauvais escient quand on sait l'état de leurs relations lors du dernier conclave, adopte pour l'heure, une attitude souple. Plus exposé que le jeune Wojtyla, moins fougueux aussi, il va pratiquer une politique non pas de main tendue, mais d'écoute et de conciliation, certain de sa méthode, car il s'agissait de ne pas couper les ponts trop brutalement avec un pouvoir non moins brutal, et qui n'attendait en fait qu'une rupture avouée pour inaugurer une persécution affichée. C'est donc pour sauver l'Église de Pologne que le cardinal donna l'apparence d'un homme d'ouverture et de négociation. C'est seulement en 1953 que, voyant la coupe trop pleine, il sera obligé d'élever le ton et de déplorer ouvertement la campagne d'athéisme militant conduite en direction de la jeunesse polonaise et qui ruinait ainsi tous les efforts de l'Église en la matière. Ainsi, même à des niveaux hiérarchiques différents, Wojtyla et le cardinal-primat apparaissent comme complémentaires d'une « politique » qu'ils mèneront de concert jusqu'à la chute du communisme et à la mort de « l'intrépide serviteur de Dieu et de la patrie[19] ».

Les deux hommes sont d'égale trempe. Ils ont en commun un esprit de résistance qui, au nom de leurs convictions profondes, préfère endurer le martyre plutôt que de céder. On connaît la première « résistance » du futur cardinal-primat de Varsovie : surpris dans une réunion clandestine de scouts par les Allemands, il subit, encore enfant, vingt-cinq coups de fouet sans proférer un seul cri. La « résistance » de celui qu'on a tôt fait d'appeler le « cardinal rouge », pour le distinguer du cardinal Sapieha, d'origine aristocratique, ne faisait alors que commencer. Wojtyla afficha la même intransigeance hautaine et simple devant les autorités nazies comme devant les communistes. Il les considérait tous deux comme des ennemis non seulement du christianisme mais surtout de l'homme.

L'état de la Pologne s'aggrave cependant d'année en année. En 1952, elle devient « démocratie populaire ». La liste unique communiste, le Front national, est élue aux élections du 26 octobre avec... 99,8 p. 100 des voix, et l'Église est chaque jour plus menacée dans son intégrité et ses prérogatives précairement préservées. Les instances staliniennes rétrécissent ses pouvoirs jusqu'à décider de sanctions contre quiconque « obligerait quelqu'un à prendre part à une activité religieuse ou à un exercice du culte ». En même temps s'ouvre à Cracovie un retentissant procès contre cinq prêtres et trois laïcs accusés d'espionnage au profit des Américains. Une décision met le feu aux poudres : la promulgation d'une ordonnance prévoyant que le recrutement des ecclésiastiques relèvera désormais d'un Bureau des affaires ecclésiastiques dépendant lui-même du ministère de l'Intérieur. Le cardinal Wyszynski et toute la haute hiérarchie de l'Église s'y opposent en formulant le fameux *Non possumus* qui ouvrait la guerre entre l'Église et l'État. Le 8 mai 1953, le cardinal-primat adresse une lettre au président Bierut qui ne laisse plus de doute sur les relations à venir : elles seront hostiles, soupçonneuses voire franchement belliqueuses. La lettre comporte plusieurs points et énonce les différents griefs de l'Église : « ... Dans le bilan de ces trois dernières années, les passifs dominent, lourds de menaces. »

Premier grief : « Dieu chassé des écoles et traqué dans le cœur des enfants. » (Liquidation des écoles libres ; situation difficile de l'université catholique de Lublin ; restriction de l'enseignement religieux dans les écoles publiques ; liquidations des organisations religieuses ou interdiction pour les jeunes d'y appartenir.)

Deuxième grief : « Pression politique exercée sur le clergé. » (Embrigadement dans le Mouvement de la Paix ; mise en avant des prêtres dans les manifestations contre le révisionnisme allemand ; utilisation des catholiques par le mouvement Pax et celui des prêtres dits patriotes ; pressions particulières sur le clergé dont les petits séminaires ont été fermés et les biens confisqués ; expulsion progressive des religieuses des hôpitaux et asiles.)

Troisième grief : « Liquidation impitoyable de la presse et des publications catholiques. » (Censure très sévère et arbitraire ; liquidation en mars 1953 de presque toute la presse catholique ; entraves à la publication de livres catholiques.)

Quatrième grief : « Ingérence dans la vie de l'Église. » (Tentative de la censure pour modifier des textes liturgiques ; destitution de prêtres et même d'évêques par l'autorité administrative ; surtout, promulgation du décret du 9 février 1953.)

En définitive : « Aujourd'hui, nous tous, évêques polonais, protestons d'un commun accord. [...] Il faut obéir à Dieu plutôt qu'aux hommes. [...] Si la souffrance est notre lot, ce sera uniquement pour le Christ et pour son Église. Nous n'avons pas le droit de mettre sur les autels de César ce qui est à Dieu. *Non possumus*[20]. »

Cette lettre adressée le jour de la fête de saint Stanislas marque symboliquement l'entrée en résistance de l'Église. Bien que Staline soit mort quelque deux mois avant la lettre du cardinal, cela n'empêche pas les fonctionnaires du Parti de se montrer plus féroces encore et, craignant l'Église comme une force subversive toute puissante, le pouvoir va s'acharner sur elle : le 26 septembre 1953, de nuit, une voiture vient chercher le cardinal à son domicile et l'interne au couvent de Komancza, à l'extrême sud du pays. Il y restera, lui le plus célèbre des exilés et des prisonniers du pays, trois années. Wojtyla prend la mesure du pouvoir qui est en face de lui. Il n'est encore qu'un simple vicaire, mais devant la persécution que cette année 53 engendre, il ne veut pas rester inactif. Il sait que la meilleure des actions est celle de la clandestinité, il a l'habitude des «catacombes» et, comme il proclamera lors de son investiture, il n'a pas peur...

Il a appris de Sapieha, mort en 1951 désemparé devant tant de problèmes nouveaux qui n'étaient plus de son temps, que la seule valeur qui compte, c'est la force de l'homme en Dieu, c'est sa capacité à maintenir vivant le message de Dieu, que la seule foi valable, c'est celle dans le Christ «qui est la prière angulaire du salut de l'homme[21]».

De Wyszynski, il va apprendre que «la solitude est une occasion de contempler Jésus de plus près. [...] Toutes les voies sont justice et vérité[22]».

Du réseau catholique mis en place, il ne reste donc rien. Séminaristes et laïcs militants sont internés, dans ce que le cardinal appelle ni plus ni moins des «camps de concentration»[23]. La presse est définitivement interdite, les écoles catholiques sont fermées, seule demeure, précaire, mais encore vivante, l'université de Lublin. C'est en 1953 justement que l'abbé Wojtyla est invité à y donner quelques conférences. Sa carrière d'enseignant commence. En 1954, il y pratiquera «un enseignement régulier[24]».

Le destin de Wojtyla évolue donc rapidement : jusqu'en 1951, il avait été vicaire de Saint-Florian, puis, sur décision de l'archevêque et sur proposition de son professeur de théologie, le père Rozycki, qui avait remarqué l'ampleur de ses dons et la pertinence de son esprit, il va poursuivre ses études de théologie en préparant un doctorat sur «les possibilités de fonder la morale catholique sur le système de Max Scheler».[25]

Rozycki devient alors son maître à penser, son père spirituel, son ami, et son confident. Wojtyla loge même chez lui, et y demeurera près de six années. Période dense où il retrouve l'atmosphère qu'il aime tant, celle de la recherche intellectuelle, des universités et des livres, le monde de la spéculation et la dynamique intellectuelle.

C'est entre 1951 et 1953 qu'il va avoir à cœur de conduire cette recherche sur Scheler, trouvant des pistes de sortie pour le christianisme à partir de la phénoménologie de celui-ci.

Ce sera grâce à ce second doctorat que Wojtyla pourra enseigner et délivrer sa vision personnelle du monde. La mort de Sapieha le 23 juillet 1951 le laisse, à trente et un ans, orphelin, car cet homme l'avait suivi depuis sa jeunesse, lui avait donné la voie, avait décelé sa vraie dimension. Sait-il, le jeune abbé, féru d'études mais fort aussi de l'enseignement pragmatique que lui avait délivré le vieux cardinal, et surtout de sa leçon de courage et de résistance, que lui-même, en 1964, montera sur le trône épiscopal de Cracovie, occupera l'étage noble du palais, prendra la place de son vieux maître ?

La richesse intellectuelle de l'abbé Wojtyla est déjà considérable. Poète et philosophe, maniant les concepts et les images poétiques avec la même aisance, attentif aux leçons sociales entrevues en Belgique grâce aux travaux de l'abbé Cardijn, fondateur en Belgique de la JOC, soucieux de propager une nouvelle image de l'Église et d'instaurer une pastorale plus adaptée aux mœurs modernes, il reste néanmoins fidèle à l'héritage traditionnel de l'Église et aux émois sentimentaux de la religion populaire parce qu'il sait que c'est par là qu'il pourra s'acquérir les foules chrétiennes, surtout dans un pays si attaché aux enseignements de l'Évangile qu'est la Pologne à peine sortie de la ruralité. Il parachève sa formation par des travaux très affinés, qui ne l'empêchent pas de s'abîmer dans une méditation religieuse profonde, où il a toujours à cœur de rencontrer Dieu. Rétablir le lien, établir la rencontre, tels sont les deux principes de l'enseignement qu'il ne va cesser de véhiculer.

La thèse qu'il soutient sur Scheler lui vaut son habilitation en 1954 et lui permet de devenir professeur titulaire. Déjà, en octobre 1953, il avait donné quelques cours à l'université de Cracovie et il y avait découvert une véritable passion. Son enseignement est très suivi et très vite, à Lublin comme à Cracovie, il devient une sommité à l'autorité incontestée. C'est une période très intense d'activité physique et intellectuelle. Wojtyla ne ménage pas ses efforts et chaque semaine il fait le voyage en train pour rejoindre son université. C'est au cours des leçons de morale qu'il donne que la majeure partie de sa pensée se déploie : prééminence de la personne, relation directe avec l'homme, exaltation d'un personnalisme actif. Autant de motifs qui par définition rendent extrêmement vivants ses cours. Pendant ces années 1953-54, jusqu'au jour où l'université de Lublin lui confie le poste de professeur et de directeur de l'institut de morale, Wojtyla ne veut rien abdiquer de ses activités sacerdotales. Il est toujours en contact avec ses étudiants, organisant pour eux des camps, des retraites, des journées de méditation, des conférences, auxquels se presse, au grand dam des autorités communistes, une forte partie de la jeunesse locale. Blazinski rapporte qu'on l'appelle à l'époque « l'éternel adolescent[26] », tant il parvient à garder cette juvénilité, cette ouverture d'esprit qui le mettent immédiatement en contact avec les jeunes. Sa vie spirituelle n'en est pas pour autant entamée : il prie le plus souvent possible, entre en silence dans le rosaire et le chapelet, prie encore dans le train quand, au petit matin, il file vers Lublin. La campagne polonaise, les montagnes des Carpates sont pour lui des moyens d'être non seulement en contact avec la nature mais aussi dans une convivialité fraternelle avec les autres qu'il draine derrière lui. Animateur insatiable, son énergie est un facteur de conversion, un tremplin spirituel. Le génie de Wojtyla, c'est de rendre la philosophie une discipline soudain accessible. Le jeune abbé parle de Dieu avec une simplicité qui désarme, rend le témoignage facile, presque familier.

Ce qu'il proclame, c'est que la foi comme le savoir philosophique ne se donnent que dans cette proximité avec le réel, qu'il n'y a pas de connaissance que dans les relations humaines, que tout peut se comprendre, le mystère de Dieu comme celui du monde. Ce qui frappe le plus dans cette période, c'est l'autorité indiscutable qui émane du professeur Wojtyla et en même temps cette familiarité virile qui le rend très proche de ses étudiants. Son caractère sportif et naturel lui vaut une admiration dont il ne jouit pas, quoique tirant profit de ses leçons passées d'art dramatique ; il y a chez lui non pas à proprement parler une manipulation affective et intellectuelle, mais un art de mettre en scène sa parole, une certitude aussi d'être charismatique. Les retraites du professeur Wojtyla ont cela de particulier qu'elles ne se situent pas dans le cadre traditionnel d'un séminaire ou d'un couvent. Bien au contraire, il les organise en plein air, aux alentours de Cracovie, dans les montagnes, et, entre deux escalades ou lors de promenades à voile sur les lacs, il rassemble ses étudiants et entame de longs débats sur la religion. Le cadre naturel se prête admirablement aux discussions ontologiques et la portée de son enseignement en est redoublée. Une assistance nombreuse assise aux récollections du père Wojtyla, bien insolites et anticonformistes. Il semble qu'à cette époque les relations de Wojtyla se tournent davantage vers les laïcs que vers les religieux. Avant le grand rassemblement de Jean XXIII réclamé pour le renouvellement de l'Église, Wojtyla pressent la nécessité de l'aggiornamento. Certes, dans une Pologne traditionnelle, il est difficile de trop changer les choses, mais il s'emploie à renouveler les structures, à moderniser l'enseignement de l'Église et surtout à créer un autre climat, d'écoute celui-là. C'est peut-être là que la subversion de Wojtyla est la plus forte, le régime populaire devenant de plus en plus bloqué, s'aliénant toutes les forces vives de la nation. Wojtyla a compris l'enjeu : c'est à l'Église de récupérer ces laissés-pour-compte, ces esprits assoiffés de connaissance et qu'on abandonne, c'est aux intellectuels chrétiens à redonner le goût des nourritures spirituelles, à ses yeux les seules capables de fonder et de faire vivre l'homme.

Les Mémoires du père Malinski sont très enrichissants pour évoquer cette époque. Ami de Wojtyla, il a participé à ces excursions où se mêlaient à la fois l'effort physique et la médiation religieuse. Ce qui frappe surtout, c'est la grande proximité du groupe avec la prière et cette manière qu'affiche le père Wojtyla d'être toujours en communion avec Dieu : « Nous sommes allés dans les Beskides, raconte Malinski. Le premier sommet à escalader fut Prehyba. Nous avons bénéficié d'un très beau temps d'automne, des forêts pleines de couleurs merveilleuses. [...] Nous bavardions, nous nous taisions, nous priions. A un moment donné, nous nous retrouvâmes agenouillés dans l'herbe haute pour prier[27]. »

Avec les jeunes, précise encore Malinski, « Il régnait une atmosphère d'extrême simplicité et de grande amitié. [...] Ces jeunes, avec toute leur simplicité et leur sincérité, éprouvaient une grande estime pour "l'oncle", mais en même temps ils le taquinaient en lui apprenant, par exemple, à faire du vélo. [...] Ils priaient ensemble, ils disaient quotidiennement le rosaire, ils chantaient des chants religieux, participaient tous à la messe célébrée par Karol. [...] Les messes des champs étaient célébrées à côté de la tente, dans une maison paysanne, sur un canoë renversé[28]... »

La pastorale fut toujours pour Wojtyla l'outil fondamental de son sacerdoce. C'est pourquoi malgré l'obéissance à laquelle ses vœux l'avaient conduit, il n'accepta de nouvelles tâches plus solitaires qu'avec une certaine réticence.

Si l'administrateur intérimaire du diocèse, Mgr Baziak, lui demande de se consacrer désormais à la recherche et à l'étude, Karol Wojtyla est cependant libre d'organiser ses vacances comme il l'entend. Aussi profite-t-il de l'été pour reprendre ses chantiers spirituels avec des jeunes qui d'ailleurs se pressent autour de lui. Les retraites qu'il organise dans les Beskides de Silésie, dans le Beskid Wyspowy, dans la Gorce ou la Babia Gora remportent un succès considérable[29].

C'est dans ces moments de plénitude amicale que Wojtyla trouve le vrai Dieu et se sent en parfaite communion avec l'Évangile.

Les autorités politiques ne voient guère d'un bon œil de tels rassemblements. Quand les retraites de Carême arrivent, c'est toujours le père Wojtyla qu'on réclame. Ses prédications sont exemplaires parce que justes, vivantes, et elles font école. Un courant spirituel s'organise lentement dont Wojtyla est le noyau. Son influence s'étend au point de commencer à inquiéter les pouvoirs en place. Aucun des autres prêtres de la génération de Wojtyla ne déploie autant d'activité et de présence sur le terrain. Aux heures calmes, on le retrouve, dans le confessionnal, occupé à lire son bréviaire, à méditer, reclus, plus apte sans doute à pouvoir capter quelque secret. La disponibilité de Wojtyla est totale, rejoignant à la fois la mystique et l'action. Il poursuit discrètement son œuvre poétique, toujours sous le pseudonyme de Jawien, tentant de rassembler les thèmes qui fondent sa pensée, la rencontre, le lien, la terre comme lieu de connaissance... Wojtyla apparaît alors comme un conducteur d'hommes, il est le professeur à tous points de vue, sachant allier le plaisir à l'érudition, le travail à la détente. Ses conversations n'ont pas de limites. La facilité qu'il a de jongler avec les idées, les concepts, de mêler les sujets théologiques et laïques, de donner priorité à l'existence personnelle, plaît à ses étudiants qui, auprès de lui, se sentent en confiance et trouvent dans l'Église des voies de passage que le communisme ambiant ne peut leur apporter. Wojtyla leur offre ce supplément d'âme dont la Pologne est sevrée et qu'elle réclame.

Homme d'appareil, il l'est sûrement, comment serait-il devenu pape s'il n'avait tissé, même inconsciemment, un réseau de relations ? Mais en même temps, Wojtyla ne vit pas cette ascension avec ce qu'on pourrait appeler aujourd'hui un « plan de carrière ». Il n'y a rien de curial dans sa manière d'être. Au contraire, un certain détachement lui donne l'impression d'être encore plus libre, plus près de sa vérité.

C'est ainsi qu'il apprendra sa nomination épiscopale lors d'une excursion sur les proches montagnes de Cracovie. Savait-il alors que son nom était cité et qu'il avait quelque chance d'accéder à cette nouvelle et noble tâche ? Coquetterie de sa part, mépris du pouvoir ? Toujours est-il que le 4 juillet 1958, alors que Wojtyla se trouve dans son camp de jeunes, on vient lui apporter un télégramme. La nouvelle le réjouit mais perturbe son programme : « J'étais en vacances avec mon groupe, raconte-t-il à Malinski, quand on m'a demandé par télégramme de me rendre à Varsovie, puis à Cracovie. Après je suis retourné vers mes jeunes. J'ai expliqué à l'archevêque que je leur avais promis de célébrer la messe le dimanche. Quand je me suis retrouvé parmi eux, ils m'ont demandé si "l'oncle" avait fini d'exister. Je leur ai répondu que je n'en voyais pas la raison[30]. »

Et, de fait, Wojtyla eut toujours à cœur de ne pas déroger à la pastorale affective qu'il avait mise en place. La foi à ses yeux ne se dispense, ne s'entretient, ne se nourrit que dans « la forme suprême de la réalité[31] ».

Les légendes se tissent au fur et à mesure. Déjà, en 1958, beaucoup de Polonais sont impressionnés par l'autorité de leur nouvel évêque. Sa simplicité se double d'une gravité que la contemplation et la ferveur lui accordent. Auprès de lui, ses fidèles se sentent plus forts, plus chrétiens, plus proches du vrai sens de l'Évangile. Cette simplicité s'était déjà exprimée lorsque le cardinal-primat de Varsovie lui avait annoncé la nouvelle de sa nomination et qu'il avait, dit-on, répondu : « Oui, mais je peux quand même retourner faire du kayak, n'est-ce pas[32] ? »

Lorsque, dans la cathédrale du Wawel, Wojtyla est consacré évêque, et que l'archevêque de Cracovie, Mgr Baziak, lui impose au-dessus de la tête la mitre immaculée, la légende veut qu'un rayon de soleil, transperçant un vitrail, soit venu se poser sur le nouvel évêque, le nimbant, l'irradiant d'une lumière irréelle. Les fidèles aiment se nourrir de ces images, elles donnent à la piété, à la foi une portée qui prête à croire davantage. Jean-Paul II lui-même ne dément jamais de tels signes. Au contraire, il les laisse circuler, traces d'un au-delà mystérieux, d'un inconnu, d'une présence qui parle à travers des êtres ou des choses. L'image pieuse qui circule dans les années 90 provient d'un cliché pris en présence du pape dans la lumière du soleil. Ce serait l'agrandissement d'un point mystérieux dans l'astre juste au-dessus du Saint-Père. Intrigués, des techniciens ont isolé ce point et il en est ressorti... l'image de la Vierge de Jasna Gora tenant dans ses bras le pape abandonné, le visage enfoui sur sa poitrine, ses mains retenant les avant-bras de la Vierge. Jean-Paul II eut connaissance de cette photographie. Il en fut troublé. Sans en tirer gloire ni crier à la manipulation, il laisse cependant véhiculer de tels signes.

Entre-temps, l'Église de Pologne connaît un « printemps » avec l'accession au pouvoir de Gomulka, en octobre 1956. L'État vit une phase de désintégration grave et l'Église est de nouveau le seul roc stable qui permette la cohésion nationale. Aussi le nouveau secrétaire général du Parti a-t-il soin de libérer Mgr Wyszynski. Celui-ci ressort plus puissant que jamais, auréolé du prestige de la persécution et de l'internement. Son autorité est indiscutable : « Un véritable printemps spirituel éclate en Pologne », déclare-t-il.

Wyszynski a désormais pour charge de réorganiser l'Église de Pologne, et le compromis qu'il signe le 7 décembre 1956 lui donne une large autonomie : le décret du 9 février 1953 qui avait mis le feu aux poudres et provoqué son internement est aboli, la liberté de l'enseignement religieux est rétablie, le choix des ouvrages scolaires revient aux seules autorités ecclésiastiques, le rôle traditionnel de l'Église à l'égard des prisonniers et des malades lui est aussi rendu, les prêtres et religieux expulsés sont autorisés à rentrer en Pologne et le groupe Pax, au comportement fort ambigu, perd même son monopole. *Znak* et *Tygodnik Powszechny* ressortent sans censure. Sommet de cette lune de miel entre l'Église et l'État : Gomulka, au IXe Plenum du comité central, affirme « la nécessité d'une coexistence pacifique des croyants et des non-croyants, de l'Église et du socialisme, du pouvoir populaire et de la hiérarchie ecclésiastique[33] ».

Dans cette Pologne crucifiée entre un catholicisme de masse triomphant et fervent, et un communisme athée qui n'a pas encore trouvé ses marques, gêné qu'il est lui-même par l'influence si forte de l'Église, Wojtyla aura toujours une attitude méfiante, maniant à la fois la diplomatie et le défi, n'hésitant pas à utiliser des armes subversives et à déployer un prosélytisme militant. Sa personnalité est déjà crainte et il apparaît comme une menace latente. Son expérience du monde du travail lui vaut une grande popularité dont il va faire usage pour que la parole de l'Évangile ait aussi sa place à l'usine et veille en quelque sorte contre toute tentative d'exploitation de l'homme par l'homme.

Très tôt donc, le plus jeune évêque de Pologne a l'intuition de sa mission sacerdotale, faisant en permanence reculer les frontières de son diocèse. Le futur Jean-Paul II a toujours pensé le catholicisme en termes universels, et ce qu'il crée en Pologne, ce renouveau religieux, cet élan de foi sauveur, il veut le donner en exemple au monde. Le travail où il s'est le plus vite épanoui est sans contexte celui de la pastorale. Il n'est en effet à l'aise que dans les rencontres informelles ou créées à son initiative, dans les milieux les plus divers, déployant une énergie farouche et une conviction qui convertit au sens propre du mot. Elle est peut-être là, la « sainteté » de Karol Wojtyla, dans cette quête inlassable, dans cette pêche aux âmes, dans ce grand poids de paternité qu'il porte et dont il se sent investi. Sa vocation sacerdotale remplit au sens absolu le manque d'une vie conjugale, elle est la suppléance paternelle. Ce dont il s'agit avant tout, c'est que la foi soit une réalité en communion avec la vie, qu'elle ne soit pas un vain mot, une vaine pratique, une stérile spéculation, mais qu'au contraire elle s'incarne dans les gestes et les pensées de chaque jour ; sinon, que signifierait le message des Évangiles ? C'est pourquoi, chez Wojtyla, il ne peut y avoir de demi-mesure, d'adaptation mondaine, de réajustement au contingent. Il a lu les Évangiles dans cette exigence-là, dans cet engagement. Les remodeler au goût du jour, en faire une habile synthèse qui élaguerait les efforts ou les assouplirait, et conforterait les facilités, serait pour lui de l'ordre de la trahison. La presse progressiste comme les théologiens critiques ou bien encore les chrétiens de base font un contresens lorsqu'ils déploient l'attitude obstinée, « butée » dira l'abbé Pierre, voire obsessionnelle dans les problèmes touchant à la famille et plus généralement aux mœurs. Wojtyla a toujours prôné la nécessité de fonder entre la vie et la foi une union qui serait la première Église en quelque sorte, puis, de groupe en groupe, s'élargirait au monde entier. La vraie Église, elle est là à ses yeux, dans cette prise en charge personnelle de l'humain qui sommeille en chacun et demande à se proclamer, à se dire. La seule espérance de la paix réside dans ce pari dont il connaît les difficultés. Car le futur pape n'est pas un naïf, encore que le terme pris étymologiquement serait loin de lui déplaire (près des racines, des sources). Il sait que depuis deux mille ans les hommes, malgré le message d'amour de Jésus-Christ, ne parviennent pas à se réconcilier, à incarner ce message. Mais il y a aussi chez lui (son enfance, sa formation adolescente l'ont sûrement aidé en cela) une grande aptitude à être « d'enfance », comme dirait Saint-Exupéry. Cet esprit-là, qui est celui de l'apôtre Jean, de frère François, Wojtyla le réclame, de sorte que coexistent en lui ces deux aspects : le philosophe rigoureux, stratège donnant l'apparence quelquefois d'aimer le pouvoir, et par ailleurs un abandon aux piétés les plus sentimentales du catholicisme, aux pratiques de la religiosité, une certaine candeur désespérée face à l'état du monde.

S'il exige que le culte se célèbre dans le faste et l'ostentation, car rien n'est trop beau pour approcher du mystère de Dieu, le nouvel évêque vit dans un ascétisme qui force l'admiration de tous. Son visage d'alors n'a pas la rondeur bonhomme des années 80, au contraire il est plutôt maigre. Mais tous ses proches sont unanimes, il émane de lui une force, une énergie vitales qui rayonnent. Il vit de peu, regrettant presque sa modeste chambre lorsqu'il s'installe dans ses nouveaux appartements.

Saint Thomas, Scheler, saint Jean de la Croix, Husserl, Heidegger, tous ont leur part dans la grande construction intellectuelle de Wojtyla, mais sa richesse est ailleurs, dans cette habile synthèse qu'il opère entre tous et dont les fondations sont ces hommes qu'il côtoie et qui lui donnent la pleine mesure de l'humaine condition.

Nourri du culte de Marie depuis sa plus tendre enfance, il dédie son nouveau statut d'évêque à la Vierge dont il ne cessera d'implorer les grâces. Il emprunte à saint Louis-Marie Grignon le mot qui deviendra sa devise, et infléchira tous ses actes : *Totus tuus*. C'est tout entier qu'il se donnera à elle, et grâce à elle qu'il sera sauvé et parviendra à Jésus-Christ : « Ô Mère, implore-t-il encore une fois à Jasna Gora, le 19 juin 1983, j'ai été appelé à servir l'Église universelle sur le siège romain de saint Pierre. En pensant à ce service universel, je répète constamment *Totus tuus*... Mère : tout ce qui est mien est tien ! Mère ! tout ce qui est mien est tien ! Que puis-je Te dire de plus ? Comment Te confier encore de manière différente cette terre, ces hommes, cet héritage ? Je Te le confie comme je les comprends. Tu es Mère. Tu comprendras et accueilleras. »

C'est de Marie que le futur Jean-Paul II va donc tirer toute sa force. Elle est à présent le motif emblématique de sa pastorale, le salut, comme disait Mgr Hondl sur son lit de mort : « La victoire, quand elle viendra, viendra par Marie. »

Cette évangélisation à laquelle il croit tant, le nouvel évêque de Cracovie va s'y jeter à corps perdu. C'est, comme il dit, sa « joie majeure », elle lui permet de « tâter le pouls de la Pologne qui croit », et de faire bouger cette Église dont il sent bien que sa mission sera de la porter au-delà du XXe siècle. Wojtyla a toujours eu le sens de son propre destin, et la certitude que sa vision du monde s'insérait dans une perspective cosmique, universelle. C'est pourquoi, quand le pape Jean XXIII appellera tous les évêques du monde à le rencontrer à Rome et à inventer une voie nouvelle pour l'Église, il sera le premier à comprendre l'enjeu car déjà, dans son pays, il tente l'aggiornamento de l'Église polonaise, sûr que le changement passe d'abord par une nouvelle conception de la pastorale et de la catéchèse.

Les nouvelles charges de l'évêque auxiliaire de Cracovie ne l'empêchent cependant pas d'assurer ses cours à l'université de Lublin. Il tient à cet enseignement qui lui apporte beaucoup de satisfactions, une autorité intellectuelle qui s'accroît, et une disponibilité à la recherche qu'aucun membre de la hiérarchie ecclésiastique polonaise ne peut se targuer d'avoir. Ainsi le ministère de Karol Wojtyla joue-t-il sur plusieurs registres à la fois. La relation qu'il entretient avec l'université et ses étudiants lui est d'un précieux secours.

L'activité qu'il déploie ces années-là, est considérable. Il veut à la fois prodiguer un enseignement de morale, administrer son diocèse et en même temps être à son écoute : vaste programme qui ne l'effraie pas et qu'il va affronter avec fougue, fidèle à cet instinct qui l'a toujours animé, de découverte et de quête. Titulaire de la chaire de morale depuis 1956, Wojtyla exerce sur ses étudiants une véritable fascination qui vient de cette capacité si singulière qu'il possède de dominer le problème posé et de son ouverture à la discussion.

Proche de ses étudiants sans être familier, il sait accepter des déjeuners imprévus, et relancer à table la discussion suscitée en cours. Il n'oublie néanmoins jamais sa fonction sacerdotale qui lui dicte le respect de l'Évangile. Sans prosélytisme, Wojtyla veut annoncer l'Évangile.

Déjà, avant même qu'il ne se rende à Rome pour le concile, Wojtyla pressent ce dont l'Église a besoin : « Avec une nouvelle ferveur, et une nouvelle disponibilité, pénétrer dans ce programme éternel, le programme éternel de Dieu, du Christ, et l'accomplir en fonction de notre temps[34]. »

Wojtyla professe un grand respect pour l'Université. En effet, si la Pologne est restée fidèle à son identité, c'est en grande partie à son université qu'elle le doit, parce qu'elle s'est « appuyée sur sa culture. Cette culture, ajoute-t-il, s'est révélée d'une puissance plus grande que toutes les autres forces. [...] Il existe une souveraineté fondamentale de la société qui se manifeste dans la culture de la nation[35] ».

L'Université est encore pour lui un lieu privilégié où doit se dispenser et se chercher la vérité, selon la formule biblique : « Vous connaîtrez la vérité et la vérité fera de vous des hommes libres[36]. »

Dans tous ses voyages, le futur pape rencontrera les milieux universitaires catholiques parce qu'ils représentent pour lui le « difficile défi » de la vérité, comme il le dira à l'université de Lublin le 22 juin 1983.

S'il reste fidèle à Lublin, c'est aussi parce que cette cité répond historiquement au destin messianique qu'il assigne à l'Église. L'Union de Lublin scellait en effet en 1569 l'union de la Pologne et de la Lituanie inaugurée en 1386 par le mariage de Jagellon avec Hedwige d'Anjou : « Tout le grand processus historique de la rencontre entre l'Occident et l'Orient. » Or, Wojtyla a toujours à cœur la réconciliation des deux cultures au point de proclamer, lorsqu'il deviendra Jean-Paul II, saints patrons de l'Europe non seulement saint Benoît (ce qui est une confirmation de la décision de Paul VI), mais encore les apôtres des Slaves, les saints frères de Salonique, Cyrille et Méthode.

Lublin est donc pour lui déjà en cette fin des années 50 le lieu de l'alliance, le lieu du « défi ». Enseigner à Lublin plus que partout ailleurs, c'est avoir une dimension non seulement « polonaise mais européenne. Assurément universelle ».

La grande innovation de l'évêque Wojtyla est cependant de modifier les méthodes pastorales. Sûr que l'Église ne pourra relever les défis de la modernité qu'en se renouvelant elle-même sans changer toutefois les acquis fondamentaux de son « dépôt », il prépare dans le secret de son cabinet de travail les lignes maîtresses de ses interventions futures au concile de Vatican II.

Sa vie est réglée de manière très stricte, tout entière occupée par le travail. Aucun temps mort dans ses journées au grand désappointement de son entourage qui, quelquefois, est épuisé par le rythme qu'il impose. Ses appartements sont extrêmement modestes, et son bureau est rempli de documents auxquels il travaille avec acharnement. Il consacre beaucoup de temps à lire dans une tranche horaire bien définie (9-11 heures), puis reçoit ceux qui le sollicitent, autant des hommes d'Église que de simples paroissiens. Il tient à cette disponibilité qu'il considère comme essentielle, surtout dans le contexte politique de la Pologne. Peu attaché aux plaisirs de la nourriture, il déjeune frugalement comme il le fera d'ailleurs à Rome, plus tard, et jeûne selon une stricte observance.

L'exemple qu'il veut donner est avant tout celui de l'écoute et du conseil. Tous ceux qui l'ont approché resteront impressionnés par sa capacité de se mettre au niveau de leurs problèmes. On prétend même qu'il travaille tant qu'il consacre seulement cinq heures au sommeil, se dotant d'un programme de travail rigoureux où il n'y a pas de place pour la distraction. Radio, télévision sont à ses yeux des preuves du fameux « divertissement » pascalien. Tout entier à Dieu, il applique à la lettre le mot de « consacré ». Aussi vit-il toujours avec Dieu, chaque acte, chaque geste, chaque parole le servant. La gestion de son temps l'oblige néanmoins à se consacrer aussi à la dépense physique. Il ne cessera jamais d'exercer un sport quelconque, il le vit comme une autre manière de servir Dieu, dans une harmonie vitale qui lui permet de mieux le rencontrer.

Sa popularité grandit grâce à son dévouement, à cette pastorale attentive, à sa simplicité aussi. La dignité de sa charge aurait pu le couper des autres, au contraire elle le rapproche d'eux.

Ce qui intéresse Mgr Wojtyla, c'est la personne, la personne vivante, et c'est pourquoi il prodigue un ministère actif où l'individu est écouté. Dans un régime communiste, où l'écrasement de la personne au profit de la collectivité fait perdre toute dignité et toute identité, il veut opposer l'écoute du prêtre qui réhabilite l'humain, et c'est pourquoi il privilégie tant la confession, comme un acte sacramental de la plus haute importance. Elle instaure une relation essentielle et triangulaire avec Dieu qui étend la conscience. Le thomisme et la phénoménologie de Scheler sont les bases de cette nouvelle pastorale que Wojtyla modernise, adapte « avec une nouvelle ferveur, [...] en fonction de notre temps ».

L'évêque de Cracovie cherche à réaliser, outre la préservation du patrimoine et la gestion du peuple déjà chrétien, la Présentation de Dieu au monde. Et pour cela, il n'aura de cesse de témoigner, de veiller, de mettre en garde encore et particulièrement contre les dérèglements prévisibles d'une après-guerre qui déborde de vie et de désir, et en oublie la religion. Déjà à cette époque, il est le croisé en guerre contre les excès du modernisme, de l'américanisme ; sa pensée fait la synthèse entre les intégrismes et les progressismes. Il prend conscience de l'universalité de cette Église, et quand viendra l'heure du grand rassemblement conciliaire, il ne sera pas étonné comme tant d'autres devant les disparités des Églises locales réunies, devant cette émouvante mosaïque de races et de couleurs qui forme l'Église de Jésus-Christ.

Mais les événements politiques, la fin de l'« Octobre polonais » et les nouveaux durcissements du pouvoir « populaire » vont l'obliger à considérer cette Église à l'aune d'une Pologne démunie, désarmée et bâillonnée. L'Histoire rattrape Karol Wojtyla, le ramène à un « polonisme » actif et singulier.

Sa grande préoccupation en tant qu'évêque est, à l'instar du prince Sapieha dont il a conservé le souvenir intact – et jusqu'à sa luxueuse voiture qu'il a fait aménager pour y pouvoir travailler ! –, de susciter les vocations, de les soutenir et de les former. Face aux autorités politiques, Wojtyla n'adopte pas une attitude agressive, ce qui aurait mené au désastre. Au contraire, selon l'expression qu'utilise M.-V. Charpentier, il « bâtit à côté », suivant parallèlement sa route, vigilant seulement, avec toute la hiérarchie polonaise, à ne pas être dévoré par l'athéisme militant environnant[37].

Technique habile, stratégie pastorale, ou simplement accord profond avec la vérité du sacerdoce ? Certainement ces attitudes se joignent en cette fin des années 50 et au début de la nouvelle décennie : l'évêque Wojtyla joue sur plusieurs registres, et sa catéchèse est en ce sens insaisissable pour des pouvoirs rigides et matérialistes. Quand ils l'attendent sur le domaine théologique parce qu'il semble outrepasser le modus vivendi toléré, il est ailleurs, dans l'espace du poétique avec ses étudiants, renouvelant en cela la grande tradition lyrique de la Pologne. Lors des réunions qu'il organise, il arrive qu'avec de jeunes étudiants les poèmes qu'il écrit soient lus, que parfois lui-même se prenne à les lire, se souvenant des leçons du Théâtre Rhapsodique ; ses publications dans *Znak* et *Tygodnik Powszechny* favorisent la découverte d'un évêque pluridisciplinaire, apte à comprendre toutes les facettes d'une Pologne asservie.

Son recueil de 1957, *Profils du Cyrénéen*, est un long poème d'espérance. Le combat ne peut résider dans la lutte armée ni dans le terrorisme, mais dans l'attente de

Dieu et l'exemple de son Fils. L'insurrection est rejetée parce qu'elle est une manière de faire le jeu de l'adversaire, de combattre sur ses brisées. La seule lutte est celle de la conversion, « telle est la politique des droits de l'homme face au pouvoir », dit le père dominicain André-Vincent, cette conversion entraînant la revendication d'un « ordre social juste », réclamant « des lois et des conduites conformes à la vie sociale »[38].

Aussi cette conversion suscitée sur le mode poétique exalte-t-elle la jeunesse que Karol Wojtyla rencontre incessamment, comme le levain de la terre :

> Aime donc, va jusqu'au fond, découvre ta volonté ;
> et c'en sera fini des fuites du cœur,
> du dur contrôle de la pensée.

Les appels si denses qui impressionneront tant le monde lors de son accession au trône de saint Pierre, on les retrouve déjà, et c'est la preuve de la continuité lyrique, spirituelle de sa foi. Dans ces mêmes poèmes de 1957, on croit entendre l'homélie d'octobre 1978 place Saint-Pierre, quand, s'adressant aux hommes, Jean-Paul II leur demande de ne pas avoir peur. Mais déjà vingt ans auparavant, c'est ce qu'il clame aux Polonais de son diocèse :

> Brise ! Ouvre !
> Brise ! Ouvre !
> Un œil au-dessus de moi : rayons du cœur.
> Un œil plus haut que la poutre transversale,
> si haut que je ne saurais l'atteindre.

Prétextant Simon de Cyrène, il lance des menaces fortes contre le pouvoir en place, martelant cette inspiration humaniste qui l'anime toujours :

> Mais je veux être juste,
> Je marchande avec vous autres, brutes,
> au sujet de cet Homme.

Ce que les paroissiens du diocèse de Cracovie admirent dans la personnalité de leur évêque, c'est cette formidable disponibilité, et cette sorte de joie qui est celle de l'espérance du salut : elles leur donnent du courage dans ce pays qu'aucune espérance ne semble appeler, prisonnier des glaces du soviétisme. L'espérance de Wojtyla est celle des grands inspirés, qui, quoi qu'il advienne, ne perdent jamais le lien qui les relie à celui auquel ils se sont voués :

> Si la vérité est en moi, elle doit éclater.
> Je ne peux la repousser sans me repousser moi-même.

Suivant l'exemple du cardinal Sapieha, il a donc à cœur de former des prêtres, de susciter des vocations, et, de fait, sûrement aussi en révolte contre le régime en place, les appels sont nombreux, dépassent même les prévisions. La spécificité de sa tâche consiste à insérer les séminaristes dans le contexte social et politique de la Pologne. Il ne s'agit pas seulement de former théologiquement des prêtres mais encore d'en faire des hommes dans leur temps, capables de comprendre et d'analyser les problèmes du monde. Aussi ne ménage-t-il pas ses efforts pour être très présent parmi eux, les recevant, leur parlant personnellement, entretenant des relations privées avec eux. A ses yeux, l'Église ne peut connaître son aggiornamento qu'en renouvelant l'enseignement, qu'en se pénétrant bien des nouvelles exigences d'un sacerdoce dans un monde de plus en plus laïcisé quand il n'est pas franchement hostile à la foi comme dans le bloc soviétique.

Ses propres voyages en Europe et son séjour à Rome l'ont en effet convaincu de cette nécessité-là. Les prêtres polonais, tout en gardant leur singularité spirituelle et leur approche d'un mystère souvent sentimental et exubérant, doivent être des prêtres ancrés dans la réalité du monde moderne, être aptes aussi à gérer des différends que la situation précaire de l'Église dans la Pologne communiste provoque.

Le concile que Jean XXIII va convoquer en soulevant dans l'Église quelque peu assoupie un souffle pentecôtiste donnera raison à l'évêque Wojtyla qui constatera l'aspect prémonitoire de sa propre action. C'est pourquoi il s'engagera avec une grande ferveur dans les travaux préparatoires puis officiels du concile. Peut-être est-ce là qu'il va se faire connaître, et devenir confusément un papabile.

Le diocèse de Cracovie est très vaste, mais il le parcourt avec l'ardeur fervente des apôtres. Plus de trois cent vingt paroisses, mille prêtres, six cents séculiers[39], des milliers de kilomètres carrés, mais la tâche ne lui fait pas peur. Il conçoit sa fonction comme un pèlerinage, au point qu'il révolutionne les habitudes pastorales de son diocèse, créant des responsabilités, ouvrant les portes de l'Église aux laïcs, persuadé qu'ils sont les forces vives d'un peuple en marche, étonnant tous ses confrères par son sens de l'organisation et de la structuration, lui qu'on croyait être un intellectuel et un poète perdu dans ses rêveries et ses analyses. Il apparaît au contraire comme un homme de terrain, à l'autorité souple, écoutant les autres et déléguant souvent ses pouvoirs. Dans ses tournées pastorales, c'est toujours le même appel qu'il lance, quel que soit l'interlocuteur auquel il s'adresse, le paysan fruste comme l'étudiant avide de savoir : il s'agit, thème récurrent de sa pensée, de « s'ouvrir », de « laisser entrer » la vérité, d'accepter l'« intrusion ». Ses poèmes sont à ce titre de vibrantes prières que toutes les classes sociales de la Pologne peuvent comprendre :

> Ne te détourne pas de la pensée des choses,
> chère pensée, demeure émerveillée !
> [...] c'est par la pensée que tu vas si profond
> dans la splendeur des choses,
> et qu'en toi-même tu dois leur ouvrir
> toujours plus grand l'espace.

« Abandonne-toi, écrit-il ailleurs ; que l'espace de la pensée s'illumine aux clartés des choses. »

La poésie de Wojtyla est donc comme son action sacerdotale reliée à l'histoire. S'il choisit la poésie comme moyen de communication au même titre que l'homélie ou le discours philosophique, c'est parce que cette parole, avec son sens de l'ellipse, rejoint des vérités confusément mais immédiatement saisissables et par tous :

> Pour une fois, veuille concevoir cet autre Abîme, dans l'Église,
> brillant dans le reflet de l'œil. Tout homme le porte en soi.
> [...]
> Bien que ton esprit ne l'assume pas
> ne crois point que n'existe point en toi cet Abîme.
> Sa lumière peut ne pas atteindre ta vue, mais la barque est bien hissée sur tes épaules.

Poésie de la confiance, de l'espérance, du Salut programmé...

Fort d'une autorité intellectuelle incontestable, respecté de tous ses étudiants (malgré ses charges épiscopales, il continue de diriger des thèses de théologie à Lublin et de professer), admiré de ses paroissiens pour son inlassable écoute, il apparaît encore comme un théologien de pointe, non seulement parce qu'il écrit des poèmes à portée spirituelle (dans la lignée d'un Jean de la Croix), mais parce qu'il ne cesse de produire essais, articles (publiés dans *Tygodnik Powszechny*), et des ouvrages plus ardus, philosophiques, mais dont l'audace ne manque pas d'intriguer et même quelquefois d'irriter. Ainsi publie-t-il chez *Znak* en 1960 *Amour et Responsabilité*, un essai sur l'éthique sexuelle très hardi pour un prélat. Les fondements de la morale qu'il va professer tout au long de son pontificat en sont directement inspirés.

Cet ouvrage est constitué de quatre parties qui envisagent les rapports entre la personne et la sexualité, la définition de l'amour, conçu non comme un simple attrait sexuel mais comme la manifestation du bien que l'on veut à l'autre, le dépassement de l'instinct (la nécessité de la chasteté et de la continence), et enfin la manière qu'a l'amour conjugal de s'inscrire dans le grand ordre divin et d'être ainsi une parcelle de sa lumière. Cette approche venant de la part d'un homme d'Église, pratiquée de façon très libre et ouverte, sans « langue de bois », a pu surprendre et explique en grande partie l'influence que l'évêque Wojtyla a eue sur la jeunesse. Les rencontres avec ses étudiants à la suite de ses cours et les sessions qu'il organisait à la campagne ou au bord des lacs n'évitaient pas ces problèmes et il apparaissait alors vraiment comme l'oncle, auquel on pouvait tout raconter.

Wojtyla prétend qu'à la différence des animaux, pour lesquels le sexe est un instinct, les hommes, doués eux aussi d'une sexualité, doivent parachever cet acte par une exigence morale. Buttiglione pose bien dans son livre la thèse de Karol Wojtyla : « Pour accomplir son destin, il est nécessaire de rencontrer la liberté d'une autre personne, et de dépendre d'elle. L'indigence de la chair, qui se manifeste dans la tendance sexuelle, est étroitement liée à une exigence plus générale, ontologique : la personne veut être accueillie[40]. » Ainsi, la loi de la dépendance rejoint-elle la loi d'amour. « Est donc morale, poursuit Buttiglione, l'attitude de la personne qui assume, d'une façon rationnelle et libre, les inclinations propres à la tendance sexuelle, en les insérant dans l'ordre global de sa propre vie personnelle et en les subordonnant à la loi de l'amour[41]. »

Seule la personne et la dignité qu'on veut bien lui accorder commandent la relation amoureuse, et quand l'amour est le moteur dynamique de cette relation, « il est pour toujours ». C'est pourquoi Wojtyla insiste-t-il sur le passage de l'*amor complacientiae* (amour de complaisance) à l'*amor benevolentiae* (amour de bienveillance). L'un implique l'attirance concupiscente, l'autre fait état du réel amour. La chasteté, dans cette perspective, n'est pas la préservation de soi mais a plutôt comme « fonction de rendre possible l'amour comme amour de la personne ».

La sexualité trouve sa sacralisation et son accomplissement dans le mariage, mais cela ne signifie pas que le couple doive uniquement envisager dans la relation amoureuse la procréation. La relation amoureuse est porteuse en elle-même du potentiel accès à la paternité et à la maternité ; c'est ce que Wojtyla explique en affirmant que « les rapports sexuels dont la disponibilité à la procréation serait entièrement exclue seraient contraires à la valeur de la personne[42] ».

La vie sexuelle entre dès lors dans un corpus éthique qui suppose domination de soi et écoute de l'autre. L'homme ne prend conscience de soi que dans l'autre, ne trouve son accomplissement que dans cet autre, et c'est cette relation qui établit la passerelle avec Dieu : « Tout se joue sur cette passerelle », dira-t-il la même année 1960, dans un poème intitulé *La Naissance des confesseurs*.

L'amour pour Wojtyla est ainsi « élevé au niveau de la vertu ». Il affirme par ailleurs que dans la relation sexuelle, la réciprocité de l'amour passe aussi par la satisfaction sexuelle des deux partenaires : « Il faut exiger, dit-il, que dans l'acte sexuel, l'homme ne soit pas seul à atteindre le point culminant de l'excitation sexuelle et que celui-ci se produise avec la participation de la femme et non pas à ses dépens. »

Cette problématique de l'amour est reprise la même année, en 1960, et ce n'est pas innocent, par un long poème dramatique, qui prend en compte les données théoriques du Théâtre Rhapsodique, intitulé *La Boutique de l'orfèvre*. Ce grand texte poétique, écrit à la manière de Claudel ou de Péguy, est à considérer comme l'accomplissement de la pensée de Karol Wojtyla dans ce domaine de l'amour et du sacré.

Se souvenant de ce qu'il avait écrit en 1952 sur le théâtre de Kotlarczyk, il met en scène l'histoire de trois couples dont les destins, divers à l'heure de leur choix, et de leur expérience de couple, permettront de livrer le sens authentique de l'existence. Dans cette pièce-poème, pas de coups de théâtre pas d'effets dramatiques violents, pas de décor ostensible. « L'action n'y procède jamais des événements de la vie transposés sur scène, mais du problème lui-même. [...] Le problème fait donc le jeu dramatique, c'est lui qui intéresse, inquiète, provoque l'engagement émotionnel, réclame la compréhension et force à trouver des solutions[43] », comme Wojtyla l'écrira.

Un des grands motifs de sa poétique comme de sa catéchèse sera alors la rencontre ; sans elle, l'être s'étiole, dégénère et meurt. C'est toujours chez lui le thème majeur de la rencontre avec la vérité, vérité de l'autre qui permet d'atteindre à la vérité suprême, celle du mystère de Dieu. Ce qu'il énonce théoriquement dans *Amour et Responsabilité*, l'alliance entre les époux, l'appel de l'autre, le don en l'autre, est ici repris dans la scansion lyrique du verset. Dans *La Boutique de l'orfèvre*, Wojtyla rappelle la fidélité au sacrement du mariage, le dessein essentiel de ce sacrement, « faire croître en soi-même la figure de l'autre jusqu'à ce qu'en elle transparaisse le visage du Christ[44] ».

Ce que Wojtyla-Jawien veut dire par là, c'est que l'amour authentique exige d'intégrer son propre amour dans l'amour de Dieu, et de repérer en l'autre comme en soi le cœur de ce secret où loge Dieu, cette faille qui permet d'y accéder. « La cause du drame, il faut la chercher dans le passé. Il y a eu [...] tout simplement erreur. Les gens se laissent emporter par un amour qu'ils croient absolu et qui n'a pas les dimensions de l'absolu. Et ils sont tellement victimes de leurs illusions, qu'ils ne ressentent même pas le besoin d'amarrer cet amour à l'Amour qui a ces dimensions. Ce n'est pas la passion elle-même qui les aveugle, mais le manque d'humilité envers l'amour dans son essence véritable[45]. »

Une telle conception de l'amour entendue comme une vraie métaphysique place évidemment son auteur dans une modernité qui n'a pas échappé à ses lecteurs et c'est pourquoi, quand Wojtyla arrive à Rome lors des sessions conciliaires qui courent de 1962 à 1965, c'est auréolé d'une certaine autorité intellectuelle et précédé d'un capital de curiosité qui vont jouer en sa faveur.

Le projet de Jean XXIII de réunir les évêques du monde entier est ambitieux au point qu'à l'issue de la première session, en octobre 1962, il semble que rien n'ait été fait et qu'il faudra bien des années avant que la remise à jour de l'Église ne s'effectue. Jean XXIII lui-même, l'initiateur, ne pourra le conclure puisqu'il meurt le 3 juin 1963. Et tout reste à faire.

Le 30 décembre 1963, à la suite de la mort de Mgr Baziak, Wojtyla est nommé par Paul VI archevêque de Cracovie. Sa vie va prendre un tour nettement plus universel. Il a l'oreille du nouveau pape, sa manière d'administrer son diocèse, ses réussites, et à la différence de certains pays, particulièrement en Europe occidentale, où la déchristianisation semble inéluctable, et où les évêques ont les plus grandes peines à maintenir une structure chrétienne apparente, tout son ministère apparaît exemplaire et efficace. Sa force physique qui va de pair avec sa foi si convaincante est ressentie par Paul VI comme symbolique du renouveau qu'exigeait justement l'aggiornamento voulu par le concile. Le « casse-cou des Tatras », comme on l'appelait en Pologne, de retour à Rome, va progressivement au cours des séances imposer ses vues, influencer ses pairs, jeter des pistes. La piété si ardente en Pologne communiste est une énigme pour les évêques européens et tous lui demandent des conseils, des méthodes, des moyens d'évangéliser plus solides. Dans ce concile, Wojtyla va devenir une des personnes les plus actives et les plus indispensables de l'assemblée.

Il intervient huit fois dans les congrégations générales, notamment sur la liberté religieuse, avec une grande autorité, s'occupe de la sous-commission sur l'apostolat des laïcs à propos du mariage (son récent ouvrage *Amour et Responsabilité* légitimant ses interventions), participe à l'élaboration de la constitution pastorale sur l'Église et le monde moderne[46].

C'est au cours de ce concile que le futur Jean-Paul II va prendre conscience que sa pastorale, si efficace en Pologne, doit être étendue au monde entier, peut servir l'Église universelle. Son destin historique se dessine lentement mais se forge dans ces années 1962-1965. Lui-même y prend un certain goût, mesurant la portée d'une telle rencontre. C'est pourquoi il déploie une activité sans bornes, devenant l'un des intervenants clés des diverses sessions. Sa spécificité slave et sa manière d'aborder les problèmes, frontale et très documentée, rigoureuse, font une forte impression. Les photographies de cette époque le montrent bien différent de ce qu'il était lorsqu'il avait la responsabilité de la petite paroisse rurale de Niegowic. D'émacié, il est devenu plus solide, plus large, moins fragile, moins soumis à une tension nerveuse comme les clichés d'alors le révélaient. C'est la plénitude de l'âge et de la réussite aussi. Les maxillaires s'affirment, le nez s'empâte, et il se dégage de lui une force et une bonhomie qui séduisent davantage encore. A la différence de certains de ses pairs, confinés dans l'atmosphère curiale et du Vatican, ou bien isolés dans leurs palais épiscopaux, il aime à rencontrer des séminaristes, des prêtres, des religieuses, des lycéens et des étudiants, des universitaires et des gens de la rue. Il fréquente aussi des intellectuels, des scientifiques et, s'il n'accorde toujours guère d'intérêt à l'art, quoiqu'il visite les musées de Rome avec une scrupuleuse attention, il se plaît davantage dans la compagnie des hommes. C'est là qu'il puise sa matière, c'est là aussi qu'il se forge des amitiés et se lie avec des religieux et des prélats du monde entier, tisse tout un réseau de relations qui, plus tard, vont être entre autres à l'origine de son élection. Est-ce à dire qu'il y a là une stratégie délibérée ?

On en doute, mais une certaine séduction a toujours caractérisé Wojtyla ; c'est un fait qu'il aime plaire et il se sait porteur d'un charisme dont il ne veut pas néanmoins abuser.

Mais par ailleurs comment ne serait-il pas impressionné lui-même par cette irrésistible ascension qui a fait de lui le plus jeune évêque de Pologne, bientôt cardinal après si peu d'années probatoires, le 9 juillet 1967, soit trois ans après avoir été nommé archevêque ? Comment ne pas être flatté d'être l'objet d'une telle attention de la part d'un pape qui voit peut-être en lui toutes les qualités d'un successeur, moderne, propre à réaliser, pour le coup, le véritable aggiornamento ? Beaucoup diront qu'en élisant le cardinal Wojtyla le Sacré-Collège exauçait les vœux intimes de Paul VI. Pas étonnant alors que Jean-Paul II ne cesse au cours de ses homélies de citer et de reconnaître ses grandes qualités et de le désigner comme le grand pape de la modernité.

Les grandes dépenses intellectuelles que le concile provoque l'obligent à s'évader. Quand il est absent de Rome, on sait qu'il est allé marcher, ou bien se ressourcer dans de discrètes églises de la capitale, faisant alterner ainsi ses deux souffles vitaux, le sport et la contemplation. Décidément, aux yeux des prélats traditionnels, Wojtyla est bien singulier et curieux !

Le fait qu'il ait étudié la philosophie et soit titulaire de sa chaire de morale à l'université de Lublin redouble la fascination qu'il exerce. On le consulte à Rome et il cède facilement à ces contacts improvisés, informels, ceux qu'il préfère car ils apportent souvent des pistes inattendues, plus authentiques. Si Wojtyla surprend et en même temps attire tant, c'est parce qu'il est le chef d'une Église qui est un modèle de réussite malgré les obstacles politiques que le pouvoir, la police mettent en place pour contrecarrer son action. Les enseignements que le jeune Wojtyla rapporte de ses voyages à l'étranger, il les adapte au monde polonais, l'utilisation de la ferveur populaire polonaise rajoute à cette foi ardente, et, comme l'a dit le cardinal-primat de Varsovie, c'est « grâce aux communistes » que la Pologne connaît une si grande pénétration catholique. On ne se doute cependant pas encore que ce sera à cause de la chute des communistes, plus tard, que l'Église perdra de son autorité dans cette même Pologne. Pèlerinages, dévotions multiples, fidèles exposés à la clandestinité et soumis aux brimades, tout permet de renforcer la foi, d'en faire un outil de contre-révolution, une manière de dissidence qui permet aux chrétiens dans les églises de parler, échanger, voire comploter. L'Église, indirectement, devient ainsi le grand lieu de vie de la Pologne, l'espace de sa liberté, même si celle-ci est retenue dans les riches couleurs des vitraux relatant la vie des saints et des martyrs !

Paul VI admire le jeune archevêque. Il connaît lui-même la Pologne pour avoir été l'attaché culturel de la nonciature de Varsovie, et la culture de Wojtyla comme sa parfaite connaissance théologique, sans compter son intuition en matière de pastorale, lui donnent, à l'instar du cardinal Sapieha, la certitude qu'il ira loin. Aussi veut-il privilégier sa carrière, lui donner toutes ses chances. L'Église de Pologne a besoin d'hommes tels que lui et l'Église universelle compte beaucoup sur des êtres comme Wyszynski et lui-même pour affirmer la présence du Christ dans un contexte athée. De son côté, Wojtyla met à profit ses mois passés à Rome, trois par session en général, pour s'informer sur tout le système si complexe de la cité du Vatican. Aussi, quand il sera élu, apparaîtra-t-il à son aise, s'offrant même l'impudence de changer quelques rites protocolaires, et d'imposer sans danger pour l'ordre établi des usages plus en accord avec la vie moderne. La quête de renouveau exprimée par le concile Vatican II satisfait les exigences personnelles de Karol Wojtyla. Prêtre dans un régime politique qui fait profession d'athéisme, il veut lutter contre tout ce qui défait l'homme de sa nature et de sa dignité profondes. En ce sens son action sera progressiste, mais en même temps, élevé dans la dure réalité de la guerre et ayant poursuivi ses études théologiques dans la clandestinité, il est bardé d'une foi qui ne peut faillir. C'est dans cette dualité qui lui est constitutive qu'il peut à sa manière incarner l'archétype même du concile Vatican II. Il est par définition celui qui peut être le plus à même de comprendre la stratégie nouvelle de l'Église, à la fois écoute du monde moderne et maintien de la tradition.

Les souvenirs du père Malinski montrent à merveille le climat heureux dans lequel Mgr Wojtyla évolue dans ces années 1963-1964. Il raconte de manière savoureuse ses «escapades» dans la campagne romaine, à la plage où il aime se baigner, faire du crawl particulièrement, manger une pizza au retour, ou de la *porchetta* (cochon de lait rôti) en plein air[47].

«L'hiver, raconte-t-il, nous allions à Terminillo.

– Je dois aller skier; j'ai ma journée à faire et je suis encore loin du nombre prescrit. Tu viens? me demandait-il. [...]

Sans se préoccuper des conditions difficiles, il mettait sa tenue de ski et disparaissait pour une demi-journée. Pour lui ce n'était pas une corvée imposée, mais une passion[48].»

Ses différents séjours à Rome durant le concile Vatican II le placent toujours plus en situation d'éveilleur et d'écouteur. Il aime à rencontrer les évêques du monde entier, et particulièrement les Africains sur lesquels Jean XXIII avait fondé tant d'espoir. Il est de ceux qui injectent dans cette assemblée conciliaire des ferments de jeunesse et de renouveau, libèrent des énergies.

Malgré l'euphorie et la «mondanité» du climat, il sait néanmoins se ménager des heures de méditation et de *lectio divina*. On le surprend souvent plongé dans la prière, dans la chapelle du Saint-Sacrement, «où agenouillé il disait son bréviaire[49]».

Prémonition ou simple coïncidence? Le 1er février 1963, au cours d'une réunion amicale chez Karol Wojtyla qui rassemble une trentaine de personnes, pour la plupart appartenant au club de l'Intelligentzia catholique de *Znak* et *Tygodnik Powszechny*, on se félicite de l'essor du club. Le professeur Josef Mitkowski déclare à la fin de la soirée: «Dans notre évêque, nous discernons le successeur légitime d'un des apôtres». Karol Wojtyla sourit et de cet air qu'il affiche souvent, mi-narquois mi-grave répond: «D'accord, mais je ne sais de quel apôtre je suis le successeur[50]». Ce qui le préoccupe pour l'heure c'est le concile. Il est pour lui un formidable moyen de faire connaître la Pologne, de la faire s'évader des frontières de fer que le pouvoir communiste a mises en place. C'est ici que Wojtyla défie le régime polonais. C'est ici que la dissidence a lieu. Dans cette manière de parler, de dépasser les frontières, de dire par-delà la glaciation ce qui se passe au-delà.

Mais par-dessus tout, à Rome, Wojtyla apprend à se rapprocher de Paul VI, son «Père dans la foi» comme il l'appelle. Si les deux hommes semblent fondamentalement différents par leurs origines, leur nature, leur formation, leur caractère, il n'empêche qu'ils se ressemblent et qu'intuitivement ils l'ont compris. L'aristocratique Paul VI aime le brutal et passionné Wojtyla pour ses dons en toutes les matières, pour sa promptitude d'esprit, pour ses connaissances en théologie, pour les langues étrangères qu'il possède, etc. Il doit y avoir aussi une fascination de Paul VI pour la force virile de Wojtyla, pour cette sportivité qu'il dégage, à l'inverse de lui-même, si frêle, si timide et si réservé. Or Wojtyla a cet élan qui lui fait tout affronter, cette aisance, cet art de la convivialité, tous dons qu'il va développer pendant son pontificat au risque de déplaire à beaucoup.

Le concile est pour Wojtyla un lieu où il pourra livrer son expérience existentielle avec le plus d'intimité et de ferveur personnelle. Aucun autre prélat n'a su restituer au public les émotions et les émerveillements que l'archevêque de Cracovie a éprouvés lors de ces séjours. Si les positions théoriques qu'il développe (et particulièrement la fameuse déclaration sur la liberté religieuse[51]) sont fondatrices de sa pensée à venir et sources mêmes des textes du concile, ses poèmes retracent la teneur de l'expérience bouleversante qu'il vit. Il écrit en effet dans la basilique Saint-Pierre des poèmes qui comptent parmi les plus beaux :

Nous avons pour soutien des paroles
dites il y a longtemps
redites toujours et encore
tremblant d'en rien changer.
Est-ce là donc tout ?

Certainement des mains invisibles nous portent
si bien que nous pouvons, non sans grand effort,
soulever la barque
dont l'histoire malgré les hauts-fonds
trace la route.

Fort de cette communion que Wojtyla éprouve sur le sol même de la basilique, il proclame :

Le pavement nous guide.
Il unit les espaces du haut lieu Renaissance
comme il unit les espaces en nous
qui marchons si conscients de nos échecs, de nos faiblesses.

Il va suggérer lors de la discussion du schéma sur l'Église, le 21 octobre 1963, un élargissement du peuple missionnaire de Dieu à tous les hommes, religieux comme laïcs : « Dans la notion d'apostolat, même quand elle est employée, dit-il, pour les laïcs, est incluse la conscience d'une vocation chrétienne personnelle qui, à coup sûr, diffère de la pure possession passive de la foi. C'est pour cela qu'il y a précisément dans l'apostolat des laïcs, une certaine actualisation de la foi unie à la responsabilité pour le bien surnaturel divinement conféré par l'Église à toute personne humaine quelle qu'elle soit[52]. »

Comme le dit Buttiglione[53], à la « théologie du laïcat » habituelle se substitue une « théologie du peuple de Dieu » à l'initiative de Wojtyla.

En ce domaine, l'archevêque de Cracovie a utilisé son expérience polonaise, la stratégie pastorale mise là-bas en place, pour réclamer la même organisation à l'Église universelle. C'est que pour Wojtyla domine toujours la confiance en l'homme, confiance en la personne, en ce droit qu'elle a de promouvoir elle aussi le message du Christ. Cette parole sera reprise un an plus tard à l'automne 1964, le 8 octobre précisément, lors de la discussion du schéma sur l'apostolat des laïcs, *Apostolicam actuositatem*. Wojtyla réaffirme sa volonté d'intégrer les laïcs dans l'action pastorale de l'Église, fort de l'expérience que lui-même a réalisée dans son diocèse de Cracovie.

Avant d'y retourner justement, en cette fin d'année 1963, il accomplit un pèlerinage en Terre sainte. Visiter tous les hauts lieux saints, c'est pour lui entrer en communion avec ce mystère qui le fait vivre, lui donne d'espérer, active sa ferveur. Il en rapportera une suite de poèmes comme si la parole scandée était à ses yeux la seule capable de traduire les secrets de cette rencontre. Se rendre ainsi au mont des Oliviers, dans « ce maquis touffu des temps, à travers le torrent qui bouillonne au fond du mince calice formé par la fente du roc », c'est aller à la recherche du Christ, tenter de « se fondre en [son] regard unique, immuable ». La terre de Jérusalem est à ce point unique qu'elle est lieu de l'unité en lequel tout se résume, « Terre de rencontre ! Terre unique ! Terre, par qui toute la terre est devenue terre, comme toute chose est devenue ce qu'elle est par Celui qui Est » *(Pérégrination aux lieux saints)*.

Ce qu'il ramène comme impression majeure de ce voyage, c'est surtout le motif central de la rencontre, thème archétypal de son œuvre et de sa pastorale, l'idée que l'être tout entier est contenu dans ce lieu, que tous les pèlerins qui le parcourent s'y fondent, parce que « cette terre, c'est l'homme ». L'importance du voyage réside dans le fait que le pèlerin y retrouve son identité : « Les lieux commencent en nous-mêmes plus qu'à la surface de la terre. » Authentique poète, Andrzej Jawien-Wojtyla dépasse de loin le didactisme que l'inspiration théologique aurait pu faire craindre. Sa pensée se lie au chant de la terre et des hommes, à cet appel qu'ils ressentent, du fond de leur plus obscure terre de Judée. Ici, en Terre sainte, sur les rivages du lac de Génésareth, à Capharnaüm, à Bethsaïde ou à Magdala, l'homme apprend à renaître, car tout y rayonne de Dieu, « tout [...] y prend son sens du tout ».

Quand il revient donc en 1964 à Rome, ses pairs écoutent son intervention avec une réelle curiosité et un très fort intérêt. L'archevêque est jeune (quarante-quatre ans à peine) et sa pensée est structurée, puissante et convaincante.

Depuis la dernière session où les évêques du monde découvrirent Mgr Wojtyla, le pape Paul VI a élevé à la dignité d'archevêque et de métropolite le pasteur convaincu et charismatique de Cracovie : « Paul, évêque, serviteur des serviteurs de Dieu, au révérend frère Karol Wojtyla, précédemment évêque du siège d'Ombie, élu maintenant archevêque et métropolite de Cracovie, avec le salut et la bénédiction apostolique. Il y a de nombreux diocèses en Pologne qui méritent un éloge particulier, entre eux, la ville de Cracovie... » Ainsi, le 18 janvier 1964, Karol Wojtyla apprend la nouvelle.

Aussi quand s'ouvre la quatrième session, Mgr Wojtyla est-il dans l'accomplissement de son destin singulier. Il devient, par ses interventions, sa présence constante et néanmoins particulière, un personnage de premier plan dans la poursuite du concile.

Quand il prendra la parole lors de l'examen du fameux

schéma XIII, *Gaudium et Spes*, qui lui donnera ses lettres de noblesse, Karol Wojtyla n'hésite pas à critiquer la formulation du texte préparatoire, le jugeant issu d'une « mentalité ecclésiastique ». « Nous devions parler de telle sorte que le monde voie que, par nous, il ne s'agit pas tant d'enseigner au monde d'une manière autoritaire que de chercher la juste et vraie solution des problèmes difficiles de la vie humaine et du monde lui-même. [...] N'importe quel professeur expert en son métier sait que l'on peut enseigner aussi avec la méthode dite "heuristique", en permettant au disciple de trouver la vérité comme de lui-même. » L'audace de Mgr Wojtyla fait une très forte impression : il invite tout bonnement ses pairs à « revoir leur copie », et surtout à reconsidérer l'approche pastorale. C'est encore une manière de rappeler que l'expérience est à la base de tout enseignement et que la mission de l'Église est surtout d'aider l'homme à « conquérir, comme dit Buttiglione, la vérité intégrale sur l'homme vers laquelle la raison humaine de par sa nature est tournée[54] ».

Considérant que le ton et le style du schéma XIII trahissaient un certain autoritarisme de l'Église instruisant le monde « en se mettant au-dessus de ce monde, sûre d'être en possession de la vérité, tout en réclamant l'obéissance du monde[55] », Wojtyla propose à l'Église une tâche plus existentielle, plus en accord avec le monde d'aujourd'hui, car il s'agit désormais, à ses yeux, de chercher avec le monde des « solutions justes et vraies pour résoudre les problèmes difficiles concernant la vie humaine[56] ». Le progressisme de Wojtyla ne fait ici aucun doute, il est un des acteurs de cette « nouvelle théologie » qui s'oppose à l'« école romaine ». Pour lui, le texte originel du concile, affirmant que le progrès matériel de l'humanité se confond avec son perfectionnement moral, soulève un débat insuffisant. « L'histoire du monde, rapporte Buttiglione, ne peut être représentée comme un processus linéaire, où l'homme progresse continuellement vers le royaume de Dieu», parce que le Royaume, l'homme l'a déjà en lui mais «le temps de l'histoire est "justement" un temps de décision pour ou contre Dieu et pour ou contre la vérité de l'homme[57]». C'est pourquoi Wojtyla rappelle que la plus grande importance doit être donnée à la personne humaine, «tant en elle-même que dans la communauté. [...] En effet toute sollicitude pastorale présuppose la personne humaine, aussi bien comme sujet [...] que comme objet. Toute assiduité pastorale, tout apostolat, qu'il soit sacerdotal ou laïc, ont pour but que la personne humaine, en raison de sa vocation intégrale, puisse connaître et expérimenter effectivement la vérité sous tous ses rapports; avec elle-même, avec les autres personnes et avec le monde[58].»

C'est ainsi que, grâce à l'intervention efficace de l'archevêque Wojtyla, le schéma XIII deviendra le noyau de la constitution pastorale sur l'Église dans le monde de ce temps, *Gaudium et Spes*.

Il avait fallu qu'un pasteur d'une Église lointaine, dont peu de ses pairs connaissaient les problèmes quotidiens, engage la parole de l'Église universelle sur ce terrain, comme si les difficultés de l'Église de Pologne avaient soudain servi de tremplin à l'avancée de l'Église dans le monde! Et de fait Jean-Paul II a toujours la ferme intuition que l'Église de Pologne a servi l'Église et que son histoire, si tourmentée et si tragique, a induit confusément son destin.

Le père Malinski, qui assista à cette intervention capitale, rapporte qu'à son issue, «le bruit dans la salle s'amplifiait. [...] Sans aucun doute son intervention faisait grande impression. J'eus une pensée: désormais, ceux qui ne te connaissaient te connaissent[59].»

Les grands thèmes wojtyliens commencent à se déployer: d'abord Wojtyla lui-même prend conscience, dans le grand mouvement conciliaire, de la portée de sa pensée, mais aussi l'Église universelle réunie conçoit volontiers que cette pensée est peut-être sa chance. La liberté religieuse, la dignité de la personne humaine, la crise de civilisation du monde moderne, le besoin du dialogue, les risques d'être dépassé par la technique, le danger de la guerre, la menace constante d'une paix violée, l'appel à se réunir, à s'unifier, y compris avec les autres Églises, parler aux non-croyants, revaloriser les laïcs dans l'Église, redonner aux évêques une plus grande responsabilité, accorder plus d'écoute aux Églises locales, et pratiquer une acculturation libérée de tout prosélytisme, tels sont les grands motifs que Wojtyla expose non seulement dans les réunions officielles mais aussi dans des débats informels, dans les cafétérias ou les bibliothèques des instituts où lui-même et ses collègues sont logés. Mais Wojtyla n'oublie pas son grand dessein qui peu à peu va nourrir sa problématique pontificale, la désoccidentalisation de la chrétienté. Il n'oublie pas sa slavitude, et renie depuis Yalta le partage d'un monde dont il connaît, pour les vivre sur le terrain, les effets nocifs. C'est avec l'autorité d'un homme qui sait de quoi il parle que Wojtyla parvient progressivement à convaincre et en même temps à assumer la paternité de l'Église. Il donne l'image d'un équilibre très structuré. La force qui émane de lui rassure et réconforte, il est, en ces années 60 de prospérité matérialiste, l'homme qui traduit le mieux la voix de l'aggiornamento.

Ce que Wojtyla constate aussi, c'est que les théologiens de l'Ouest ne saisissent pas bien tout ce que représente l'effort de l'Église de Pologne pour se maintenir. Lors d'un déjeuner, il explique au père Malinski : « Je sens toujours que pour eux, sauf exception vraiment rare, le monde prend fin aux frontières de l'Europe occidentale. Ils comprennent encore les États-Unis mais ce qu'on appelle le bloc de l'Est n'existe pas pour eux, ne les concerne pas. Donc, leur image de l'Église est incomplète[60]. »

Si l'on analyse tous les discours et homélies que Karol Wojtyla a prononcés dans ces années conciliaires, on se rend compte que sa parole martèle le même credo, celui qu'il ne va cesser de proclamer en tant que pape. Jean-Paul II a toujours considéré que les années de Cracovie ont été comme des années probatoires, celles qui lui ont permis d'affiner et de concevoir une nouvelle voie pour l'Église, projet divin qui consistait souterrainement à le préparer à son rôle de pape. « L'unité de la chrétienté, déclare-t-il en 1966, c'est de ramener tous les chrétiens vers le Christ », « l'esclavage à la Vierge Marie », le devoir de « soulever le problème de la liberté religieuse », devoir considéré comme une « preuve de progrès », « le respect de la conscience de chacun », etc.

C'est ce besoin de reconnaissance que l'archevêque de Cracovie veut aussi épancher dans ces journées laborieuses du concile. Témoigner de la Pologne et de l'Est, « ouvrir les frontières », comme il le clamera lors de son accession sur le trône de Pierre. Sa présence si vivante au concile est légitimée non seulement par son rapport intellectuel si nourricier, mais encore par son désir de dire ce qu'est l'Église de Pologne dans ces années du communisme. « A Noël, raconte-t-il, la messe de minuit, je la célèbre presque toujours dans un pareil endroit [des chapelles appartenant à des sœurs]. A l'extérieur, à la belle étoile, dans le froid, dans la neige. Pour que les gens puissent voir, sentir que ce ne sont pas seulement eux qui ont froid. Je veux aussi qu'ils sachent que je suis avec eux, que j'accepte, que j'approuve et que je me joins à leurs revendications justes, à leurs pétitions pour avoir une église, une paroisse, un presbytère, une aumônerie[61]... »

Aller à Rome, c'est donc témoigner que l'Église est présente partout, que le temps des martyrs n'est pas achevé. Au concile, Wojtyla rappelle l'inévitable présence de l'homme, son besoin de dignité, la nécessité de l'écouter.

Les germes de renouveau qu'il sème le placent en parfait accord avec le projet initial de Jean XXIII qui était de favoriser l'unité des chrétiens entre eux. Il y répond en témoignant à sa manière, à côté d'autres théologiens qui eux aussi furent les piliers de ce concile, Henri de Lubac, Jean Daniélou, Hans Küng, Karl Rahner..., tous progressistes, mais dont Jean-Paul II plus tard condamnera certains de leurs propos.

Le futur Jean-Paul II considérera toujours comme un signe de la divine Providence cette autorité acquise en ces années conciliaires auprès de ses pairs et du pape lui-même. Ses interventions remarquées sur le schéma XIII lui valent d'être appelé par les commissions conjointes pour la Doctrine de la foi et pour l'Apostolat des laïcs à collaborer à la rédaction définitive des documents. Et ce qui est à ses yeux exceptionnel, c'est que l'archevêque de Cracovie, quasiment inconnu jusqu'alors, ait inspiré les textes officiels. Le « projet cracovien », comme on l'appela, devient ainsi la référence nouvelle de l'Église contemporaine.

« Renouveler l'Église », telle est la tâche que Wojtyla prend à cœur à l'issue de ce concile. Il sent intuitivement en lui l'aptitude à changer non pas le dépôt (en ce sens il n'est suspect d'aucun extrémisme), mais à l'appliquer autrement, à en témoigner d'une autre manière, à entamer un autre dialogue plus propice à faire surgir la présence de Dieu chez tous les hommes. Quand il revient à Rome pour la dernière session du concile en automne 1965, il apparaît comme ayant été un des plus actifs. Il a des avis sur tous les sujets même les plus épineux, comme l'athéisme par exemple, proposant d'en analyser les raisons objectives, il revient sur les décisions conciliaires à propos de la liturgie, latin remplacé par la langue du pays, situation de l'autel différente, position du prêtre par rapport aux fidèles, etc. Mgr Wojtyla se présente alors comme un des fervents adeptes du changement : « Son but est la transformation intérieure de l'homme. Quand le prêtre prie avec les gens dans leur propre langue, aussi bien au cours de la messe que pour les sacrements, l'Évangile a plus de chance de s'introduire dans le courant de la vie de chaque jour», déclare-t-il à Malinski[62].

La volonté de s'ouvrir aux autres est immense chez lui. Profitant des dernières journées de liberté que lui laisse le concile, il rend ainsi visite à la communauté de Taizé en France, célèbre une messe à Paray-le-Monial pour la fête de sainte Marguerite-Marie Alacoque.

La dynamique de Taizé inspirée par son prieur, le frère Roger Schultz, lui apporte d'autres lectures de la catéchèse. Tout pour lui est à connaître, sa soif de l'autre est au service du Christ auquel il s'est voué. Se rendre à Taizé, dans ce lieu de jeunesse et de retraite, et surtout dans cet espace unique d'œcuménisme retrouvé et enfin possible, c'est prendre la mesure de l'Église universelle, tenter d'appliquer certains de ces aspects si multiples pour son Église de Pologne. A Taizé, il se sent en familiarité, les pèlerins et les retraitants qui s'y rendent ressemblent un peu à ceux de Pologne, aimant les processions et les rassemblements fraternels, cette affectivité maîtrisée en Dieu. C'est pourquoi ce lieu de vie dépasse les clivages traditionnels du protestantisme et du catholicisme. Wojtyla ne vit jamais en lieu clos. Il n'aime pas forcément le style curial (il le prouvera dès son arrivée à Rome en 1978), ni les chapelles d'idées. Il ne se plaît jamais autant que dans l'observation d'autres milieux et d'autres climats. C'est là qu'il peut se livrer à ses exercices de prédilection, la synthèse, l'étude comparée. Il n'a peur ni du communisme, ni de l'athéisme, ni de l'islam, ni du protestantisme, aborde les problèmes les plus audacieux et se sent toujours à l'aise avec des générations plus jeunes.

Le 7 décembre, la dernière séance du concile a lieu. L'adoption des documents officiels est proclamée. Plusieurs textes sont adoptés à la majorité, entre autres la constitution *Sur l'Église dans le monde de ce temps*, la déclaration *Sur la liberté religieuse*, et les décrets *Sur les missions* et *Sur le sacerdoce*. Tous portent l'empreinte de l'archevêque Wojtyla. Pour le schéma XIII par exemple

– *Sur l'Église dans le monde de ce temps* –, 75 votes négatifs seulement sur 2 391 suffrages !

A cette occasion, et en signe de réconciliation, est annulée l'excommunication mutuelle entre l'Église orthodoxe et l'Église catholique romaine, qui datait de 1054, au temps du pape Léon IX !

Un Te Deum est chanté ; le lendemain 8 décembre, jour de l'Immaculée Conception, sous le soleil tiède de Rome, est célébrée une grande messe pour la clôture officielle du concile. Une foule estimée à cent mille fidèles y assiste. Les deux mille quatre cents pères conciliaires sont présents, le pape prononce l'homélie, et des intellectuels comme Jacques Maritain et Jean Guitton lisent des messages aux savants et à leurs pairs.

Les grandes pompes catholiques mettaient ainsi un terme à ce renouveau de l'Église auquel Wojtyla prit tant part et dont il témoigna dans un ouvrage publié en 1972, *Aux sources du renouveau*, sorte de mise en application des textes conciliaires.

Quand l'archevêque de Cracovie revint dans son diocèse, c'est fort de cet élan formidable que le concile avait suscité, qu'il voulut rendre aussi vivace, aussi puissant auprès de ses fidèles. Mais pendant toute cette période conciliaire, il apparut que les membres de la délégation polonaise (vingt-cinq évêques), conduite par le cardinal Wyszynski et l'évêque de Lodz, Mgr Klepacz ne jouèrent pas un rôle primordial. Leurs différentes interventions comme le rappelle Henri Fesquet dans son ouvrage *Le Journal du concile*, furent perçues, dans le grand mouvement rénovateur, comme plutôt traditionnelles, peu en phase avec l'aggiornamento : le cardinal-primat demanda ainsi à ce que la Vierge Marie soit désignée dans le schéma *De Ecclesia* comme « mère de l'Église », et, dans le schéma XIII, *Gaudium et Spes*, que le communisme soit formellement condamné. Dénonçant en effet le matérialisme dialectique, le *diamat*, le cardinal de Varsovie le 25 septembre 1965 déclara : « Le *diamat* nie et rejette toutes normes stables et permanentes du droit et des lois. Pour le monde dont il est maître, il n'y a ni ordre social ni principes éternels, ni idées intangibles. [...] L'idée du droit cède à l'idée de la fin qui justifie tous les moyens, y compris ceux de la force et de la violence[63]. »

L'intransigeante foi du cardinal-primat s'exprimait en ces termes : « Beaucoup d'écrivains, de journalistes qui traitent de ces problèmes dans les pays de l'Occident font fausse route car ils appliquent au monde du *diamat* le sens du droit valable dans leur milieu. C'est peut-être la raison pour laquelle tant de nos évêques sont si souvent accusés d'être d'idées rétrogrades, d'obscurantisme et d'attachement à des privilèges féodaux. Il s'agit de vivre ou de survivre. Il s'agit de fidélité à notre mission d'apostolat[64]. »

Est-ce que Mgr Wojtyla, qui officiellement cautionna ces propos du cardinal de Varsovie, les approuvait pour autant ? C'est ici que réside peut-être ce qu'on pourrait appeler le « mystère Wojtyla » ou plutôt la nature duelle de sa personnalité. Attaché tout autant que Mgr Wyszynski à une pratique ecclésiale traditionnelle par tempérament, éducation, formation, partageant sûrement la vision mystique du cardinal comme sa dévotion fervente à Marie, méfiant envers le communisme, il apparut néanmoins au concile ni « obscurantiste », ni « rétrograde ». Au contraire, ses pairs étrangers comme les observateurs, on l'a vu, lui accordèrent volontiers une étiquette d'évêque « engagé », et la presse polonaise communiste le trouva même sensible aux idées socialistes.

Dans le fameux schéma XIII, Wojtyla critique la « philosophie matérialiste et athée » comme contradictoire avec la vérité et la personne humaine. Mais ses vives observations sur le style du schéma préparatoire qui, lors de la première lecture, faillirent choquer ses interlocuteurs, trouvèrent un écho favorable auprès des communistes polonais : « L'Église, y disait-il, doit chercher en commun avec le monde. [...] Évitons tout esprit d'accaparement et tout esprit moralisateur[65]. »

En somme Wojtyla sortit de ce concile en situation beaucoup plus favorable que l'ensemble de l'épiscopat polonais. Ses positions avaient été prises en compte, l'avaient démarqué de sa délégation, ses contacts multiples avec des évêques du monde entier, son sens de la convivialité, son pragmatisme et son écoute des problèmes quotidiens, son relatif libéralisme l'avaient désigné comme un pasteur de progrès, et en même temps, subtilement, il n'avait rien lâché de ses convictions, de ses enracinements traditionnels et polonais. C'est cette synthèse habile – mais non stratégique – qui fit de Mgr Wojtyla, au lendemain de ce concile, un interlocuteur peut-être plus efficace pour l'Église de Pologne et par extension pour l'Église universelle. De surcroît, les maladresses du cardinal Wyszynski durant le concile, – lettre adressée à la nonciature de France pour dénoncer les chrétiens du mouvement Pax qui semblaient avoir attiré l'attention des intellectuels français (« Pax n'est pas un mouvement mais un organe de l'appareil policier strictement articulé, qui relève directement du ministère de l'Intérieur et exécute avec une obéissance aveugle les directives de la police secrète[66] ») – renforcèrent l'idée d'un cardinal refermé sur lui-même, buté dans ses convictions, malgré tout le capital de sympathies que son internement avait suscité dans le monde. Pour compléter cette médiocre perception de l'épiscopat polonais, la lettre du cardinal-primat adressée aux évêques allemands, réclamant une réconciliation à la veille de l'anniversaire du millénaire de l'Église polonaise, n'arrangea pas son image de l'intérieur du pays. L'« autocritique nationale » à laquelle semblait inviter cette lettre eut un retentissement spectaculaire. Elle apporta de l'eau au moulin gouvernemental qui se répandit en déclarations anticléricales et provoqua dans les milieux chrétiens de progrès de véhéments reproches. Les plaies de la guerre étaient encore trop ouvertes pour que cette lettre pût être écrite.

Ainsi, peu à peu, l'archevêque de Cracovie devint non

pas le rival du cardinal de Varsovie (l'étreinte si émouvante d'octobre 1978 le prouve), mais l'instance intellectuelle, morale, stratégique, et théologique la plus propre à ouvrir en Pologne la voie conciliaire.

C'est toujours dans ce creuset à la fois traditionnel et progressiste que se situe Jean-Paul II, insituable en fait, jouant de toutes ses armes pour répondre aux problèmes ponctuels de son pays (la crise politique provoquée par exemple par Solidarnosc) et de l'Église universelle.

Quand l'archevêque de Cracovie rentre en Pologne, dans son « église », comme il a coutume de le dire, c'est porteur de tout ce renouveau dont il a puisé au concile l'énergie. Rien ne peut plus être désormais comme avant. Et même s'il a eu avant l'aggiornamento romain l'intuition d'une telle réforme, le fait que beaucoup de ses idées aient traversé les débats et même inspiré les textes conciliaires officiels est à ses yeux la preuve d'une dynamique qui est en marche. Il retrouve une Pologne toujours aussi exsangue, isolée, en proie au désastre économique, à la violence policière, à la suspicion. Mais depuis la guerre, il connaît ces états de résistance, les détours occultes à emprunter dans la dissidence.

L'enseignement de Karol Wojtyla, à cette époque, est original et emporte l'adhésion de la jeunesse universitaire de Cracovie. Aujourd'hui, dit-il, « il nous faut implorer le don de la joie. Dans les jeunes générations, on ressent une inquiétude et pourtant la jeunesse se tourne vers la joie, qui va de pair avec la vérité et la pureté du cœur ». C'est cette pastorale d'espoir, cette sorte de jubilation communicative qu'il sait donner qui est peut-être un des plus grands charismes de Jean-Paul II.

Ce qu'il enseigne alors aussi, c'est la nécessité de ne pas avoir honte de soi, de sa condition de chrétien, d'oser l'affirmer même dans un régime totalitaire. De même que les hommes doivent exercer leur responsabilité de père (la vérité biologique), ils ne peuvent cacher leur foi, et il exhorte ses fidèles à affirmer leur amour à la Vierge de Jasna Gora. L'homme ne peut trouver son plein épanouissement que dans la religion chrétienne. « Il ne peut se dépasser qu'en devenant fils de Dieu », écrira-t-il en 1969, dans *Individu et action*.

La célébration du millénaire de la Pologne catholique devant survenir en 1966, le cardinal Wyszynski avait échafaudé l'idée, de son lieu d'internement, d'une neuvaine qui grâce à un long pèlerinage à travers tout le pays ferait adorer la copie de la Vierge de Czestochowa. Cette déambulation de neuf années trouverait son apogée le 3 mai 1966 au monastère même de Jasna Gora. Ce projet donne idée du type de pastorale que la Pologne sut développer. Le cardinal-primat et une grande partie de son clergé voyaient là une manière de raviver la foi et le culte marial que le cardinal de Varsovie ne cessait d'encourager, et en même temps de protester contre le pouvoir en place. Le passage de la Vierge portée par des hommes, suivie de foules innombrables qui devaient s'épaissir au fur et à mesure des traversées des paroisses, avait aussi une fonction prosélyte qui n'était pas négligeable. Si beaucoup d'intellectuels et de prêtres étaient hostiles à ce type de manifestation populaire à caractère presque médiéval, la Pologne catholique et profonde, peu cultivée et fruste, y vit une démonstration du merveilleux chrétien qui faisait évidemment contraste avec le matérialisme ambiant.

La neuvaine prit au cours de ces neuf années d'errance un tour très méthodique et organisé, comme si la Vierge venait se rendre au plus près des familles et jouait profondément son rôle d'assistance maternelle. L'épiscopat avait tout prévu, « chaque paroisse accueillait l'icône très solennellement. Elle se préparait à cet événement à travers des retraites, des missions, des offices. [...] Cela a déclenché le renouveau de toute la paroisse avec, comme but principal, le déracinement des fautes et la croissance des vertus[67] », raconte le père Malinski.

Ce qui était impossible en Europe occidentale devenait

ici réalisable. Comment peut-on imaginer qu'en Europe, par exemple, chaque année, l'épiscopat local puisse imposer un thème de réflexion propre « à déraciner un vice national et introduire une vertu[68] » ? En Pologne, ce qui peut être considéré comme une naïveté populaire est suivi avec sérieux.

Si le projet en 1957 ne l'avait pas emballé, Wojtyla s'y rallia par la suite et trouva cette pratique de piété populaire apte à lutter sans violence contre le gouvernement et à miner ainsi le terrain athée. De fait la neuvaine prit au cours des années une ampleur considérable, perçue par les communistes comme un acte fanatique, mais la lente caravane faisait sa route et trouvera son point d'orgue dans les chantiers de Gdansk dans les années 80, car c'est grâce à ce sentimentalisme religieux et à ce déploiement lyrique de piété que le clergé entendit gagner contre le communisme. Il n'avait pas tort.

Le travail pastoral de l'épiscopat fut d'une rigueur extrême. Après les passages dans les paroisses, c'étaient les stations dans les capitales diocésaines, et, à chaque fois, les mêmes foules, les mêmes élans de ferveur...

Durant les années du concile (1962-1965), les responsables de la neuvaine eurent soin d'intégrer les décisions conciliaires dans le grand sursaut de piété qu'elle suscita. C'est dans cette perspective que Mgr Wojtyla comprit au fur et à mesure l'intérêt que pouvait revêtir une catéchèse de base : il s'agit de dynamiser la piété du peuple, d'éveiller des consciences, de manifester sa qualité de catholique, de l'exhiber même. Rien de tel en Europe occidentale, sinon l'érosion de la foi, la perte des valeurs chrétiennes, le triomphe de la dérision et d'un matérialisme destructeur. Le père Malinski décrit une autre initiative du clergé polonais absolument impensable en France, par exemple : des « veillées conciliaires » sont organisées à tour de rôle dans toutes les paroisses de sorte qu'« une chaîne de prières ininterrompue » se déploie dans le pays. De telles pratiques, fortement symboliques, rejoignent la conception du futur pape en matière de piété populaire. Celle-ci est encouragée partout parce qu'elle emprunte aux sources mêmes du merveilleux et de l'invisible ses propres forces et fortifie les conversions, crée des élans de foi simple mais efficace. La sympathie de Jean-Paul II pour les exubérances charismatiques et pentecôtistes procède encore de cette piété polonaise qui eut l'avantage de maintenir une présence spirituelle face au pouvoir qui s'ingéniait à l'éradiquer. Ces rituels populaires ont enfin pour but de relier évêques et fidèles, cassant en quelque sorte la hiérarchie, et de donner l'impression aux communistes d'un front de révolte qui ne peut en fait être maté, compte tenu des subtils rapports que l'Église entretient avec le pouvoir. Ces foules pieuses ont en réalité plus d'impact et d'efficacité que n'importe quelle « bande » révolutionnaire armée.

L'apostolat prend donc un tour spécifique de dissidence dont l'archevêque de Cracovie expérimente les pratiques et les effets.

3 mai 1966. La foule parvient comme prévu à Jasna Gora. Le vœu du cardinal-primat se réalise. Les pèlerins arrivent par milliers, cinq cent mille, dit-on, seul le pape Paul VI n'a pu venir, interdit de séjour. Le cardinal Wyszynski consacre la Pologne à la Vierge Noire : « Nous te vouons tout ce que nous sommes et tout ce que nous avons pour l'avènement et le développement du Royaume de Jésus-Christ. »

Dans la nuit du 6 au 7 mai, une longue adoration est prévue à Cracovie dans la cathédrale du Wawel. Les paroissiens sont invités à venir s'y recueillir, paroisse par paroisse. Là encore la foule est immense, une longue file de pèlerins défie les autorités en chantant des Ave Maria et en portant des cierges allumés.

7 mai. Session exceptionnelle à la cathédrale. Tous les ténors de la hiérarchie polonaise prennent la parole : le cardinal-primat, l'archevêque Kominek, l'abbé Schletz, l'archevêque Wojtyla qui en profite pour parler des

temps de la Pologne occupée par les nazis et évoquer Mgr Sapieha. La provocation évangélique devient méthode de survie : le vieux prince sert de figure emblématique à la résistance par la foi des catacombes...

Nulle part comme en Pologne les réformes conciliaires ne furent appliquées et expérimentées. Mgr Wojtyla prend la mesure de tout ce que le concile Vatican II, par son vœu de rendre présente l'Église dans le monde moderne, peut apporter à la Pologne divisée, soumise, pauvre. Les thèmes de la famille, de la jeunesse, de la culture nationale, de la dignité des hommes, de la liberté religieuse, qui ont tant été traités à Rome et dont Wojtyla lui-même dans sa pratique sacerdotale avait déjà eu l'intuition, doivent être à présent ouvertement abordés. L'aggiornamento romain doit se poursuivre en Pologne et l'archevêque de Cracovie entend bien appliquer les nouvelles dispositions conciliaires auxquelles lui-même a tant œuvré.

Son activité est toujours aussi débordante, comme en témoignent les proches qui le décrivent, légendaire dans sa voiture de fonction, aménagée comme celle d'un manager capitaliste, lampe, petit bureau à l'arrière, dossiers accumulés sur la banquette, et travaillant inlassablement. Il est réclamé partout, se démultiplie, visite les diocèses, s'inquiète de la pratique religieuse et partout éveille l'intérêt, suscite une dynamique. Sa vigilance à appliquer les décisions conciliaires et à les faire comprendre dans les paroisses de base lui vaut d'être un des plus brillants témoins du concile Vatican II. Paul VI le sait depuis Rome où lui parviennent tous les échos flatteurs sur sa personnalité et son labeur pastoral. Comme Mgr Sapieha, le pape a perçu la force morale et spirituelle de Karol Wojtyla, cet archevêque lui plaît parce qu'il est sans complexe dans sa foi, délivre le message évangélique avec une vérité et une transparence charismatiques, et son autorité incontestée dans tous les milieux fait de lui naturellement un cardinal. De surcroît l'intellectuel

Paul VI se trouve en affinités avec le professeur et le philosophe Wojtyla, de même que son côté sportif, si étranger à celui du curial pontife, le séduit. Karol Wojtyla semble rallier les deux exigences d'un prélat moderne, un savoir immense et le sens du contact et de la convivialité mondaine, sens que Paul VI ne possédait guère.

Aussi le 27 juin 1967, le souverain pontife nomme-t-il cardinal l'archevêque Wojtyla. Ce jour-là, jour du consistoire secret, en présence d'invités, de journalistes, de diplomates, dans la grande salle-auditorium Pie-XII, les nouveaux cardinaux attendent leur nomination. Dans la salle du consistoire, le pape lit la liste des nouveaux élus et demande aux cardinaux déjà élus leur approbation. Puis le secrétaire d'État annonce les nominations.

Le lendemain, mercredi 28 juin, jour du consistoire semi-secret, dans la salle des parements, au Vatican, le cardinal Wojtyla revêt l'habit cardinalice.

Paul VI déclare : « Pour la gloire de Dieu tout-puissant et pour la gloire de l'Église, accepte ce signe de la dignité cardinalice pour laquelle tu dois devenir le défenseur de la foi jusqu'à l'effusion du sang. » Conformément à la coutume, chaque cardinal reçoit une église romaine, le cardinal Wojtyla obtient San Cesareo in Palatino.

Le lendemain enfin, jour du consistoire public, une grande messe est concélébrée devant plus de cent mille personnes par le pape et les nouveaux cardinaux[69].

L'ascension de Karol Wojtyla semble alors avoir atteint son apogée. Car après le cardinalat, il ne peut y avoir que l'accession au trône de saint Pierre, mais comment y penser quand on est un prélat polonais, que la tradition d'un pape italien semble encore bien ancrée dans les esprits ? Cette idée est en 1967 proprement inimaginable et c'est le cœur plein de son avenir en Pologne que le cardinal Wojtyla revient à Cracovie, fort de cette confiance que Paul VI lui a accordée, et sûr aussi que son « génie » pastoral lui donnera de peser sur le destin de son pays. Peut-être confusément lui reviennent ces vers qu'il a écrits l'année précédente, au temps de la vigile pascale 1966, cette « conversation avec l'homme : sur la signification des choses » :

> Nous voici aux portes de notre avenir,
> qui tout ensemble se ferment et s'ouvrent.
> Ceux qui s'en vont, ceux qui s'en viennent
> tous sont uniques
> ne les confonds pas dans une conscience abstraite :
> la vie les rythmait, le sang coulait en eux.
> Partout où mourut un homme, reviens : partout
> où il naquit. Le passé est un lieu de naissance,
> non de mort.

Toujours attaché aux gestes symboliques comme s'ils portaient la pensée, la matérialisaient, lui donnaient image, le nouveau cardinal, retournant en Pologne par l'Autriche, tient à visiter des sanctuaires pour se ressourcer : Mariazell, Ossiach, Kahlenberg. Il a ce besoin intarissable de puiser l'énergie aux grands lieux mariaux et historiques, là où des milliers de pèlerins ont porté leurs pas, prié, déposé leurs fardeaux, fait monter leurs chants.

De retour à Cracovie l'attend cependant une situation politique instable et plus durcie, de graves problèmes économiques accablent le pays, ce qui donne lieu à une crispation plus autoritaire encore du pouvoir communiste.

Mais le cardinal Wojtyla aime inconsciemment ces situations conflictuelles où le martyre est possible, où l'enjeu est la survie de sa foi. Prélat engagé à sa manière, plus sûr encore de lui du fait de sa nouvelle fonction, il va peser à présent plus fortement dans la vie politique. Il est étrange de remarquer que l'occasion est donnée à l'Église de s'engager plus précisément à l'occasion d'une représentation d'une pièce de Mickiewicz, *Les Aïeux*, que Wojtyla connaît parfaitement, car elle a été jouée au Théâtre Rhapsodique pendant l'Occupation.

Cette pièce à l'aspect messianique revêt une connotation subversive par sa critique du tsarisme, raison pour laquelle Kotlarczyk l'avait mise au répertoire de son théâtre. Lorsque la pièce est jouée en février 1968 à Varsovie, le mécontentement social est très vif, des critiques antitsaristes de Mickiewicz à la contestation antisoviétique, il n'y a qu'un pas que les spectateurs franchissent allègrement : le printemps de Prague donne aux étudiants des sursauts et des élans révolutionnaires qui dégénèrent. La milice intervient, occupe l'université, ceux qu'on estime être les meneurs sont arrêtés. « Des manifestations s'ensuivirent à Poznan, Katowice, Cracovie, Gdansk, brutalement réprimées par la police[70]. »

C'est dans ce contexte de révolte populaire et étudiante que l'Église de Pologne va se présenter comme une instance morale propre à intervenir dans le cours des événements. Autrefois l'internement du cardinal-primat avait suscité une vague de protestation générale tant à l'étranger qu'en Pologne de la part des catholiques et des démocrates, mais la réprobation n'avait pu se concrétiser dans une démarche politique capable de s'opposer au pouvoir et de devenir pour lui un réel danger. Mais les temps ont changé. Face à l'oppression communiste et les difficultés liées au quotidien aidant, la révolte, quoique toujours contenue et matée par une milice active et agressive est latente. L'Église sait qu'elle peut tenir là sa force d'enracinement. Elle sera le cheval de Troie, celle dont le pouvoir central ne peut, hélas, pas se passer et qui mènera la fronde par des voies détournées. L'épiscopat polonais, qui n'était pas partie prenante dans l'agitation étudiante de l'hiver 1968, s'engage de tout son poids et de son autorité dans la bataille, et ouvertement se range du côté des étudiants. « Les matraques ne sauraient être un argument pour des citoyens libres, elles réveillent de tristes souvenirs et de douloureuses associations d'idées. [...] L'État ne peut remplacer par la matraque le sens de la justice ni de la prudence. [...] Le problème de la liberté d'opinion que réclament les citoyens, les écrivains, les évêques, s'est révélé au cours des récentes manifestations universitaires avec une insistance urgente. [...] L'épiscopat polonais ne comprend que trop bien l'indignation de notre jeunesse universitaire face à la malhonnêteté de l'information. Depuis des années nous souffrons des fruits amers d'une presse dépourvue de scrupules[71]. »

Le ton employé dans cette lettre inaugure une nouvelle pratique ecclésiale en Pologne. Jusque-là, comme le souligne Georges Castellan, l'Église avait cherché seulement à sauvegarder ses droits, ne voulant pas affronter directement le pouvoir en place. Cette pratique des « petits pas », qu'incarnait Mgr Wyszynski, avait d'ailleurs été très critiquée en son temps par des catholiques et des intellectuels partisans d'une méthode plus claire, plus agressive, moins subtile. Or le style de cette lettre révèle une vigueur inconnue et, sinon une tonalité offensive, du moins une contestation plus franche. Beaucoup y ont vu aussitôt la patte du cardinal Wojtyla, qui suivrait en cela les dispositions conciliaires réformistes et les conseils que l'Église universelle avait prodigués en matière de liberté religieuse et de droits de l'homme. Wojtyla face au cardinal-primat, et malgré tout le respect filial qu'il lui porte, par éducation, par obéissance à l'Église mais aussi par attachement réel, affirme de plus en plus son autorité spirituelle dans le pays, surtout auprès d'une jeunesse dont il est traditionnellement très proche. Sa capacité d'accueil et sa présence protéiforme le posent comme un prélat moderne, attentif aux évolutions du monde moderne, plus dynamique, plus audacieux dans la lutte contre l'oppression. Sa volonté d'appliquer avec minutie les décisions du concile Vatican II en fait un prêtre dont le style est moins hautain que celui du cardinal de Varsovie, qui apparaît par contraste plus éloigné des préoccupations du cardinal de Cracovie, et semble même craindre que les décisions conciliaires ne viennent troubler l'ordre traditionaliste de l'Église polonaise. La grande habileté du cardinal Wojtyla est de considérer les deux tendances de cette Église, en lui conservant ce traditionalisme populaire et sentimental propre à l'âme slave et en lui injectant des influx neufs, des ferments de modernité qui en feraient à ses yeux le modèle le plus abouti du catholicisme moderne.

C'est pourquoi Wojtyla prend à cœur de mettre en œuvre les décisions du concile Vatican II au plus vite, comprenant bien qu'elles peuvent être un outil politique très puissant dans la lutte anticommuniste. L'anticommunisme dont l'Occident a gratifié Jean-Paul II dès son arrivée au pouvoir n'est pas un fantasme. Il est farouche et viscéral.

Dans ces années 1968-1969, la volonté militante de Karol Wojtyla s'accroît : face aux brimades du pouvoir, à l'interdiction du pape Paul VI de se rendre en Pologne, il accuse précisément « le climat de laïcisation et d'athéisme combattant » qui règne « dans la vie publique en Pologne ». « Il est interdit de parler de Dieu, déplore-t-il, les gens ont peur de dire qu'ils sont croyants ». Cette situation le pousse non seulement à formuler expressément de vives critiques à l'encontre du régime mais surtout à définir les contours d'une foi dont il voudrait donner l'élan à ses compatriotes · elle doit être, proclame-t-il, plus naturelle, plus profonde, plus consciente, plus attentive aux autres et aussi plus vaillante ».

C'est l'époque de la lutte pour la foi jusqu'au martyre. Aucun symbole n'est alors négligé pour rattacher l'Église de Pologne à celle de Rome. Quand le 18 mai 1969, Paul VI envoie la pierre angulaire pour l'église de Nowa Huta, bénite par ses soins, Karol Wojtyla en comprend tout le sens sacré ; cette pierre provenant de la vieille basilique de Saint-Pierre, édifiée à l'époque de Constantin, époque de lutte pour le christianisme et l'affirmation de la foi, il déclare non sans portée prophétique : « J'ai le sentiment que c'est le successeur de Pierre qui, par mes mains, le fait lui-même ».

L'activité de Karol Wojtyla se déploie à un rythme

intense. Appelé par Paul VI, le 2 octobre 1969, à participer au synode de Rome, il renouvelle sa fidélité à l'égard du pape, sa déclaration est applaudie et il apparaît comme un évêque d'avant-garde. Il répète son attachement à l'unité de l'Église catholique, insiste sur la participation des théologiens polonais dans les travaux du Vatican. Homme des certitudes, il apparaît comme un roc inébranlable, et toujours à Rome renouvelle des déclarations fortes tant sur le plan de l'action temporelle que sur le plan spirituel. Fort de cette affirmation dont il ne se défera jamais : « La croyance comme réalité, la croyance comme but », il réitère sa soumission au Christ sans lequel « je n'arriverai pas. Seulement avec l'aide de la grâce du Christ qui est bon, qui pardonne, qui absout ».

Les textes conciliaires définitifs ayant mis surtout l'accent sur la pastorale, Wojtyla s'emploie à trouver des actions, des gestes, des paroles qui répondent à l'interrogation majeure du concile Vatican II : « Comment être un chrétien dans cette deuxième partie du XXe siècle qui s'ouvrira au troisième millénaire ? » Cette grande question est encore à l'œuvre dans toute sa pastorale, et elle est au centre de l'activité du cardinal Wojtyla à partir de 1970. Il a conçu depuis son retour de Rome l'idée de réunir en synode tout ce que le diocèse compte de prêtres pour appliquer les décisions du concile. Il travaille pour cela à un texte qu'il estime fondateur, une sorte de guide pratique, à l'usage des fidèles et des prêtres. Dans ce texte seraient traitées les différentes directives conciliaires, avec l'art et la manière de les « traduire » en Pologne, compte tenu que le concile laissait à l'appréciation de l'évêque la façon la plus adaptée à son milieu pastoral de « lire » les nouveaux axes donnés à l'Église universelle. Ce que Wojtyla retient surtout, c'est la convivialité entre prêtres et laïcs, et le projet de constituer une Église qui soit issue d'une communion et d'une écoute plurielle de ses participants.

Son rôle de chef de l'Église locale qu'il prend tant à

cœur lui donne d'être constamment en relation avec ses fidèles, il multiplie les contacts, les déclarations, glorifiant la famille, la responsabilité de chacun de ses membres: « Chaque membre d'une famille, dit-il, est le point central de cette famille, chacun à part et tous ensemble. La famille est la condition d'affirmation pour l'homme. » Il met encore en garde les femmes sur leur désir de travailler: « Il est bon, leur conseille-t-il, s'il ne gêne pas l'équilibre de la famille, l'unité du couple, son inséparabilité ».

Tout aussi ferme, il rappelle les devoirs des prêtres, de l'engagement sacerdotal, réaffirme sans ambiguïté « les liens entre le sacrement de prêtrise et le célibat qui ne doit pas être remis en question. Les vœux de virginité, de pauvreté, de soumission, sont indéfectibles », assure-t-il. Sa parole est alors entendue avec une grande gravité au synode des évêques qui se tient à Rome entre le 29 septembre et le 9 novembre 1971.

Il parle alors tout autant de pratique chrétienne que de justice sociale, et particulièrement sur la misère les immigrés. La justice due aux immigrés vient aussi de notre conscience et de notre culture. Il insiste sur l'idée que « chaque église nationale doit tenir compte des autres églises », des autres communautés, sans cela, « on ne pourra résoudre les problèmes liés à la justice. C'est par cet éveil constant des vrais problèmes, qui apparaissent nécessaires à l'engagement de l'Église dans la modernité, que Karol Wojtyla apparaît comme la figure de proue, au moins de l'Europe de l'Est. Il est choisi à la fin de 1971 au Conseil du secrétariat du synode des évêques, un des trois évêques d'Europe, pour activer les travaux. Il s'en réjouit, acceptant les charges avec une aisance désarmante. A ceux qui pourraient s'étonner de ce surcroît de labeur, il répète inlassablement ce qu'il enseigne à ses séminaristes polonais: le rôle du prêtre est de servir.

C'est en 1971 qu'il décide de lancer son projet de mise en œuvre du concile. Il crée des commissions préparatoires, celles-ci ayant pour but d'analyser les textes conciliaires, et de chercher la meilleure voie d'application en Pologne. Puis des équipes de prêtres et de catholiques engagés dans la paroisse sont organisées pour réfléchir sur les bases des commissions, lesquelles équipes délèguent des responsables qui participent aux réunions centrales où siège le cardinal Wojtyla, dans le cadre historique de la cathédrale du Wawel. Des prières, des retraites font aussi partie de cette vaste organisation car Mgr Wojtyla aime à faire se rejoindre stratégie et contemplation. Chez lui la mystique n'est jamais absente et sert au contraire de support aux négociations du politique.

Cette année préparatoire achevée, le 9 avril 1972, un message rédigé par ses soins est lu dans toutes les paroisses : « Pour notre Église, la foi, y proclame-t-il, aujourd'hui comme hier, doit être étudiée, renforcée et approfondie, pour qu'elle devienne la règle de notre vie, la lumière de nos consciences. [...] Notre travail doit consister en une étude des documents conciliaires qui soit aussi populaire que possible, renforcée par la prière. Sur ce chemin seulement, nous pourrons approfondir et renforcer notre foi[72]. »

Un mois après, le 8 mai, le synode est officiellement ouvert. A cette occasion, le cardinal Wojtyla publie l'ouvrage auquel ses proches savaient qu'il travaillait depuis plusieurs années : *Aux sources du renouveau.* Dans la lignée du concile, il y développe sa principale préoccupation : comment l'Église peut-elle « s'autoréaliser », « comment se comprend-elle elle-même, mais aussi comment compte-t-elle se réaliser ».

C'est dans cet ouvrage que l'on peut trouver la plus ample réflexion que Karol Wojtyla ait pu faire sur la tâche sacerdotale et l'entreprise pastorale. Il tente de répondre toujours aux mêmes problèmes que ses discours martèlent depuis tant d'années. Si l'on est catholique, comment se comporter en tant que tel, comment être digne de cette mission qu'exige la foi, comment être « en Église » ?

Il ne s'agit pas (ou plus) d'une foi institutionnalisée, fonctionnarisée, mais d'une véritable prise de conscience de sa qualité de croyant. Si l'on est chrétien, cela renvoie à des devoirs, cela a profondément du sens. Mettre bas les habits du vieil homme et retrouver la jeunesse de ceux qui attendent dans l'espérance le retour du Maître. Jamais la nouvelle attitude requise pas le concile ne fait tant référence à l'allégresse de la parabole de l'Évangile, qui est témoignage de lumière. L'implication de chacun dans la communion des fidèles : telle est la réalité de l'aggiornamento. Au concile, Karol Wojtyla avait contesté la formulation préparatoire du schéma XIII parce qu'il ne laissait pas place aux autres hommes, athées ou non chrétiens, tout pétri qu'il était d'une « mentalité ecclésiastique[73] ».

C'est donc dans le dialogue que Wojtyla entend conduire l'Église de Pologne comme plus tard il voudra accomplir ce projet pour l'Église universelle en se faisant « pèlerin ».

Cette nécessité du dialogue avec les autres semble être un des aspects les plus fondamentaux de la pensée de Wojtyla. Les lectures et la formation intellectuelle du cardinal expliquent d'ailleurs cette position que partage moins le primat de Varsovie, aux certitudes aussi ancrées que celle de Wojtyla, mais plus intransigeantes. Prise dans ce processus d'échange, l'Église devient alors interlocuteur actif de l'Histoire. Elle n'est plus figée dans sa certitude de détenir la vérité, mais au contraire, s'assouplissant aux souffrances et aux problèmes des autres hommes, elle endosse une responsabilité plus forte dans le devenir existentiel de l'humanité. Cela n'empêche pas cette « nouvelle » Église de demeurer fidèle aux enseignements éternels du magistère. Il ne s'agit pas, dit le cardinal, de plaquer les décisions conciliaires sans tenir compte de la réalité précédente, mais de « relire le magistère du dernier concile dans la totalité du magistère précédent de l'Église[74] ».

Cela explique en grande partie pourquoi le Sacré-Collège élira le cardinal Wojtyla pape. Il représentait l'harmonique union de la modernité et de l'insoupçonnable fidélité au magistère. Ainsi, Wojtyla rappelle les paroles du Credo, dont il reprend, où qu'il soit, les paroles intangibles, comme dans *La Splendeur de la vérité*.

Création et rédemption sont au cœur de la problématique. Mais Wojtyla n'oublie pas de dire que l'homme sauvé par le Christ est aussi un pécheur, d'où son insertion dans l'immanence. La déliaison fondamentale qui explique la souffrance de l'homme ne peut s'achever que s'il renoue avec le Christ et se relie à son corps glorieux ayant la conscience d'être ainsi revalorisé par le Christ et cette conscience « faisant partie intégrante de la foi ».

L'homme est appelé au don mais celui-ci ne pourra s'accomplir et l'union avec le Christ dans la jubilation du Royaume retrouvé se réaliser que si l'homme apprend à « relier la foi à la morale[75] ».

Aux sources du renouveau n'est pas cependant un subtil exposé théologique mais veut au contraire, et surtout dans sa troisième section, apporter des solutions à la vie des hommes et proposer pour cela ce que Wojtyla appelle des « attitudes ». La formation de ces attitudes sera donc au centre du synode diocésain polonais, afin que le chrétien puisse exprimer « l'enrichissement de la foi telle que nous la connaissons par la révélation et par l'expérience ». Le cardinal Wojtyla est un homme de trop d'expérience humaine, trop conscient de la fragilité de l'être pour ne pas « habiller » son ouvrage de tout un appareil de formation qui permettra d'atteindre à une vraie réalisation de la vie paroissiale. Il s'agit de porter la parole de Jésus-Christ, en témoigner par son propre visage, et sa propre vie, apporter à l'autre cette parcelle de lumière que la pratique de Jésus-Christ a permis d'entrevoir. Les grands motifs emblématiques wojtyliens sont repris : la rencontre, la disponibilité, la reconnaissance de l'autre, le porter à sa vérité. C'est ici que le cardinal de Cracovie accomplit sa plus grande révolution pastorale, imposer en quelque sorte les laïcs comme les « hérauts puissants de la foi en ce qu'on espère[76] ». De surcroît faire participer les laïcs dans la Pologne communiste, c'est établir pour eux un espace de parole possible, un lieu de dialogue, dont les représentants du pouvoir ont vite vu qu'ils pouvaient devenir des foyers de contestation politique, des défis latents à l'État, difficilement contrôlables. L'épiscopat polonais a bien sûr saisi tout l'enjeu de cette tactique qui à la fois satisfaisait l'esprit missionnaire de son Église – le nombre des conversions, des vocations, devient considérable, et les églises, les foyers de rencontres sont toujours remplis –, et apparaît comme une manière non subversive de s'opposer à cet État. Il prenait néanmoins le risque de faire de la pastorale une stratégie de libération populaire, et de voir, après la libération souhaitée, une désaffection des lieux de culte et de la foi en général : crainte qui semble aujourd'hui se vérifier dans une Pologne qui n'a plus besoin de l'Église pour défier l'État et qui se prend au grand vertige de la société de consommation, aux aspirations capitalistes que Jean-Paul II fustige bien entendu.

Outre ses fréquentes séances de travail à Cracovie pour le synode qu'il portera à bout de bras, le considérant comme sa grande œuvre, et ses visites multiples à travers son diocèse, tenant personnellement à lier contact avec tous ses prêtres, gardant des relations privilégiées avec les intellectuels, écrivant, publiant, ne ménageant jamais sa peine au point que son rythme est considéré comme surhumain, le cardinal Wojtyla est fréquemment appelé à Rome où il a l'oreille toujours attentive de Paul VI. Les deux hommes s'entendent manifestement et leurs vues sont quasiment identiques sur le devenir de l'Église, Wojtyla montrant une conviction plus audacieuse, plus dynamique que le pape, plus timoré, plus discret.

Wojtyla apporte à Paul VI cette « violence » pastorale qu'il réclame à ses évêques, cette conviction qui font de lui le prélat archétypal d'une société moderne, en proie à ses divisions, à ses conflits, à ses solitudes. Il sait que l'Église joue un rôle capital dans ce monde en crise, auprès de cette humanité désemparée, livrée au matérialisme, à sa propre perte, et en même temps il n'ignore pas que les forces du mal, comme il les appelle, sont à l'œuvre et empêchent l'accomplissement du Royaume. C'est un homme comme Wojtyla qu'il faut, qui est en prise constante avec les forces de ce que le Vatican a toujours appelé le grand Satan, le communisme, et qui parvient néanmoins à faire de cette Église opprimée un modèle exemplaire, de vérité évangélique, de ferveur, de recrutement ecclésial. Le mystère polonais intrigue décidément la Curie, habituée à des mutations plus lentes et plus silencieuses.

Dans son ouvrage *Aux sources du renouveau*, le cardinal Wojtyla propose donc à la réflexion quatre attitudes à adopter : de participation, d'identité humaine, œcuménique, apostolique[77].

Toutes les quatre mettent en valeur la nécessité pour le chrétien de communier avec Dieu, d'être en état d'obéissance à l'égard de ses commandements, de respecter les sacrements. Le but majeur est de désirer « appartenir au Christ », car « l'homme ne peut être pour lui-même sa propre fin, le seul artisan et le démiurge de sa propre histoire[78] ». Le chrétien se doit d'être responsable, dans le monde et dans sa famille. Il se doit encore de promouvoir les valeurs essentielles de la culture. Autant de devoirs qui favorisent la paix, et l'unité des chrétiens (attitude œcuménique). La liberté de l'autre est reconnue, et respectée, elle ne peut être soumise à aucune pression ni aucune torture, mais au contraire, la tâche du chrétien est de chercher à comprendre les raisons des divisions pour tenter de se retrouver.

La dimension pastorale du chrétien, inhérente à la vocation chrétienne, est fortement revendiquée, à une époque où en Europe occidentale la présence des laïcs, malgré les tentatives de la JOC par exemple, n'est pas tout à fait entrée dans les mœurs. En Pologne, sous l'influence de Wojtyla, l'expérience est devenue pratique courante : c'est en affinant cette « personnalité chrétienne » que le chrétien témoignera auprès des non-croyants. On comprend bien que l'idéal de Karol Wojtyla est très haut placé, d'où sa déception vis-à-vis d'un pays comme la France, pourtant traditionnellement « fille aînée de l'Église », plus préoccupée de matérialisme que de spiritualité. Il réclame du chrétien une attitude chrétienne globale. Être chrétien, c'est ne pas répondre à une identité passive, mais devenir un être responsable, convaincu et militant. Témoigner de la Croix en ce qu'elle représente de présence terrestre et être fidèle en quelque sorte au baptême dans la résurrection du Christ, et aux forces de Son esprit qui l'ont enflammé à la confirmation. Ce que le cardinal Wojtyla rappelle par là, c'est donc la volonté de redonner du sens et son sens véritable à la vocation du chrétien. Ce qui a conduit beaucoup d'observateurs à conclure que l'idéal wojtylien était utopique, d'une aspiration « angélique » inhumaine.

Il n'empêche que le travail synodal instauré par le cardinal avait le mérite de reposer les questions de fond qui s'étaient au cours des décennies précédentes effritées, et avaient subi l'altération de certaines sociétés oppressives ou capitalistes.

C'est fort de toute cette panoplie d'exercices et d'expériences que le pape Jean-Paul II voulut relancer sa grande croisade avant que ne s'achève, lui qui aime tant les anniversaires considérés comme des tremplins symboliques, le deuxième millénaire. C'est sûr de sa foi et de sa mission que le chrétien devra, à ses yeux, aborder le nouveau siècle, sous peine de sa disparition ou de son affaiblissement, face aux fondamentalismes de toutes sortes, religion islamiste comme pratiques sectaires dont la prolifération, déjà, vient perturber le travail pastoral des épiscopats d'Amérique latine.

Les voyages réguliers à Rome du cardinal Wojtyla le mettent à l'avant-scène de la vie pontificale. La confiance que lui accorde Paul VI le place dans de nombreuses commissions, il participe à tous les synodes romains (1969, 1971, 1974, 1977), à l'exception de celui du 29 septembre 1967, boycotté par l'épiscopat polonais en signe de solidarité à l'égard du cardinal-primat de Varsovie qui ne put obtenir son visa de sortie. Les thèmes qui y sont développés et traités sont des sujets de prédilection pour lui : les rapports entre l'Évangile et le monde moderne, la catéchèse, la famille. Les travaux du synode de Cracovie excitent la curiosité de ses pairs qui voient dans l'activité pastorale de Wojtyla un modèle de sacerdoce accompli. Lui-même en profite pour affirmer sa méthode, peaufiner ses positions, révéler ainsi sa vraie marque « wojtylienne ».

Au synode de 1974, il expose surtout sa pensée sur les rapports entre l'Évangile et le monde moderne, comme il le fera dans tous ses voyages, avec la même constance. L'Évangile n'est pas en effet et seulement l'annonce du Royaume, il est aussi un moyen de pression sur le monde moderne, il est une source de réflexion propre à influencer nos rapports au monde. C'est pourquoi le rôle de l'Église est aussi de défendre les droits de l'homme quand ils sont niés et de protester quand la liberté religieuse est menacée ou bâillonnée. Faisant de l'Évangile un outil de libération, mondialisant la problématique de l'Évangile, Wojtyla admet que les Écrits saints ne peuvent se borner à une démonstration eschatologique mais témoignent d'une réelle dimension existentielle dont l'Amérique latine, l'Asie, l'Afrique ont montré l'urgence.

L'activité de Wojtyla ne se limite pas à ses voyages romains et à ses visites diocésaines. Il commence à être sollicité un peu partout dans le monde, ses talents d'orateur et de prédicateur le font inviter dans des universités et des congrès eucharistiques locaux où il prend la parole, donnant des conférences, nouant des liens avec les Églises locales. C'est pourquoi, lorsqu'il sera appelé au pontificat, Jean-Paul II surprendra l'opinion internationale par ses connaissances dans beaucoup de domaines, et surtout par le nombre de ses relations. A la différence par exemple de son prédécesseur, qui avait une très aléatoire connaissance des usages et des situations tant locales qu'internationales, Jean-Paul II apparut très vite maître du jeu.

Non seulement il voyage beaucoup à l'étranger mais encore il reçoit chez lui, à Cracovie, jouant de ce style si particulier fait d'affabilité et de distance, révélant toujours son autorité dans tous les domaines, pratiques comme intellectuels.

En 1973, on le voit au congrès eucharistique de Melbourne, en 1976 à celui de Philadelphie, il rend visite aux communautés polonaises vivant en Amérique du Nord en 1977, se rend en Allemagne fédérale en 1978. Ses voyages prennent de plus en plus un tour officiel et solennel, ils sont minutieusement établis, selon un ordre rituel, jusqu'aux visites à la diaspora polonaise.

A Philadelphie, il se familiarise avec les bains de foule, ce qui explique son aisance future, apparaît comme une « vedette » que le président Ford voudra rencontrer, participe avec Dom Helder Camara, Mère Teresa aux manifestations thématiques que Paul VI a proposées pour ce congrès eucharistique : « L'eucharistie et les différentes formes de faim dans l'humanité : la faim de Dieu, de pain, de liberté, de justice, la faim de l'esprit, de la vérité, de la compréhension, de la paix et la faim du Christ. »

Si Mère Teresa choisit naturellement la faim de pain, le cardinal Wojtyla choisit non moins spontanément la faim de liberté, prétexte pour évoquer la situation de la Pologne, et les épreuves historiques qu'elle dut subir. Subtilement, Wojtyla fait entrer sur la scène internationale, au grand dam des autorités polonaises qui suivent attentivement ses voyages et étudient ses interventions, une Pologne oubliée, prise dans le grand étau du bloc soviétique.

« Aujourd'hui, proclame-t-il au cours de son homélie, on pourrait [...] souligner qu'on n'a pas le droit de forcer qui que ce soit à accepter aussi bien la foi chrétienne que l'athéisme : on n'a pas le droit de forcer l'homme à faire quoi que ce soit[79]. »

Son voyage américain lui donne en outre l'occasion d'analyser les différents modes pastoraux décidés par l'épiscopat local, il découvre la liesse des charismatiques, les grands shows médiatiques pas toujours à ses yeux convaincants mais dont il se souviendra à son tour lorsque, devenu Jean-Paul II, il se livrera à des « one-man-show » selon l'expression de certains[80], et se présentera au monde comme le pape planétaire.

Ce que Wojtyla apprend au cours de ces périples, c'est la mosaïque de l'Église, les multiples facettes qu'elle recèle, et cette nécessité qu'il y a à l'unifier dans le Christ ; c'est pourquoi, au-delà des particularismes locaux, il s'emploiera quand il en aura le pouvoir à faire communier l'Église universelle, au nom d'un seul credo, celui de Jésus-Christ mort et ressuscité.

Les lectures de Dom Camara qu'il écoute au cours du congrès de Philadelphie, si elles lui montrent la nécessité de « descendre » vers les petits, de suivre l'exemple du Christ, en étant le plus pauvre de ses paroissiens, lui donnent aussi à penser que toutes ces spécificités locales doivent néanmoins trouver leur unité dans l'Évangile commun à tous. Il ne s'agit pas de fondamentalisme mais de témoigner au nom d'une même Parole.

Ce qui n'empêche pas Wojtyla d'être un défenseur convaincu de l'œcuménisme et du dialogue entre les religions.

En Pologne, de tels voyages assoient considérablement l'autorité du cardinal Wojtyla. La rigueur de sa gestion à Cracovie en fait un interlocuteur craint des autorités de l'État ; on sait désormais en haut lieu que Wojtyla n'est pas homme à accepter n'importe quoi, que ses années de formation se sont aiguisées dans la dissidence et dans la clandestinité et qu'on ne peut lui en remontrer. La puissance de son caractère et de son physique, sa virilité en imposent, et à la différence du primat de Varsovie, à l'opposition altière, on sait que Wojtyla est plus frontal, plus offensif, et que sa méthode n'est pas forcément celle des « petits pas » comme le Vatican aime à en faire. Le Saint-Siège lui-même, qui entend souvent mener personnellement sa politique à l'Est sans passer par les autorités épiscopales polonaises, aura quelques différends avec le cardinal Wojtyla qui imposera toujours la participation de l'épiscopat à toute négociation avec l'État. Cette volonté de participation est typique de la méthode Wojtyla, elle fait de lui en une décennie, les années 70, un homme qu'on admire pour son intelligence et sa réussite diocésaine, mais qu'on décrit aussi volontiers comme un homme autoritaire : dualité qui ne manquera pas d'être relevée lors de son pontificat, à maintes reprises.

Le choix du nouveau responsable de l'État polonais, Gierek, remplaçant de Gomulka, apaise un peu le climat de contestation et de violence que les affrontements de décembre 1970 avaient provoqué. Gierek sait qu'il ne peut se passer de l'Église et entame ce qu'on va appeler la « normalisation ». La vie culturelle devient plus paisible, et les intellectuels sont beaucoup moins inquiétés : un vent de paix civile semble s'installer. L'épiscopat de son côté évite d'attiser le mécontentement, prêchant même dans ses homélies dominicales une trêve pour donner à Gierek le temps de réaliser ce qu'il avait promis par la bouche de son Premier ministre, Jaroszewicz : « Le gouvernement voudrait maintenant essayer d'arriver à une complète normalisation des relations avec l'Église catholique[81]. »

Des gestes réciproques de confiance sont échangés en signe de bonne volonté : le plus symbolique d'entre eux est celui que le gouvernement Gierek accorde, la délivrance de plusieurs milliers de visas pour permettre à des pèlerins polonais d'assister à Rome à la canonisation du père Kolbe. En retour l'épiscopat appuie le gouvernement dans sa lutte contre l'alcoolisme et la délinquance, considérés comme des « fléaux nationaux ». La jeunesse polonaise est en effet menacée par ce vice, et cela explique sûrement la politique d'encadrement des jeunes catholiques par les évêques, politique dans laquelle Mgr Wojtyla réussira particulièrement.

En 1974, le gouvernement confie la gestion des problèmes liés au culte à un ministre chargé dorénavant des affaires religieuses, Kazimir Kakol, qui, tout en étant homme d'écoute, rappelle d'entrée de jeu : « Nous ne cédons en rien vis-à-vis de l'Église. Elle n'a le droit d'exercer son culte que dans l'enceinte du sanctuaire, disons dans la sacristie. [...] Nous n'admettrons jamais l'évangélisation en dehors de l'Église. [...] Nous ne renoncerons jamais à nos principes. [...] Les motivations religieuses ne jouent presque pas de rôle dans les décisions de la vie publique[82]. » C'était parler vite et imprudemment quand rétrospectivement on connaît les actions des années 80 et le rôle décisif que l'Église jouera auprès des manifestations d'ouvriers.

En 1976 l'agitation sociale vient altérer le fragile équilibre des premières années du gouvernement Gierek. Le mécontentement finira par exploser pendant l'été. Le clergé lui-même prend parti de manière diverse dans cette nouvelle épreuve. Il y a ceux qui, prudents, essaient de temporiser et ne pas jeter de l'huile sur le feu et ceux, incarnés par le cardinal Wojtyla, qui jouent à fleurets le plus souvent peu mouchetés avec le pouvoir, l'interpellant, le mettant dans des situations difficiles, lui adressant des pétitions, etc. C'est pourquoi Gierek a toujours préféré, paradoxalement, traiter avec le cardinal-primat, plus proche de lui dans cette difficile partition communisme-catholicisme, plutôt qu'avec le cardinal de Cracovie, partisan d'une opposition plus frontale et dont la subtilité stratégique finissait par inquiéter réellement le pouvoir.

Les excessives augmentations des prix des produits alimentaires mettent le feu aux poudres. Grèves, pétitions, manifestations, sabotages s'ensuivent, auxquels le pouvoir répond par des arrestations et une répression déterminée. Bien que Gierek cherche à se rallier la hiérarchie catholique et réclame d'elle son appui dans de si difficiles moments, bien qu'il appelle à l'unité nationale, l'épiscopat répond du bout des lèvres, et n'empêche pas l'intelligentsia, pas forcément catholique, de sous-entendre que l'Église est d'accord avec elle sur le principe de la défense des travailleurs. Ainsi voit-on se former un front sinon commun, du moins aux objectifs semblables, pendant l'automne 1976, les intellectuels créant le KOR, le Comité de défense des travailleurs, et l'Église déclarant de son côté, avec plus de prudence néanmoins, que l'État a gangrené le pays par une athéisation destructrice. La voix du cardinal Wojtyla apparaît dans cette affaire beaucoup plus politique et semble même avoir trouvé son credo spécifique qui fera de lui plus tard le « pape des droits de l'homme ». Ainsi dans le sermon de la Fête-Dieu 1977, il déclare sans ambiguïté devant les étudiants de Cracovie : les droits de l'homme et du citoyen « sont indispensables. Ils ne peuvent être accordés sous forme de concessions. L'homme est né nanti de ces droits et il cherche à les réaliser au cours de son existence. S'ils ne peuvent être ni réalisés, ni mis en application alors l'homme se rebelle. Et il ne peut en être autrement, parce qu'il est homme : son sens de l'honneur l'exige. » Ne pouvant parler plus nettement, il rajoute à l'adresse de la milice et du pouvoir : « La solution ne consiste pas à augmenter les effectifs de la police et des services de sécurité de l'État. Une seule route conduit à la paix et à l'unité nationale : celle qui passe par un respect absolu des droits de l'homme, des droits du citoyen et des Polonais. »

L'autorité du cardinal Wojtyla dans la hiérarchie semble être à cette époque à son sommet. Le pape Paul VI ne l'invite-t-il pas à prêcher le carême au Vatican ? Wojtyla y répond avec enthousiasme ; cette invitation lui permet de composer les plus belles méditations qu'il ait jamais écrites.

Durant quinze jours, il séjourne au collège polonais dont il est à présent familier et prépare ses conférences de carême : vingt-deux sermons sur le thème du Christ, qu'il rassemblera dans un ouvrage intitulé *Le Signe de contradiction*.

Ces méditations, composées comme une série de « suites », à la manière des fugues de Bach, partent de la prophétie de Syméon à Marie quand son Fils, Jésus, est présenté au Temple : « Vois ! lui dit-il, cet enfant doit amener la chute et le relèvement d'un grand nombre en Israël. Il doit être un signe en butte à la contradiction. »

A partir de cette prophétie mystérieuse, le cardinal Wojtyla développe une réflexion lyrique et théologique sur ce « signe en butte à la contradiction » : Jésus fils de l'homme mais fils de Dieu, Jésus dans la joie des Rameaux mais dans l'agonie du Golgotha, Jésus cloué sur la croix mais ressuscité dans la Pâque de Dieu ; l'homme aspirant à la grâce mais affligé du péché originel, l'homme pris et déchiré entre sa soif d'absolu et son désir de pesanteur, l'homme retenu par la matière et l'avoir et appelé confusément à la légèreté des anges et des saints, occupé aussi d'être. Et jusqu'à lui, le cardinal Wojtyla, philosophe si attentif à la modernité et néanmoins prêtre fier de sa tradition, négociant en permanence pour être fidèle à l'Église en toute occasion. L'expérience si singulière du cardinal, gardant éclairée la chandelle tandis que le pouvoir politique de son pays s'ingénie à l'éteindre, redouble l'intérêt de Paul VI et des intimes qui assistent à ces sermons. L'Église du silence parle, témoigne de sa fidélité à l'Église universelle, garde précieusement la clé du tabernacle. Puisque « les églises, là-bas, disparaissent du paysage », il convient de déployer davantage la foi et la ferveur, afin d'être témoin de Dieu, de permettre de faire entendre à celui qui a été capturé par l'athéisme cette voix confuse qui parle de Dieu et appelle. La Pologne elle-même est signe de contradiction, crucifiée entre une « culture antimétaphysique » et cette mémoire millénaire de l'annonce de l'accomplissement final dans le Christ.

La personnalité de Karol Wojtyla et la séduction qu'il dégage lui permettent dans ces conférences d'évoquer des anecdotes personnelles comme il aimera le faire lorsqu'il deviendra Jean-Paul II. C'est justement quand il évoquera des souvenirs intimes que le peuple de Dieu auquel il s'adresse aura ces sursauts de conversion. Depuis longtemps Karol Wojtyla a compris que la catéchèse est affaire de témoignage et de don de soi, non pas seulement de délivrance livresque mais d'incarnation. Cet homme qui parle de Dieu devant son pape, descend les rivières avec ses étudiants en canoë-kayak, marche à pied comme tous ces pèlerins polonais, vers la Vierge noire, défie les communistes, prie à genoux comme sa mère le lui avait appris, garde, rivée au cœur, la foi de son enfance. C'est dans cette apparente dualité qu'il s'épanouit, force à la conversion, la provoque.

Aussi raconte-t-il, ému, le souvenir de ce soldat communiste qui avait avec ses camarades envahi Cracovie après la débâcle allemande et était venu errer aux alentours du séminaire à moitié détruit par les bombardements. Le jeune séminariste d'alors l'avait accosté et le jeune soldat avait manifesté le désir d'entrer au séminaire. Interloqué, Wojtyla l'avait invité et ils avaient tous deux parlé jusqu'à l'aube sans voir passer le temps. Puis le soldat avait dû rejoindre sa garnison et Wojtyla ne l'avait plus jamais revu. Signe de contradiction encore une fois : l'appel de Dieu avait donc résonné jusque dans cette jeunesse travaillée par une propagande mortelle et le germe de vie, Jésus, avait quand même poussé !

Le cardinal Wojtyla, cette année-là, par la « violence » évangélique qu'il a soulevée, par cette force manifestée, devient peut-être au Vatican un pape potentiel. Il réunit toutes les qualités et a l'avantage suprême d'être de l'Est, où s'empêtre l'Ostpolitik de Paul VI, peu familiarisé avec ces problèmes. Paul VI est fort impressionné par la puissance méditative des sermons du cardinal. Malade lui-même, souffrant d'arthrose sévère, la méditation du

Carême l'a conforté dans sa confiance en Dieu, et particulièrement la dernière méditation sur le mystère de la mort et le chemin de croix dont il se sent si proche.

De retour dans son diocèse, Wojtyla reprend son activité intense. Attentif à tous les problèmes, il n'oublie pas ses fonctions de professeur de morale à Lublin. Mais il ne peut plus y avoir un enseignement fixe, tant son emploi du temps le retient à Cracovie ou à Rome. Il y donne néanmoins quelques conférences, sinon des cours, et systématise une méthode qu'il avait déjà expérimentée lors de son sacerdoce : des journées de rencontres dans les forêts de Cracovie avec ses étudiants et les enseignants du département de morale de l'université catholique. Ces sessions se dérouleront jusqu'à son élection. On y voit le cardinal Wojtyla y deviser doctement en plein air, entouré de ses étudiants, dispensant son enseignement, écouté et admiré. Son activité de chercheur ne cesse pas non plus. Il confiera essais et textes philosophiques à des revues de phénoménologie et répondra à l'invitation de plusieurs universités européennes comme en 1975 à Paris ou en 1976 à Gênes[83].

Où il qu'aille et quelle que soit l'époque, il affirme sa foi avec une force telle qu'elle impressionne ceux qui l'écoutent. Il donne l'exemple d'un prêtre avant tout qui, pour servir les autres, doit d'abord s'épanouir lui-même. Jean-Paul II insistera beaucoup sur ce travail intérieur que les prêtres doivent conduire pour être les serviteurs des hommes. La psychologie dont Karol Wojtyla a étudié à l'université les rouages et les profondeurs ne s'est jamais écartée de sa réflexion : « Jésus-Christ nous a appris que servir, c'est être maître. Avant tout être maître de soi, mûrir intérieurement assez pour pouvoir donner aux autres ».

Son sacerdoce n'exclut pas, surtout en pays marxiste, l'idée de lutte. Le christianisme, presque traditionnellement dut connaître cette dimension de combat pour exister. Religion de charité et d'amour, il a dû néanmoins s'opposer à toutes les formes de guerre qui le harcelèrent. C'est pourquoi, Karol Wojtyla n'hésite pas à affirmer sa capacité au combat. L'État polonais pour qui « la conception marxiste d'aliénation prétend que la religion déshumanise l'homme », ne lui fait pas peur. Sa détermination est un de ses atouts majeurs et le pouvoir polonais a d'une certaine manière peur de lui. Habitué à la servitude des peuples, à leur peur et à leur lâcheté, il voit soudain se lever devant lui, après le cardinal-primat de Varsovie, un homme tout aussi redoutable sinon plus, parce que plus offensif, plus brutal. « Au nom de cette thèse, (le communisme), la lutte contre la religion a été déclarée », dit-il dans une conférence qu'il donne à Rome en octobre 1974.

Et face à cette lutte « déclarée », lui-même oppose une autre « guerre ».

Il insiste sur l'idée que la mission de l'Église est de refuser l'injustice, de ne pas s'y habituer. Cette conception d'une Église vigilante redonne au catholicisme une portée révolutionnaire.

Mais cette vigilance au monde ne néglige pas pour autant la vigilance à soi-même. Le religieux doit rayonner de joie, dit-il, étant dans le monde, notre vocation est de n'en pas être. Étant dans le cœur même du monde, dans le feu de tous ses problèmes, nous ne devons pas nous laisser vaincre par le monde pour pouvoir garder notre première ferveur ». (2 juin 1976)

Ces années 75-77 ressemblent à un véritable marathon. Il mène un rythme effréné, et semble néanmoins toujours disponible. Il est partout, reçoit énormément, les cardinaux africains, les évêques de New-Delhi, célèbre des anniversaires, assiste à des pèlerinages à Jasna Gora, va régulièrement à Rome, pour le symposium des évêques européens, préside des discussions, parle en toutes les langues, fait des détours par Vienne, organise des débats contradictoires sur la contraception, sur l'alcoolisme, répète ses grands axes pastoraux sur l'importance de l'apostolat laïc, sur l'utilité de l'Église polonaise, sur la morale sociale, relâchée à ses yeux : « Les règles morales de conduite sont le fondement du bien de la nation, déclare-t-il, en juin 1976, le matérialisme seul ne peut façonner un homme fort et une société forte. »

Il est convaincu comme il le sera encore plus en 1994, de la grande épreuve au niveau mondial qui se résume, dit-il, dans l'affirmation de la négation de Dieu ». (9-11-1976, lors d'un pèlerinage de prêtres.)

Cette prémonition est renforcée chez lui par ce secret de Fatima dont la gravité est telle qu'aucun pape n'a voulu, jamais, le révéler. « Les hommes faiblissent, prêche-t-il, et les prêtres fléchissent. Les programmes de laïcisation mettent à l'épreuve notre foi. Nous prions la Sainte Vierge qu'elle nous donne la lumière, la force, la capacité de réaliser notre prêtrise, nos vœux de pauvreté, l'esprit d'unité et de communauté ».

Sa critique à l'égard des sociétés capitalistes qui créent un déséquilibre dans le partage naturel des richesses de la terre l'inquiète de plus en plus et sa parole se fait plus dure. A l'université catholique de Milan, en mars 1977, il déclare abruptement : « A côté des sociétés et des individus qui possèdent trop de moyens, il y a des sociétés et des individus qui souffrent de l'insuffisance des biens. Il faut tendre bien sûr vers un juste partage des biens. Mais le danger réside aussi dans le fait que là où il y a trop de biens, et que cet abus de biens recouvre l'homme et cache ce qu'il devrait être. C'est la question la plus fondamentale, dont dépend la culture du monde atlantique ». On le voit, le problème de la spiritualité est toujours au cœur de la discussion politique et sociale. S'il est à l'écoute de l'humanité souffrante et d'un mieux-être, il n'en est pas moins d'abord le serviteur de Dieu. C'est pourquoi il prétend qu'il faut « écouter davantage Dieu que les hommes ». Aussi ses prises de position ne faibliront-elles jamais en fonction de l'opinion. Il est intraitable sur les questions éthiques. Aucun accommodement, aussi justifiable soit-il en certaines périodes, n'est possible au regard de la loi de Dieu, inamovible, inadaptable.

La vie politique en Pologne est toujours aussi instable. Les tentatives de rapprochement entre l'Église et l'État sous l'autorité de Gierek reprennent à « petits pas », et la visite de Gierek au Vatican en est le point d'orgue.

« Tout notre peuple, déclare le premier secrétaire du POUP, s'unit dans le travail pour la Pologne, pour son développement et pour sa prospérité. Cette unité patriotique transcendant les différences de conceptions du monde constitue pour notre peuple et pour les forces politiques qui tiennent le gouvernail de notre État un impératif de l'Histoire et une valeur suprême. » Allocution à laquelle Paul VI répond avec tout autant de clarté : « Nous sommes certains de pouvoir vous donner ouvertement l'assurance qu'aujourd'hui encore l'Église est prête à offrir à la société polonaise sa contribution positive. [...] L'Église catholique ne demande pas de privilèges, mais seulement le droit d'être elle-même et la possibilité d'exercer sans entraves l'action qui lui est propre, de par sa constitution et sa mission. »

Néanmoins la situation politique et économique du pays ne s'améliore pas, au contraire, elle semble s'abîmer dans ce grand naufrage des pays de l'Est, comme voués fatalement à l'isolement et à la faillite.

La création d'une université « sauvage », un peu à la manière de cet enseignement qu'avait lui-même reçu Karol Wojtyla pendant l'occupation nazie, défie l'enseignement de l'Université, de plus en plus atteinte par la propagande communiste. Officiellement la hiérarchie ne participe pas à cette entreprise que les pouvoirs politiques jugeront subversive. Mais beaucoup d'intellectuels formés à la méthode wojtylienne, beaucoup de laïcs catholiques engagés dans les exercices pastoraux que le cardinal de Cracovie avait instaurés en sont des membres actifs. Il n'est pas sûr que Wojtyla n'y ait pas participé de manière secrète par son influence et sa présence.

C'est dans cette situation conflictuelle, dans une atmosphère délétère de faillite annoncée, que la pape Paul VI s'éteint dans la résidence d'été des papes, à Castel Gandolfo. Nous sommes le 6 août 1978. La chaleur est torride. La mort du pape secoue soudain la torpeur de l'été romain. La presse internationale arrive pour les funérailles que le pape défunt a voulues les plus simples et les plus pauvres possible. Le pape qui a fait vivre le concile, mal aimé de ces millions de fidèles dont il avait la charge, veut mourir dans cette discrétion qui l'avait toujours défini. Timide, trop intellectuel pour une religion de masse, souffrant terriblement de son arthrose, il n'a pu réussir à rallier la communauté des chrétiens et à en faire l'unité. Pire encore, ses prises de position, pourtant pour la plupart orthodoxes, ont excité la haine traditionaliste, et accru l'audience des tenants de Mgr Lefebvre. Il est considéré comme celui qui a fait entrer Satan dans l'Église, lui qui avait œuvré dans le silence à la paix, à l'édification de la «civilisation de l'amour».

Le concile dont il avait eu la charge lui avait valu toutes les critiques: «Vatican II fut, déclara en son temps Mgr Lefebvre, un brigandage. [...] Les papes pourtant présents (Jean XXIII, puis Paul VI) n'opposèrent pas de résistance, ou presque pas, au coup de main des libéraux et favorisèrent même leurs entreprises. Déclarant ce concile "pastoral" et non dogmatique, mettant l'accent sur l'aggiornamento et l'œcuménisme, ces papes privèrent d'emblée le concile et eux-mêmes de l'intervention du charisme d'infaillibilité qui les aurait préservés de toute erreur[84].»

Paul VI dut ainsi essuyer les critiques les plus vives des conservateurs dans l'Église, et même les plus injustes: traité d'hérétique, de schismatique, d'apostat, mais encore de «visage double[85]», il ne fut pas non plus reconnu comme un pape d'ouverture, tant sa réserve était grande et ses tentatives médiatiques modestes. Le père Malinski ne dit-il pas dans ses Mémoires que Paul VI «n'a jamais été pasteur et c'est pourquoi l'Église lui a glissé entre les doigts[86]»?

A Castel Gandolfo, donc, ce 6 août 1978, le pape Paul VI meurt. Son agonie durera trois heures, une crise cardiaque l'a terrassé. La veille, il a senti des douleurs très fortes dans tout son corps et des brûlures intenses, signe d'une crise imminente et aiguë d'arthrose. La crise cardiaque ne l'a cependant pas plongé dans l'inconscience. Il prie intensément, récite des Notre Père de manière presque continue, tant que la vie est encore présente. Dehors, la canicule est forte, pas un souffle d'air. Tandis qu'il continue de prier, il s'éteint, sans douleur, doucement.

Jean Guitton, qui le connut bien, dira qu'il était « assez proustien ; il avait un regard d'insecte pour capter les détails[87] ». L'observation paraît assez juste. Paul VI avait cette humanité-là, à la fois anxieuse et cherchant toujours le sens des choses, ouvert au monde et mal entendu de lui, pleinement humain et solitaire.

Les funérailles de Paul VI se déroulent dans cette simplicité que le Saint Père avait souhaitée. Pas de cercueil de bois rare ni de pompe digne de la Contre-Réforme. Paul VI n'était ni Grégoire VII ni Pie IX, sa vision de l'Église et la manière dont il avait voulu la diriger avaient désigné son caractère, humble et respectueux, près des sources.

Sa tombe : « Une dalle posée sur un socle très bas. [...] Les lettres : Paulus PP VI. »

Au Vatican, le conclave se prépare. Tous les cardinaux-électeurs sont arrivés. Chacun vit dans sa communauté ; Karol Wojtyla est toujours très occupé, il s'agit de mettre avec ses pairs le conclave sur les rails souhaités par le pape défunt, bien étudier la constitution qu'il a écrite à ce sujet, expédier les affaires courantes, répondre au courrier qui lui vient de Pologne, se tenir informé de ce qui se passe dans son diocèse de Cracovie, rendre visite à ses amis romains et étrangers, etc.

Dans son entourage, si l'on en croit les confidences de Mieczyslaw Malinski, on suppute les chances éventuelles d'une élection du cardinal Wojtyla. L'intéressé n'y croit pas, plaisante ses compatriotes, refuse même d'entendre «proférer de telles aberrations[88]».

Fidèle en toutes circonstances à ses vœux d'obéissance, il déclare que «le pape doit être italien». Les conversations qui se tiennent néanmoins avec les amis polonais sont loin d'être gratuites. L'éventualité d'une élection de Karol Wojtyla est bel et bien dans tous les esprits, sur toutes les bouches. Le silence du cardinal est presque l'aveu que lui-même y pense. Pour l'heure, dans la chaleur étouffante de ce mois d'août romain, il prend la mesure de sa destinée. Gravement. Dans une sorte d'indifférence aussi aux préoccupations temporelles, à ses yeux toujours vulgaires. On le voit se baignant dans une piscine jouxtant le collège où il demeure, crawlant lentement, ou bien encore sortant de Rome, allant à la plage, «s'aventurant loin dans la mer», faisant du pédalo.

Les journées qui précèdent l'entrée en conclave sont lourdes, qu'accable davantage encore la chaleur. Karol Wojtyla se prépare à cette rencontre spirituelle. A table, dans le jardin, autour d'un verre, il ne peut faire cesser les conversations qui, toutes, tournent autour de son éventuelle élection. Il n'en est pas irrité, souriant plutôt avec indulgence devant l'amitié affectueuse qui lui est ainsi manifestée. Mais les supputations ne sont pas si dénuées de sens. Le cardinal a une position très assurée au Vatican, secrétaire et délégué européen pour le synode des évêques, il a eu l'écoute de Paul VI, il a redonné à l'Église de Pologne une vraie dignité et une présence réelle, il a restauré la catéchèse, il a une autorité intellectuelle, spirituelle incontestable, il a des amis sûrs partout dans le monde... Signe important, le jeudi 24 août 1978, à la messe du matin, Karol Wojtyla célèbre l'eucharistie. A la prière des fidèles, une religieuse implore: «Nous te prions, Seigneur, de faire que le cardinal Wojtyla soit élu pape.» Le cardinal semble ne pas réagir. Il est plongé dans ses prières. Sa méditation est profonde, il est comme enfoui dans elle. Puis, d'une voix calme, il répond: Donne à ce pape qu'il « accepte de prendre cette tâche, donne-lui assez de foi, d'espérance et d'amour pour qu'il puisse porter cette croix que tu mettras sur ses épaules. Nous te prions, Seigneur[89]... »

Comment peut-il se douter que quelques semaines après, ce sera lui qui aura cette charge suprême de guider l'Église, d'être, après dix-neuf siècles, le deux cent soixante-quatrième successeur de saint Pierre ? « Sans l'éphémère passage de Jean-Paul premier, dira Jean Guitton, il n'y aurait pas eu de Jean-Paul second. De sorte qu'on garde l'impression que ces deux hasards ont été réglés par un anti-hasard, par un ordinateur invisible, travaillant pour le bien de l'Église[90]. »

Indicible histoire où se confondent les hasards et les nécessités !

TROISIÈME PARTIE

LE DÉCRET INSONDABLE DE LA DIVINE PROVIDENCE AOÛT – OCTOBRE 1978

VII

L'ÉLECTION DE JEAN-PAUL Ier

C'est le jeudi 10 août 1978 que l'archevêque résidentiel Albino Luciani quitte Venise pour se rendre au conclave. Arrivé à Rome, il s'installe au collège international des Grands-Augustins, situé à proximité de la place Saint-Pierre. Le patriarche de Venise, contrairement à beaucoup de ses frères cardinaux, ne participe guère aux réunions privées et générales qui ont coutume de se tenir en telles occasions pour préciser la silhouette et du conclave à venir et du futur pape, souvent même pour dresser une liste de quelques *papabili*. Le témoignage que donne Georges Huber dans son ouvrage sur Jean-Paul Ier est conforme à cette image que Mgr Luciani a toujours eue auprès de ses fidèles vénitiens : simple et fuyant toutes les mondanités, enclin surtout à la prière et à la méditation, prenant plaisir à marcher et à contempler. C'est ainsi qu'il raconte volontiers que le jardinier des Augustins est son confident, car Mgr Luciani passe des heures à réciter son chapelet dans les allées du jardin ou à lire son bréviaire[1]. Lors de la messe solennelle que donna Mgr Villot, camerlingue du Sacré-Collège, le vendredi 25 août, date d'ouverture du conclave, l'homélie qu'il prononce prend valeur de signe : « Spirituellement nous ne sommes pas seuls. La prière de l'Église nous accompagne, elle nous obtient des grâces plus abondantes. [...] Durant ces jours nous serons unis par la prière eucharistique et la vie communautaire, sous l'influence secrète et déterminante du Saint-Esprit. » Cette messe dite « du Saint-Esprit » affirme au seuil d'une rencontre aussi décisive la toute-puissance de l'Esprit Saint et cet abandon des cardinaux qui s'en remettent à Lui avec confiance. Il semble que ce conclave n'ait pas été l'objet de tractations et de *combinazioni* particulières. Si le cardinal Luciani avait affirmé lui-même que l'heure était peut-être venue pour l'Église de choisir un pape « étranger », c'est-à-dire non romain – « je crois, disait-il à son ancien secrétaire, Don Maria Senigaglia, que le moment est venu pour l'Église de porter son choix sur le tiers-monde » –, il n'apparaît pas cependant aussi évident à tout le conclave que la tradition des papes italiens puisse être cette fois-ci rompue. Le conclave d'août 78 veut plutôt être un conclave d'unité spirituelle, au projet essentiellement pastoral et ecclésial. « C'est vraiment Dieu qui choisit, déclarera le lendemain le cardinal Gantin, nous les cardinaux, nous disons le choix de Dieu. Et peu importe alors la nationalité ou la race de l'élu. »

C'est à 17 heures ce même vendredi que les cardinaux pénètrent dans la chapelle Sixtine pour entrer en conclave. Vingt-quatre heures suffisent pour porter au trône de saint Pierre le cardinal archevêque de Venise, Albino Luciani.

Deux scrutins le matin du 26 août et deux autres l'après-midi. Ce qui frappe, c'est l'extraordinaire célérité de cette élection, et l'approbation quasi générale qui désigna le nom de Mgr Luciani. Conformément à l'usage, et mieux encore à la loi, peu de confidences filtrèrent du lieu. Ce qui semble toutefois être unanime, c'est, aux yeux de tous les cardinaux, le rôle éminemment actif du Saint-Esprit. Celui que l'on a appelé « le protagoniste du conclave » a, aux dires de tous, induit le choix, creusé la voie. Les quelques relations de scrutin que certains d'entre eux ont faites évoquent toutes cette participation secrète et mystérieuse de l'Esprit. « Ce qui s'est passé à la chapelle Sixtine n'a pas et ne peut avoir une explication humaine. Cela, beaucoup ne peuvent l'admettre, car leur mentalité rationaliste inhibe leur esprit. Ils ne peuvent admettre une intervention surnaturelle. Ils renoncent ainsi à comprendre un événement qui n'est pas uniquement naturel. » La presse néanmoins a insisté sur une élection de synthèse. On pensait que les courants « montiniens » et progressistes s'affronteraient longtemps et que, devant l'impossibilité à résoudre leur conflit, les cardinaux se seraient mis d'accord sur un nom emportant à la fois le consentement des conservateurs et des progressistes. Les origines sociales des parents de Mgr Luciani pouvaient rassurer l'aile gauche des fidèles : son père était militant socialiste et sa mère plongeuse dans un asile de pauvres ; homme de terrain, il avait gravi tous les échelons de la hiérarchie et ne procédait pas de la Curie et de ses technocrates. De surcroît, certaines de ses prises de position pouvaient être encourageantes : s'il n'était pas bien sûr favorable au contrôle des naissances, il avait exprimé quelques compréhensions « vis-à-vis des difficultés de certains couples » ; de même, il avait dénoncé les excès et les ravages d'un certain capitalisme déclarant qu'il fallait combattre « celui qui est à la source de tant de souffrances, d'injustices et de luttes fratricides ». Quant à la droite, elle pouvait considérer sans appréhension l'élection de Mgr Luciani, compte tenu des actions pastorales qu'il avait menées dans son diocèse de Venise, de ses déclarations en faveur du maintien strict de la doctrine face aux errements de certains, et de l'encouragement à la piété populaire qu'il avait toujours préconisée. Son respect absolu pour le magistère pouvait rassurer les conservateurs. N'écrivait-il pas peu avant son élection : « Si on met en question l'évêque de Rome, on porte atteinte non pas à un évêque, mais à l'épiscopat catholique tout entier[2]. »

Si la presse internationale vit surtout dans cette élection une manœuvre de la Curie pour « mettre sous tutelle » un pape qui n'était pas de l'appareil d'État[3], le conclave entier s'en tint à l'explication providentielle du Saint-Esprit. Si rationnellement cette explication ne convainc pas tout à fait, elle exerce cependant une certaine fascination. La récurrence des déclarations des cardinaux montre que quelque chose de singulier s'est néanmoins passé. « Nous avons nettement conscience que ce n'était pas nous, les électeurs, mais le peuple chrétien en prière qui était à la base de ce choix », dira le cardinal Suenens, primat de Belgique. Ce qui émerge, c'est l'impression que quelque chose a dépassé les protagonistes, et les a poussés : « C'est un peu comme si une barque encore éloignée de la côte était brusquement soulevée par une lame de fond et conduite au port, non pas par le jeu de l'équipage, mais sous un souffle puissant venu de la mer » a-t-on pu dire. Tous les témoignages rapportent cet enthousiasme qui soudain s'empara du conclave, portant Mgr Luciani au trône de Pierre, tandis que lui, frêle et misérable, se recueillait, dit-on, dans la prière, dans une émotion qu'il ne parvenait guère déjà à dissimuler et dont l'apparition au balcon de Saint-Pierre révélera la sincérité.

Tempesta magna est super me, une violente tempête s'abat sur moi, dit Mgr Luciani en apprenant le vote final. Le mot trahit toute l'angoisse du nouvel élu, à la fois son humilité et peut-être son inaptitude que lui seul ressentait secrètement. Personne ne sait exactement le nombre de voix avec lequel Jean-Paul Ier fut élu. Tout porte à croire que ce fut presque un plébiscite. Il est tout à fait extraordinaire qu'un homme qui n'était guère sorti de son pays, avait rendu peu de visites à ses amis d'autres continents et dont l'œuvre théologique était assez mince connût une telle unanimité. Ses qualités de pasteur et de piété semblent avoir emporté l'adhésion, comme si l'Église, à ce moment précis de l'Histoire, ressentait le besoin d'avoir un chef spirituel qui osât lui parler de foi et de prière, de pèlerinage et de la Vierge Marie, comme savait le faire Mgr Luciani. Lorsque, selon l'usage, le cardinal Felici fit ouvrir les portes de la loggia extérieure de la basilique Saint-Pierre et proclama le nom du nouveau pape *Sanctae Ecclesiae Cardinalem Luciani... Qui sibi nomen imposuit Joannis Pauli primi !*, la foule amassée manifesta un grand enthousiasme. Soulagement de voir un pape italien de nouveau élu, énervement de l'attente due aussi à l'indécision de la fumée, grise puis blanche, puis grise, enfin blanche, reconnaissance des vertus simples du cardinal-archevêque de Venise, toujours est-il que lorsqu'il apparaît au balcon, c'est une extraordinaire ovation. Jean-Paul Ier, trop ému pour parler, se contente de saluer la foule et de la bénir. Le monde entier ne connaissait de lui qu'un sourire rayonnant, et l'image d'un homme fragile et bon, peut-être un peu écrasé par les responsabilités qu'il devait bientôt assumer. Ce n'est que le lendemain qu'il se révèle réellement. Il avoue publiquement sa peur d'avoir été élu, le « péril » dans lequel il s'est soudain senti, l'humilité qu'il professe à l'égard de ses deux prédécesseurs, Jean XXIII, dont il n'a pas la sagesse du cœur, et Paul VI, auquel il ne ressemble en rien tant par la culture que par la préparation. Mais la foule semble ignorer cet excès de modestie. Elle reconnaît en Jean-Paul Ier un homme simple, un doux de Dieu, un de ceux dont elle a envie d'écouter les enseignements et dont elle s'est sentie soudain spontanément très proche.

Les commentaires furent nombreux pour souligner le « miracle moral » de cette élection. Presque tous les électeurs insistèrent sur la portée « charismatique » de l'événement, chacun y voyant le « doigt de Dieu ». « Le plus extraordinaire conclave de l'Histoire », a-t-on même dit, et l'archevêque de Naples d'ajouter : « Une inspiration intérieure nous indique un choix, un nom. L'électeur alors s'abandonne à l'Esprit. Tous les motifs humains qui pourraient alors influer sur le vote s'effritent. »

Le cardinal Wojtyla lui-même donne une interprétation mystique de cette élection, rappelant à ses fidèles de Cracovie qu'un pèlerinage à Jasna Gora avait prié spécialement pour l'élection du nouveau pape ce samedi-là 26 août, et que la communion des chrétiens avait œuvré pour qu'un nom puisse se dessiner. Ainsi tout le peuple de Dieu, dans le monde, toutes les communautés de foi ont participé à l'élection.

La fameuse photographie qui montre le cardinal Wojtyla s'entretenant avec Jean-Paul Ier au lendemain de son élection trahit peut-être des vérités secrètes que beaucoup d'interprètes et d'analystes ont étudiées. On y voit un pape souriant, arborant ce sourire qui semble indélébilement attaché à ses lèvres, et, face à lui, le cardinal de Cracovie, le visage grave, presque fermé, sondant le regard du nouveau pape. Compte tenu de la suite des événements, ce cliché revêt une acuité troublante.

Ainsi s'exprime une psychomorphologue : « Face au nouveau chef de l'Église catholique, le visage tout en affectivité simple, celui qui n'est encore que Karol Wojtyla arbore, de façon discrète, mais non gommée, tous les signes de l'inimitié et du refus : sourcils froncés, paupières à demi fermées, menton levé, lèvre inférieure ressortie. Et la poignée de main est un typique acte manqué.

« A Jean-Paul Ier qui avance les deux mains, le cardinal Wojtyla, la main gauche occupée à tenir sa calotte, ne serre que le bout des doigts, d'une main droite retenue contre son corps. Certes le cadrage ou l'éclairage peuvent modifier ou même fausser les expressions de la physionomie, mais il n'en est pas de même pour la structure des gestes. S'il s'agissait de la rencontre de deux sportifs, je dirais que je vois un vainqueur paisible et un vaincu ulcéré. [...] Est-il possible ? J'hésite à poursuivre l'analyse encore que je me sente en fin de compte rassurée de découvrir un aspect négatif chez Jean-Paul II. Sa perfection peut sembler écrasante et des failles ainsi révélées l'humanisent. »

Mais sa maîtrise est telle que rien ne transparaît, sinon la joie affichée que l'Église ait un chef à sa tête. La rapidité de son élection le légitime à ses yeux. « Avant tout s'est rendue visible la grâce de l'Esprit Saint par lequel vient le don de l'unité de l'Église», déclare-t-il dans son homélie du 6 septembre 1978, de retour en Pologne. «Nous l'accueillons comme un don nouveau pour l'Église et pour le monde en ces temps difficiles qui sont les nôtres.»

L'homme de foi ne pouvait remettre en question les décrets de la Providence.

VIII

LA MORT DE JEAN-PAUL Ier

Le pape meurt dans la nuit du 28 au 29 septembre, vers 23 heures, des suites d'un infarctus du myocarde foudroyant. Les circonstances de la mort de Jean-Paul Ier se répandent dans le monde entier. D'ordinaire, il se levait très tôt, vers 4 h 30 du matin, se livrant à la prière et à la méditation avant de célébrer la messe. Aussi, lorsque son secrétaire privé ne le trouva pas dans sa chapelle, occupé à prier, s'inquiéta-t-il. Il attendit néanmoins presque une heure avant d'oser entrer dans sa chambre. Le pape, assis sur son lit, semblait lire quelques feuillets qu'il tenait encore dans sa main. L'abbé John Magee, son deuxième secrétaire, s'approcha du lit, prit sa main, constata qu'elle était froide, et que Jean-Paul Ier était mort. La nouvelle était si étonnante qu'elle provoqua affolement et maladresses. On attendit quelques heures pour avertir les agences de presse, d'aucuns laissèrent entendre qu'il ne serait pas mort de mort naturelle et qu'il aurait été en réalité éliminé dans la pure tradition des Borgia. On parla d'empoisonnement, et de manière si insistante que la presse réclama une autopsie. Les cardinaux, consultés en assemblée, refusèrent de se prêter à cette expertise, affirmant : « Nous savons d'une façon absolument sûre que la mort du pape Jean-Paul Ier est due au fait que son cœur a cessé de battre pour des causes tout à fait naturelles[1].» Le peuple romain, qui s'était aussitôt attaché au pape Luciani, ne crut pas un instant les affirmations des cardinaux et des médecins légistes et entérina la thèse de certains milieux qui voyaient dans cette mort un pur et simple assassinat. Georges Huber raconte dans son livre combien les humbles, les paroissiens de base, qui s'étaient reconnus dans ce pape qui en trente jours avait manifesté tant de simplicité et de douceur, accréditèrent cette hypothèse: «Il les gênait, alors ils décidèrent de le liquider.» Dans ce «ils» anonyme, c'est toute la Curie aristocratique et élistite qui est visée, et le sens de la *combinazione* qui lui est prêtée par coutume, satirique ou politique. Ce décès, par sa brutalité et le mystère qui l'entourèrent, fut ressenti de manière plus spectaculaire que celui de Paul VI et même de Jean XXIII. Il est facile cependant d'en expliquer les causes. Jean-Paul Ier, «pape météore» comme on l'appela[2], n'avait certes pas eu le temps d'imprimer à son pontificat une marque propre. Il en était encore à comprendre les rouages des institutions vaticanes, le maniement d'une stratégie dont il était si peu familier, et ses bévues et maladresses avaient déjà irrité les curialistes. *Papa* Luciani avait néanmoins en quelques semaines apporté autre chose à l'Église, et d'infiniment neuf par rapport à l'intellectuel Paul VI dont les discours et les actions n'avaient pas toujours emporté l'adhésion de la grande masse des fidèles. Jugé trop lointain de la base, peut-être moins d'ailleurs vers la fin de sa vie, paradoxalement, et d'une structure psychique inquiète, voire angoissée, il ne possédait pas ce sens du contact que l'Église semblait réclamer à ce moment précis de son histoire. La chaleur communicative du pape Luciani, sa simplicité presque trop naïve, son souci pastoral qui était alors une des exigences fondamentales du peuple chrétien, et surtout ce fameux sourire qui avait rallié tous les fidèles, toutes ces qualités de cœur l'avaient rendu populaire au peuple chrétien. Son rayonnement venait de cette humilité, il semblait irradier un charme indéfinissable. Ce que Jean-Paul Ier avait laissé à ses fidèles de Venise dont il était le patriarche, c'était cette compréhension immédiate qu'il savait créer avec eux, cette complicité que sa bonhomie, sa familiarité savaient donner. Aussi son langage était-il simple : pas de discours théologiques très compliqués ou de prêches trop intellectualisés. Il s'exprimait en paraboles, en historiettes, en anecdotes vécues que tous comprenaient et particulièrement les jeunes dont il était très proche. « Il aidait beaucoup les gens, par ses discours, raconte une écolière après sa mort, il était grand et en même temps il savait être petit. [...] Je ne sais pas comment m'expliquer... » En quelque sorte Jean-Paul Ier ouvrait la voie à une nouvelle direction pour l'Église, les temps étaient à présent à un dialogue plus étroit, plus familier, à une reconquête des masses, redonnant à l'Église ce caractère universel et familier où chacun se trouve comme au sein d'une famille. Le « traditionalisme » du pape Luciani, sans pour autant le comparer à celui plus sectaire et radical de Mgr Lefebvre, gardait souvenir d'une Église familiale et respectueuse de la hiérarchie, et ses premiers actes en matière de pastorale concernèrent le retour à une certaine tradition de l'Église, à une fidélité à son dépôt, qu'il véhiculait dans ses audiences publiques où il avait choisi de traiter de certaines vertus théologales, l'espérance, l'humilité, la charité. Ces rencontres générales étaient aux dires des assistants un « enchantement », tant il manifestait de la candeur, de vraies catéchèses vivantes, dont la simplicité faisait penser à l'enseignement pastoral et villageois du curé d'Ars le sourire en plus, ou à la grâce aimable d'un saint François de Sales qu'il considérait comme son maître : « En politique, aimait-il à dire, le totalitarisme est mauvais ; en religion, il est excellent, car Dieu mérite la totalité de notre amour [...]. Il ne faut pas aimer Dieu un peu seulement, mais beaucoup, mais immensément ; il ne faut pas s'arrêter là où l'on est arrivé, mais avec son aide, il faut progresser sans cesse dans l'amour. »

Mais si ce pape qui savait rire, faire rire, fascinait par sa chaleur et sa disponibilité, il était au fond de lui-même d'un grand désarroi et d'une angoisse qu'il avouait fréquemment à ses proches. « Pauvre pape » disait-il de lui-même, recommandant à ses interlocuteurs de prier intensément pour lui, tant il se sentait fragile et désarmé. « Je veux faire une confidence à mon vicaire général : voyez-vous, Monseigneur, je souris, je souris toujours, mais croyez-moi, à l'intérieur, je souffre[3]. » Le jour même de son ordination, ne répondit-il pas au cardinal Felici qui lui adressait ce vœu : « Que le Seigneur vous rende heureux sur cette terre. – Oui, heureux extérieurement, mais si vous saviez, Éminence, ce que je ressens au-dedans[4]. » Ce pape qui trouvait dans l'*Histoire d'une âme* de sainte Thérèse de Lisieux des forces pour s'approcher toujours davantage de Dieu, avait fichée en lui une souffrance inexplicable, douloureuse qui le tenaillait et son sourire se teintait pour ceux qui savaient percevoir l'au-delà des choses, d'une grande détresse, inexplicable. La Curie connaissait sa santé délicate. Était-ce si sûr au moment du conclave ? Aurait-on voté pour lui si les cardinaux avaient pris connaissance de la précarité de son état ? Son enfance maladive en avait fait un homme chétif, et diaphane. Deux cures de sanatorium, une sensibilité très aiguë lui avaient donné de trouver dans l'histoire de sainte Thérèse des affinités singulières : « Elle me parut, à moi, l'histoire d'une barre d'acier, à cause de la force de volonté, du courage, de l'esprit de décision qui jaillissaient d'elle » et écrivant symboliquement à la petite sainte de Lisieux dans *Illustrissimi*, il ajoutait : « Une fois choisie la voie de la totale soumission à Dieu, rien n'a plus barré votre marche : ni les maladies et les obstacles extérieurs, ni les ténèbres et les brouillards intérieurs. » La spiritualité de Thérèse était donc celle du pape Luciani. C'est en elle qu'il puisait sa foi et sa force. Il côtoyait quotidiennement la maladie, mais ne s'en plaignait pas. Il apparut au monde souffreteux, portant sa croix. Les religieuses qui s'occupaient de son ménage à Venise comme au Vatican connaissaient cette fragilité constitutionnelle. « Pourvu, disaient-elles, que sa santé tienne[5] ! » Le poids des responsabilités, l'émotion que son élection avait suscitée en lui avaient provoqué des troubles vasculaires. En un mois, il avait déjà changé, des cernes profonds étaient apparus autour de ses yeux, ses jambes avaient enflé, au point qu'il ne pouvait obéir aux recommandations de ses médecins qui lui conseillaient de se promener dans le parc du Vatican, tant il avait de peine à marcher.

Son frère Eduardo, qui quelquefois assistait à sa messe privée du matin, avait remarqué qu'au moment de l'offertoire il avait des difficultés à monter les marches jusqu'à l'autel, et Mgr Gottardi déclara avec inquiétude qu'à la séance du 4 septembre, lors de l'audience accordée aux pèlerins des Trois Vénéties, il avait eu « la sensation que Jean-Paul Ier se sentait comme écrasé sous un poids supérieur à ses forces. Une pensée se présenta à mon esprit, rapporta-t-il, pensée que je repoussai. [...] Et pourtant ! Vous connaissez la suite. »

L'annonce de la mort suscita dans le monde entier des rafales de commentaires, des plus attristés aux plus ironiques. Ceux qui déplorèrent sa mort rappelèrent le charisme de son sourire et cette gentillesse propre aux petits. Les autres qui avaient déjà ironisé en constatant que la fumée qui avait annoncé son élection avait été plutôt grise que blanche, et qui en avait fait a priori un « pape de synthèse, nègre-blanc, chèvre et chou[6] » se répandirent en sarcasmes : « bref tour de piste », « le pape qui rigole », « affectation de simplicité qui tournait au simplisme », « visage ringard ».

Étrangement, le message de Jean-Paul Ier rejoignait la légende. Il semblait soudain qu'il avait marqué l'Église d'une manière inattendue. Son sens de la proximité pastorale et de la confidence avait ému les fidèles qui avaient vu en lui l'image un peu désuète du prêtre d'autrefois, égaré dans la rage du progrès : « Des palafittes, des cavernes et des premières cabanes, nous sommes passés aux maisons, aux palais, aux gratte-ciel, des voyages à pied, à dos de cheval, ou de chameau, aux voitures, aux trains, aux avions. Et on désire sans cesse réaliser de nouveaux progrès, avec des moyens de plus en plus rapides, pour atteindre des buts de plus en plus éloignés... », disait-il. Il était apparu comme un prédicateur du passé, et cela avait séduit, comme si le monde, las de la modernité et du matérialisme, avait soif de paix et d'une certaine douceur. En quelques jours, entre l'annonce du décès et les funérailles, une sorte de mythologie du pape Luciani s'édifia spontanément. On n'en finissait pas d'évoquer des souvenirs de son enfance, pauvre et humble, de cette faim qu'il connut, de la mendicité à laquelle sa mère contraignit un jour sa sœur pour que le petit Albino pût manger, de ce désir de Dieu que, très tôt, sa famille sut lui inculquer, et de sa vie pastorale, cette gentillesse spontanée et candide, presque « niaise » diront certains et qui, cependant, plaisait au point que Paul VI l'avait repéré dans l'aréopage des cardinaux : ne racontait-on pas ainsi que le 16 septembre 1972, à Venise, devant vingt mille personnes, Paul VI offrit à Luciani son étole rouge et un anneau que Jean XXIII avait porté ? Le pape d'alors ne prédisait-il pas là d'une façon mystérieuse le destin du patriarche de Venise ?

Le 4 octobre, les funérailles se déroulent dans une sorte de solennité apaisée, conforme à ce qu'aurait voulu le pape défunt et qu'il n'avait pas eu le temps de proclamer. Le cercueil est des plus simples, une pluie fine et drue tombe sur la place Saint-Pierre. La foule lui dit au revoir de la main quand le cortège funèbre passe devant elle, l'applaudissant en signe d'amitié et d'affection contre tout protocole. Il règne sur la place une douceur inaccoutumée. Le pape Jean-Paul Ier sort discrètement du monde.

Ses derniers mots, avant de mourir, avaient été comme une imploration qu'il avait proférée au téléphone à l'archevêque de Milan, Mgr Colombo: « Priez pour le pape, priez pour ce pauvre pape. »

Il reste que la portée symbolique de cette mort est immense. La voie que Jean-Paul Ier avait inaugurée en peu de temps pouvait être interprétée comme un signe providentiel. Elle était modeste, mais grandiose tout à la fois, et permettrait à son successeur de diriger l'Église. Il avait comme ouvert le chemin à une Église recentrée, plus capable d'entendre les autres, plus humaine, moins éloignée dans le temps, moins confinée dans les arcanes du Vatican, moins encline au mystère. Cette Église, il l'avait imaginée plus proche des hommes dans un siècle où l'égoïsme et l'absence de solidarité, les appétits bourgeois et capitalistes comme les tyrannies du monde communiste méprisaient les hommes. Il lui avait rendu son autorité doctrinale, diluée alors dans la grande confusion du siècle. Son influence agirait forcément sur le prochain conclave. Comme le dira *Libération* avec quelque insolence: « Le conclave du mois d'août ayant rempli sa fonction de "primaires", le choix du Saint-Esprit sera-t-il peut-être simplifié. Il y a tout à parier qu'il recherchera un candidat plus costaud, la charge papale étant décidément trop lourde pour un "amateur" du genre Luciani... On se laisserait aller à lui conseiller un discret chek-up[7]. »

Les premières initiatives que Jean-Paul Ier avait prises lors de sa messe d'intronisation avaient pourtant révélé le style que le « pape du sourire » entendait donner à son pontificat. Pas de tiare, plus de ce « nous » de majesté qui éloignait et faisait trop ressembler à la monarchie temporelle. Plus de cette vision pyramidale de l'institution ecclésiale: il serait « le frère aîné des autres évêques[8] ».

Celui que Mère Teresa définissait ainsi: « un rayon de l'amour de Dieu dans les ténèbres du monde », avait comme enrichi spirituellement tous ceux qui l'avaient approché. Son indulgence et sa piété avaient pu faire penser qu'un nouveau style permettrait de rallier à l'Église des fidèles plus nombreux. Néanmoins le doigt de Dieu qui, selon les cardinaux, avait présidé à son élection semblait dire par là quelque chose qu'il restait à traduire ou du moins à comprendre. On ironisa sur le fait que le Saint-Esprit avait fait une erreur, qu'il n'était pas infaillible, on dit encore que le dessein de Dieu, bien au contraire, résidait tout entier dans ce choix et dans cet « effacement ». « Le pape sans tiare, comme on l'a surnommé, nous a fait voir plus clairement où réside la vraie force de l'Église[9] », déclara Mgr Colombo.

Nul encore ne savait que dans ce deuil se forgeait le destin de Mgr Wojtyla.

IX

LE SECOND CONCLAVE : OCTOBRE 1978

C'est au cours de la messe qu'il célèbre dans la cathédrale du Wavel que Karol Wojtyla apprend la nouvelle surprenante de la mort de Jean-Paul Ier. Est-ce un signe que d'apprendre cet événement majeur dans un exercice rituel ? La rumeur fait savoir en effet que le futur pape en est bouleversé, comme s'il avait une intuition. Déjà, lors du premier conclave, il avait reçu au collège polonais où il résidait des visites nombreuses de cardinaux, et il avait eu le sentiment très fort que certains d'entre eux souhaitaient le voir élu.

Le cardinal Wojtyla a cette prémonition : il pourrait être pape. A la messe des morts qu'il célèbre à l'intention de Jean-Paul Ier, il évoque sa personnalité, des souvenirs de son élection : « Je le vois encore, ce 26 août, vers 18 heures, alors qu'il était évident que les voix du conclave avaient désigné le cardinal Albino Luciani. Je le vois encore, je revois son visage quand il s'est levé, et tourné vers le cardinal camerlingue qui approchait. [...] Et cette joie éclatante du conclave, d'abord du Sacré-Collège [...] puis celle de Rome [...] et la joie de Jean-Paul Ier. [...] Nous avions tellement espéré en lui, nous attendions tellement de lui. [...] C'est pourquoi nous nous posons cette question [...] le monde et l'Église entière se demandent : “Pourquoi le pontificat de Jean-Paul Ier n’a pas été accompli ?” ».

La peine de Karol Wojtyla semble très grande, ce qu’il exalte chez Jean-Paul Ier, c’est sa simplicité, cette sorte d’angélisme même qu’au fond de lui Karol Wojtyla porte : le vieux fonds de piété populaire qui l’anime toujours, dont il ne peut, malgré lui, se contenter, pris dans la dissidence religieuse et politique, attelé à combattre le travail de sape du pouvoir communiste à l’encontre de l’Église. Ce qu’il admire chez le pape défunt, c’est son humilité, attitude si étrangère aux mœurs curiales, et cette écoute de l’homme, constante, cette compassion.

Il sait, pour bien connaître les arcanes de l’Église et du Saint-Siège, quel profil sera exigé du futur pape au conclave : une personnalité plus forte peut-être que celle de Jean-Paul Ier et plus apte à saisir les problèmes du monde, une vision plus géopolitique, une santé à toute épreuve, une autorité plus assurée que le prédécesseur afin de rassurer les fidèles et de maintenir l’unité de l’Église de façon plus sûre. Le Saint-Esprit seul, cette fois, ne présiderait pas à l’élection... Il sait que ses frères cardinaux trouvent en lui beaucoup de ces qualités nécessaires, aussi quand le père Malinski lui dit juste avant son départ pour Rome : « Cette fois les chances sont plus grandes », Karol Wojtyla « a souri à sa manière, avec humour et indulgence, il m’a fait un clin d’œil, et il est parti[1] ».

Avec son accent rocailleux et un tantinet gouailleur, le coin des yeux toujours rieur, Mgr Marty, archevêque de Paris, a cette belle formule qui confirme, s’il en était besoin, que l’élection de Jean-Paul Ier résulte d’une stratégie très élaborée : « Nous allons de surprise en surprise, dit-il, grâce au Saint-Esprit et à ses collaborateurs. »

Si le silence et le secret sont de mise, il est possible néanmoins, et beaucoup d’observateurs s’y sont essayé, de reconstituer le déroulement de l’élection. Tel hebdomadaire note ainsi que la semaine précédant le conclave, les librairies religieuses recevaient beaucoup de commandes des livres d'un certain Karol Wojtyla, *Amour et Responsabilité, Signes de contradiction*, etc. Toutefois, personne n'ose confirmer l'idée qu'un pape étranger pourrait être élu. D'ailleurs les noms les plus fréquemment cités sont ceux du cardinal Benelli, archevêque de Florence depuis un an à peine (ce qui jouera peut-être en sa défaveur), et du cardinal Giuseppe Siri, archevêque de Gênes, soixante-deux ans. C'est Mgr Benelli qui emporte pour l'heure tous les pronostics. Sa connaissance des problèmes internes du Vatican – il a été substitut de la secrétairerie d'État –, son âge idéal, soixante-trois ans (le cardinal belge Mgr Suenens affirme que c'est l'âge clé), et de surcroît sa forte personnalité auraient l'avantage de conserver à la Curie son rôle éminent et décideur.

En effet si la candidature de Mgr Benelli n'avait pu être retenue lors du dernier conclave, c'était surtout en raison de son âge jugé trop jeune et de sa nomination trop récente à Milan. Mais durant le court pontificat de Jean-Paul Ier, la Curie s'était sentie sinon en disgrâce du moins en nette perte d'influence. Aussi, la candidature de Benelli semble-t-elle une chance offerte aux curialistes pour recouvrer leur autorité. En effet, les relations de Jean-Paul Ier et de la Curie avaient été plutôt distantes, voire méfiantes, de part et d'autre des trente-trois jours de règne. Ses bévues et son inexpérience, que la presse avait retransmises abondamment, ses conflits larvés avec certains membres de la Curie, l'aggravation de sa santé en quelques semaines à cause d'une grande anxiété, et surtout la conviction que les cardinaux résidentiels, extérieurs donc à la Curie, avaient voté Luciani contre elle, pour amoindrir son influence, tout avait conduit à ce que le nouveau pape se fût senti isolé. Les derniers jours de son pontificat, son entourage, mis à part Mgr Villot, était absent. L'élection de Mgr Benelli apparaissait donc opportune et comme une chance offerte pour restaurer tout le poids de la Curie. Aussi tous les obstacles qu'il avait rencontrés au premier conclave tombèrent-ils cette fois-ci, et l'âge, et son peu d'expérience en tant qu'archevêque. Benelli était un résidentiel qui, de plus, comme dit *Libération*, « portait à droite », et en conséquence aurait à cœur de préserver la tradition. Son catholicisme réactionnaire, comme le qualifie Gérard Dupuy dans ce même journal[2], « ma non troppo », et le fait qu'il fût un « ex-haut bureaucrate de la Curie » semblaient le favoriser particulièrement. Une autre *combinazione* sous l'impulsion du doyen du conclave qui, pour cette raison, n'était pas admis à voter, Mgr Confalonieri, quatre-vingt-cinq ans, lança la candidature de Mgr Siri, qui avait l'avantage quant à lui, outre l'âge souhaité, d'être un proche de la Curie tout en ayant une longue expérience pastorale. Les amis de Mgr Siri comptent sur les électeurs allemands, mais ceux-ci lui préfèrent deux autres candidats, un Italien d'abord, Mgr Felici, et surtout Mgr Wojtyla au cas où l'unanimité ne pourrait se faire sur l'Italien. Aussi Mgr Siri est-il vite éliminé, sa sensibilité étant jugée trop à droite, et ses prises de position franchement conservatrices. Ne commettra-t-il pas l'erreur, le jour même du début du conclave, de déclarer dans la *Gazetta del popolo* : « Je ne sais absolument pas ce qu'on veut dire par développement de la collégialité épiscopale. »

Les dés étaient alors jetés. Les électeurs ne pouvaient jouer Siri, mais Benelli avait encore quelque chance. Doté d'une grande autorité intellectuelle et d'une stature de maître, homme d'une grande influence, il rassemblait autour de lui beaucoup de voix bienveillantes, seul peut-être son catholicisme plutôt conservateur risquait de faire obstacle auprès de certains cardinaux des autres continents. Une candidature étrangère n'est pas toutefois exclue au cas où la candidature Benelli ne pourrait s'imposer. Certes on cherche encore quelques *papabili* italiens, Colombo, Ursi, Felici, Poletti, mais ils ne parviennent pas à faire la synthèse des exigences réclamées par la majorité des conclavistes. Difficile dilemme pour les curialistes, pas fâchés de voir Benelli élu pape pour des raisons de renforcement de la Curie, mais fâchés intérieurement de le voir élu, se souvenant des années passées où, proche de Paul VI, il avait trop souvent empêché le contact entre la Curie et le pape. Ne l'appelait-on pas alors le « mur de Berlin » ?

Jacques Duquesne raconte avec délectation, dans son long article du *Point*, les bons mots du cardinal Felici, pas totalement favori mais qui, entre Siri et Benelli, pourrait bien être l'outsider. « Puisque la prophétie de Malachie, dit-il, explique que le prochain pape viendra du soleil, il fredonne *O sole mio*, en passant devant Mgr Ursi, l'évêque de Naples, cité comme papabile. Ou, puisqu'un axiome romain veut que le prochain pape ait la lettre R dans son nom, il raconte que Mgr Benelli a décidé de se faire appeler Berelli[3]. »

Les *Informations catholiques internationales* de novembre 78, tout en ignorant en principe les votes et les attributions de vote, rapportent cependant quelques faits qui semblent utiles à la compréhension du premier jour du conclave, le dimanche 15 octobre : « Au second tour, une bonne partie des voix de Felici converge sur Benelli, qui manque alors de justesse une élection plus rapide que celle d'Albino Luciani. [...] Les partisans de Siri serrent les rangs, et s'obstinent à refuser à Mgr Benelli l'appoint qui lui manque pour passer le cap des deux tiers plus une voix (soixante-quinze voix). » L'après-midi, deux nouveaux scrutins. « L'appui au cardinal Benelli se confirme au premier, mais s'effondre au second. Au second tour les voix s'éparpillent, la cote de Mgr Colombo remonte. Mgr Ursi le suit de peu. Surtout on s'aperçoit que les "étrangers" recueillent un certain nombre de bulletins. » Surtout Karol Wojtyla.

La fumée qui s'élève au-dessus de Saint-Pierre est peut-être noire, mais ce que les fidèles amassés ne savent pas encore, c'est qu'une chose est sûre désormais, le futur pape ne sera pas italien. Le cardinal Benelli est donc virtuellement, à moins de renversement improbable de situation, éliminé. De surcroît sa manière un peu hâtive de croire à son élection a singulièrement agacé, comme l'interview malencontreuse de Mgr Siri. Le matin de cette journée historique, le lundi 16 octobre, les voix continuent à ne pas se fixer sur un nom précis. Les deux tours ne font sortir du « calice », l'urne du conclave, aucun pape. La fumée est toujours noire. Le secret semble être bien gardé de cette matinée, la presse se perd en présomptions, on cite de nouveau Ursi, Poletti, Colombo, mais sans certitudes. Mgr Wojtyla, dit-on, progresse toujours.

Mgr Felici, trop curialiste et conservateur, n'a pas l'appui des étrangers pas plus que des autres *papabili* dont l'autorité n'est pas suffisante. Parmi les étrangers, Mgr Koenig semble avoir quelque chance. Mais il refuse cet honneur et laisse ainsi la voie ouverte à une autre candidature étrangère que récusent aussi les Asiatiques, les Africains, les Latino-Américains, qui pensent ne pas être encore prêts à assumer une telle charge. Le cardinal Jubany, de son côté, archevêque de Barcelone, pousse Wojtyla. La biographie de l'archevêque de Cracovie plaît beaucoup. Elle répond à la plupart des critères que s'était fixés le conclave : autorité intellectuelle, théologique, morale et pastorale, santé robuste, capacité d'universalité. Homme de combat, dynamique, à la vie romanesque et propre à enthousiasmer les foules et particulièrement les jeunes, théologien de premier plan et grand spirituel, doctrinalement insoupçonnable, polyglotte et connaissant tous les arcanes de la hiérarchie, opposant symbolique au marxisme, et ayant, par habileté ou convivialité, tissé un réseau de relations internationales, homme avisé qui a su lors des synodes comme à Vatican II être inventif et créateur tout en restant prudent et ferme, tout semble le désigner.

L'attitude du futur Jean-Paul II pendant ces deux journées de conclave est sereine, il n'ignore pas la lente progression qui, fatalement, va l'amener au trône de saint Pierre. Veut-il cela ? Ce qui est sûr, c'est qu'intuitivement il sait qu'il ne refusera pas, comme si sa longue fréquentation de Dieu, cette histoire nouée depuis l'enfance, ce parcours sans faille ne pouvait trouver son acmé qu'ici, à Rome. Il sait encore, pour l'avoir évoqué à propos de Jean-Paul Ier, que la charge est immense, qu'elle a son Golgotha, mais qu'à celui qui y est désigné, il est impossible de se dérober. Il prie donc, observe aussi.

Dans l'après-midi, à l'issue du huitième tour, le nom de Wojtyla apparaît, soixante-quinze voix au moins l'ont désigné successeur de Pierre ; élection modeste si on la compare aux cent voix du précédent pape, mais confortable néanmoins.

« Bien joué », dira la presse[4].

Les conclavistes semblent soulagés et en même temps vaguement anxieux, la nouvelle est immense, scandaleuse presque. Un pape dissident de l'Est vient de rompre la lignée des papes italiens.

Sur le livre d'activités du cardinal Wojtyla, à Cracovie, la dernière note inscrit le libellé du télégramme reçu de Rome : « Autour de 17 h 15. Jean-Paul II. »

QUATRIÈME PARTIE

LE VICAIRE DE ROME ET DU MONDE 1978-1994

X

« MALHEUR À MOI SI JE N'ÉVANGÉLISE PAS »

Apôtre Paul, I Cor, 9, 16.

C'est sous le signe de l'évangélisation que Jean-Paul II a aussitôt placé l'esprit de son pontificat. Sa méthode expérimentée en Pologne, fondée sur la concertation, la sollicitation pastorale, l'inventivité, la proximité, est déjà parfaitement affinée lorsque le conclave l'élit en octobre 1978. Les cardinaux, sans rompre le secret de leur vote, ont généralement affirmé que Karol Wojtyla a été élu non pas pour des raisons politiques, comme on aurait pu le croire, mais surtout pour des raisons pastorales. Wojtyla est à leurs yeux le seul d'entre eux qui puisse à ce moment précis de l'histoire de l'Église et du monde jouer le rôle d'arbitre et d'éveilleur dont ils pressentent la nécessité. L'Église, ils le savent, a besoin d'un pasteur, d'un conducteur d'hommes, sûr et capable, par son charisme, de lui redonner un surcroît de foi et de certitude, un nouvel élan. Le cardinal Wojtyla est l'homme de la situation. Aussi, dès le début de son pontificat, il multipliera les déclarations pour proclamer le but uniquement spirituel qu'il entend donner à son mandat, et poursuivre par là l'œuvre inaugurée par Paul VI dans les derniers temps de son pontificat. Ainsi déclare-t-il où qu'il se trouve que son rôle l'invite à parcourir le monde, à annoncer en quelque sorte la Bonne Nouvelle. Reprenant à Puebla, le 28 janvier 1979, la parole de Paul VI, le « très aimé pape », il dit devant les représentants des évêques d'Amérique latine : « Le prédicateur de l'Évangile sera [...] donc quelqu'un qui, même au prix du renoncement personnel et de la souffrance, recherche toujours la vérité qu'il doit transmettre aux autres. Pasteurs du peuple fidèle, notre service pastoral nous presse de garder, défendre et communiquer la vérité sans regarder aux sacrifices. » C'est dans cette perspective urgente et catéchétique que Jean-Paul II entend donc infléchir son style. Après le premier voyage de Paul VI qui inaugurait le 4 janvier 1964 l'ère des papes pasteurs, pèlerins de Dieu et prêtres de l'universelle paroisse, et dont la destination hautement symbolique, Jérusalem, traduisait par-delà les siècles le lien originel de la religion catholique et romaine avec la terre où elle prit naissance, après les huit autres voyages qui suivirent de 1964 à 1970, Jean-Paul II multiplie à son tour les déplacements. Les informations données par Radio-Vatican et reprises par Christine de Montclos dans son ouvrage sur les voyages de Jean-Paul II laissent rêveur : « Il a pratiquement parcouru six cent mille kilomètres, soit quinze fois le tour de la Terre, et le double de la distance de la Terre à la Lune. [...] Il a prononcé plus de 1 423 discours... »

L'homme, par son caractère et son physique athlétique, assume la charge avec une facilité désarmante. Aucune comparaison avec Paul VI dont les voyages étaient plus sobres et moins médiatisés. Jean-Paul II entend que ses visites pastorales soient l'occasion de déployer l'énergie vitale de l'Église, de « donner à son espérance de nouvelles espérances[1] ». Les foules qu'il va susciter, l'élan que ses premiers voyages font naître dynamisent en effet le peuple chrétien, secouent quelque peu la torpeur vaticane. C'est que le rythme auquel le pape soumet son entourage et ses propres invités est exceptionnel.

L'autorité du premier magister de l'Église réside dans ce statut privilégié qu'il accorde au devoir de la mission.

Jean-Paul II attribue à la vocation évangélique l'exigence de la semence. « Planter, comme il dira à Saint-Domingue, terre missionnaire s'il en est, la semence de la foi [...] même au prix du martyre. »

Il suit le chemin des religieux dominicains, franciscains, augustins, mercédaires et jésuites, qui ont « ensemencé » dans le cœur des nouveaux peuples « le règne de Dieu ».

C'est cette fidélité au rôle de messager voué à tout religieux que le nouveau pape veut endosser à son tour, poursuivant ainsi la tradition.

Sa vie, après son élection, ne lui appartient plus, cette force qu'il imprime et exprime, c'est aussi à ses yeux celle que l'Esprit lui souffle, dont il n'est pas le maître, mais le serviteur. Une sorte d'abandon à la Providence lui assure une sérénité et une certitude qui rassérènent, enthousiasment. Tous ses voyages se poursuivront de la même manière, contestés par certaines Églises et certains intellectuels, mais toujours objet de rencontres inouïes, de manifestations de liesse qu'aucun leader, si charismatique soit-il, n'a jamais pu provoquer. La stratégie missionnaire, au cœur de son action, si elle avoue un dessein d'abord pastoral, n'implique pas moins une certaine forme d'appréciation sur la vie politique des pays visités, ne s'inscrit pas moins dans une vision géopolitique.

« Ce sont des voyages de foi, explique-t-il dans un discours à la Curie le 28 juin 1980, qui ont toujours au centre la méditation et la proclamation de la parole de Dieu, la célébration eucharistique, l'invocation de Marie, ce sont des occasions de catéchèse itinérante. [...] Ce sont des voyages d'amour, de paix et de fraternité universelle [...] bien que certains puissent [leur] attribuer d'autres raisons. »

Le pape affirme d'emblée que le voyage pontifical a une portée pastorale. De l'Urbs au monde, il veut proclamer la parole de Jésus-Christ. En effet chaque semaine le pape visite une des trois cents paroisses de Rome, déployant à son passage une ferveur peu commune et une joie très exubérante. Il veut transmettre cette parole et cette foi populaire, d'où lui-même tire ses sources, dans toutes les paroisses du monde. Aussi ces rencontres, par leur lyrisme et leur confraternité, ont pour but de rassembler, de lier, de ressouder les liens quelquefois défaits ou délités par une société en dérive spirituelle : « Révéler l'unité profonde », dira-t-il le 21 mai 1985 en quittant la Belgique. Cette parole de cohésion a, aux yeux de Jean-Paul II, une autre fonction, celle de s'ouvrir aux autres communautés chrétiennes et non chrétiennes des pays visités. Ainsi exhortera-t-il les membres de la Conférence des évêques d'Allemagne à cette unité qu'il affirme comme essentielle : « Le renouvellement intérieur de la vie religieuse et ecclésiastique, et l'effort œcuménique en vue du rapprochement et de l'entente entre les chrétiens séparés constituent l'objectif principal des voyages apostoliques dans les diverses Églises locales et dans les différents continents [...] Considérez la prière du Christ, le Souverain Prêtre, "pour que tous soient un", comme un devoir urgent, afin de triompher de la scission dans la chrétienté[2]. »

Par ailleurs, que ce soit au Maroc ou au Japon, au Nigeria ou en Inde, en Thaïlande comme en Corée, le pape tient à intervenir comme initiateur de l'Alliance nouvelle et éternelle, celui qui veut engager le dialogue avec toutes les religions, sans affirmer une quelconque primauté du christianisme. Au contraire, Jean-Paul II s'emploiera très souvent à exalter la ferveur de l'islam, et les « valeurs spirituelles » dont le bouddhisme est le garant. « L'Église de Jésus-Christ ressent, dit-il le 21 février 1981 en Asie, un profond besoin d'entrer en contact avec toutes les religions. »

L'objectif n'est plus le prosélytisme, mais le témoignage et la recherche du bien commun : « Nous sommes prêts à collaborer avec vous en faveur de la dignité de l'homme, de ses droits innés, du caractère sacré de sa vie, y compris dans le sein de sa mère, de sa liberté et de son autonomie sur le plan individuel et social, de son éducation morale[3]. »

La paix, la justice, la recherche de solutions drastiques aux problèmes de la faim et de la pauvreté, de l'ignorance, de la persécution et de la discrimination, comme il le soulignera à Delhi le 2 février 1986, et la propagation d'une morale fondée sur les valeurs de la famille et de la fraternité peuvent être pour lui des axes de rencontres qui servent la cause de l'humanité et entrent dans le grand dessein de Dieu. Le désir profond de réunir, et de se mettre au moins d'accord sur la sauvegarde morale et physique de l'homme, rejoint cette aspiration à une « nouvelle civilisation » dont il pressent l'avènement, « une civilisation de compréhension et de respect pour l'inaliénable dignité de la personne humaine[4] ». Jean-Paul II s'affirme dans ce projet comme un provocateur au sens le plus étymologique : un incitateur. Loin de vouloir convertir un auditoire non chrétien à ses propres convictions religieuses, il cherche à mettre sur pied une sorte de programme commun qui mobiliserait tous les hommes de bonne volonté à se solidariser pour l'homme et le salut de sa grandeur. C'est dire la portée hautement politique de sa mission.

La tâche est ardue pour affirmer le respect de la parole de l'Évangile, qui exige l'amour et la dignité de l'homme, et proclamer la non-ingérence politique à laquelle, dès ses premiers discours, Jean-Paul II a voulu se tenir : « Nous ne sommes animés d'aucune intention d'interférence politique ou de participation à la gestion des affaires temporelles. [...] Nous voulons nous consacrer à consolider les bases spirituelles, sur lesquelles la société humaine doit être fondée[5]. » Jean-Paul II ne revendique aucune image de révolutionnaire, ses prises de position à l'encontre de ceux qui prônent la théologie de la libération ne font aucun doute sur ses intentions. Le désavœu qu'il leur oppose est patent : « Cette conception du Christ comme politicien, révolutionnaire, le fauteur de subversion de Nazareth, n'est pas en accord avec la catéchèse de l'Église [...] et l'on passe sous silence la volonté d'oblation du

Seigneur, et même la conscience de sa mission rédemptrice[6].» Mais pas plus une image de théocrate de droit divin, formule dont l'afflige une journaliste française[7].

Ni révolutionnaire ni réactionnaire, il entreprend plutôt dans ce domaine interreligieux de restaurer l'autorité de la doctrine sociale de l'Église, qui est aussi de trouver le dénominateur commun entre les hommes qui est l'Homme, de le porter à son plus haut degré de dignité, et de s'engager dans «une action résolue contre les injustices et les oppressions».

Les voyages qu'il va entreprendre entrent donc aussi dans cette perspective de glorification de l'Homme, d'abord reconnu dans sa dimension humaine, puis révélé par Jésus-Christ.

Il s'adresse à l'humanité maltraitée, l'humanité blessée, l'humanité ardente et espérante, voulant donner un vrai message d'amour à ceux qui viennent à sa rencontre, jeunes Marocains réunis dans un stade comme foule pieuse et fervente d'une jeunesse catholique et militante.

Le pape, en qualifiant ses voyages d'«apostoliques», entend les rendre compatibles avec le message de l'Évangile: «Modeler» dans les cœurs, comme il le dira à Asuncion, le 16 mai 1988, l'enseignement de Jésus-Christ, faire en sorte qu'il se projette «avec force et efficacité sur toutes les structures de la coexistence civique et sociale». Or les droits fondamentaux et premiers de l'homme qu'il veut défendre, droit à la liberté religieuse notamment, sont gravement compromis dans certains États, Chili, Thaïlande, Pologne, etc. L'ingérence politique est donc de fait établie, ingérence que Jean-Paul II ne reconnaît pas toutefois comme telle: ses actions en faveur des déshérités de la terre doivent être comprises comme «une intervention d'ordre moral, humain, non politique: il faut éviter tout instrumentalisation politique». Dans son deuxième voyage en Asie, le 12 mai 1984, le pape doit affronter les risques d'être mal compris. Le *Corriere della Sera* déclare ainsi: «Vos voyages sont de plus en plus politiques », ce à quoi Jean-Paul II rétorque, avec cette véhémence qui le caractérise mais doublée, cette fois-ci, d'une irritation mal dissimulée : « Nous devons rendre aux peuples le service de la vérité et assumer le risque d'être mal compris. Quand je parle des droits humains et avant tout de la liberté religieuse, je n'accuse personne, je formule simplement une exigence humaine universelle. Je défends l'éthique pour sauver la politique alors que d'autres font de la politique en oubliant l'éthique. » Avec les étudiants de Louvain-la-Neuve, le 21 mai 1985, le pape est victime du même malentendu. Ils déployèrent une énorme banderole sur laquelle étaient écrits ces mots : « Avoue que tu fais de la politique ». Ces accrocs dans l'empathie consensuelle qui présida aux premiers mois du pontificat montrent à quel point l'image médiatique du pape au cours des années suscita des altérations et des incompréhensions, comme si le monde n'était pas parvenu à le « situer », à comprendre vraiment la portée de son enseignement. C'est que Jean-Paul II refuse, semble-t-il, d'être un homme figé. « Homme mobile » comme le désigna justement André Frossard, il n'est jamais à la place où on l'attend. Non pas homme imprévisible, mais profondément pragmatique et concret tout en étant essentiellement inébranlable sur les fondements mêmes de la foi. Cette contradiction apparente recèle à elle seule les orientations de Jean-Paul II. Dans cette optique, il se relie absolument à la constitution *Gaudium et Spes* qui promulgue l'inscription de l'Église dans le temps. L'Église n'est pas seulement concernée par les problèmes culturels ou liturgiques, son dessein est plus ample, et si quelque part dans le monde l'homme est en danger, renié ou bafoué, blessé ou détruit, le rôle de l'Église est d'aller à son secours, quitte à ce que cela paraisse une ingérence politique. Les voyages en Pologne ont cette intention : forcer le pouvoir politique à prendre en compte la liberté des Polonais. Et même s'il déclare le 2 juin 1979, après avoir embrassé le primat venu l'accueillir : « Ma visite a été dictée par des motifs strictement religieux », comment comprendre cette exhortation qu'il adresse aux travailleurs de Haute-Silésie, du bassin minier de Zaglébie et de toute la Pologne le 6 juin : « Ne vous laissez pas séduire par la tentation de croire que l'homme peut se retrouver pleinement lui-même en reniant Dieu, en supprimant la prière de vie, en restant seulement travailleur, en s'imaginant que ses propres productions puissent à elles seules satisfaire les besoins du cœur humain. "L'homme ne vit pas seulement de pain." » ?

Jouant sur ce glissement que l'Évangile opère par essence, de la destinée eschatologique de l'homme, donc de sa perspective verticale, au respect de sa dignité pendant le temps de son passage terrestre, donc sa perspective horizontale, Jean-Paul II adresse un véritable camouflet aux autorités politiques de la Pologne, comme lorsqu'à Auschwitz il déclare : « Si ce grand appel d'Auschwitz, ce cri de l'homme martyrisé ici doit porter des fruits pour l'Europe [et aussi pour le monde], il faut tirer toutes les justes conséquences de la Déclaration des droits de l'homme. » Si la visite aux camps de la mort satisfait dans un sens les autorités satellites des Soviétiques, compte tenu de leur propre lutte contre le nazisme, le discours ne laisse pas de doute sur le télescopage que Jean-Paul II opère subtilement : le pouvoir politique polonais, en méprisant la liberté de ses sujets, rejoint l'idéologie nazie. C'est ce qu'en tout cas les Polonais et l'opinion internationale saisissent. Quelquefois encore le pape utilise un discours nettement moins allusif : le 23 janvier 1994, s'adressant depuis Rome à la communauté internationale et aux chrétiens rassemblés place Saint-Pierre, il n'hésite pas à clamer dans le silence politique généralisé et l'impuissance avouée de l'Europe, à propos du drame de l'ex-Yougoslavie et du martyre des Bosniaques : « Nous ne vous abandonnerons pas. Nous sommes avec vous. Nous ne devons pas nous résigner. Il faut désarmer l'agresseur. »

Ainsi le glissement du religieux au politique s'affirme-t-il de plus en plus au cours des années. Justice, paix, droits de l'homme, tels sont les grands axes que Jean-Paul II, relayant en cela la pensée du concile Vatican II, veut affirmer avec une autorité plus forte que celle de ses prédécesseurs, comme si son bras de fer avec les autorités polonaises avant son pontificat l'avait aguerri et lui avait donné cette puissance et ce courage. Il n'oublie pas pour autant que la seule quête est celle du Christ, qu'il s'agit avant tout de rechercher le regard du Ressuscité à travers ce pèlerinage quelquefois douloureux, souvent aussi heureux, de la vie.

Ainsi la doctrine sociale de l'Église, tout en sauvegardant l'identité de Jésus rédempteur, incarne en même temps les valeurs morales prêchées par Jésus et les véhicule. Mais tout aussi farouchement opposé aux « manifestations dégénérées » du capitalisme « sauvage »[8] qu'au « système totalitaire et injuste » du communisme, le pape n'entend pas que l'Église se substitue au pouvoir politique. Sa vocation réside plutôt dans ce « sel » et ce « levain » qu'elle offre aux hommes, dans ce devoir de « transmission » que Jésus avait déjà formulé à Pierre : « Transmets ta force à tes frères. » C'est pourquoi le discours pontifical ne craint pas d'utiliser des termes comme ceux de libération, ou de solidarité, en Amérique latine comme en Pologne, car ils sont à eux seuls, délogés de leur contexte politique, l'esprit même du message évangélique : « Je ne suis pas là pour être l'avocat de la démocratie, mais le messager de l'Évangile », disait-il en 1987, se rendant au Chili. Le sens de ses voyages se dessine mieux quand on sait que le pape mise sur eux pour réorganiser l'unité de son Église, quelquefois disséminée. Déjà Paul VI, peu avant sa mort, craignait le risque que ferait courir la trop grande autonomie des Églises locales : « Vers quoi irions-nous, confiait-il à un de ses proches, vers des églises bananières ? »

Le « Barnum papal » sur lequel ironisent certains n'est

pas en vérité à ses yeux une parade médiatique, destinée à tenir coûte que coûte le devant de la scène, mais bien plutôt une manière d'ancrer dans l'esprit l'idée que l'Église est universelle et qu'elle répond par là aux interrogations du monde. Ce « temps de l'Avent » qu'il évoquera tout au début de son pontificat, dans sa première encyclique, *Redemptor hominis*, temps du Christ venu préparer le Royaume, c'est encore celui qu'il attribue à cette fin de siècle. « Temps d'attente », disait-il qu'il convient d'ensemencer, comme le Christ, pour bâtir le Royaume.

Pour mener à bien cette catéchèse à échelle mondiale, le pape a besoin des relais les plus modernes de communication. Il crée dès son arrivée la Compagnie de télévision du Vatican pour mieux contrôler les images. (Avant lui, c'était la Télévision italienne qui « couvrait » le Vatican.) Il entretient des rapports privilégiés et très assidus avec la presse internationale, sait choisir en fonction des meilleures diffusions les télévisions qui rendront compte de ses voyages, la BBC, la RAI, la ZDF, connaît, peut-être grâce à sa formation de comédien et de metteur en scène, les moyens de convaincre et de séduire son auditoire. Mais ces longs déplacements ne sont pas, on s'en doute, le fruit d'une improvisation. Pour que le pape se rende dans tel pays, il faut d'abord qu'il en reçoive l'invitation, des Églises locales d'abord puis des autorités politiques. La gestion des invitations, nombreuses en général, se fait selon un vaste programme géopolitique. Le choix qui l'emporte répond aux critères d'opportunité, politique, religieuse, commémorative, et en fonction d'un équilibre entre les continents. L'Asie catholique a besoin d'être ensemencée ; l'Afrique, vivier de foi vivante, sur laquelle l'Église fonde beaucoup d'espoirs (d'où peut-être l'obstination de Jean-Paul II à ne pas gauchir d'un iota la doctrine), mais continent à la dérive à cause du sida et du sous-développement, a besoin, elle, d'être aidée dans son infrastructure ; l'Amérique du Sud, dont la piété populaire est si ardente et réjouit en cela le cœur du pape, est menacée à ses yeux par la théologie de la libération, et l'essor des sectes ; quant à l'Europe et aux États-Unis d'Amérique, traditionnellement attachés au catholicisme, ils connaissent « les limites de la croissance économique et technique[9] » et, ayant sacrifié l'être à l'avoir, sont à la dérive spirituellement.

Christine de Montclos raconte par le menu cette formidable organisation. « Une petite équipe agit sous la responsabilité directe du Substitut. [...] C'est le père Tucci, jésuite, directeur général de Radio-Vatican. [...] Parmi ses collaborateurs : un diplomate de la Secrétairerie d'État, un fonctionnaire de Radio-Vatican et quelques experts d'Alitalia pour résoudre les problèmes techniques posés par les déplacements aériens. [...] La préparation prend souvent environ dix-huit mois[10]. »

Le père Tucci, organisateur du déplacement, fait ensuite le voyage dans les mêmes conditions que celles que connaîtra le pape. Rien n'est laissé au hasard, contacts pris avec les Églises locales, lieux visités, rencontres officielles, résidences du pape, etc. Une fois le prévoyage accompli, et le programme établi, divers services sont requis : « Le maître des cérémonies pontificales [pour les célébrations liturgiques], le directeur des services sanitaires pour les questions de sa compétence, le directeur de la salle de presse du Saint-Siège pour tout ce qui touche aux mass média. *L'Osservatore Romano* et Radio-Vatican sont bien entendu concernés[11]. »

L'attention que réclament de tels voyages risque d'en tempérer l'aspect émotionnel. Certains catholiques désapprouvent même franchement ces manifestations, estimant que l'énergie et les dépenses engagées, le plus souvent à la charge de ceux qui invitent, ne sont pas à la mesure des résultats escomptés. De plus, le pape, prétendent-ils, en profite pour affirmer toujours plus rigoureusement la dimension hiérarchique de l'Église et le respect qui doit lui être conféré. Mais les voyages dépassent de loin le circuit officiel et convenu. Avec Jean-Paul II, si sûr de son charisme sur les foules et de cet impact affectif qu'il sait produire, l'émotion spirituelle provient toujours d'un surgissement inattendu qui balaie les plannings trop élaborés et permet, ne serait-ce qu'un instant, de faire apparaître l'idée de l'Alliance.

XI

LES VOYAGES EMBLÉMATIQUES

« Courage ! Soyez le levain dans la masse, faites l'Église ! »

(Oaxaca, Mexique, 29 janvier 1979.)

Le premier voyage de Jean-Paul II prendra, en fonction de ses déclarations, une valeur symbolique. Le pasteur part visiter son « diocèse » d'Amérique latine. La portée d'un tel voyage, justifié par la IIIe Conférence générale de l'épiscolat latino-américain, est exceptionnelle : le pape pourra y tester son autorité sur les foules et tenter de barrer la route à l'influence de la théologie de la libération. Premier voyage donc semé de difficultés et qui requerra toute la subtilité diplomatique du nouveau pape, mais aussi sa force de conviction.

Le voyage sera long, du 25 janvier 1979 au 1er février. L'opinion internationale, les amis même du pape sont très attentifs à cette visite et inquiets aussi devant les problèmes qu'il aura à résoudre. « Que dirait-il ? De quel côté se rangerait-il : du côté des gouvernements militaires ou contre eux[1] ? » s'interrogeait le père Malinski.

A l'aéroport de Fiumicino, à 8 heures du matin, le pape confirme aux personnalités religieuses et civiles venues lui souhaiter bon voyage ses intentions pastorales : « Se mettre avant tout idéalement sur les traces des missionnaires, des prêtres », « évangéliser », « confirmer » les frères évêques. La vocation spécifiquement mystique est aussi abordée : « Redire avec une force accrue par les nouveaux engagements: *« Totus tuus sum ego »* à Notre-Dame de Guadalupe, au Mexique. L'intention de redessiner les grandes lignes de l'action pastorale est obscurément évoquée: ce sera, le pape n'en doute pas, la partie politique de son voyage, celle qui nécessitera le plus de virtuosité: « Seront traités d'importants problèmes qui regardent l'avenir du "peuple de Dieu". »

La rencontre que Jean-Paul II avait organisée le 21 octobre 1978 avec la presse avait révélé son aisance dans les contacts humains et sa faculté d'adaptation aux questions, même les plus incongrues: sens de la repartie, humour, disponibilité, il sait « d'instinct trouver les mots qui touchent[2] » son public.

Rompant avec tout protocole, il manifeste à nouveau cette disposition d'accueil en rendant visite, à peine l'avion décollé, aux journalistes présents. Improvisant une conférence de presse « sauvage » devant une assemblée qui n'en espérait pas tant, mais ravie de ce nouveau ton, il répond spontanément à toutes les questions posées. Pendant plus d'une heure, de 8 h 30 à 9 h 40, il évoque les premiers temps du pontificat, l'image qu'il entend lui donner, insiste sur l'aspect pastoral de sa mission et sur cette ferveur qu'il voudrait transmettre, cette manière de réinjecter un sang nouveau dans l'Église, il explique la portée des voyages qu'il va désormais conduire, ces visites étendues à l'échelle mondiale, prétend à cette modernité des moyens de communication, redit que l'Église doit s'adapter à l'esprit du temps, du moins dans sa forme, pour faire passer son message millénaire. L'esprit du voyage, c'est celui du pèlerin venu dire aux hommes que Jésus est parmi eux et en eux, il n'y a pas d'autre message à attendre du successeur de Pierre. Des questions ne manquent pas d'être posées sur la théologie de la libération, problème majeur pour ce voyage en Amérique latine. Le pape ne les élude pas, au contraire, il sait, et les discours qu'il a préparés le diront fermement, que le monde l'attend là-dessus, que ses paroles sur les problèmes posés par les Églises locales dans ce continent engageront en quelque sorte le pontificat à venir et donneront un sens, une direction aux intentions du pape.

« La théologie de la libération, dit-il, ce n'est pas de la théologie, tout au plus de la sociologie, elle détourne le vrai sens de l'Évangile, elle détourne ceux qui se sont donnés à Dieu du vrai rôle que l'Église leur a attribué. » Les questions se multiplient, sur le terrorisme international, sur l'état de l'Italie. Il redit ce qu'il avait déjà esquissé dans ses précédents discours : solidarité, justice entre les hommes, les servir.

A 13 h 30, l'avion arrive à Saint-Domingue. Quand le pape descend de l'avion, il se livre au geste qui deviendra rituel : se prosterner et baiser la terre qui l'accueille. L'universalité de l'Église, mère de tous les hommes, est contenue dans ce seul geste. Au président de la République dominicaine, aux prélats, aux cardinaux Beras, Cooke, Medeiros et Baum, aux ministres, il adresse un message de paix, qui, bien que court, définit toutes les options de Jean-Paul II sur le rôle international de l'Église. Ni ingérence ni participation aux affaires des États, mais vigilance, rester en toutes circonstances le pasteur universel qui sera « la voix des sans-voix », comme il dit...

La terre d'Amérique est à ses yeux le vivier futur de l'Église, comme elle a été par son histoire empreinte de la mission, terre d'accueil au message de Jésus. Cette « portion vive » de l'Église est néanmoins menacée, par des violences, des exactions. Des hommes, des simples, des humbles sont méprisés dans leur dignité, et le successeur de Pierre veut poursuivre l'œuvre des « premiers évangélisateurs », et, comme eux, il veut « proclamer les droits inviolables » des indigènes, leur dignité, « favoriser leur promotion intégrale », « enseigner la fraternité ». Jean-Paul II désigne ses buts : rappeler aux gouvernants, « depuis la terre mexicaine jusqu'à l'extrême sud du continent », leurs devoirs fondamentaux, et assurer de sa compassion et de sa protection les « pauvres, les campesinos, [...] les marginalisés». Cette intimité qu'il suscite, c'est déjà toute l'histoire du pontificat à venir, comme ces foules qui s'amassent sur son passage et qui vont devenir presque banales lors de chacun de ses déplacements. Sur les vingt-huit kilomètres qui séparent l'aéroport de la cathédrale primatiale, devant l'autel dressé pour la circonstance sur la place de l'Indépendance, des centaines de milliers de fidèles clament leur joie, agitent des drapeaux. Cette île est la première terre à avoir été évangélisée par l'Église et s'y rendre, pour son premier voyage, est lourd de sens. Mais, par-delà elle, c'est à tous les fils de «Cuba, de Jamaïque, de Curaçao, des Antilles, de Haïti, du Venezuela, des États-Unis» qu'il s'adresse. L'homélie donne le ton du voyage et des intentions litaniques que Jean-Paul II clamera durant tous les autres. C'est l'occasion pour lui de préciser le sens de l'évangélisation et de freiner ainsi la portée de la théologie de la libération. Que serait en effet une telle théologie si elle devait se borner à la «promotion humaine» et ignorer l'autre dimension de l'Évangile, qui est «d'annoncer la Bonne Nouvelle du Christ Sauveur». En d'autres termes, que serait une théologie qui s'engagerait dans «la construction d'un monde plus juste, plus humain et habitable» en s'y «enfermant», oubliant de «s'ouvrir à Dieu»?

L'évangélisation pour Jean-Paul II, c'est certes contribuer à ce qu'il «n'y ait plus de travailleurs maltraités ni diminués dans leurs droits, qu'il n'y ait plus de systèmes qui autorisent l'exploitation de l'homme par l'homme ou par l'État, qu'il n'y ait plus de corruption, qu'il n'y ait pas ceux qui abondent de tout, tandis que d'autres manquent de tout sans que ce soit leur faute, qu'il n'y ait pas de familles mal constituées, brisées, désunies, insuffisamment protégées, qu'il n'y ait pas injustice et différence dans l'attribution de la justice, qu'il n'y ait personne sans protection de la loi et que la loi protège également tous les hommes, que ne prévale pas la force sur la vérité et le droit mais la vérité et le droit sur la force et que ne prédomine jamais le plan économique et politique sur l'humain». La scansion des phrases, les répétitions à valeur négative prennent l'allure d'un véritable programme politique qui ne pourrait que satisfaire les tenants de la théologie de la libération. Jean-Paul II affirme ici avec une ardeur et une vigueur prophétiques la grande dimension sociale et humaine de l'Église mais pour aussitôt après insister sur l'« orientation verticale de l'évangélisation », sans laquelle le message évangélique n'aurait aucune spécificité.

Il n'y a de sens à l'universalité de l'Église que dans la « vision eschatologique de l'amour », pas de compréhension du mystère sans l'« union avec Dieu ».

Le message du voyage est tout entier dans cette certitude qu'il va scander tout au long de son parcours mexicain.

Le voyage pastoral se révèle donc une mise en garde constante contre ce qui aliénerait l'homme en quelque domaine que ce soit, et une Promesse, mais qui serait réciproque : le pape sera vigilant mais il attend de ses fidèles une égale vigilance : aux dirigeants de veiller sur ceux dont ils ont la charge, aux peuples de préparer par leur ferveur et leur sagesse l'avènement du Royaume. C'est pourquoi le motif de la semence parcourt la pensée de Jean-Paul II : évangélisateur et par là même itinérant, il croit en ce qu'il sème, vieux souvenir d'un christianisme idéaliste, en cette graine qui lève et propage. La pensée du pape se présente alors comme à double face : moderne dans cette coloration sociale et humaniste que pourrait relayer tout homme de bonne volonté pas forcément catholique, et « rocher » de la doctrine millénaire ; moderne dans l'utilisation des signaux les plus sophistiqués de la communication, mais dépositaire d'un message non interprétable selon différentes lectures, inébranlable.

Le vendredi 26 janvier, Jean-Paul II se met en route pour le Mexique où l'attendent tous les observateurs, à Puebla particulièrement où sera prononcé le fameux discours-programme de son action en Amérique latine et ailleurs. Avant de partir, il célébrera encore la messe dans la cathédrale de Saint-Domingue cette fois, messe consacrée uniquement aux prêtres, religieux, religieuses et séminaristes. Là encore, Jean-Paul II met en garde contre certaines déviations de la pratique chrétienne, « les données à saveur sociologique, politique, psychologique, linguistique », celles qui en réalité éloignent à ses yeux d'un « Évangile vécu également avec joie et avec l'immense espérance que renferme la croix du Christ ».

Le mot de libération est pour la première fois lâché : « La vraie libération, dit-il, [c'est de] proclamer Jésus-Christ, libre de toute attache, présent dans des hommes transformés, devenus nouvelles créatures. » A chaque fois que Jean-Paul II s'adresse à des personnes consacrées, c'est dans ces termes de « violence » mystique qu'il le fait. Ceux que la vocation a appelés à être, comme il le dit, les « dispensateurs des mystères de Dieu » doivent vivre cette mission dans un radicalisme sans faille. Ce qu'il avait déjà affirmé à Rome devant un auditoire semblable, « vivre à temps complet » cette cause ecclésiale, et non « à mi-temps », il le redit ici, c'est une question d'énergie vitale à produire et prodiguer sans états d'âme, dans la conviction absolue de servir la vérité, c'est-à-dire le Maître.

Cette première partie de la matinée se poursuit au pas de charge – ce sera une des premières critiques des adversaires des voyages pontificaux – par une visite aux pauvres du quartier déshérité de Las Minas. Quand il y parvient, la foule clame son nom sans interruption. Le pape sourit devant ce déferlement de liesse et de « naïveté » au sens le plus propre du terme, il leur répond : « Vous dites Juan Pablo, Juan Pablo et je dis Jesucristo, Jesucristo. » Mais la foule ne veut pas le laisser partir, le supplie de rester, craignant un nouveau tremblement de terre.

Au président Fernandez, Jean-Paul II déclare : « La

brièveté de mon discours a été compensée par l'intensité des émotions que j'ai pu vivre. »

Il annonce cependant les grands thèmes du pontificat en matière d'assistance aux plus démunis, thèmes qu'il va répéter avec une insistance qui finira pas être gênante et donc politiquement subversive pour les autorités gouvernementales qui l'auront accueilli : l'exhortation « à développer davantage les possibilités que vous avez d'obtenir une situation de plus grande dignité humaine et chrétienne » (il avait déjà prononcé de telles paroles lorsqu'il était archevêque-cardinal de Cracovie), et l'appel aux pouvoirs publics afin de remédier à de telles conditions de vie.

L'« appel urgent aux consciences » fortifie l'idée que le monde se fait du nouveau pape : celui des droits de l'homme, de la justice sociale, le pape géopolitique, mais aussi la « pierre qui ne changera pas », comme le surnommait Olivier Chevrillon[3].

10 h 30, le pape s'envole pour Mexico City. Malgré le contexte un peu délicat, l'Église ne bénéficiant d'aucune reconnaissance par l'État mexicain, le pays attend Jean-Paul II avec une immense joie. Les carillons, les cloches de toutes les églises sonnent à la volée, accueillant le pape dans un débordement très « latin ». Les autorités politiques en la personne du président de la République mexicaine viennent le saluer à sa descente d'avion et, après un bref échange de bienvenue, plus protocolaire que convaincu, le pape va à la rencontre de ses fidèles. Pour atteindre le cœur de la ville, le Zócalo, il ne faut pas moins de deux heures tant la foule est dense et ralentit le cortège. Mexico connaît une journée de liesse mémorable. Le pape, et c'est un des privilèges de ses voyages, ouvre en quelque sorte des espaces de liberté, des failles dans les sociétés les plus rigides ou les plus muselées, permet, ne fût-ce qu'une journée, de vivre dans une apparente liberté, procure une sensation de la liberté, charnellement, spirituellement, émotionnellement.

Ce que Jean-Paul II inaugure dans ce type de voyages,

c'est la conscience de sceller un pacte, une union, une sorte d'alliance renouvelée avec l'Église. A chacun d'entre eux, il rappellera ces noces mystiques d'un peuple avec Dieu, soulignant ainsi la cohérence d'un engagement spirituel, la portée d'une pratique, l'exigence d'une foi assumée.

La gradation des discours est subtilement conduite : si Jean-Paul II évoque ceux qui se laissent prendre aux illusions d'une fausse libération, il sait que son intervention forte sur ce sujet aura lieu solennellement à Puebla, devant la Conférence générale de l'épiscopat latino-américain. Mais, en pédagogue – il a exercé le métier d'universitaire – il connaît les vertus de la répétition savamment dosée : aussi, lors de l'homélie prononcée aussitôt après son arrivée dans la cathédrale de Mexico, il fustige, au passage d'un long discours de type religieux, ceux qui, « au nom d'un prophétisme mal éclairé, se lanceraient dans la construction aventureuse et utopique d'une Église dite du futur, désincarnée du présent ». Il préfère pour l'heure évoquer les principes « simples » de l'Église : fidélité à la dévotion mariale, fidélité exemplaire au pape, fidélité aux semences de la foi jetées par les premiers missionnaires. Il en appelle à une religion populaire, désignant par là son appartenance polonaise : comme on dit Polonia semper fidelis, il voudrait que l'on dise aussi Mexico semper fidelis, le Mexique toujours fidèle.

L'homélie tâche d'ancrer le peuple qu'il visite dans cette religion millénaire, et c'est ce qu'il scande avec une force profondément ressentie. Les observateurs politiques, venus nombreux de tous les pays du monde, tendent quelque peu l'oreille, trouvent dans ce sermon un certain relent de conservatisme, une saveur même réactionnaire. C'est ignorer, comme le dit le père Malinski, « la situation réelle du clergé : des prêtres ont presque renoncé à la catéchèse, au service pastoral, aux messes, aux sermons, et se sont engagés dans la politique[4] ».

Aussi la parole du pape résonne-t-elle comme un avertissement : qu'on ne se méprenne pas sur ses intentions, que sa connaissance des médias, que son « look » d'homme sportif et moderne ne fassent pas illusion : il est avant tout le garant du dépôt évangélique et, sur quelque continent qu'il se trouve, il l'affirmera avec autorité et certitude. Cohérence, tel est le mot pilote de son homélie : le signe du chrétien qui le désignera chrétien aux autres hommes, c'est celui de sa foi et de sa résolution. « Déposons sur l'autel cette intention et cet engagement. » La méthode Wojtyla, c'est de pousser son auditoire dans sa vérité, de le mettre en situation non pas de figurant passif et routinier de la foi, mais de véritable acteur. Il n'hésite pas pour cela à utiliser des gestes hautement symboliques, comme de répéter le vœu d'engagement avec le Christ, devant l'autel, en communiant.

Il faut considérer ce premier voyage comme emblématique de tous les autres voyages de Jean-Paul II de par le monde. Tous répéteront un rituel immuable qui le fera visiteur des hommes politiques, des intellectuels, des ouvriers, des pauvres, des malades et des jeunes, des représentants des Églises locales, et les mêmes problèmes seront abordés avec une inlassable ferveur : la paix, la justice dans le monde, le respect des droits de l'homme, la liberté religieuse considérée comme la première d'entre toutes les libertés, les admonestations ou critiques voilées à l'égard de ceux qui s'y déroberaient, la compassion évangélique pour les plus déshérités, le rappel de l'identité catholique et la redynamisation de la pratique religieuse. C'est pourquoi ces voyages sont de véritables marathons, épuisants et éprouvants, mais que Jean-Paul II vit comme une sorte de sanctification et de grâce, comme s'ils lui permettaient de prendre ainsi toute la mesure de son destin providentiel.

Le pape sait toutefois qu'au Mexique la partie est ardue, compte tenu du contexte politique. Comment ignorer que le Mexique a conservé une des constitutions les plus anticléricales du monde ? Comment ne pas tenir compte du fait que l'Église n'y a aucune identité juridique, que même si les décrets anticléricaux se sont tempérés après les émeutes populaires de 1922-1930, elle est toujours suspecte et tolérée uniquement grâce à ce vieux fonds colonial de piété populaire qui résiste à toute révolution ? Jean-Paul II se souvient encore qu'en 1968 le pape Paul VI avait convoqué à Medellín la IIe Conférence de l'épiscopat latino-américain et que cette conférence avait semé des graines d'espoir chez les plus défavorisés, dénonçant « l'exercice de l'autorité politique [...] une conception erronée du droit de propriété des moyens de production[5] ».

La portée prophétique de Medellín a encouragé des excès, des prêtres ont pratiqué la guérilla urbaine et rurale, l'archevêque « rouge » Dom Helder Camara est perçu par beaucoup comme un Che Guevara religieux. Aussi se rendre à Mexico dans le prolongement de Medellín n'était pas aisé pour Jean-Paul II. Il s'agissait pour lui à la fois d'entériner l'« esprit de Medellín » et de rappeler aux « bergers » égarés dans les maquis que « la vraie libération des hommes [...] ne se réduit pas à la pure et simple dimension économique, politique, sociale ou culturelle ».

Le programme du pape est donc chargé, comme il le souligne au corps diplomatique qu'il rencontre à la délégation apostolique vers 15 heures. L'audience prépare par ses thèmes la rencontre que Jean-Paul II aura quelques heures plus tard, de 18 h 45 à 20 heures, avec le président de la République mexicaine, Lopez Portillo : l'« humble pèlerin de la paix » exhorte ses auditeurs à la paix, à la collaboration fraternelle, à la sécurité, et soulève le problème douloureux des réfugiés du Sud-Est asiatique, boat-people à la dérive. Le contenu de l'entretien avec le président est tenu secret, mais il est probable qu'outre ces sujets le pape a aussi abordé les problèmes singuliers de l'Église catholique dans ce pays. Le samedi 27 janvier, une chaleur caniculaire pèse sur Mexico. Le ciel est farouchement bleu, mais, malgré la chaleur, des millions de visiteurs se sont agglutinés depuis la tombée de la nuit le long des vingt kilomètres qui séparent la délégation apostolique où réside le pape et le sanctuaire de Notre-Dame de Guadalupe, la Vierge vénérée du Mexique.

Très tôt ce matin, le pape est réveillé au chant des aubades populaires, les *mañanitas*. C'est une explosion de joie, de liesse pascale qui règne ici. Dès 8 heures, Jean-Paul II reçoit la délégation polonaise. Enfants, familles arrivent dans les jardins de la délégation, le pape les accueille avec une grande émotion, il n'y a pas si longtemps il se trouvait encore à Cracovie et jamais il ne se défera de cette nostalgie qui, quelquefois, surtout dans les premiers mois, l'a poussé aux larmes.

Cette journée est sous le signe de l'émotion. Le pape est proche des siens, entend des chants polonais, la langue polonaise, voit des enfants en costumes folkloriques, et la visite à la Morenita, la Vierge de Guadalupe, le rend à ce culte marial qui est le sien, à cette figure de Marie qui l'assiste et qu'il invoque sans cesse : Czestochowa, Lourdes, Guadalupe, Fatima, il ne manquera jamais de se rendre dans ces sanctuaires. Des centaines de milliers de personnes l'attendent sur l'esplanade. En face de lui, le pape, dont la voiture marche au pas, voit la basilique baroque, que jouxte presque l'immense construction de béton de la basilique nouvelle en forme de sombrero. C'est dans ce bunker qu'il pénètre. Au-dessus de son siège, la Vierge trône et veille, et c'est dans le lyrisme des chants populaires à Marie que le pape va prononcer son homélie, une des plus belles qu'il ait jamais dites, qu'il faut entendre comme une hymne vibrant à Marie, qu'il salue, et implore. Le sermon est lui-même scandé comme un poème, avec des incantations, des répétitions oratoires, des strophes litaniques qui sont autant de débordements, d'effusions d'amour.

> Je te salue, Marie !
>
> C'est avec un immense amour et un profond respect que je prononce ces mots à la fois si simples et si merveilleux ! Nul ne pourra jamais te saluer d'une manière plus admirable que ne le fit l'Archange le jour de l'Annonciation.
>
> Ave Maria, gratia plena, Dominus tecum.
>
> Je redis ces mots que tant de cœurs conservent et tant de lèvres prononcent dans le monde entier. [...]
>
> Je te salue, Mère de Dieu !

Mais la prière à Marie n'est pas exempte des préoccupations du présent. Le pape lui demande de l'assister dans la clairvoyance. « Aide-nous, implore-t-il, à enseigner la vérité. » Il rappelle l'intention « évangélisatrice » de Medellín, créer un élan de renouveau pastoral, un nouvel esprit face à l'avenir, et avoue les échecs, les déviations. « On a fait des interprétations, parfois contradictoires, pas toujours correctes, pas toujours bienveillantes envers l'Église. »

Et encore une fois les termes de « liberté », de « libérés » sont proclamés, comme un contrepoint à cette libération que lui, « évêque de Rome et pape », comme il l'affirme hautement, condamne comme un leurre, un égarement.

Ce qui semble le plus préoccuper Jean-Paul II c'est l'identité du chrétien dans la société. Il veut qu'elle soit plénière, qu'il n'y ait pas de faux-semblants, d'interprétations, de lectures possibles autres que celles conçues à la lumière de Jésus-Christ. C'est ce qu'il dira aux prêtres et religieux du Mexique, dans la même basilique, l'après-midi, c'est ce qu'il a déjà dit à Rome et qu'il redira dans tous ses voyages à venir, inlassablement, avec un certain pathétique. Si le discours social et humaniste de Jean-Paul II a été souvent relevé, celui qui en appelle aux tensions les plus mystiques n'a guère été entendu ; or, il est peut-être celui qui jaillit de tous ses voyages et de son enseignement avec le plus de force et de constance. « En face de ces certitudes de la foi, pourquoi douter de sa propre identité ? Pourquoi vaciller au sujet des valeurs de sa propre vie ? Pourquoi hésiter sur le chemin entrepris ? »

Le pape veille cependant avec une vigilance qui n'échappe à personne. Il n'hésite pas à proclamer l'obéissance à Rome essentielle, et affirme presque comme une menace que ne sera tolérée aucune déviance. Il ne serait pas « admissible » que les prêtres et religieux aient « une pratique de magistères parallèles à ceux des évêques – [...] seuls maîtres dans la foi –, ou des conférences épiscopales ».

La voix tonne pour dire on ne peut plus clairement : « Soyez prêtres et religieux, ne soyez pas des dirigeants sociaux, leaders politiques ou fonctionnaires d'un pouvoir temporel. » Même discours spirituel proclamé devant les religieuses, une heure et demie plus tard, au collège Miguel Angel : « Parfois on abandonne la prière, la remplaçant par l'action ; on interprète les vœux selon la mentalité sécurisante qui voile les motivations religieuses de cet état ; on abandonne avec une certaine légèreté la vie en commun, on adopte des positions sociopolitiques [...] y ajoutant des radicalismes idéologiques bien définis. » On le voit bien, la récurrence de telles assertions sous prétexte de conseils voile à peine les objectifs du pape, cette volonté de redéfinir l'état religieux, d'en rappeler le lieu, le statut, de bien signaler les frontières : la compassion à l'égard des pauvres et des déshérités de toutes sortes ne saurait donner lieu à des options sociopolitiques, qui affecteraient le signe de l'engagement ecclésial, en atténueraient la portée. Le seul lien qui ressoude les « prêtres du Christ », c'est la prière, celle qui redonne la « jeunesse spirituelle », et permet de s'identifier au Christ des Béatitudes.

Enfin, Puebla, le dimanche 28 janvier. Mexico n'a pas dormi de la nuit. Une allégresse règne dans la ville, que la chaleur du jour précédent a rendue moite, presque suffocante. Quand le pape part pour Puebla très tôt, le peuple de Mexico est là pour l'accueillir, c'est un raz de marée imprévisible. Que viennent-ils voir, que cherchent-ils à comprendre, ceux qui ont passé la nuit dehors ? Ont-ils le secret espoir que ses yeux vont rencontrer leurs yeux, qu'une puissance magique est attachée à sa personne et qu'une grâce particulière leur sera donnée ? Pourquoi tous ces enfants dressés dans les bras de leur père pour que le pape croise leur regard, ou mieux encore les touche ? Reste de superstitions locales et populaires ? Peut-être. Le pape n'est pas hostile à ces débordements exubérants, à ces manifestations baroques de la piété populaire, ils ressemblent à ceux des Polonais. Sa ferveur mariale ne se conçoit qu'ainsi, dans cette effusion sentimentale, presque infantile. La Vierge est le substitut éternel de la mère périssable, humaine et mortelle de par sa condition, Elle est Celle qui entend tout, qui comprend tout. Jean-Paul II croit en cela. C'est pourquoi le peuple mexicain lui a fait un si chaleureux accueil. Il s'est reconnu en cet homme, et parce qu'il sait aussi qu'il est avec lui. Sait-il seulement, ce peuple enthousiaste qui brandit des millions de petits drapeaux jaune et blanc, que le pape le convie avec une fermeté farouche à une « cohérence de chrétien » ? Confusément seulement il devine que le pape peut lui apporter quelque mieux-être, l'aider par toutes les œuvres mises en place à améliorer sa situation et peut-être encore voit-il en lui une sorte de « vice-Dieu », comme dirait Rabelais, figure presque spectrale, féerique, d'un homme tout de blanc et de rouge vêtu qui le salue et passe, une apparition en quelque sorte, signe d'un besoin d'ailleurs intuitivement éprouvé et soudain réalisé là, comme par enchantement.

Ce premier voyage de Jean-Paul II instaure le rituel : aucune rencontre n'est réellement improvisée quoique, l'émotion gagnant les fidèles et le pape lui-même, tout ait l'air d'une fête improvisée. Après les autorités officielles, les membres de la hiérarchie ecclésiastique, les fidèles rassemblés dans les églises, les religieux et les religieuses, les populations locales saisies dans leur environnement, les ouvriers, que le pape aime particulièrement parce que lui-même l'a été et qu'il connaît leur condition. Aussi quand il voit sur la route de Puebla, à San Miguel Xoytla, un ouvrier venir à sa rencontre, Jean-Paul II éprouve une émotion violente. Souvent d'ailleurs, il éprouvera un trouble immense à la vue de certaines souffrances humaines ou en rencontrant d'humbles fidèles. Cette émotion particulière le porte alors aux larmes qu'il ne cherche pas à retenir, comme lorsqu'il étreint un enfant, vivant alors pleinement cette « paternité » universelle dont sa fonction l'a investi. Quand il accède enfin à Puebla, il peut mesurer l'ampleur de sa popularité. Là aussi, comme à Mexico où la police dut même éparpiller la foule en lançant des gaz lacrymogènes, des centaines de milliers de pèlerins, au prix d'une nuit passée à la belle étoile, l'attendent, l'ovationnant dans une clameur immense. A Puebla, près de trois cents églises carillonnent et souhaitent, dans une atmosphère de fête, dans l'allégresse des orchestres de *mariachis*, dans la ferveur populaire, la bienvenue au successeur de saint Pierre. La foule crie des slogans pour une fois pacifiques, presque insolites : « Karol Wojtyla, tu es Pierre », partout des banderoles reliant les trottoirs proclament « Viva el Papa ».

Parfois, mais la scène deviendra familière pour Jean-Paul II, des parents parviennent à rompre le cordon de sécurité et s'élancent vers la voiture du pape, brandissant un enfant, afin que le pape le bénisse. A Puebla, les fidèles jettent à la volée des poignées de confettis, agitent frénétiquement des petits drapeaux de papier. C'est devant un autel dressé en plein air, face au séminaire de Palafox, que le pape va de nouveau prononcer une homélie. S'il a consacré son discours à la famille, il invoque néanmoins les évêques réunis pour leur rappeler leurs devoirs : diriger localement une Église, c'est d'abord implorer l'Esprit Saint pour qu'il fortifie leur tâche. Ils sont interprètes de Dieu, témoins du Christ, avocats ou consolateurs. Telle est la triple mission qui leur est confiée. Puis le pape place sa réflexion dans la lignée de Medellín. La famille est le ciment de la société latino-américaine. Il faut approfondir cette fonction, et là encore trois dimensions sont proposées aux familles : « Être éducatrices dans la foi, formatrices des personnes, promotrices du développement ». Jean-Paul II ne sous-estime pas l'importance que revêt le « continent de l'Espérance » qu'est l'Amérique latine. Elle est un vivier pour l'Église, mais elle peut aussi courir à sa perte, se déchirer dans la violence et la discorde. Il n'ignore pas la dégradation majeure que ce continent a subie depuis la Conférence de Medellín, insalubrité, drogue, ignorance, analphabétisme, conditions inhumaines d'existence, sous-alimentation, prostitution, pauvreté galopante, etc.

Il en profite pour souligner l'hostilité de l'Église à l'avortement et à la limitation des naissances. Sa vision est en l'occurrence sans équivoque, mais il l'avait déjà énoncée à Rome devant le corps médical, au grand dam des associations féministes italiennes qui voyaient là une ingérence intolérable dans leur vie de femmes. Mais Jean-Paul II persiste et signe. Reprenant l'expression forte de Paul VI qui s'avère en bien des domaines une référence constante pour le nouveau pape, il déplore que l'on veuille diminuer « le nombre des invités au banquet de la vie ». La solution pour Jean-Paul II est très simple, elle réside dans cette foi absolue au message du Christ. « Rendre plus abondante la nourriture à table », voilà ce qu'il répond à ceux qui, à ses yeux, tuent l'espérance. « Faites l'Église », dira-t-il le lendemain lors de la grand-messe à Oaxaca. Que chacun, proclame-t-il, réalise l'« église domestique », c'est-à-dire que chacun fasse dans sa famille l'unité dans le Christ, s'unisse à lui, dans sa vie de tous les jours, communie dans la même espérance, suscite la même ferveur.

Cette parole n'est pas inconnue dans l'Église, elle est même somme toute assez banale, c'est la force prophétique du message, l'élan avec laquelle elle est prononcée qui surprend, donne d'y croire davantage, provoque au sens propre du terme l'ébranlement spirituel.

La conférence à laquelle Jean-Paul II se rend à Puebla a été souhaitée, on l'a vu, par Paul VI. Elle a pour objectif majeur « l'Évangélisation dans le présent et l'avenir de l'Amérique latine ». La préparation d'une telle conférence a donné lieu à la rédaction d'un document de plus de cent pages suivies d'annexes qui seront comme le support de la conférence, le point d'ancrage des recherches. La rencontre rassemble trois cent quarante-deux participants dont cent trente-huit évêques venus des vingt-deux pays du continent latino-américain. Des cardinaux de la Curie romaine, des membres d'organismes d'assistance financière, des dignitaires du Saint-Siège participent également, sans avoir le droit de vote[6].

Tous les problèmes propres à l'état du continent sont soulevés, y compris la lutte des classes, la violence, la vision horizontaliste de certains évêques « rouges », la rédemption du Christ contestée ou « lue » dans une analyse politique et économique, le rôle subalterne que joueraient les sacrements, etc.

Ce que la conférence veut essayer de démêler, c'est l'amalgame que semblent vouloir opérer certains religieux entre marxisme et christianisme, ce que le document condamne tout aussi violemment d'ailleurs que le « capitalisme libéral », car le marxisme comme le capitalisme ne parviennent pas à « briser le cercle de la violence et de la haine ».

Aussi le discours de Jean-Paul II est-il attendu avec beaucoup d'impatience. L'aura qui l'entoure, la force de son charisme, la grande autorité physique et morale qu'il dégage vont l'aider dans cette épreuve. Mais Jean-Paul II, au seuil de son pontificat, n'a pas peur. Il l'a clamé lors de son investiture, il a demandé aux catholiques de ne pas craindre eux non plus ce qui leur est demandé, l'exigence si fondamentale de l'Évangile. Ses combats avec le marxisme l'ont aguerri, il semble même aux yeux des observateurs que c'est dans ce domaine-là qu'il est le plus convaincant, le plus à son aise.

Conscient qu'il inaugure là aux yeux du monde une conférence historique, il va sacraliser sa parole en crevant de suite l'abcès. Puisque sa « principale préoccupation » est de témoigner la vérité, il l'assène d'entrée de jeu. Il affiche à ce moment-là une sérénité absolue, presque une paix. Le prêtre est à ses yeux non seulement un serviteur de Dieu, mais encore un « maître de la vérité ». Pour aider ses pasteurs, lui, le guide suprême de la hiérarchie, va définir la « praxis » à conduire : ce que les fidèles attendent d'eux, ce n'est pas d'être des politiques, des leaders animés d'une idéologie, mais de transmettre « la vérité sur Jésus-Christ ». Or, « il n'y a pas d'évangélisation vraie [il insiste beaucoup dans cette partie du message sur cette notion de vérité], si le nom, l'enseignement, la vie, les promesses, le règne, le mystère de Jésus de Nazareth, Fils de Dieu, ne sont pas annoncés ». Sans cesse Jean-Paul II revient sur le dogme essentiel, sur ce Credo que la modernité soumet à érosion, à banalisation, à lectures multiples, psychanalytiques, sociopolitiques... Il importe donc, et sa parole est celle alors d'un chef spirituel puissant, de réaffirmer une christologie et une ecclésiologie sans ambiguïté. La force lexicale du discours tient surtout en deux termes, vérité et conviction, et toutes les occurrences qui s'y rattachent. Il ne peut y avoir, et il scande ces affirmations, d'autres Églises que celle de Jésus-Christ, toute autre annonce serait « anathème » ou spéculation idéologique.

Le terme même d'idéologie entre dans le combat spirituel de Jean-Paul II. Que cette idéologie soit progressiste ou réactionnaire, marxiste ou traditionaliste, elle est toujours source d'aliénation, de manipulation et de violence.

Son souci sera donc, face à ces idéologies qui, comme c'est le cas en Amérique latine, se posent en « défis destructeurs[7] », d'explorer de nouveaux « espaces de liberté » qui permettraient à l'Église institutionnelle de proclamer son message de libération. C'est que la mission chrétienne est « beaucoup plus profonde ». Elle consiste, dit-il, en un salut intégral, « qui transforme, pacifie, un amour de pardon et de réconciliation ». Les pauvres, les riches, les miséreux comme les publicains sont pris dans le même amour, visés par le même salut, englobés dans l'immense amour de Dieu. Ni sélection, ni discrimination, telle est l'exigence qu'il réclame de ses prêtres. Cette règle est bien sûr particulièrement adaptée au continent visité, mais a sa pertinence dans tous les autres continents.

Le Royaume de Dieu n'est donc pas accessible par « un pur changement de structures et par l'engagement politico-social ». Ce serait lui faire rejoindre les lendemains qui chantent marxistes. Jésus-Christ seul l'annonce par le truchement de la Croix, et ce n'est qu'en faisant croiser horizontalité et verticalité que la vision du Royaume s'inscrit à nos yeux. C'est dire l'importance que revêt pour lui l'unité de l'Église.

Celui qu'on surnommera plus tard le « pape des droits de l'homme », avec admiration ou comme les intégristes avec dérision, n'est pas cependant celui qui vient sermonner les évêques subversifs ou déviationnistes. Il est celui qui cherche à équilibrer les parties en place, à tempérer les excès, à intégrer surtout les contextes politico-sociaux et culturels dans le grand creuset du christianisme. Ce n'est pas une mince affaire en Amérique latine où la renaissance d'une religiosité populaire mâtinée de rites païens, africains et précolombiens ainsi que l'efflorescence de communautés de vie spontanées fondées sur des perceptions plus idéologiques obligent à adapter le message évangélique en fonction de telles réalités. Aussi Jean-Paul II dénonce-t-il fermement les atteintes à la liberté, au « droit de professer sa religion, à l'intégrité physique et psychique, au droit aux biens essentiels, à la vie ». Le leitmotiv de son intervention consiste dans l'idée que l'Église, tout en se présentant comme la championne de la « promotion de la dignité humaine », reste cependant dans la droite ligne de sa mission à « caractère religieux ».

« Au centre du message dont elle est le dépositaire et le héraut, elle trouve, dit-il, l'inspiration voulue pour agir en faveur de la fraternité, de la justice, de la paix, et contre toutes les dominations, esclavages, discriminations, violences, atteintes à la liberté religieuse, agressions contre l'homme, et tout ce qui attente à la vie. » Cette analyse extraite de la constitution *Gaudium et Spes* renvoie à la doctrine sociale de l'Église, à sa règle de vie que Jean-Paul II va rappeler au terme de son long discours. Sa parole devient même très audacieuse quand il condamne la propriété privée en ce qu'elle porte en son essence même une « hypothèque sociale » qui risque de dégénérer en conflits et en discordes. Face à ce problème que l'Église ne peut résoudre, il convient de promouvoir une éthique fondée sur la justice et le spirituel. A « l'avoir plus », il faut opposer « l'être plus ». Jean-Paul II est bien le dernier à se voiler la face. Son action en faveur de la promotion humaine en Pologne, constante et âpre, lui a donné les moyens de connaître la marche à suivre : « Qui pourrait nier qu'aujourd'hui des personnes individuelles et des pouvoirs civils violent impunément les droits fondamentaux de la personne humaine ? [...] Et que dire des différentes formes de violence collective, comme la discrimination raciale dirigée contre des individus et des groupes, l'usage de la torture physique et psychologique ? »

La sixième séquence de son discours répète avec une insistance remarquée le mot de libération qui, en ce lieu et devant cet auditoire, prend une réalité singulière. Plus de douze fois le mot revient pour affirmer que la vraie libération est en Jésus-Christ seulement, que toute autre serait illusoire et mensongère, périlleuse même pour l'unité ecclésiale. Savoir discerner la vraie et la fausse libération, c'est d'abord « regarder au niveau du contenu quelle est la fidélité à la Parole de Dieu, à la tradition vivante de l'Église, à son magistère ».

Ce qu'il réclame avec ardeur auprès de ses auditeurs, c'est « l'audace des prophètes et la prudence évangélique des pasteurs, la clairvoyance des maîtres et la sûreté des guides et des orienteurs, la force d'âme comme témoins et la sérénité, la patience et la douceur des pères ».

L'esprit de Puebla est, on le voit, plus puissant encore que celui de Medellín, déjà audacieux : priorité aux humbles, aux démunis, mais sans violence, pratiquer leur libération, dans la fidélité au Christ.

Le discours-programme de Puebla va bien sûr au-delà du contexte latino-américain. Il définit une action à venir dans laquelle toute l'Église est engagée. La dualité du discours (la libération politique n'est pas libération chrétienne, mais l'éthique chrétienne doit se préoccuper des droits fondamentaux des hommes), montre à l'évidence les choix du pontificat à venir, ses orientations : Jean-Paul II raffermira l'unité de l'Évangile en consolidant celle de son Église, et, fidèle en cela au dépôt, veillera à ce que les idéologies de tous bords (et les admonestations envers les présidents Marcos ou Pinochet, par exemple, lors des futurs voyages, montrent bien la réversibilité du propos) n'entravent pas plus longtemps la marche éclairante de l'Évangile.

Inlassablement, le voyage reprend sous la grande chaleur mexicaine. Il est suffisamment emblématique de la quête pastorale de Jean-Paul II pour qu'on s'y attarde et qu'on tente d'en montrer toutes les facettes. Lundi 29 janvier, le pape rend visite aux enfants malades de l'hôpital des Enfants de Mexico. Cette dimension « paternelle », Jean-Paul II la pratiquera toujours, comme une nécessité évangélique fidèle en cela à la demande de Jésus-Christ : « Laissez venir à moi les petits enfants. » Le mystère de la souffrance chez les enfants l'émeut considérablement. Sa piété populaire, sa foi du « charbonnier », accrues par la sentimentalité romantique polonaise, lui donnent d'avoir une compréhension particulière pour les petits enfants, une proximité d'âme que ses interlocuteurs eux-mêmes pressentent. Il n'est que d'observer les photographies où Jean-Paul II étreint des enfants. Il y a là une émotion et un silence lourds d'intensité, où le pape semble tenter de saisir quelque chose de l'innocence, ou bien transmettre en « magicien » sa ferveur, retenir encore ce don de Dieu qui circule dans tout enfant.

Devant la douleur et l'impossibilité de parler tant l'émotion est forte, le pape en appelle à Marie, la seule capable d'entendre leurs voix réunies. Il convie alors tous les enfants à réciter avec lui un Je vous salue Marie à Notre-Dame de Guadalupe.

10 h 33. Le Boeing 727 décolle pour Oaxaca, à cinq cents kilomètres de Mexico. Oaxaca, « riche d'histoire, de traditions et de religiosité », comme il le dira dans son message d'accueil. Le pape va visiter Cuilapan où l'attendent des dizaines de milliers d'Indiens. La rencontre est parmi les plus denses que Jean-Paul II ait connues. Un indigène, pauvre, vient saluer le pape sur son estrade au nom de tous les siens : « Nous souffrons beaucoup, nous n'avons pas de travail. [...] Nous espérons qu'avec toi le bonheur nous est venu et qu'il nous restera. [...] Les vaches ont un meilleur sort que nous. [...] Nous ne sommes pas capables de nous exprimer et ce que nous souffrons, nous sommes obligés de le garder dans le secret de notre cœur[8]. »

L'imploration du paysan est bouleversante de confiance et de fidélité : « Demande quelque chose au Saint Esprit pour tes pauvres fils. » Jean-Paul II ne peut guère retenir ses larmes. Il étreint le paysan, le bénit. Ce que le pape exprime dans sa réponse, c'est une sorte de débordement affectif. Il se sent à ce moment précis comme investi de la paternité universelle, de ce devoir de protection si terrible dont il a la charge. « Le pape veut être votre voix, leur dit-il, la voix de ceux qui ne peuvent pas parler, la voix de ceux qu'on a fait taire. Il veut être la conscience des consciences. »

Il scande comme jadis le Christ quand il enseignait les principes de sa praxis évangélique : il faut, il faut, il faut, dit-il avec force. Agir, mettre en pratique, entreprendre. Mais en Occident, ses paroles commencent déjà à inquiéter quelque peu. Le pape manifeste trop souvent une prédilection pour des âges nostalgiques, voire pastoraux et utopiques, son idéalisme préoccupe en ce sens qu'il va contre le cours de l'Histoire. Sa parole semble manichéenne, il y a le bien et le mal, la prière et l'indifférence, le diable et le bon Dieu, la ville et la campagne.

Il en appelle aux classes possédantes pour réparer l'injustice et la misère. « Entendez le cri de l'homme abandonné, dira-t-il dans cette belle formule, vous entendrez aussi le cri de Dieu. »

Les banderoles qui traversent les places et les rues reprennent sa parole prophétique : « Tu es la voix de celui qui se tait. » La liesse populaire est immense, Jean-Paul II lors de son homélie exhorte comme il sait le faire l'auditoire à le suivre. Il a l'art d'emporter l'adhésion, par un mot, une interjection, de redonner foi : « Courage, clame-t-il. Faites l'Église. » Son voyage marque un « événement » au sens où lui-même entend ce terme quand il définit la religion chrétienne comme un événement, celui de l'incarnation de Jésus, « l'Homme-Dieu qui a récapitulé en lui l'univers ».

Il revient à Mexico dans la soirée et, à 19 h 30, s'exprime encore devant les organisations catholiques nationales.

Mais le marathon n'est pas achevé. Le mardi 30 janvier, le pape se rallie la jeunesse qui l'attend avec une exubérance si effusionnelle que lui-même se sent comme aspiré par leur enthousiasme. A l'école catholique de Miguel Angel, à Mexico, son discours porte sur deux points qui lui tiennent à cœur : l'ancrage d'une éducation chrétienne dans le Christ, et l'abandon par définition de toutes les idéologies. Il demande aux jeunes leur aide dans la lutte que l'Église entreprend contre l'analphabétisme.

Solidarité donc, et libération dans Jésus-Christ. Ce sont toujours les mêmes axes d'une pastorale adaptée à chaque auditoire. Jean-Paul II parle à ce moment dans une langue très concrète et c'est ce qu'aiment ces jeunes qu'il visite, l'impression d'avoir affaire à un père qui les écoute et dont l'autorité, incontestable, paraît innée : « Votre soif d'absolu, leur dit-il, ne peut être étanchée par ces succédanés que sont les idéologies qui conduisent à la haine, à la violence et au désespoir. Seul le Christ recherché et aimé d'un amour sincère est source de joie, de sérénité et de paix. » Il sait les concerner par des tâches idéales, des projets humanistes : « Mettez-vous au service des causes qui méritent vos efforts, votre abnégation et votre générosité. L'Église l'attend de vous et elle a confiance en vous. »

A Guadalajara, que ce soit devant les pauvres du quartier déshérité de Sainte-Cécile ou au stade Jalisco, c'est toujours le même spectacle : foules déchaînées, clameurs intenses comparables à celles des grands matches de football. Le pape seul rassemble ici plus de cent mille personnes qui écoutent son message dans l'euphorie.

Il interpelle directement son auditoire, ce n'est pas un propos abstrait, mais une sorte de dialogue qui s'instaure, ponctué par des applaudissements, des hourras qui s'échappent des tribunes. « Je vous le répète, dit-il aux enfants présents, vous êtes l'espérance du pape, [...] ne me refusez pas la joie de vous voir marcher dans des chemins qui vous conduisent à être d'authentiques serviteurs du bien. » Aux parents, il fait l'apologie du travail, non pas « malédiction », mais « bénédiction de Dieu », vocation qui appelle à construire le monde pour préparer le Royaume.

Puis, à la cathédrale, nouvelle rencontre avec les cloîtrées de cet archidiocèse. Jean-Paul II leur révèle sa théologie, la foi qui l'anime. Vous êtes le « petit troupeau », leur dit-il, conservez « cette simplicité des plus petits de l'Évangile ». La piété du pape est bien celle des Polonais fervents et naïfs, qui trouvent la paix dans le sein de Marie à laquelle il recommande toutes les religieuses. Après cette rencontre, il se montre au balcon de l'archevêché et récite, comme il a coutume de le faire à Saint-Pierre de Rome, l'Angélus avec la foule présente. Extraordinaire spectacle d'un homme qui entraîne des milliers de gens à prier, eux d'habitude séparés, inconnus les uns des autres et ici communiant dans un moment de fraternité, réunis autour de « leur » pape.

Cette piété populaire, il va de nouveau l'encenser dans l'homélie à la basilique Notre-Dame de Zapopan, lieu de culte marial. Il ne renie pas les manifestations d'une telle ferveur, au contraire, à ceux qui la dénigrent ou la nomment superstition, il déclare qu'elle est « la véritable expression de l'âme d'un peuple, dès lors qu'elle est touchée par la grâce ». Il n'ignore pas néanmoins les déviations de la piété populaire, « des formes de religiosité qui représenteraient des éléments moins adéquats ». Aussi demande-t-il aux prêtres de « purifier » ces manifestations sporadiques pour les ramener « au centre de toute piété solide, le Christ Jésus, Fils du Dieu Sauveur ».

Enfin le dernier jour, mercredi 31 janvier, il rencontre cent mille étudiants et enseignants à la faculté La Salle de Mexico, après avoir reçu les chefs de diverses délégations gouvernementales de cinq pays de l'Amérique centrale, Nicaragua, Honduras, Salvador, Costa Rica, Guatemala.

Le pape est à son aise dans le milieu universitaire, il sait parler aux étudiants, et reprend ce qu'il a toujours exprimé à Cracovie ou à Lublin, qui ont été comme ses « classes » : « Privilégiez la recherche, créez une famille universitaire, laissez-vous guider par le magistère. »

Il est 10 h 30. Le pape les quitte en chantant, avec eux, l'*Hymne à la joie* de Beethoven.

Il reçoit les journalistes, assiste au spectacle donné par d'intrépides acrobates équestres et quitte enfin Mexico. A l'aéroport, après les discours protocolaires, l'avion décolle, fait deux tours au-dessus de la capitale pour saluer les fidèles. « Depuis le sol, des centaines de milliers de gens, munis de miroirs, renvoient les rayons du soleil sur l'appareil[9]. »

Mais le voyage n'est pas achevé. Le pèlerinage se poursuit par une dernière visite à la troisième ville du Mexique, Monterrey. Jean-Paul II va rencontrer, et cela est très symbolique, les ouvriers qui l'acclament aux cris de « Le pape ouvrier ». Long message dans lequel le pape s'implique encore une fois personnellement, rappelant l'époque où lui-même était ouvrier. Il leur parle de l'enseignement social de l'Église, cette énergie qu'ils doivent placer en Jésus-Christ et non dans des idéologies mensongères, louant solennellement la dignité de l'homme, qu'aucun prétexte politique, social ou économique ne doit étouffer. Tard dans la nuit enfin, l'avion de Jean-Paul II décolle pour l'Italie. « Je me suis réjoui, j'ai souffert, j'ai espéré avec eux, avant tout j'ai prié avec eux implorant du Père l'avènement d'un monde plus pacifique, plus juste, plus humain par l'adhésion au message d'amour de son Fils Incarné », déclarera-t-il à Giulio Andreotti, président du Conseil des ministres italien, à sa descente d'avion.

Ainsi s'achève ce premier voyage pontifical, somme de tous ceux qui suivront. La parole de Jean-Paul II s'est présentée unifiée, fidèle doctrinalement et audacieuse par cette humanité qu'il dégage et aussi par l'attention qu'il a manifestée à tous les corps de la société et particulièrement aux plus humbles. Dès ce premier « pèlerinage », c'est tout le pontificat qui est engagé : avec des accents plus forts, comme il le dira lui-même, que ceux de Paul VI, mais dans sa lignée, il essaiera de tenir l'équilibre entre les parties qui font le monde, dans la seule référence à l'Évangile.

« Ce pape, sang de votre sang, os de vos os... »

(Cathédrale de Gniezno, 3 juin 1979.)

Hautement symbolique est le deuxième voyage de Jean-Paul II consacré à sa terre natale. Il a lieu du 2 au 10 juin 1979. Inévitable passage où le pape revient « dans sa maison, chez lui », comme il le dit. Étonnant voyage qui prend valeur de pèlerinage, c'est-à-dire de pérégrination ardente et collective, emblématique de la force « syntonique » du peuple de Dieu. Avec Jean-Paul II, on assiste à la résurgence des grands déplacements spirituels, dans la lignée médiévale, où marcher signifie s'approcher toujours plus de Dieu, où chaque étape est réconciliation et confirmation, station de la Via Dolorosa dont l'acmé fut le 7 juin la halte au camp d'Auschwitz. Marche « en Église » pour s'approcher au plus près de Dieu, de Montjoie.

Les implications du voyage de juin 1979 sont considérables. Le retour de Jean-Paul II en terre polonaise est la première fissure dans le mur du communisme qui sépare l'Est du reste de l'Europe. Il avait déjà enfoncé le coin dans la formidable machine institutionnelle lorsqu'il était archevêque-cardinal, c'est à présent la curée, quoiqu'il prétende le contraire, qu'il va entreprendre. C'est pour cela que l'élection des cardinaux a une valeur géostratégique importante. Nul ne peut douter de l'intention subversive de la présence de Jean-Paul II sur le trône de Pierre. Le pape a beau rappeler comme il l'a fait lors de son premier voyage en Amérique latine, que son « itinéraire [...] s'inspire avant tout d'un motif religieux et pastoral », les conditions du voyage ont beau être inspirées par le jubilé de saint Stanislas auquel le cardinal Wojtyla avait d'ailleurs travaillé l'année qui précéda son élection, il a beau invoquer l'aspect affectif de ce retour – « J'ai la vivante impression que ce voyage se déroule comme entre deux patries –, personne ne peut être dupe de sa portée éminemment politique. Pas moins de trente-neuf interventions, discours, homélies, rencontres vont scander l'épuisant voyage. Elles sont le vivant témoignage de ce dialogue secret et obscur que Jean-Paul II entretient avec le « peuple de Dieu ». Mais la coloration particulière de celui-ci prend valeur de signe et de témoignage pour la suite de son pontificat. Aux autorités politiques venues le saluer à sa descente d'avion, le pape ne laissera rien percer de ses intentions véritables. Ses paroles sont de pure convenance : invocation du rapprochement entre les nations, compréhension réciproque, réconciliation et souhait de paix, tels sont les vœux qu'il émet face au président du Conseil d'État de la République populaire de Pologne. Pourtant chacun tend l'oreille pour tenter de trouver quelque formule qui puisse signaler l'intention réelle du pape, peut-être déjà cette phrase, au détour des souhaits convenus, peut-elle revêtir quelque sens : « Je désire que le fruit de cette visite soit l'unité interne de mes compatriotes et aussi un développement ultérieur favorable des relations entre l'État et l'Église dans ma patrie tant aimée. »

La force de Jean-Paul II, au cours de ce voyage, c'est son appartenance à la Pologne, il y fait sans cesse référence. Le signe de provenance est sans cesse mis en avant pour mieux désigner ses « marques » dont personne ne saurait l'exclure. Aussi les allusions à cette légitimité sont-elles nombreuses : « Je rencontrerai l'Église de laquelle je proviens [...] je ne pouvais manquer ce rendez-vous avec les miens [...] le fils de la nation polonaise [...] désirait visiter la patrie [...] ma patrie», etc.

C'est au fur et à mesure que Jean-Paul II va donner à son voyage sa connotation politique. Il l'inaugure à la cathédrale de Varsovie par une très religieuse adresse à toute la communauté diocésaine. Le sens qu'il entend lui donner est cependant bien ambigu et personne ne s'y trompe. Si l'objet du voyage est le jubilé du martyr saint Stanislas, tué en pleine messe par les forces politiques, il s'avère que le sens de ce martyre est bien celui de la résistance à l'oppresseur, et l'affirmation haut et fort de la liberté religieuse comme donnée essentielle de l'homme. De surcroît, affirmer la permanence du culte national de Stanislas dans une cathédrale détruite pendant la Seconde Guerre mondiale et reconstruite aussitôt après, c'est clamer la permanence d'une telle foi et son indestructibilité; au-delà encore, la suprématie de Jésus-Christ qui «ne meurt plus, sur Lui la mort n'a plus de pouvoir».

Jean-Paul II va rappeler aux membres du gouvernement polonais qui le convient au palais Belvédère, en tout début d'après-midi, ce qu'il avait affirmé dès sa descente d'avion et de façon encore plus nette pendant son sacerdoce à Cracovie.

Le discours qu'il leur adresse révèle à lui seul la ligne diplomatique intransigeante qu'il entend mener avec le communisme. Le premier secrétaire et les ministres reçoivent le message comme un avertissement qui ne peut laisser de doute sur les intentions profondes et résolues du pape. Se posant toujours comme «fils de la même patrie», il veut placer le gouvernement devant ses «responsabilités», le désignant ainsi «devant l'Histoire et devant sa propre conscience». Les paroles prononcées ne laissent en vérité aucune place à la «collaboration», pourrait-on dire, objective. Rappelant que l'Église a une doctrine sociale – c'est un deuxième rappel après celui de Puebla –, Jean-Paul II martèle les objectifs qu'il avait d'ailleurs toujours énoncés mais que sa nouvelle position rend évidemment plus lourds de menaces. S'il se souvient du martyre du soldat polonais pendant la dernière guerre, c'est pour adoucir la portée de ce qui va suivre. En bon rhétoricien, le pape enchaîne aussitôt sur le sens profondément « éthique » de sa pensée. « Principe du respect des droits objectifs de la nation, qui sont : le droit à l'existence, à la liberté, à être un sujet sociopolitique et le droit aussi à la formation de sa propre culture et de sa propre civilisation », droits dont évidemment les citoyens polonais sont notoirement privés. Le défi que représente ce discours témoigne de la détermination du pape et de son autorité. Ce que près d'un an auparavant la presse avait annoncé lors de son élection s'affirme : « C'est à une partie de bras de fer mais à la loyale que Messeigneurs les princes de l'Église semblent convier les aparatchiks[10]. » Ou bien : « Wojtyla appartient à l'aile "progressiste" de cette Église et il est particulièrement apprécié des dissidents polonais. [...] Voilà donc les Soviétiques et leurs protégés prévenus : l'anathème a laissé la place à la concurrence[11]. »

Le rôle de courroie de transmission que l'Église a toujours joué en Pologne est ici confirmé : Jean-Paul II relie l'Église aux droits des hommes, fortifie les liens sociaux naturels. Par là, il affirme la position essentielle de l'Église qui ne peut être uniquement occupée des problèmes doctrinaux ou religieux. L'Église, confirme-t-il, et c'est sa mission, doit se préoccuper de la « dimension temporelle » des hommes et de leur existence. La dépouiller de ce rôle, c'est la vider de son sens, renier le message même du Christ, sa venue dans le monde.

Mais Jean-Paul II exalte aussi la nation polonaise en la confondant avec la patrie. Méconnaître cela, c'est s'exposer à ne pas comprendre la portée de sa pastorale. « Le mot "patrie", dit-il, a pour nous une telle signification, intellectuelle en même temps qu'affective, qu'on dirait que les autres nations de l'Europe et du monde ne la connaissent pas, particulièrement celles qui n'ont pas expérimenté comme notre nation les ravages, les injustices et les menaces de l'Histoire. »

Toute la théologie de Jean-Paul II est ici contenue. L'esquisse d'un modèle polonais comme seule référence spirituelle peut séduire un monde livré au chaos des idéologies marxistes et capitalistes, l'exemplarité de la « résistance » peut produire un effet libérateur aux yeux du pape, réactiver une foi en perdition ou égarée. N'y a-t-il pas néanmoins risque d'une pastorale mimétique qui peut conduire au malentendu, voire à l'incompréhension ? Les années 90 du pontificat, difficiles et inquiètes, désabusées et critiquées, ne viennent-elles pas justement de ce modèle polonais sans cesse invoqué ?

Dans l'après-midi de cette première journée, devant des foules qui n'avaient pas l'habitude de se réunir – plusieurs centaines de milliers de fidèles –, le pape célèbre la messe, place de la Victoire, au milieu de laquelle trône une gigantesque croix de bois. Dans son homélie, Jean-Paul II tisse lentement les grandes lignes de son action.

L'élan prophétique de cette homélie résume la portée qu'il entend donner à l'Église universelle. L'assimilation du peuple polonais au peuple élu de Dieu est la constante absolue du discours. C'est dire encore une fois que cette « polonitude » du pape, qu'il ne cesse d'exalter et de proclamer, signe l'esprit de son activité ecclésiale. Se désignant lui-même à l'instar de Paul VI le pape pèlerin, à l'image d'une Église qu'il souhaite en marche, se refusant à être le « prisonnier du Vatican » et renouant en cela avec la tradition de Pierre, chargé du « mandat missionnaire », il voit dans son élection le signe essentiel de Dieu. La lecture du monde, aux yeux de Jean-Paul II, et le dessein de Dieu ne se font qu'en Pologne. « L'Église a apporté à la Pologne le Christ, c'est-à-dire la clef permettant de comprendre cette grande réalité, cette réalité fondamentale, qu'est l'homme. »

La doctrine de Jean-Paul II est donc proclamée au sceau de la Pologne, mais il étend cette nécessité de

Jésus-Christ que sa patrie a épousée au monde entier. Les regards se portent alors sur l'État communiste qui a évacué le Christ, a tenté de l'enfouir sous l'idéologie. « Exclure le Christ de l'histoire de l'homme, dit-il, est un acte contre l'homme », sous-entendant par là que ce régime en est l'ennemi. La hardiesse de l'homélie emporte toujours davantage Jean-Paul II. Il connaît cependant les limites à ne pas dépasser, mais l'ampleur lyrique de la célébration, la communion qui en émane rendent encore plus vibrant le discours écrit à tête reposée. La perspective du pontificat sera celle d'une lutte sans merci contre toutes les forces qui obstruent la venue du Christ. Ceux qui aujourd'hui prennent conscience du manichéisme de Jean-Paul II, de ce qu'ils estiment être une séparation un peu trop simpliste du monde en deux volets, celui du bien et celui du mal, trouvent dans cette matrice polonaise la source de l'enseignement de Jean-Paul II. Ce « livre ouvert de la vie » qu'il désigne en Jésus-Christ est celui qu'il a lu toute sa vie durant, dans cette nation témoin de la présence de l'ensemencement, du Golgotha et du salut.

Dimanche 3 juin, le calendrier liturgique fait de ce voyage la confirmation de la Pentecôte. Jean-Paul II voit dans cette fête de l'Église un des grands signes de sa vitalité. Évoquer la Pentecôte en Pologne, c'est appeler les forces de l'Esprit, faire descendre sur chacun de ses habitants la puissance du feu.

Le sens de cette fête trouve en ce lieu précisément sa plus grande mesure ; c'est pourquoi, la veille au soir, il avait proféré en prédicateur inspiré les grandes imprécations du Pasteur :

> Que descende ton Esprit !
> Que descende ton Esprit !
> Et qu'il renouvelle la face de la terre, de cette terre.

La référence à « cette terre » prend bien sûr une dimension toute prophétique, et c'est dans ce contexte mystique que les étudiants ont entrepris une nuit de veille à l'église Sainte-Anne et tout autour de la place où elle trône. Jean-Paul II aime, on le sait, les jeunes, « son espérance », comme il l'avait clamé du haut du balcon de Saint-Pierre. Il voit en cette jeunesse polonaise, la sienne de surcroît, les nouveaux disciples de Jésus-Christ, les plus fidèles d'entre tous, les pentecôtistes, modèles pour le monde.

Il ne cessera d'ailleurs de provoquer et d'inciter la spiritualité pentecôtiste durant son pontificat, au grand dam de la frange intellectuelle de l'Église qui éprouve devant l'abondance effusionnelle du mouvement et ses élans quelque suspicion et même de la gêne. Mais la pastorale du pape favorise ces manifestations, signes du renouveau de l'Église. L'adresse du dimanche matin est elle aussi très affectueuse : « Mes très chers », leur dit-il, car Jean-Paul II s'est toujours reconnu dans ce milieu intellectuel et universitaire, militant et marial, et cette sorte de proximité de la mystique et de la raison. Il ne manque jamais dans chacune de ses homélies de rappeler des traits de sa biographie : « J'ai été régulièrement lié aux bancs du travail universitaire de la faculté de théologie et de philosophie de Cracovie et de Lublin. La pastorale des universitaires a été de ma part l'objet d'une prédilection particulière. »

La fête de la Pentecôte est pour lui l'occasion de prononcer un de ses plus beaux prêches : « Vous vous posez certainement déjà depuis longtemps la question : "Qui suis-je ?" C'est cela, dirais-je, la question la plus intéressante. L'interrogation fondamentale. Avec quelle mesure peut-on mesurer l'homme ? La mesure-t-on selon la mesure des forces physiques dont il dispose ? Ou bien le mesure-t-on avec la mesure des sens qui lui permettent d'entrer en contact avec le monde extérieur ? Ou bien avec la mesure de son intelligence vérifiée par différents tests ou examens ? La réponse d'aujourd'hui, celle de la liturgie de la Pentecôte, indique deux mesures, il faut mesurer l'homme à la mesure de son cœur. [...] Et le cœur dans le langage biblique indique l'intériorité spirituelle de l'homme, il signifie en particulier la conscience. »

Jean-Paul II conçoit sa mission comme une paternité déployée, immense, voulue par Dieu. En ce jour de Pentecôte, il veut faire descendre les dons essentiels de l'Esprit, ceux de sagesse, de conseil, d'intelligence, de force, de science, de piété, c'est-à-dire « du sens de la valeur sacrale de la vie, de la dignité humaine, de la sainteté de l'âme et du corps humain, et enfin le don de la crainte de Dieu ».

Devant un public séduit par la simplicité de son discours et la profondeur de sa pensée, il ne manque pas comme à son habitude de rappeler quelques souvenirs personnels : c'est que la catéchèse du pape comme celle du plus humble des prêtres passe par la naïveté de l'émotion personnelle, par cette conviction familière, par cette affirmation : « Comme autrefois mon père m'a mis dans les mains un petit livre qui m'indiquait la prière pour recevoir les dons du Saint-Esprit, ainsi aujourd'hui moi-même que vous appelez aussi "Père", je désire... »

Les différents lieux que Jean-Paul II visitera, il les comparera toujours aux étapes symboliques de la route. Ils sont les haltes du pèlerinage, dont l'apothéose sera Jasna Gora, emblème de la résistance et de la consécration de la Pologne à Dieu. A chaque homélie, à chaque discours, il apporte un élément de son enseignement, ici, dans l'église Sainte-Anne, c'est l'invocation à Dieu pour qu'il apporte aux étudiants par son intercession la « connaissance de la valeur et du sens de la vie », vœu qui résonne singulièrement dans cette Pologne où s'affrontent la parole de Dieu et celle qui veut l'étouffer.

Les autorités politiques redoutent cette « réverbération » de la parole religieuse. Certes Jean-Paul II ne déroge pas à sa promesse : « visite dictée par des motifs strictement religieux », mais, par ses interventions, révèle la portée de l'engagement spirituel et la vigueur du message chrétien.

Jamais Jean-Paul II n'est aussi à l'aise et ne suscite autant d'élan populaire que dans ces grandes manifestations où il sait relier les origines de l'Église au monde contemporain. Le pape a le souffle épique, et ses homélies ont le don de transporter son auditoire. Celle qu'il prononce devant la cathédrale de Gniezno prend un tour historique et prophétique. Les fidèles rassemblés par dizaines de milliers vivent ce moment avec une tension extrême. Le pape joue son rôle de rassembleur pastoral, il vit dans sa chair le symbole du pasteur à la recherche de son troupeau et le protégeant. En l'écoutant, les fidèles retrouvent cette liberté dont ils sont dépouillés et la parole du Christ devient alors plus subversive que tous les slogans et les appels à la révolte. Non seulement, il les associe à sa mission, mais il réaffirme les critères de cette mission : parler devant toute l'Église, l'Europe et le monde, des nations et des populations oubliées. La filiation du message évangélique dont il est le garant doit passer, il l'affirme puissamment, par ces pays slaves, précisant ainsi subtilement la notion qu'il a de l'Europe, qui pousse ses frontières naturelles aux bornes de l'Oural, au-delà duquel l'évangélisation n'a pas pénétré. L'appartenance slave du pape redonne à l'Église son poumon oriental, trop longtemps oublié, et persécuté.

Le premier voyage polonais pose les fondements de la mission que Jean-Paul II entend mener à l'Est. Fermeté et inaliénable fidélité de la Pologne au message chrétien, malgré les « démembrements » et les violences exercés contre ceux qui pratiquent. La seule culture est celle installée depuis mille ans en Pologne, et aucune idéologie ne pourra la contredire et l'étouffer. C'est ce qu'il redit aux jeunes de Gniezno, rassemblés par milliers devant le balcon de l'archevêché. Avec les mêmes accents que le poète de la conscience polonaise, Adam Mickiewicz, il invoque de manière lyrique, presque incantatoire, la fidélité au patrimoine historique.

Lundi 4 juin, Jean-Paul II célèbre une grande messe en plein air devant le sanctuaire marial de Jasna Gora, Czestochowa. Revenir en ce lieu, c'est renouer avec sa propre histoire, privée et publique. Retrouver Marie, Mère de Dieu, c'est retrouver sa propre mère sur la tombe de laquelle il va bientôt s'agenouiller : « L'appel d'un fils de la nation polonaise à la chaire de Pierre contient un lien évident et fort avec ce lieu saint, avec ce sanctuaire de grande espérance : *Totus tuus*, ai-je tant de fois murmuré dans la prière devant cette image ! »

Parce qu'il a connu lui aussi les brimades de l'administration communiste, Jean-Paul II a appris à lutter avec les armes de la foi. C'est cette capacité-là dont ses concitoyens se souviennent. Ils savent qu'en instituant et en privilégiant une praxis de la foi populaire, le cardinal Wojtyla préconisait à sa manière une sorte de « guérilla » avec les pouvoirs politiques. En 1966, la hiérarchie d'alors décida de faire porter des images de la Vierge Noire dans les églises et chapelles de Pologne. La Vierge devint ainsi itinérante, à la manière d'un apôtre, soulevant sur son passage des foules immenses, qui affichaient par leur foi leur réprobation du système politique, acte de violence spirituelle. « Notre-Dame, disait alors le cardinal de Cracovie, a inauguré un nouveau style. Dans le temps, elle restait dans sa chapelle, et nous attendait. Mais depuis neuf ans, elle a quitté sa chapelle et a commencé à voyager à travers la Pologne, de diocèse en diocèse, de paroisse en paroisse. Elle a visité tous les enfants. C'est un signe de renouveau[12]. »

La visite à Jasna Gora se présente donc comme un acte essentiel et familier pour le pape. Il poursuit, comme il dit, la « sainte habitude » à laquelle il s'est voué de prier et d'implorer, où qu'il soit, la Vierge polonaise.

Il n'hésite pas dans ce moment solennel à livrer des souvenirs personnels, « c'est ici que j'ai appris » la confiance, « je suis un homme rempli d'une immense confiance », etc.

Mais l'homélie comme la consécration à la Mère de

Dieu ne lui interdit pas de semer dans les esprits des ferments de réflexion.

L'imprécation finale qui clôt la cérémonie met l'accent sur « les problèmes des sociétés, des systèmes et des États, problèmes qui ne peuvent être résolus par la haine, la guerre et l'autodestruction ».

La filiation entre la « Madone pérégrinante » et lui-même est alors totale. Il se veut le digne fils de cette Mère céleste, pèlerin comme elle, il se prétend le « messager d'une grande attente et d'une ardente espérance ».

Le voyage de Jean-Paul II peut paraître surréaliste dans une Pologne gouvernée autoritairement. L'anachronisme du discours, l'insolite dialectique qui s'y déploie, le décalage que le pape instaure, tout est facteur de subversion et donne au message sa force dynamique.

Jean-Paul II crée sur son passage des temps différents. Quelle qu'en soit l'efficacité à long terme, ses voyages deviennent, et le monde commence à s'en rendre compte, des trêves sur la force, les armes et la violence. Il grippe en quelques heures la machine huilée des appareils d'État, rompant ainsi la politique plus « florentine » qui présidait à la Curie. La frontalité de son action, la hardiesse presque brutale tétanisent les rouages bien installés et sa venue retarde les programmes tyranniques.

L'activité pastorale de Jean-Paul II, surtout fondée sur le motif du pèlerinage, est le moyen pour lui, essentiel, de diffuser sa catéchèse, sur tous les fronts. Mais il entend aussi par là réguler les mœurs, et c'est encore en Pologne qu'il choisit de rappeler ses concitoyens à la vigilance spirituelle, condamnant l'avortement. Ce qu'il avait déjà énoncé aux vœux de Noël 1978, et affiché clairement à Rome, lors de réunions avec les médecins, il le redit ici à Jasna Gora, devant les évêques réunis pour la cent soixante-neuvième assemblée plénière de la conférence épiscopale polonaise, comme à l'angélus de midi près du sanctuaire marial : « Nous connaissons parfaitement ces vices qui, parfois, se transforment en véritables plaies menaçant la vie spirituelle et biologique de la nation. Pensez-y bien, mes chers frères et sœurs. » Ou, bien plus explicitement encore : « Il faut défendre les époux, les cellules familiales, vis-à-vis du péché, vis-à-vis du péché grave contre la vie dès sa conception. » On le voit, le pape joue sur deux registres. De cette dualité apparente naît le malentendu qui s'est déjà installé dans certaines couches progressistes de l'Église. Pape progressiste quand il s'agit de défendre les droits de l'homme et leur promotion, pape conservateur quand il s'agit de défendre le message fondamental du dépôt, celui de la vie. Difficile alternative qui risque de ne satisfaire personne. Mais, comme le dit André Frossard, le pape a-t-il besoin de plaire ? Son but n'est-il pas de proclamer le salut ? Et ce salut ne peut passer que par la conservation intégrale du message.

Cette fidélité au Christ, il va la renouveler dans une veillée heureuse, semblable à celles qu'il avait animées lors de son sacerdoce à Cracovie. Jean-Paul II aime particulièrement ces rencontres informelles dans les chants et les prières, c'est sa perception romantique du catholicisme. Refaire le Cénacle, selon ses propres termes, c'est se retrouver ainsi dans l'intimité de la foi partagée, dans cette fraternité nostalgique de l'enfance et de la pureté. L'idéalisme de ces soirées est propice à ces vastes élans lyriques dont il a le secret, et qui emportent l'adhésion immédiate des participants. Le 5 juin, à 21 heures, comme tous les soirs, a lieu l'appel à Jasna Gora, prière collective donnée à la Vierge, dans laquelle s'enfouissent tous les élans du cœur et les espérances. Ce soir-là, Jean-Paul II prononce un discours dont la qualité mystique revêt en ce lieu marial une dimension particulière. Il est fondé sur le thème de la veille, la veille comme moyen de « se rappeler », la veille comme moyen de ne pas succomber aux tentations du mal. La résonance de l'appel presque improvisé renvoie chacun à sa propre « église », sa famille, son travail, ses projets. « Je suis près de Toi, je me souviens de Toi, je veille ! »

Veiller est peut-être chez cet homme la première règle. Veiller pour ne pas tomber dans la nuit, veiller pour que ne recommence aucun Auschwitz, veiller pour débusquer les ruses constantes du communisme dont il s'est fait l'adversaire emblématique.

Le périple est relativement « couvert » par les médias polonais. La télévision n'hésite pas à montrer les foules énormes qui se pressent au passage du pape. Les brimades cependant ne manquent pas, tous ne peuvent venir au grand rendez-vous, craignant les sanctions annoncées : notes sur les carnets de travail, absentéisme sanctionné, etc.

Mais la relation affective que le pape entretient avec la Vierge Marie et la promotion de la religion populaire ne sont pas toujours bien comprises du reste de l'Église, particulièrement en Europe de l'Ouest. Les échos de Czestochowa indisposent, voire inquiètent. Certains, et pas seulement les protestants, y voient un retour à la période préconciliaire et une concession intégriste à Mgr Lefebvre. Jean-Paul II toutefois n'en a cure. Sa foi est polonaise et il entend la clamer avec cette force qui le caractérise. La consécration de la Pologne et de toute l'Église à Notre-Dame de Jasna Gora n'est pas seulement un acte religieux convenu mais surtout un geste symbolique qui en dit long sur la pratique du pape et sa « polonitude ». Ainsi, interrompant la lecture de son discours, il se met à entonner des chants patriotiques polonais. « Il y a sûrement quelqu'un qui me le reprochera car je sens qu'on a du mal à supporter ce pape slave ! » proclame-t-il.

Sa fougue « polonaise », romantique, est telle que le cardinal-primat essaie parfois discrètement de le tempérer, mais en vain. Le pape ne l'écoute pas. Il a retrouvé ce sens spontané de la rencontre où il excellait avant son élection et personne ne peut lui ravir cette joie. Alain Woodrow dans *Le Monde* évoque ainsi son talent « d'acteur-né ; Wojtyla sait parfaitement contrôler une foule, susciter des réactions, passer du comique au sérieux. Mais parfois il en fait trop[13] ».

L'euphorie que provoque ce voyage pose dans toute la presse internationale le problème du culte de la personnalité. Qu'attendent toutes ces foules implorantes, se jetant aux pieds du Saint-Père, le touchant, cherchant à arracher les boutons de sa soutane, le chargeant de leurs bébés ? « Foules prises au piège d'une certaine ambiguïté », comme le souligne Henri Fesquet qui, après avoir rappelé l'aisance du pape à se comporter « en acteur confirmé », signale le risque que « dans notre monde sevré d'amitié, Jean-Paul II apparai[sse] comme l'homme providentiel capable d'assurer les contradictions de notre époque ; capable aussi de défier les antagonismes de la tour de Babel, de faire pièce aux impérialismes, à la haine et au mépris[13] ».

Mais qu'attendre d'autre de Jean-Paul II pour l'heure et en ce lieu ? Le voyage en Pologne est celui des retrouvailles entre un homme qui, comme d'ailleurs les instances marxistes qui dirigent le pays, a toujours exalté la fierté nationale et l'âme polonaise, avec tout ce qu'elles comportent de charnellement romantique et d'exubérant.

Le risque néanmoins est présent, d'un pontifie qui par sa coloration originelle trop marquée, se transformerait en leader, oubliant, comme le dirait le cardinal Marty, que « ce n'est pas le pape qui est à la tête de l'Église, c'est Jésus-Christ ».

L'élan du discours donne à Jean-Paul II, pris dans le tourbillon de ce retour, des accents messianiques qui peuvent en effet poser question. La longue communication prononcée devant les évêques polonais à Jasna Gora a même surpris son auditoire par sa vibrante rhétorique « nationaliste ». Là où Paul VI opérait de manière « capillaire » et forcément en situation de faiblesse, Jean-Paul II attaque très vigoureusement et de manière puissante. Il ne craint pas de rappeler qu'en cas de vacance du pouvoir, et cela est spécifique à la Pologne, c'est le cardinal-primat qui est l'« interrex ». « Cette situation confère une légitimité telle à l'Église aux yeux de Jean-Paul II que l'État doit être subordonné à la nation, alors que celle-ci peut être exceptionnellement incarnée par l'Église[14]. » Ce que les autorités polonaises pourraient interpréter comme une « ingérence », le pape, lui, le voit comme une situation naturelle de l'Église. L'appel récurrent à la Providence lui confère un rôle de messie dont il est persuadé, jusqu'à réclamer la réinsertion du « poumon slave » dans l'Église universelle, cheval de bataille qu'il va proclamer les années suivantes avec une régularité troublante. Ne canonisera-t-il pas saints Cyrille et Méthode, désormais copatrons de l'Europe avec saint Benoît, réunissant ainsi l'Orient et l'Occident, issus de « l'unique et sainte Église catholique » ?

Y a-t-il danger dans le recours au charisme, qui « pourrait favoriser à la fois le triomphalisme religieux et la renaissance du nationalisme[15] », un danger potentiel ?

Est-ce un faux procès intenté par les sociétés occidentales repues et en voie d'athéisation ? Il serait injuste, à en croire le directeur des éditions polonaises catholiques Znak, professeur à l'université catholique de Lublin, qui déclare : « Je crois que le pape, chaque fois qu'il parle ou qu'il écrit, voudrait aller au-delà des mots, ne pas se laisser emprisonner par des phrases. Il voudrait chaque fois toucher la réalité humaine, celle de chaque personne, et en même temps faire jaillir toute réflexion sur cette réalité des racines mêmes de l'existence : des racines de son sens de Dieu incarné. [...] J'ai lu sur le pape qu'il était un très habile “street politician”. Au contraire, c'est un homme aux antipodes de la démagogie, presque gauche jadis dans ses contacts.

« Si, avec le temps, il s'est libéré, ce n'est point en jouant d'une quelconque coquetterie, mais en s'oubliant totalement pour ne se donner qu'aux autres, avec toute la vigueur et toute la confiance de sa foi[16]. »

Arrivant à Cracovie, « ma chère Cracovie », comme il le clame, ce mercredi 6 juin, l'émotion de Jean-Paul II est encore plus forte. Ici, il a accompli toute son œuvre, fondé son existence, promis et confirmé sa foi, assuré son poids de pasteur, ici il a pensé travailler pour l' Église universelle. A peine descendu d'hélicoptère, il rappelle des souvenirs personnels :

« C'est ici, sur cette terre, que je suis né.

« C'est ici, à Cracovie, que j'ai passé la plus grande partie de ma vie, en commençant par mon inscription à l'université Jagellon en 1938.

« C'est ici que j'ai obtenu la grâce de la vocation sacerdotale. C'est dans cette cathédrale du Wawel que j'ai été consacré évêque. [...] Cracovie, depuis ma plus tendre enfance, a été une particulière synthèse de tout ce qui est polonais et chrétien. »

Le risque de confusion messianique est cependant explicable dans le contexte biographique de Jean-Paul II. Évêque de Cracovie après saint Stanislas, assassiné sur les marches de l'autel par le pouvoir en place, il affronte le nazisme comme le communisme, ayant sur son diocèse les camps d'Auschwitz et de Birkenau, signe selon lui du doigt de Dieu.

C'est dire que la visite aux camps nazis est attendue du monde entier comme un acte spirituel et politique de première importance. Le jeudi 7 juin, nourri de sa visite quelques heures auparavant à sa ville natale, Wadowice, fort de s'être pénétré des paysages de sa jeunesse, fort de la prière qu'il a prononcée dans le secret de son cœur, au pied du baptistère de l'église paroissiale, il arrive à Auschwitz. Vision presque surréelle du camp où la marée humaine l'attend, une foule d'où émergent des banderoles et des croix, et où sont alignées le long des barbelés des petites filles vêtues de blanc comme des premières communiantes ; derrière elles les infâmes miradors, les baraquements de bois. « L'autel en bois érigé sur une estrade et surmonté d'une croix encerclée de barbelés faisait figure, dit Alain Woodrow, d'un radeau ballotté sur un océan vivant[17]. »

Avant la messe qui a lieu à 16 heures, le pape va prier

dans le « bunker de la faim » où est mort le père Maximilien Kolbe avec neuf autres condamnés. Le pape Jean-Paul II lui voue un culte profond. Il est une des figures archétypales de son catéchisme personnel, comme la Vierge Marie, ou saint Stanislas, qui le fait avancer, progresser sur la route de la foi. Kolbe meurt le 14 août 1941, dernier survivant du martyre, piqué par une injection mortelle. Le supplice du franciscain polonais, matricule 16670 remonte au 30 juillet. Ce jour-là, le commandant Fritsch convoque le bloc 14 à se présenter devant lui. Motif : désigner aveuglément dix prisonniers à mourir de faim en représailles d'une évasion. Avec un sadisme désinvolte, le *Lagerführer* tire dix victimes du groupe, une d'entre elles s'effondre de peur et d'angoisse, implore la pitié, invoque ses enfants, sa femme. Le père Kolbe demande alors à prendre sa place. Le bourreau accepte. L'interrogeant sur son identité, Kolbe répond : « Prêtre catholique ». On enferme les victimes dans une pièce où ils devront attendre la mort sans manger, sans boire. Le bourreau leur dit : « Vous vous dessécherez comme des tulipes[18]. » Le martyre dure seize jours. Il n'en finira pas de hanter les consciences, d'être sujet de méditation sur la condition humaine, sur la souffrance de l'homme. C'est Karol Wojtyla, alors archevêque de Cracovie, qui obtient du Vatican la béatification du père Kolbe en 1971. Une controverse eut lieu pour savoir si le père polonais devait être vénéré au titre de « martyr de la foi », ce qui pour l'Église signifie « mort en témoignage de sa foi ». Le procès de 1971 ne retenant pas ce critère, Kolbe sera béatifié cependant au titre de son sacrifice, et c'est grâce à l'insistance de Karol Wojtyla que, le lendemain même de la béatification, le pape Paul VI déclare Kolbe « martyr de la charité ».

L'archevêque Wojtyla revient cependant à la charge et demande qu'une nouvelle instruction du dossier soit ouverte pour inscrire le père Kolbe au catalogue des saints. Sitôt élu, Jean-Paul II n'aura de cesse que de précipiter l'instruction, qui on le sait aboutira le 9 novembre 1982 à la canonisation de son compatriote.

Ce qui est sûr néanmoins, c'est la vocation proprement sainte de Maximilien Kolbe. Figure symbolique du prêtre sinon prosélyte du moins avide d'évangéliser, il s'est lancé dès l'âge de vingt-quatre ans dans une sorte de croisade missionnaire qui avait pour objectif la conversion du monde entier[19]. Fou de Dieu, à la foi romantique, aux accents lyriques frôlant même la névrose, il fonde la Mission de l'Immaculée (association quelque peu exaltée et dont la sensibilité épouse complètement la spécificité polonaise), et un journal, *Le Chevalier de l'Immaculée*. Son influence s'étend rapidement et le journal remporte un succès immense avec un million d'abonnés. Il fonde encore une sorte de phalanstère marial, la Cité de Marie, veut déployer sa mission au Japon, et dans le monde. Ses paroles cependant prêtent à confusion. On le dit largement antisémite, accusation à laquelle André Frossard répond par une sorte de pirouette : cette accusation serait fondée « sur quelques phrases qui ne prouvent rien, si ce n'est qu'il aurait aimé voir les juifs à la messe, comme les francs-maçons, les athées, les protestants, les agnostiques et le reste du monde ».

Il reste cependant que le père Kolbe, suivant en cela le climat polonais de l'époque, a tenu une « ligne antisémite », une « implacable propagande antisémite simpliste » selon ses adversaires[20].

Reste aussi que dès le début de la persécution des Juifs par les nazis, Kolbe en a accueilli beaucoup dans la Cité de Marie et qu'il est devenu par là même et par dénonciation suspect aux autorités nazies qui l'arrêtèrent en 1941.

La foi presque infantile et baroque du père Kolbe est celle qui plaît aussi à Jean-Paul II. La visite du pape à Auschwitz est donc chargée de cette histoire passée et lourde de cette spiritualité.

C'est à Auschwitz cependant que les premières vraies critiques contre le pape vont fuser, violentes, indignées.

Premiers signes du malentendu. Tandis que Jean-Paul II se recueille dans la pièce où mourut le père Kolbe, la foule chante de vieux cantiques polonais. Il y a là des hommes venus de tous les horizons, des pèlerins qui ont fait plus de trente kilomètres à pied, des anciens déportés vêtus de leurs uniformes rayés, des petits enfants aux têtes couronnées de roses, des soldats de la dernière guerre, pas forcément catholiques, et sûrement aussi des indicateurs de la police gouvernementale. Les prêtres qui concélèbrent avec le pape la messe solennelle sont tous d'anciens prisonniers des camps, leurs chasubles sont rouges, de la couleur qu'évoquait Jean-Paul II lui-même, lorsque s'adressant au Sacré-Collège après son élection, le 18 octobre, il déclara : « Votre habit est un habit de sang. » Les ornements sacerdotaux sont tous frappés d'un signe particulier, un *P* brodé à l'intérieur. La messe prend une ampleur tragique et suscite une émotion indescriptible, et la cérémonie atteint son sens sacrificiel absolu quand Jean-Paul II prend la parole pour l'homélie. Prêche très attendu en raison du lieu. C'est la première fois qu'un chef de l'Église catholique se rend dans un camp d'extermination où plusieurs millions de Juifs ont été éliminés de manière systématique et scientifique. Chaque mot du pape est donc pesé et il sait que chacun d'entre eux sera analysé, peut-être isolé de son contexte, en tout cas interprété.

D'emblée Jean-Paul II place son discours sous le signe du père Kolbe qui a vaincu « par la foi et l'amour ». Le lieu d'Auschwitz est celui de la haine et de la « folle idéologie », « un lieu qui fut construit sur la cruauté ». Le lieu « du terrible massacre ». Il cite Kolbe, mais aussi Edith Stein, « illustre disciple de Husserl [...] qui descendait d'une famille juive », devenue cependant sœur Bénédicte de la Croix. Les références de Jean-Paul II, dans ce lieu qui est quand même le symbole du génocide juif, surprennent quelque peu. Le pape se rend compte à ce moment précis du manque, et rajoute, comme il en a souvent l'habitude, ces paroles non prévues dans son discours: « Je ne voudrais pas m'en tenir à ces deux exemples. Combien d'autres victimes y avait-il, des hommes d'idéaux différents et pas seulement des croyants ? »

« Je ne pouvais pas ne pas venir ici comme pape », poursuit-il, « ici, le Golgotha du monde contemporain ».

Le discours, applaudi gravement, est perçu par la foule comme à double sens. L'expression « idéologie folle » renvoie les fidèles à ce qu'ils vivent dans la Pologne communiste, à l'aliénation de leurs droits fondamentaux, à la réduction de leur liberté par la seule exigence de la force et de la violence. Jean-Paul II ne peut sous-estimer la portée de ses propos: « Suffit-il donc de revêtir l'homme d'un uniforme différent, de l'armer par tous les moyens de la violence, suffit-il donc de lui imposer une idéologie dans laquelle les droits de l'homme sont soumis aux exigences du système, complètement soumis, au point de ne plus exister en fait ? » L'allusion est directe. Le pouvoir polonais ne peut la prendre à son propre compte sans s'assimiler aux nazis. Le pape, mot après mot, marque des points, dénonce analogiquement le régime. Mais le « Golgotha du monde contemporain » inquiète certains, et particulièrement la diaspora juive qui ne peut accepter en ce lieu des assimilations aussi précisément catholiques. La polémique démarre sur cette expression. Si pour les chrétiens la rédemption de l'homme passe par la souffrance dont le Christ a donné l'exemple sur la Croix, peut-on pour autant associer toute souffrance humaine à cette finalité chrétienne ? L'expression est entendue comme une manière de gommer l'identité juive, « une annexion chrétienne de la Shoa », dit Henri Tincq[21]. Cette vision d'Auschwitz, cette interprétation du lieu, cette explication de l'inexplicable « silence de Dieu » pendant les années noires de la guerre, sont-elles à mettre sur le compte d'une erreur d'appréciation et de jugement, ce qui serait paradoxal de la part d'un pape qui a toujours manifesté un sens politique très aigu, ou bien précisément d'une « stratégie » mûrement réfléchie ? Les Juifs vont ressentir cette ingérence de Jean-Paul II dans le symbole de leur martyre comme une injure et les intellectuels du monde entier vont tâcher de comprendre cette « erreur de parcours ». Comme il est exclu d'imaginer que le pape n'a pas pesé tous les termes de son discours, se pose dès lors le problème de la relation ambiguë de l'Église au judaïsme.

Jean-Paul II achève néanmoins son discours par l'évocation et la lecture de trois stèles parmi tant d'autres qui portent souvenir des crimes nazis. Il choisit d'abord la stèle juive, à propos de laquelle il déclare simplement : « Il n'est permis à personne de passer avec indifférence. » Puis, devant la stèle russe : « Nous connaissons quelle a été dans la terrible dernière guerre la part de cette nation pour la liberté des peuples », prononçant presque à mots couverts les derniers mots : ses plus proches auditeurs l'entendent bien comme une ironique allusion au régime communiste. Enfin la stèle polonaise devant laquelle il rappelle le lourd tribut à l'horreur : « Six millions de Polonais ont perdu la vie », omettant de préciser que plus de trois millions d'entre eux étaient justement des Juifs.

« On est là, déclare H. Tincq, au cœur d'un procès à rebondissements instruit dès 1979 au moment de la visite d'Auschwitz et qui ne cessera plus à partir du milieu des années 80 après l'éclatement de l'affaire du carmel[22]. »

La singularité juive d'Auschwitz, en effet, comment Jean-Paul II ne pouvait-il la relever ? Comme le souligne Jacques Madaule, on se souvenait d'« un chancelier d'Allemagne agenouillé sur l'emplacement du ghetto de Varsovie pour demander pardon au nom de son peuple. [...] Le chef de l'Église catholique ne l'a point fait à Auschwitz[23] ».

A quel titre aurait-il demandé pardon ? A celui sûrement d'une politique ambiguë de l'Église et de son prédécesseur, Pie XII, dont le rôle, quoique magnifié par la hiérarchie, voire justifié, fut au mieux d'une faiblesse insigne, au pire d'une compromission que seule « la tradition ecclésiale qui remonte aux Pères de l'Église » pourrait expliquer.

Quelle pesanteur Jean-Paul II porte-t-il encore avec lui ? Son ignorance en la matière est étonnante. H. Tincq relate une anecdote à ce sujet. Un prêtre français de la communauté hébraïque de Jérusalem est invité à la table du pape. Il évoque quelques points d'histoire sur l'antisémitisme chrétien en Europe. Jean-Paul II n'en croit pas ses oreilles et déclare, abasourdi : « Où ça ? Comment ? Et la croix devant ? Pourquoi ? En Pologne, aussi ?[24] »

Quel blocage religieux, mais aussi spécifique à la Pologne où la vigueur antisémite est historiquement prouvée, a donc joué pour que Jean-Paul II, d'ordinaire si apte et prompt à dénoncer toutes les formes de violence, ne se soit pas laissé aller à cette prière spontanée à laquelle souvent il se donne, en des circonstances particulièrement émouvantes, comme celle qu'il prononça à Jasna Gora devant les jeunes rassemblés ?

« Le cri de l'homme martyrisé ici » est avant tout le cri du Juif. Que l'abondance du cœur dont Jean-Paul II est si souvent pourvu ait fait défaut en cet endroit si symbolique peut en effet poser problème. La suite du discours enchaîne sur les droits de l'homme, « jamais l'un aux dépens de l'autre, au prix de l'asservissement de l'autre, au prix de la conquête, de l'outrage, de l'exploitation et de la mort ! » : autant de paroles qui bien sûr situent le pape dans une stratégie de combat face aux idéologies totalitaires, mais le silence exercé à l'égard du génocide reste un manque, une occasion ratée.

Le lendemain de cette journée terrible, le pape renoue avec la nostalgie. La rencontre avec les montagnards des Tatras est une émotion personnelle. « J'ai les larmes aux yeux », confie-t-il à ces populations qui sont descendues des montagnes pendant toute une nuit pour le rejoindre et assister à la messe solennelle en plein air. Tous, jusqu'au service d'ordre, ont revêtu l'habit régional, brodé, coloré. En montagnard lui-même, Jean-Paul II parle de lui, des souvenirs qu'il a de ces régions où il se rendait, fuyant quelquefois les fatigues de sa fonction à Cracovie, y venant pour faire de la marche ou bien du vélo. Jean-Paul II se trouve en plus grande complicité avec eux que partout ailleurs. Il exalte la terre natale, la terre polonaise, « parce qu'elle se révèle ici particulièrement belle et riche de paysages ». L'homélie est prétexte pour exalter les forces de la nature, et la supériorité de la vie rurale sur la vie urbaine, lieu du vice et de la chute. Parler des monts Tatras et de la vie agricole est une manière pour lui de rappeler le cœur de sa pastorale : que vive « l'amour de la terre et du travail des champs ». Exemplarité encore une fois des Polonais qui ont trouvé leur force « dans le lien personnel avec la terre » par opposition aux sociétés capitalistes qui ont joué la carte de l'industrialisation et aux sociétés communistes qui ont concentré les populations, désertifié les terres, promu le travail en usine.

C'est grâce à cet amour de la terre que survivent à ses yeux la famille, les règles morales, les rythmes mêmes de la vie. La catéchèse de Jean-Paul II cherche à retenir ce monde passé qui s'écroule et disparaît, gommé par les idéologies et le progrès. C'est dans cette conservation de la tradition que le Christ se donne le plus, c'est ici que l'on ne « peut s'appauvrir spirituellement ».

Que ce soit avec les étudiants ce même vendredi 8 juin ou à la faculté de théologie de Cracovie le lendemain, ou bien encore au sanctuaire de la Sainte-Croix à Mogila, près de Nowa Huta, Jean-Paul II égrène les grandes lignes de son enseignement pastoral : en tant qu'hommes, soyez, dit-il à ses interlocuteurs, fidèles et responsables, gardez le lien avec Dieu, veillez sans cesse, « soyez fidèles à la Mère du Bel Amour », « apprenez à connaître le Christ et faites-vous connaître de lui », « le Christ n'approuvera jamais que l'homme soit considéré [...] seulement comme un instrument de production »...

Autant de mélanges très stratégiques qui énoncent sur le même diapason conseils évangéliques et spirituels et menaces implicites au régime communiste. Et Jean-Paul II ne craint pas de répéter sa leçon : « Le Christ ne l'approuvera jamais ! » clame-t-il avec force. Scansion litanique qui trouve son apogée dans l'homélie du dimanche 10 juin où Jean-Paul II, devant près de trois millions de fidèles réunis dans un vaste terrain au centre de Cracovie, la Blonia Krakowskie, achève son propos en clamant en pédagogue et en chef charismatique :

« Je vous prie :

« de ne jamais perdre confiance, de ne pas vous laisser abattre, de ne pas vous décourager

« de ne pas couper vous-mêmes les racines de votre origine.

« Je vous prie :

« d'avoir confiance [...] et de toujours chercher la force spirituelle en Celui près duquel tant de générations de nos pères et de nos mères l'ont trouvée

« ne vous détachez jamais de Lui

« ne perdez jamais la liberté d'esprit, par laquelle il rend "libre" l'homme. »

Évidemment la portée subversive du message est immense. Jean-Paul II tente par là de maintenir ses compatriotes dans la tension mystique de Dieu et du combat politique, les associant dans une seule et même ardeur, à la manière des premiers chrétiens, puisant leur résistance et leur indifférence au martyre dans cette domination de la foi et cette violence intérieure.

C'est ce même dimanche que Jean-Paul II quitte ses hôtes. Une grande nostalgie l'a envahi depuis son arrivée, il a ce qu'on pourrait nommer simplement le mal du pays, exilé en quelque sorte de cette terre polonaise dont il ne cesse de rappeler l'attachement quasi frénétique qu'il lui porte. L'émotion en quittant la Pologne lui étreint la voix. Il a plus que jamais réalisé l'ampleur de son rôle messianique. Les foules qui l'ont accueilli durant ces jours ont elles aussi compris qu'elles devaient tout attendre d'un tel chef spirituel, capable peut-être de changer leur vie. Aussi quand le journal satirique *Il Male* diffusa cette semaine-là en Pologne un numéro sous le titre canulardesque : « Edward Gierek a démissionné. Le POUP est dissous. Karol Wojtyla monte sur le trône de la Pologne », les foules populaires crurent un instant à cette nouvelle. On vit même certains fidèles chanter et danser de joie dans les rues en apprenant l'insensée information...

Arrivé à l'aéroport de Ciampino, à 19 h 25, le pape déclare se réjouir de retrouver Rome, la « ville providentielle », et, devant les représentations religieuses et civiles, affirme : « La foi de la Pologne est une réalité vive et frémissante, dont je voudrais vous rendre participants. » L'ecclésiologie de Jean-Paul II, après ses deux voyages, s'affirme chargée de tous les affects les plus sentimentaux propres à emporter l'adhésion populaire. Qu'il ait exalté aussi bien à Guadalupe qu'à Jasna Gora les Vierges Noires montre à l'évidence que Jean-Paul II compte asseoir son autorité sur des sensations religieuses qui font penser à la spiritualité du XIXe siècle. Son prochain voyage en France ne manquera pas de ménager une halte à la rue du Bac et à Lisieux, puis plus tard à Lourdes.

Mais ce que le monde entier admire pour l'heure, c'est la force de celui que *Libération* surnommera « l'homme de marbre »[25], celui qui incitera à la « dissidence massive »[26]. Ce que Jean-Paul II aura annoncé au monde, c'est certes la venue du Christ, la rédemption de l'homme, la force dans les valeurs évangéliques (l'état de veille, l'accueil, la disponibilité pour recevoir le Christ), mais aussi et surtout de nouvelles échéances pour le monde : que l'Europe cesse d'être frileuse et retrouve son unité dans le christianisme, qu'elle retrouve aussi son « identité fondamentale », que l'on « ouvre les frontières », que les chrétiens s'opposent à tout ce qui entraverait l'exercice de leur foi et la venue du Christ dans le monde, que les droits de l'homme soient enfin reconnus et clamés. En France, l'allure « gaullienne » du pape est soulignée par Michel Debré[27] comme par André Frossard[28] de même qu'on observe que dans cette pastorale « de choc », selon les mots de François Mitterrand[29], Jean-Paul II renoue non pas avec une spiritualité « d'un autre âge », mais « des premiers âges ». Il est, pour reprendre la belle expression de Frossard[30], « du Christ », « ni de droite, ni de gauche, mais d'en haut » comme le dira joliment un autre journaliste du *Figaro*, Patrice de Plunkett.

Seuls les gouvernements de l'Est trouvent son voyage « trop politique » et craignent la contagion. Et de fait, il a semblé à beaucoup que le message de Jean-Paul II avait valeur de prophétie. Le charisme évident qu'il a déployé a certes contribué à provoquer cette impression. Son immersion en Pologne, « ma Pologne » a-t-il répété avant de partir, en pleurant réellement, cette compréhension viscérale qu'il en a et la volonté protectrice qu'il entend lui apporter sont déjà l'ébauche de ce qui est pour lui sa mission. Le vaste dessein qu'il caresse pour l'Europe est tout entier contenu dans cette « polonitude », comme porté par elle. Et c'est en ce sens que la vision gaullienne de Jean-Paul II est la plus évidente. D'est en ouest, c'est toute la grande Europe qu'il veut réconcilier dans l'unité du Christ retrouvé. C'est pourquoi sa pensée est perçue de manière duelle. Pape au dessein géopolitique ou pape « provincial, médiéval et partisan[31] » comme le suggère un envoyé du *Figaro* ?

Quelque huit mois après son élection, Jean-Paul II intrigue : il fascine ou irrite. Mais ce que tous, unanimement, peuvent dire, c'est qu'avec lui l'Église universelle a trouvé un sens, elle « sait où elle va[32] ».

« God bless America ! »

(New-York, 2 octobre 1979).

Douze mois à peine après la stupéfiante élection de Jean-Paul II, les critiques sur la manière dont se déroulent les fastueux pèlerinages du pape commencent à se faire entendre. Si Jean-Paul II a voulu, à la suite de Paul VI, casser l'image du pape « prisonnier du Vatican », comme le rappelle Alain Woodrow[33], et si cette démythification était nécessaire pour que l'Église soit une interlocutrice efficace et responsable sur l'échiquier international, les observateurs politiques et religieux, surtout en Europe occidentale, se demandent « pourquoi le pape n'irait-il pas dans tel pays, telle ville, telle communauté religieuse, pour partager la vie des chrétiens, se renseigner sur diverses expériences, plutôt que de se déplacer en homme d'État, pire en superstar[34] ? ». Jean-Paul II est sourd à de telles critiques. Fort de l'impact colossal de ses premiers voyages, il entend les poursuivre au pas de charge et dans cette dimension symbolique où se côtoient toujours le prophétique, le religieux et le politique. Du 28 septembre au 8 octobre 1979, l'Irlande et les États-Unis sont au programme.

C'est le troisième grand voyage, après l'Amérique latine et la Pologne. Le même scénario se produit : Jean-Paul II y est comme habitué déjà, sûr de son aura sur les foules, manifestement à l'aise devant ces débordements et confiant dans l'autorité qu'il exerce. En Irlande, les correspondants de presse mettent tous l'accent sur l'atmosphère si singulière que provoque la venue du pape et sur le sentiment qu'un événement extraordinaire va se produire.

Du pape, « on attend des miracles : et notamment qu'il excommunie l'IRA, qu'il conjure les menaces de grèves, qu'il mette un terme à celle des PTT [...] qu'il obtienne la fin de la partition de l'île et qu'il instaure un renouveau religieux, qu'il réunisse les chrétiens[35] ».

La venue du pape est assimilée ici comme ailleurs à une féerie, à de la magie blanche, à une dimension surnaturelle dont Jean-Paul II, en romantique polonais, joue avec beaucoup d'art. Le « roi officieux de l'Irlande », comme on l'appelle ici, rode, si l'on peut dire, son discours contre la guerre en fustigeant la violence et le terrorisme. Que ce soit à Phoenix Park, dans la banlieue de Dublin ou à Drogheda, à cinquante kilomètres de la frontière de l'Ulster, le message de Jean-Paul II dénonce sans ambiguïté la « dépravation des mœurs », et rappelle « le sens sacré de la vie, l'indissolubilité des liens du mariage, le sens humain de la vraie sexualité », affirmant – ce sera un de ses grands thèmes durant le pontificat –, que quand la « fibre morale de la nation est morte, le sens des responsabilités diminue, c'est alors la porte ouverte pour la justification des injustices et de la violence[36] ».

Mais, s'adressant à la spécificité du problème irlandais (la partition), il implore « à genoux de [se] détourner des sentiers de la violence ». « Ne suivez aucun chef, dit-il, qui vous entraîne sur les chemins où l'on donne la mort[37]. ». « Plus la violence continuera en Irlande, plus le danger grandira de voir cette terre bien-aimée devenir davantage encore le théâtre du terrorisme international[38]. »

Mais c'est à l'ONU que le monde entier attend Jean-Paul II, parce que c'est dans cette enceinte internationale qu'il va pouvoir faire connaître ses grands projets.

Contrairement à ce que l'on attendait cependant, ce ne

sera pas le discours à la tribune de l'ONU qui sera jugé inoubliable et majeur, mais les autres manifestations auxquelles, en pape superstar, Jean-Paul II s'est livré, avec une grande connaissance des médias. Plus que l'aspect politique du discours, somme toute moins provocateur et moins porteur que celui qu'avait prononcé Paul VI, c'est la manière dont le pape a « ménagé » ces rencontres qui donneront idée de la vraie méthode wojtylienne: contacts directs avec la foule, sens du spectacle, gestes symboliques, enseignement par paraboles, goût du show comme moyen moderne de communication. La presse entière a rapporté avec complaisance les séquences de cet immense spectacle au cours duquel des « milliers de dollars ont été dépensés » dans une « frénésie religieuse, politique et commerciale »[39].

Au-delà de ces aspects, apparaît aussi la formidable disponibilité du pape, cette sorte de virtuosité qu'il a acquise durant ses longues années de « dissidence » polonaise, qui l'aide à passer d'un pays déchiré comme l'Irlande (le pays le plus catholique du monde avec la Pologne), aux États-Unis, contrastés et polymorphes, qui ne comptent que 23 p. 100 de catholiques, et possèdent une longue tradition critique, sans oublier la présence d'une infinité de sectes. Mais Jean-Paul II ne craint pas ces registres différents. En vérité, seul compte peut-être le ton, le contenu est identique. La cohérence du discours pontifical est absolue. En Irlande, comme aux États-Unis d'Amérique, c'est toujours la primauté du discours qui est mise en avant, c'est toujours le même appel à l'Évangile dans lequel il enferme le droit à la vie, la vérité sacrée du mariage, la fidélité à Dieu, etc.

Ainsi, comme à Dublin il a condamné la société capitaliste et les mœurs dépravées, l'avortement, la contraception et la violence et rappelé l'enseignement de Jésus-Christ et l'amour pour la Vierge Marie, il condamnera, à Boston, à New-York ou à Chicago les mêmes errements de la vie moderne et prêchera pour une même obéissance aux valeurs évangéliques.

A l'assemblée générale de l'ONU, le discours est plus convenu qu'on ne l'attendait : le Proche-Orient, les droits de l'homme, le respect de la vie, tels sont les principaux thèmes que Jean-Paul II aborde, avec une gravité plus sourde que dans ses homélies publiques. Partant d'Auschwitz pour évoquer « toute forme d'oppression ou de torture, physique ou morale, pratiquée par quelque système que ce soit, et où que ce soit », il martèle son attachement aux droits de l'homme et à la dignité humaine, redoutant le retour du colonialisme et des processus d'exploitation économique et politique.

Peut-être cette assemblée de diplomates n'est-elle pas l'auditoire préféré de Jean-Paul II, plus apte à tenter le dialogue sur le mode de l'affect. Son ministère, il l'entend dans ces plongées aux sources de la misère, de la faim et jamais il n'est plus convaincant que lorsqu'il s'adresse à des populations défavorisées comme en Afrique ou dans les favelas d'Amérique latine. Il veut ainsi vivifier Harlem, le ghetto noir et South-Bronx, le ghetto porto-ricain.

Des banderoles l'attendent au Bronx, proclamant « Harlem welcomes John Paul », et partout on chante des negro-spirituals pathétiques. Jean-Paul II aime se frayer un chemin dans cette foule, prendre des enfants dans les bras, oublier le protocole, laisser échapper des paroles comme des défis : « Nous ne pouvons jouir tranquillement de nos richesses et de notre liberté alors que des milliers d'êtres humains meurent de faim », tonne-t-il durant l'homélie au Yankee Stadium.

Mais au-delà de ces séquences si chaleureuses, Jean-Paul II ne cesse de répéter son credo en matière de mœurs. Rien n'est omis de la longue liste d'interdits qui, selon lui, et selon le magistère de l'Église, rend compte de la dégradation d'une société fondée sur l'argent et le pouvoir : les « exigences de la morale sexuelle », comme titre *Le Monde* du 5 octobre 1979, sont rappelées sans ambiguïté, avec une farouche détermination qui indispose même les commentateurs les plus modérés comme Henri Fesquet. « Comment persister, écrit-il, à refuser aux femmes enceintes le droit d'avorter, lorsque les circonstances le requièrent ? Comment persister à condamner les relations sexuelles avant le mariage et à culpabiliser ceux qui s'aiment ?

« Comment persister à proscrire les moyens contraceptifs chimiques en se polarisant sur une encyclique vieille de onze ans ? Comment persister à interdire l'accès à la prêtrise à des hommes mariés comme si l'amour d'une femme était incompatible avec le sacerdoce ? Comment persister à rejeter les homosexuels et à prétendre les empêcher de suivre la nature dont ils ont hérité[40] ? »

Ce même discours est tenu aujourd'hui, en 1994, avec une acuité plus tendue peut-être encore à cause du durcissement de Jean-Paul II en la matière. La vigueur de la pastorale du pape ne se démentira donc jamais, il affirme au contraire que c'est dans la proclamation sans cesse répétée des valeurs spirituelles que le monde pourra se retrouver. « Après tout, comme dit Xavier Grall, après le Goulag et le Cambodge, après le chômage sinistre de millions de travailleurs, après le déploiement universel de la haine et du mépris[41] », il y a quelque raison de redécouvrir dans l'aggiornamento auquel le pape appelle le monde des valeurs spirituelles porteuses de salut.

Ce que ce nouveau voyage, rétrospectivement, démontre, c'est la récurrence des thèmes wojtyliens, la constance du registre, presque trop simple, de la pastorale, et l'obstinée certitude. En ce sens, Jean-Paul II se révèle moins mystique qu'homme de foi. Mystique, il l'est certes dans certains moments de grâce, invoquant la Vierge Marie, ou lors des déploiements de foules à Gdansk ou Jasna Gora. Mais sa conviction est héritée d'abord de l'enseignement du magistère, celui de Mgr Sapieha ou du cardinal-primat de Varsovie.

C'est pourquoi, malgré les doutes et le scepticisme de

certains devant l'Église-spectacle, Jean-Paul II apparaît au premier rang des « leaders du monde ». Il « vient bouleverser les règles et affirmer que tout est possible, y compris la justice et le bonheur. Sa force est d'y croire et d'y faire croire[42]. »

« France, fille aînée de l'Église, [...] es-tu fidèle ? »

(Homélie du Bourget, dimanche 1er juin 1980).

La visite en France de Jean-Paul II revêt un caractère exceptionnel. Premier pape à se rendre à Paris « depuis huit cent dix-sept ans », il arrive quelques mois avant que ne commence la campagne électorale qui verra la défaite du président qui l'accueille. Déjà à cette époque, la droite française sent le pouvoir lui échapper, et perçoit avec satisfaction la venue du souverain pontife comme une certaine caution et une manière peut-être de se rallier des voix catholiques perdues par la fameuse loi sur l'avortement votée grâce au zèle du ministre Simone Veil. C'est pourquoi le Vatican, subodorant cette situation, a préféré avancer à mai 1980 un voyage initialement prévu un an plus tard. De surcroît l'invitation, parmi les premières qui lui soient parvenues, de l'Unesco à Paris se devait d'être honorée au plus tôt. Le voyage placé comme les précédents sous le signe uniquement pastoral a par ailleurs pour dessein de réactiver l'Église de France jugée en difficulté : des initiatives trop modernistes, un certain laxisme, des pertes d'effectifs relativement grandes, des vocations en faillite, une pratique religieuse assoupie, autant de questions qui confirment l'observation de Paul VI qui, déjà, avait repéré « la fatigue spirituelle » de la « fille aînée », et « ses positions extrêmes, qui ne servent pas la cause du Royaume[43] ».

Cette visite est aussi une grande première pour Jean-Paul II qui a une connaissance très relative de la France et n'en possède pas la sensibilité. Venir en France, c'est donc aussi le moyen de tester ce peuple, et de réactiver cette énergie de foi dont il se sent le dispensateur. Les turbulences de Mgr Lefebvre, déclenchées par le progressisme de l'épiscopat français et l'application à la lettre de Vatican II, ne sont pas non plus absentes de ses préoccupations. Sa visite est une manière habile de manifester sur cette terre l'image d'une foi catholique vivace, de dire aux intégristes que le chef suprême de l'Église, par son dynamisme et sa ferveur, n'est pas très éloigné des pratiques traditionalistes. Le voyage a donc le double avantage d'œuvrer à réconcilier préconciliaires et postconciliaires, en se montrant lui-même homme de progrès et de foi, et de réaffirmer au-delà de la France la vocation pastorale du nouveau style pontifical.

Ce que le pape veut tenter pendant son règne, cela est dit et affirmé, c'est de mettre un terme à la crise occidentale de la foi en montrant l'exemple par la force messianique de sa ferveur et de sa certitude. Cette vertu de l'exemple, il entend la déployer en France comme il l'a déjà fait en Amérique latine comme en Pologne.

La dynamique que le pape insuffle à ses voyages est encore une façon d'illustrer sa quête pèlerine, farouche et conquérante, et de susciter le ressourcement religieux. « Pape sportif » pour les uns[44], « tête de Machiavel sur jambes d'Elvis Presley » pour les autres[45], Jean-Paul II compte bien utiliser sa popularité et l'enthousiasme qu'il suscite auprès des foules pour « faire passer » le message évangélique et remettre les pendules à l'heure dans un pays qui délaisse la pratique religieuse et se laisse tenter par l'athéisme, et dont l'influence dans le monde est considérable. Le renouvellement de ses vœux de baptême auxquels il le convie revêt donc des intentions plus vastes dans l'échiquier pontifical.

En France, la venue du pape, le coût de l'opération, l'accueil réservé d'ordinaire aux chefs d'État, le show diront certains auquel on se prépare, indisposent beaucoup de milieux, athées, protestants, chrétiens de progrès, laïques, etc. Le cardinal Etchegaray, conscient qu'une visite en France n'est pas aussi aisée qu'une visite en Amérique latine, et, toutes proportions gardées, qu'en Pologne, prend les devants en déclarant : « Ce ne sera pas un inspecteur qui visitera ses troupes, mais un père qui viendra faire la connaissance de ses enfants. » Il n'empêche que la tradition positiviste, scientiste et rationaliste de la France ne s'accorde pas spontanément avec les positions jugées traditionnelles du pape, notamment à propos du clergé, de la place des femmes dans l'Église, de la contraception, la dévotion trop lyrique aux saints et à la Vierge, etc.

De son côté Jean-Paul II ignore beaucoup de l'esprit français et de son « relativisme dogmatique hérité d'une tradition forgée, entre autres, par Voltaire, Comte et Renan[46] ».

Il n'empêche encore que cette « première » prend des allures spectaculaires, et que tous les Français, sceptiques sur cette venue ou fervents, sont curieux de voir. Les médias d'ailleurs sont convoqués de manière impressionnante, et le calendrier de cette visite est signalé partout. Beaucoup d'entreprises ont donné congé à leurs employés, des écoles ont fermé, et pas seulement des écoles privées catholiques, une atmosphère de liesse a libéré Paris de ses activités quotidiennes, ne serait-ce que parce que les grands axes sont livrés à la seule circulation à pied. L'euphorie est un peu altérée néanmoins par la présence trop visible d'un service d'ordre gigantesque. Des drapeaux aux armes du Vatican ornent les balcons des avenues. Le vendredi 30 mai le pape est attendu à Orly à 16 heures par le chef du gouvernement, Raymond

Barre, et les cardinaux Marty et Etchegaray. L'Airbus Le Titien de Alitalia arrive avec quarante-sept minutes de retard, un incident technique ayant perturbé le départ de Rome. « Je confie à Marie, reine de France et dame de l'Italie, le souhait que ma visite consolide la foi des enfants de cette grande patrie, et anime leur courage pour témoigner. » C'est en ces termes que le pape a quitté Rome. Après qu'il a baisé selon son habitude le sol de la terre qui l'accueille, répondu aux messages de bienvenue de Raymond Barre, et des autorités religieuses, un hélicoptère Super-Frelon de l'armée de l'air emmène le pape vers Paris, aux Champs-Élysées. L'arrivée de Jean-Paul II prend alors des allures de conte merveilleux. L'hélicoptère tout blanc survole lentement la place Georges-Clémenceau au pied des Champs-Élysées, se pose enfin et, dans une immense clameur, dans le carillon de toutes les cloches de Paris parfaitement synchronisées, Jean-Paul II apparaît vêtu lui aussi de blanc. Cette arrivée ressemble soudain à quelque apparition surnaturelle. Cette alliance de la sophistication technologique et du merveilleux religieux donne à cet instant reproduit en Mondiovision une dimension miraculeuse, difficilement explicable. Le faste déployé, les hymnes patriotiques, la présence des plus hautes personnalités de l'État, tout confère à cette scène une force épique, jouant sur les affects. Heure de gloire pour le président Giscard d'Estaing qui aime bien les symboles et les gestes emblématiques.

Les voyages de Jean-Paul II sont ainsi faits qu'ils sont réglés à la minute près. Sitôt les hymnes officiels joués, le cortège s'ébranle pour la place de la Concorde où le pape et le président doivent rejoindre une solennelle tribune, dressée tout près de l'obélisque, et drapée d'un tissu bleu. C'est vers 17 h 40 que la command-car blanche arrive au rendez-vous prévu sous les ovations, modestes cependant, les contre-allées de l'avenue des Champs-Élysées étant même assez clairsemées. Cette partie officielle du voyage voit se prononcer une parole convenue, il faudra attendre la vraie immersion pastorale prévue par l'épiscopat français pour que se délie en quelque sorte l'enthousiasme réel des fidèles.

A Notre-Dame de Paris cependant, la foule triée sur le volet s'impatiente. Le retard intervenu dès Rome se répercute jusqu'ici où toutes les personnalités attendent le pape. Enfin Jean-Paul II arrive dans le fracas des orgues, une immense ovation l'accueille. Notre-Dame brille d'or et de fastes, « triomphe du génie de la France. Triomphe de l'homme que ce temple », dira Jean-Paul II, hommage que Mgr Marty avait fait précéder d'un mot sublime : « Nous avons convoqué le peuple de France pour faire Église. Ici, en ce lieu. Notre-Dame est son nom. Et cette cathédrale est belle qui dit Dieu[47]. »

Le Magnificat s'élance, superbe, plus encore dramatisé par l'architecture de pierre blonde, et l'élan des nefs, puis c'est la messe sur le parvis de Notre-Dame, où la ferveur populaire s'entend enfin, pour la première fois. Jean-Paul II retrouve ses gestes de pasteur, ce mouvement, lent, du bras qui bénit, cet ample geste par lequel il semble prendre les fidèles sous sa protection. Il a ce visage souriant, détendu même, et ce sourire malicieux qui le rend familier.

Il faut comprendre néanmoins que les premiers messages que Jean-Paul II a livrés dès son arrivée fondent à eux seuls toute la dialectique de son enseignement et sa constance. On y retrouve les mêmes points d'ancrage que dans ceux qu'il a prononcés dans d'autres pays et même à Rome, dans son diocèse. Ce diocèse du monde qu'il va arpenter désormais est régi par les mêmes lois, fermes et inaliénables dont il a le dépôt et qu'il entend rappeler et réactualiser sans cesse parce que c'est son devoir de chef spirituel : « Je suis venu vous encourager, dit-il, dans la voie de l'Évangile, une voie étroite, certes, mais la voie royale, sûre, éprouvée par des générations de chrétiens, enseignée par les saints et les bienheureux dont s'honore votre patrie[48]. » Ses déclarations postulent déjà le même leitmotiv : pas de résignation, pas de renoncement ni d'abandon. Pas de propension à l'affadissement du sens moral, que la loi civile aide à élever l'homme. Ayez « l'audace joyeuse des apôtres », ne soyez pas « pusillanimes » en veillant que l'enthousiasme ne soit intolérant.

C'est avec ces paroles que Jean-Paul II conquiert les foules. Le peuple français en tirera-t-il leçon ? Elles sèment cependant des points de lumière et de vérité, des prises de conscience, elles ont le mérite de frapper fort et juste. Il sait que sa personnalité séduit.

Comme lors de son intronisation à Saint-Pierre-de-Rome, il libère un élan de ferveur par l'audace de sa parole, par ce questionnement direct, presque abrupt, qui tranche avec la prudence catéchétique du monde moderne, comme si les responsables de la hiérarchie catholique avaient eu jusqu'alors peur de trop affirmer la foi. Sur le parvis de Notre-Dame, il lance à la foule à plusieurs reprises la question du Christ à Pierre, la plus fondamentale, et pourtant la plus courante : « Aimes-tu ? [...] M'aimes-tu ? » Connaissant la vertu pédagogique du lyrisme, le frisson qu'il procure, il adopte un ton épique comme il l'a fait en pareille circonstance, dans les sanctuaires mariaux surtout ; la voix de Jean-Paul II résonne, répercutée par la galerie de saints et la dentelle de pierre de Notre-Dame : « Écouterons-nous cette question ? Comprendrons-nous son importance ? Comment y répondrons-nous ? » Plus qu'une virtuose analyse théologique, Jean-Paul II joue sur le registre du cœur, il sait l'impact de sa voix, comme si la violence des temps nécessitait ce discours-là.

Quand le pape a achevé sa messe en plein air, il rencontre les prêtres du diocèse de Paris dans la cathédrale même, il précise que c'est « dès ce soir » qu'il a voulu leur parler, parce que « vous êtes mes frères, en vertu du sacrement de l'Ordre ».

La même patiente pédagogie pastorale s'exerce sur eux, celle que Jean-Paul II a déjà transmise à Rome et au cours de ses voyages aux membres multiples du corps de l'Église. Le nœud de la charge sacerdotale, c'est bien d'« affermir ses frères », et le pape entend cette parole du Christ à Pierre d'abord pour lui-même à l'égard des prêtres du monde entier. La tâche réside dans cette affirmation de sa foi, dans cette certitude à affirmer et à porter haut et fort. Jean-Paul II fait appel pour cela et où qu'il soit aux saints locaux : la France n'en manque pas, il veut ressusciter leur culte, le raviver. Saint François de Sales, saint Vincent de Paul, saint Jean Eudes, saint Louis Grignion de Montfort, saint Jean-Marie Vianney sont requis comme modèles et supports d'une foi à toujours exalter : « Il nous faut remonter aux sources. » La parole du « père » rappelle les indéfectibles principes du sacerdoce : célibat comme moyen de disponibilité au Royaume, nécessité du prêtre et ce, malgré la non moindre nécessité des engagements laïcs d'apostolat, comme réponse aux propositions subversives de Hans Küng, rôle essentiel du prêtre qui doit « faire avancer les hommes dans la vie divine », être un éducateur de la foi, un formateur des consciences, un guide des âmes, trilogie majeure du devoir sacerdotal, respect et obéissance aux évêques : « Vous ne pouvez pas construire l'Église en dehors » d'eux. Mais Jean-Paul II connaît aussi l'expérience progressiste du clergé français, le rôle des prêtres-ouvriers auxquels il accorde un satisfecit en reconnaissant leur intérêt, « initiatives ingénieuses et courageuses, allant même jusqu'au partage du travail et des conditions de vie des travailleurs dans la perspective de la mission, en tout cas presque toujours avec des moyens pauvres ». Le souverain pontife alterne dans ce discours mises en garde voilées et compréhension paternelle, et le conclut surtout par ce qui lui est le plus cher, l'appel à la sainteté par l'intercession de Marie. Cette sainteté, c'est la vocation primordiale du prêtre et cette mystique de la tension à laquelle il appelle, c'est celle qu'il entend pratiquer lui-même chaque jour. L'élégance intellectuelle de Paul VI ne permettait pas de percevoir cet aspect du ministère, dont pourtant il était infiniment doté ; Jean-Paul II, lui, en offre le rayonnement de manière presque émotive, dans une frontalité du discours, du geste et de la pratique. Ce que certains appelleront impudeur est reçu par la majorité des fidèles comme un témoignage de courage et d'identité. « En ces temps d'incroyance » comme il le dit, « en ces temps d'inquiétude », la présence conquérante et impudente de Jean-Paul II rend l'espoir, une sorte de joie.

Dans une interview accordée à Henri Tincq, Mgr Georges Wislon, alors évêque auxiliaire de Paris, confirmait cette « fonction prophétique » que Jean-Paul II entendait réinsuffler dans la communauté chrétienne. « Dans une société où la foi chrétienne se vit en diaspora, le pape va nous redire ce qu'il a dit sans se décourager depuis son élection : "N'ayez pas peur d'être chrétiens[49]...". »

Dans tous les témoignages recueillis le 30 mai[50], c'est toujours la même opinion qui revient : « Il est venu raviver un enthousiasme qui disparaissait », « stimuler les chrétiens », « raffermir la foi », etc.

Le plus souvent, c'est une comparaison avec les apôtres qui est utilisée pour définir l'action et le charisme du pape : sa foi, entend-on, est celle, sans états d'âme, de Pierre, de Paul, « la vraie foi est affirmative, si elle ne l'est pas, c'est une foi partielle[51] ».

Partout le rituel du voyage s'accomplit, les rencontres obligées et symboliques avec les représentants des autres communautés religieuses, pour satisfaire aux avancées œcuméniques, les réceptions officielles avec le gouvernement du pays visité, les religieuses, les travailleurs, les universitaires, les émigrés, les Polonais, les laïcs engagés, les sanctuaires mariaux, les évêques et les séminaristes, les jeunes, les scouts...

Jean-Paul II en France s'y plie volontiers. L'impact médiatique est tel qu'il finit par indisposer certains, c'est la première fois que des critiques formulées s'élèvent. La presse, même laïque, les relève, mais n'en fait pas état tant la personnalité du pape est porteuse d'enthousiasme et de sympathie. La réception à l'Élysée est un véritable tohu-bohu. Après avoir salué tous les membres responsables de la communauté politique et sociale de la France (socialistes et communistes, syndicalistes étaient présents), le pape se rend dans la grande salle où a lieu la réception de tous les milieux, universitaire, artistique, politique, économique, religieux : trois mille personnes que la pluie a chassées du parc se retrouvent là, dans une indescriptible bousculade et un vacarme effrayant. On voit des notables, âgés et corpulents enjamber des fenêtres, tâcher de s'enfuir par les larges baies vitrées, chercher un peu d'air sous les arbres. « Un courant irrésistible entraînait vers le pape, raconte une journaliste du *Figaro*, imprimant à la masse humaine des remous, eux, fort inhumains. [...] La situation fut réellement inquiétante, en dépit des efforts des gardes républicains incapables de résister à la pression des invités[52]. »

15 heures, ce même samedi, la visite de la chapelle de la Médaille miraculeuse permet à Jean-Paul II de se retrouver en familiarité : le lieu marial, le culte constant qui s'y déroule, la piété du petit peuple de Paris à l'égard de ce sanctuaire dans lequel une novice, Catherine Labouré, eut une vision de la Vierge Marie en 1830, toute cette atmosphère de ferveur ardente et simple déployée dans un quartier de commerces et de grands magasins n'est pas pour déplaire à Jean-Paul II qui y retrouve la piété polonaise. Cinq mille religieuses l'attendent dans le jardin qui arrive à peine à les contenir. Le pape qui aime, comme l'on sait, les improvisations affectueuses leur demande d'implorer Dieu pour que cessent et la pluie et le mauvais temps : « Essayez de faire en sorte que la pluie ne tombe pas ici, parce que nous avons des initiatives pastorales qui exigent le beau temps ! » S'attendait-il à une présentation quelque peu audacieuse d'une religieuse de la congrégation des servantes du Sacré-Cœur ? Toujours est-il que sœur Danielle Souillard se présente à lui en tenue civile,

et, sans ambages, prononce un discours de bienvenue qui ne trouvera pas d'écho dans la réponse du pape : « L'aggiornamento, dit-elle, a donné aux religieuses le souci de rejoindre le monde là où il est et comme il est. [...] La collaboration avec les laïcs se fait plus effective et les tâches sont réparties indistinctement selon les possibilités et les compétences. [...] Le style de vie a pu changer, poursuit-elle, et a pu influencer des choix dans les engagements professionnels, le costume ou l'habitat[53]. »

Le pape mesure ici peut-être toute la difficulté de sa mission pastorale, celle qu'il n'a d'ailleurs cessé de développer, de peaufiner depuis son élection. Certes ses convictions sont sûrement heurtées en écoutant le témoignage de cette sœur, mais il sait qu'il ne peut étendre sa conception polonaise à l'Église universelle. Cette Église, a-t-il déjà répété, est « en même temps composée de parties diverses. Elle est universelle et locale ». Jean-Paul II sait aussi qu'il est obligé (contraint ?) de nuancer ses propres convictions, d'accepter celles des autres, pour peu qu'elles n'altèrent pas le « trésor » que l'Église a peine déjà à conserver dans ces « vases fragiles » que sont les hommes[54].

S'il veut placer son règne « sous le signe de la collégialité », il est obligé aussi d'entendre cette voix des femmes religieuses et la spécificité française. Dans sa réponse, le pape insiste sur les vœux prononcés, sur la valeur de ces engagements, ce n'est qu'à cette condition que « vous serez, retenez ceci, très très puissantes ». Dépossession de soi-même, humilité, chasteté, tels sont les vœux qu'il leur rappelle en n'oubliant pas toutefois de répondre directement à la présentation de sœur Souillard : « C'est en fréquentant assidûment les humbles et les pauvres que vous serez capables de donner tout ce que vous êtes et tout ce que vous avez. [...] Investissez au maximum tous vos talents naturels et surnaturels dans l'évangélisation contemporaine ». Tâchant de concilier modernité et tradition, il les exhorte, comme il l'a fait devant toutes les assemblées de religieuses, à la vie mystique, à la joie de la contemplation, « à l'exemple des moniales », et ne résiste pas à rajouter comme une autre réponse à la religieuse : « Ne craignez jamais de laisser clairement reconnaître votre identité de femmes consacrées au Seigneur. Les chrétiens et ceux qui ne le sont pas ont le droit de savoir qui vous êtes. [...] Le temps est venu de vivre dans la fidélité au Seigneur et à vos tâches apostoliques. »

La remarque a son importance : Jean-Paul II entend remettre sur les rails une pratique ecclésiale qui prend des libertés à l'égard de l'engagement librement prononcé. L'obéissance et le respect de la tradition sont sans cesse invoqués, comme des ancrages fondamentaux à l'unité de l'Église. L'autorité du magistère est toujours rappelée, qu'il tempère par une collégialité affective comme dans cette familière apostrophe qu'il prononcera en guise d'au revoir : « Encore un mot pour vous dire la vraie situation du pape. On n'arrête pas de me dire : "Tu es en retard."[55] »

Ces bémols à l'euphorie générale, ces coups de semonce que Jean-Paul II formulera, essaimés dans le tissu de ses discours, les coups de frein donnés lors de la rencontre avec l'épiscopat, montrent que Jean-Paul II n'est pas forcément à l'aise avec l'Église de France et les Français. Henri Fesquet rapportera cette réflexion du pape : « Les Français ? Je ne sais pas très bien quoi leur dire. Et eux non plus[56]. »

Aussi est-ce avec une joie non dissimulée que le pape se rend malgré les bourrasques de vent et de pluie au Champ-de-Mars où, sur une terre piétinée et boueuse, l'attendent ses compatriotes. Quarante mille Polonais venus de la France entière l'accueillent dans une piété filiale et une allégresse familière au pape Wojtyla. Les chants qu'il a entendus sur les routes de Jasna Gora lui parviennent, il apparaît très ému, et décontracté, en famille, comme il le leur dit, surmontant les vivats à la polonaise qui lui souhaitent « cent ans, qu'il vive cent ans, *Sto lat, sto lat niech zyje !* ».

Mais le pape, infatigable, n'a pas achevé sa journée,

malgré le temps maussade et pluvieux. Depuis l'École militaire, un hélicoptère l'emmène à la basilique de Saint-Denis, la grande nef des rois de France nichée au cœur de la cité ouvrière où se nouent les conflits sociaux les plus rudes de la ceinture rouge de Paris, où les pouvoirs publics rencontrent les problèmes d'intégration, d'immigration, de racisme, de délinquance, et tout ce qu'ils entraînent : la drogue, la violence, l'insécurité, etc.

A Saint-Denis, depuis des heures déjà en ce samedi 31 mai, la foule attend Jean-Paul II. Elle est mosaïque, à l'image de cette banlieue, rassemblant toutes les races, toutes les confessions, des croyants et des athées, de vieux syndicalistes comme des bourgeois égarés dans la cité ouvrière, des jeunes et des zonards, une foule disparate qui dit à elle seule le formidable pouvoir d'attraction de ce pape. Comme dans ces spectacles de rock, des animateurs « chauffent » l'assistance. On y chante Brel, Brassens, Ferrat, Louis Armstrong et Mouloudji et aussi des cantiques de paroisses vieux comme le monde. La foule est bonhomme, heureuse de cet événement, fière qu'un pape vienne lui rendre visite.

Quand Jean-Paul II arrive vers 18 h 15 dans la grande nef, l'assistance invitée, près de trois mille personnes, se lève en chantant « Peuple qui lutte et qui peine pour un monde nouveau, lève-toi, ce monde est dans tes mains ».

La foule, immense, massée à l'extérieur, sur le parvis, répond à celle, privilégiée qui pourra assister à la messe : « Peuple, affamé de justice, toi le peuple opprimé, debout, lève-toi, il faut crier ta faim. Peuple rivé à tes chaînes, toi l'esclave, aujourd'hui debout, lève-toi, il faut briser tes chaînes. »

C'est dans ces états d'intense émotion, de lyrisme fusionnel que Jean-Paul II libère cette certitude qui le caractérise. C'est dans ces moments qu'il convainc le plus, crée cette tension mystique, où, ne serait-ce qu'un instant, l'autre se sent soudain touché de quelque grâce, d'une sorte d'énergie morale et spirituelle qui le change de sa condition ordinaire.

C'est Mgr Deroubaix qui accueille Jean-Paul II. L'évêque de Saint-Denis annonce d'emblée la tonalité de la cérémonie : « Croyants et incroyants, nous sommes tous contents que vous soyez parmi nous, dans cette banlieue ouvrière. Notre basilique est très belle, mais les travailleurs qui l'ont bâtie valent plus que les pierres de l'église et pourtant ils sont moins bien traités qu'elle. »

Dans cette église, le pape prend mesure de la réalité sociale de la France, de cette Église de France qui est aussi confrontée aux problèmes quotidiens, des difficultés qu'elle a de se faire entendre de sa jeunesse et du monde ouvrier. Saint-Denis n'est pas Nowa Huta, la ferveur et la pratique y sont moins ardentes. Il écoute avec attention les intentions de prières, elles disent aussi la lucidité de ces chrétiens, leur vigilance : « O Christ, prends pitié ! Pardon pour toutes les fois où, nous, prêtres, nous portons contre-témoignage dans le peuple ouvrier, pardon chaque fois que l'Église apparaît, aujourd'hui, chez nous, du côté de ceux qui confisquent l'avoir, le pouvoir, le savoir... » Une demi-heure plus tard, les portes de la basilique vont s'ouvrir et le pape apparaît à la foule, massée dehors. Le pape prononce son homélie face à elle, comme il aime maintenant à le faire, dans cette grande gestualité qu'il affectionne. Rappel à ne pas céder à l'avortement, à la contraception, difficultés de la vie urbaine, souffrance de la condition immigrée, crainte du chômage, lutte pour la justice sociale, droit à la liberté de conscience, d'instruction, tous les grands thèmes porteurs de l'Église sociale tels que Jean-Paul II les proclame partout dans le monde sont traités avec cette énergie et cette sincérité qui rassurent. La foule ne cesse pas de l'interrompre : étrange spectacle que celui de cet homme, massif, mais fragile à la fois, dans la solitude de sa fonction, haranguant cette foule disparate, communiant ici dans une même écoute ! Le pape enfin achève son discours par une violente diatribe contre le nucléaire, et par ce qui est le fondement même de son enseignement pastoral, l'exigence de la vérité intégrale : « Au nom de quel droit, clame-t-il, cette force morale, cette disponibilité à lutter pour la vérité, cette faim et cette soif de la justice ont-elles été systématiquement – et jusque dans les programmes – détachées des paroles de la Mère qui vénère Dieu de toute son âme alors qu'elle porte dans son cœur le Fils de Dieu ? [...] Il faut le demander, sinon pour d'autres raisons, tout au moins au nom de la vérité intégrale sur l'homme. Au nom de sa liberté intérieure et de sa dignité. Et aussi au nom de toute son histoire. »

Comme il sait encore le faire, parce qu'il est un tribun, et qu'il connaît les exigences du discours rhétorique et tout le courant de conviction qui le sous-tend, il interpelle les fidèles, les contraignant en quelque sorte à répondre au fond d'eux-mêmes, les obligeant presque à entendre une telle harangue : « Que votre amour soit sans hypocrisie. Fuyez le mal avec horreur. Attachez-vous au bien. Soyez unis les uns aux autres par l'affection fraternelle, rivalisez de respect les uns pour les autres. Ne brisez pas l'élan de votre générosité, mais laissez jaillir l'Esprit ; soyez les serviteurs du Seigneur. Aux jours d'espérance, soyez dans la joie. »

C'est dans cette même « violence » pastorale que Jean-Paul II, après avoir le lendemain, dimanche, visité l'Institut catholique de Paris, dès 8 heures, accueilli par son recteur, Mgr Poupard, prononcera le discours clé de sa visite en France, au Bourget. Mais, auparavant, la rencontre avec les intellectuels catholiques et les étudiants aura permis de montrer la disponibilité du pape à l'égard de ce milieu qu'il connaît bien pour l'avoir tant fréquenté avant 1978. Ses thèmes privilégiés sont répétés : il faut que « la loi pense », rappelant combien il accorde d'importance à une théologie active, combien il faut la susciter, faisant un hommage appuyé au père de Lubac, théologien jésuite de renommée progressiste.

Dehors, des manifestants jettent sur les trottoirs de la rue d'Assas des tracts contre « le pape antiféministe », contre « le pape-spectacle », etc.[57]

Au Bourget, le froid cinglant, la pluie, le vent ne désarment pas. Mais quelque chose de grandiose cependant est au rendez-vous : une atmosphère, une allégresse, malgré la déception de ne pas voir la foule attendue. On espérait un million de personnes, la rencontre ne rassembla que deux cent cinquante à trois cent mille fidèles. Le temps ? La solution de facilité qu'offre la télévision ? Peut-être aussi une certaine défiance des catholiques français devant ces manifestations jugées trop exubérantes, presque impudiques ?

Les scouts de France sont là depuis la veille, la plupart ont campé sur les anciennes pistes d'aviation, dans la boue, sous la pluie. Le Bourget 80, un Woodstock religieux.

Jean-Paul II arrive vers 10 h 30. La messe est concélébrée par mille prêtres, cent dix évêques. Le spectacle est immense, presque vestigineux. Ceux qui observent, les journalistes comme les spectateurs obligés, s'inquiètent de cette démonstration de force. Que signifie réellement ce qu'ils appellent une exhibition, craignant le retour d'une Église conquérante et idolâtre ? Hymne à la mission, hymne à l'homme, qui est « au cœur même du mystère du Christ », « depuis le début », hymne à l'Alliance à l'exemple des grands saints de France, de Jeanne d'Arc à Thérèse de Lisieux, sans oublier le père Charles de Foucauld. Les thèmes de l'homélie sont essentiellement spirituels : « Il n'y a qu'un seul problème qui existe toujours et partout, le problème de notre présence auprès du Christ. De notre permanence dans le Christ. De notre intimité avec la vérité authentique de ses paroles et avec la puissance de son amour. »

Une grande émotion sourd tout au long de cette homélie, comme si le public, plutôt jeune et fervent, saisissait de plein fouet ces paroles insolites, inhabituelles dans le grand conformisme moderne, dans la banalité décourageante du monde. « Permettez-moi de vous demander, clame alors Jean-Paul II, introduisant comme à l'habitude une sorte de dialogue intime avec chacun des participants, France, fille aînée de l'Église, et éducatrice des peuples, es-tu fidèle aux promesses de ton baptême ? Es-tu fidèle pour le bien de l'homme, à l'alliance avec la sagesse éternelle ? » A 15 h 30, sans relâcher son énergie, le pape se rend au séminaire d'Issy-les-Moulineaux pour une rencontre de travail avec les évêques. Avec eux Jean-Paul II manie la carotte et le bâton. Il félicite et admoneste, il loue et condamne tout à la fois. Ainsi dénonce-t-il les « voiles » que certains jettent sur le Credo, altérant la vérité du dépôt. Reconnaissant que les publications théologiques françaises « ont toujours eu une portée internationale, et que leur charisme est prophétique », il conseille néanmoins de « veiller particulièrement à leur fidélité doctrinale, à leur qualité ecclésiale ». Louant les « efforts » de l'Église de France à l'égard des incroyants, il recommande surtout de « conserver pleinement un caractère évangélique, apostolique et pastoral ». Les intégristes ne sont pas moins épargnés, ceux-là qui « se durcissent en s'enfermant dans une période donnée de l'Église, à un stade donné de formulation théologique ou d'expression liturgique dont ils font un absolu ».

La quête pèlerine de Jean-Paul II s'achève, cette journée du 1er juin, par un point d'orgue au parc des Princes avec les jeunes de France. Le pape aime ce type de rencontre ; depuis qu'il a entrepris ses grands voyages, il consacre toujours aux jeunes une soirée pour entendre leurs problèmes. Et les jeunes viennent. Il est vrai que l'organisation est impeccable qui a su rassembler comme pour une manifestation politique toutes les forces catholiques du pays et les envoyer par cars, par trains. Reste à s'interroger sur ce genre de manifestation, sur le magnétisme particulier de Jean-Paul II, sur ce don qu'il a de transporter les foules, de les réunir. Quelle différence y a-t-il entre ces grands meetings religieux et les concerts de rock où la jeunesse se rend par milliers ou les matches spectaculaires ? Que viennent chercher au juste ces jeunes auprès d'un pape qui ne fait pourtant aucune concession démagogique au plan de la morale, qui ne cherche pas à se rallier les foules, en prêchant la facilité ? Il fait figure de « père sévère », comme dirait Lacan, il est celui qui brandit la Loi parce qu'il sait que c'est cette voix-là qu'ont envie d'entendre les jeunes, comme intuitivement lassés de tant d'abandon, de défaites et de laxisme. « Pape, tout le monde t'aime », peut-on lire sur des banderoles immenses étendues d'une rangée de gradins à une autre. A la question que Jean-Paul II leur pose : « Pour vous qui est Jésus ? », il se trouve des voix qui crient : « C'est vous. » Les cinquante mille jeunes réunis scandent « Jean-Paul, Jean-Paul », comme ils feraient d'une star de football. Et le pape fait des tours de piste auprès de Mgr Marty un peu abasourdi de tant de turbulences. Il ne ressent pas à l'exemple de son entourage une légitime fatigue. Il sourit, plaisante, salue, bénit à tour de bras, chahute même un peu, joue du vocabulaire moderne, crie en partant « Basta, basta », ne craignant pas d'intimer l'ordre à une bande trop agitée : « Taisez-vous. » Si Jean-Paul II conquiert ainsi les jeunes, c'est parce qu'il leur parle un langage qu'aucun éducateur en fait ne leur tient ni aucun parent, pris qu'ils sont dans l'inquiétude de l'avenir et leurs angoisses. « Je préfère avec vous gagner les hauteurs, leur dit-il, je suis persuadé que vous voulez sortir de cette atmosphère débilitante et approfondir ou redécouvrir le sens d'une existence véritablement humaine parce qu'ouverte à Dieu, en un mot votre vocation d'hommes dans le Christ. »

Sur la sexualité, le pape réussit ce jour-là à faire applaudir la chasteté, la retenue : « Jeunes de France, l'union des corps a toujours été le langage le plus fort que deux êtres puissent se dire l'un à l'autre. Et c'est pourquoi un tel langage qui touche au mystère sacré de l'homme et de la femme exige qu'on n'accomplisse jamais les gestes de l'amour sans que les conditions d'une prise en charge totale soient assurées et que l'engagement en soit pris publiquement dans le mariage. » Dans ce stade habitué à la liturgie du sport, au rite et au culte des joueurs, une sorte de ferveur et de silence retenu accompagne les paroles du pape, et à certains moments, comme lorsqu'un but est marqué, une immense clameur s'élève. « Que craignez-vous, leur lance le pape. – Faites-Lui [au Christ] confiance. Risquez de Le suivre. » Avec cet accent rocailleux qu'il a quand il parle en français, Jean-Paul II lance enfin son exhortation finale : « J'invite les jeunes de France à relever la tête et à marcher ensemble sur le chemin, dans la main du Seigneur. Jeune fille, lève-toi ! Jeune homme, lève-toi ! » Comme si cela n'était pas suffisant, le pape inlassable part pour la basilique de Montmartre, traversant le quartier chaud de Pigalle pour atteindre le Sacré-Cœur.

Jean-Paul II révèle ici sa vraie nature, mystique et « sauvage ». Il est comme porté par sa foi, par l'image qu'il s'est donnée de sa fonction. C'est une tâche qui l'assiège, dont il ne ressent pas encore les fatigues ni l'usure, mais qu'il vit dans une plénitude et une conviction qui emportent ceux qui l'attendent. Il sait passer d'un registre à un autre avec une virtuosité désarmante, parle aux jeunes comme aux plus fidèles paroissiens avec la même aisance. Paris illuminé est à ses pieds. Il contemple la ville avec émotion, presque comme un symbole. Le peuple de Dieu est éveillé, uni à lui sur cette butte tandis que la ville, apaisée, s'est rendue au sommeil malgré les lueurs d'un faux jour. « C'est de cet endroit que le Seigneur bénit toujours votre cité, Paris et la France. Pour vivre ensemble ce moment solennel, je vais vous offrir la liturgie d'une bénédiction papale. » La force charismatique de Jean-Paul II vient de cette ritualité qu'il fait retrouver aux chrétiens. Leur identité avait été comme bafouée, ou érodée par les gommages excessifs ou les interprétations hasardeuses de Vatican II et de la sécularisation galopante. Par ces gestes sacraux, il leur rend soudain la vigueur d'un christianisme revivifié, d'une foi des commencements.

Le lundi 2 juin, dernier jour du voyage, Jean-Paul II attend beaucoup de sa visite à l'Unesco, prévue à 9 h 30. Celui qu'on n'appelle plus que « le sportif de Dieu[58] » a fait précéder son allocution d'une pause de prière chez les clarisses de la rue de Saxe. Beaucoup de sympathie mutuelle préside à cette matinée. Il faut dire aussi que le pape est en terrain conquis, tant les préoccupations de l'Unesco concordent avec celles qu'il a toujours proclamées, même avant son élection : respect de l'homme, primat de la culture, vigilance de l'éducation et soutien inconditionnel à la famille, refus de la manipulation de l'homme en quelque domaine que ce soit. Interrompu plus de vingt fois par de vifs applaudissements, Jean-Paul II martèle d'une voix ferme ses convictions. Comme dit l'hagiographique André Frossard, « avec son incroyable puissance de perforation oratoire », Jean-Paul II a « ouvert une énorme brèche dans l'épais dispositif d'illusions, de mensonges, de faux-semblants et d'approximations politiques qui forment l'environnement étouffant de nos jours ordinaires[59] ».

Le pape, devant un public au demeurant converti à ses thèses, énonce les grands leitmotive de sa pastorale : « L'éducation consiste [...] à ce que l'homme devienne toujours plus homme, qu'il puisse "être" davantage, et pas seulement qu'il puisse "avoir" davantage, et que, par conséquent, à travers tout ce qu'il "a", tout ce qu'il "possède", il sache de plus en plus pleinement "être homme". [...] Alors que la science est appelée à être au service de la vie de l'homme, on constate trop souvent qu'elle asservit à des buts qui sont destructeurs de la vraie dignité de l'homme et de la vie humaine. »

Il est l'homme d'un seul credo qu'il assène avec un étonnant pouvoir de persuasion. Il aura, sans démagogie, rappelé la doctrine à des milliers de jeunes, mais étaient-ils représentatifs de toute la jeunesse française comme semble le penser André Frossard qui affirme trop vite que la jeunesse « a littéralement acclamé les rappels de doctrine » ? « La civilisation contemporaine – clame-t-il – tente d'imposer à l'homme une série d'impératifs apparents, que ses porte-parole justifient par le recours au principe du développement et du progrès. Ainsi, par exemple, à la place du respect de la vie, "l'impératif" de se débarrasser de la vie et de la détruire ; à la place de l'amour qui est communion responsable des personnes, "l'impératif" du maximum de jouissance sexuelle en dehors de tout sens de la responsabilité ; à la place du primat de la vérité dans les actions, le "primat" du comportement en vogue, du subjectif et du succès immédiat. » Prenant encore une fois son propre exemple, livrant ainsi une part d'intimité qui le rapproche de son auditoire, il s'appuie sur la lutte des Polonais, pour démontrer leur résistance à toutes les oppressions. « Je suis fils d'une nation qui a vécu les plus grandes expériences de l'Histoire, que ses voisins ont condamnée à mort à plusieurs reprises, mais qui a survécu et qui est restée elle-même. Elle a conservé son identité et elle a conservé, malgré les partitions et les occupations étrangères, sa souveraineté nationale, en s'appuyant non sur les ressources de la force physique mais uniquement sur sa culture. »

Aussi l'exhortation finale prend-elle un tour presque pathétique quand Jean-Paul II lance à l'assistance : « Tous ensemble vous êtes une puissance énorme : la puissance des intelligences et des consciences. Montrez-vous plus puissants que les plus puissants de notre monde contemporain ! »

L'activisme sans complexe de ce pape hors les murs laisse où qu'il aille en ces journées une impression considérable, quelque chose qui relie les chrétiens à leur Évangile, qui leur ouvre la voie.

Les voyages de Jean-Paul II sont élaborés très finement par une équipe qui ne laisse rien au hasard, ni les plannings ni les symboles. Le pape lui-même entend donner à sa marche pèlerine des signes qui marqueront fortement les fidèles, laisseront des traces. La nouvelle évangélisation a besoin encore de ces étapes où le merveilleux a sa place, où le divin s'ancre et s'incarne. Aussi la dernière étape avant de partir à 19 heures pour Rome est-elle Lisieux, le carmel de la petite Thérèse. On connaît la prédilection de Jean-Paul II pour cette sainte française, dont le rayonnement a le double avantage d'être doctrinalement très puissant et affectivement très porteur de sentiments et de compassion. Préludant au grand pèlerinage de Lourdes qu'il entend conduire l'année suivante (mais l'attentat compromettra le voyage), la visite-éclair à Lisieux revêt une portée spirituelle très vaste. Quittant le terrain des idées et du social, le pape rejoint la pure mystique, ce lieu où, tout compte fait, il se sent le plus à l'aise. Thérèse, c'est l'esprit de la mission et « la voie de la petite enfance », « la fleur de la sainteté qui a grandi sur le sol français », et « l'héroïsme ». Jean-Paul II se sent plus conforté par la foule de l'Ouest, « la foule des longues patiences, la foule très colorée d'un peuple paysan [...] la foule des chrétientés triomphantes et du catholicisme pas honteux[60] » comme le dira lyriquement Pierre Georges, que par les chrétiens de la banlieue parisienne prônant « la lutte des classes jusque dans leurs églises[61] ». Il laisse libre cours à la véritable foi, celle qui n'est plus maîtrisée par les impératifs sociaux ni par les nécessités géopolitiques et stratégiques de l'Église mais reçue de son enfance, celle qui privilégiait la tradition mystique et se nourrissait de littérature hagiographique, s'enchantant d'une époque qui partait héroïquement évangéliser le monde, à sa tête Thérèse de Lisieux, Jeanne d'Arc, Jean Eudes, Catherine Labouré, Bernadette Soubirous et Charles de Foucauld. A Lisieux, c'est comme si le pape retrouvait sa vraie famille, celle qui n'accepte pas « que ces chapitres soient clos » comme il le dira dans son homélie, citant l'ermite du Hoggar plutôt que Jacques Maritain, comme l'aurait fait Paul VI, et comme le note Alain Woodrow[62].

L'appel à cette sainteté de croisés est presque voilé d'une certaine admonestation à l'égard de l'Église de France, décidément jugée trop moderniste, et l'on ne saurait « accepter, dit-il, que dans ce domaine, [elle] change la qualité de sa contribution et l'orientation qu'elle avait prise et qui mérite une crédibilité totale. »

C'est à Lisieux, dans sa rencontre avec les habitants de la ville comme avec les contemplatives, que Jean-Paul II est redevenu lui-même, dans cette force d'absolu qu'il quête sans cesse pour lui et pour les autres. On peut y voir, comme certains, un « retour à la "morale" traditionnelle, à la vieille haine chrétienne de la vie et à ses hantises sexuelles », on peut ne retenir de ce voyage qu'un « étonnant cocktail néo-rétro où même des constatations lucides – la dégradation de l'équilibre international sur fond d'arsenaux nucléaires par exemple – paraissent instrumentalisées *ad majorem gloriam Dei* pour le plus grand bien du néo-cléricalisme romain[63] », il n'empêche que la visite à Lisieux rend à la pratique religieuse sa dimension mystique qui avait été affadie ou méprisée au regard d'une conception sociale de l'Église. Jean-Paul II ravive cette pratique-là en ne craignant pas de revenir à la foi d'un Péguy et d'altérer auprès des jeunes son image de « super pape moderne ».

Les observateurs politiques et religieux, la foule immense des fidèles et des religieux tentèrent tous à leur manière d'interpréter le voyage du pape. Lui, infatigable, donne une conférence de presse dans son avion, commente au Vatican son séjour en France, prépare son prochain voyage au Brésil. Jean-Paul II entend profiter de ce formidable élan de sympathie que le monde lui porte pour poursuivre son grand élan missionnaire, et mener cette tâche que, dit-il, la Providence lui a confiée, immense, impossible et exaltante. La rapidité des contacts, la surcharge des plannings empêchent, il le sait, de mieux approfondir sa connaissance du pays visité, et c'est le point litigieux de ses voyages. Mais lui croit à cette force secrète des levains, à ces graines mêmes hâtivement semées pour fortifier le dépôt. Sait-il qu'il doit redouter plus que quiconque la « violence » de sa personnalité, et ce qu'elle suscite d'excessifs éloges : « un génie[64] », « Il est la parole. Il est aussi [...] la résistance[65] » ?

Sait-il qu'il doit redouter l'idolâtrerie dont il est l'objet, que des marchands du temple à Lisieux ou à Rome vendent des badges à son effigie où s'inscrivent des paroles inacceptables : « Je t'aime Jean-Paul II », « Allez le pape » ? On ne peut concevoir que son règne se limite à ces exubérants voyages même s'ils injectent des forces de foi et enracinent des foyers de spiritualité. « Aujourd'hui, dit Henri Fesquet[66], un seul homme ne peut tout voir, tout savoir, tout dire, tout décider. [...] Au-dessous de la fonction pontificale il y a une sorte de vide immédiat. Est-il tout à fait sain d'espérer remplir l'espace monarchique grâce à un seul homme ? » Cette question pose le vrai grand problème du pontificat commençant de Jean-Paul II. Elle en appelle ainsi à une plus vaste collégialité, à l'accueil de toutes les voix dans l'unité de l'Église, à une acculturation modelée sur les réalités sociales et contemporaines, peut-être aussi à un besoin du silence.

La venue de Jean-Paul II en France a peut-être concrétisé cette difficulté à gérer les revers du phénomène : comment maîtriser les débordements médiatiques, les spécificités locales et l'unité légitimement réclamée, le respect du message et du magistère et le désir d'avancer dans le chaotique devenir du monde ? Comment ne pas céder au magnétisme irrépressible du charisme et être seulement à l'écoute modeste de ce monde, dans la « petite voie » de Thérèse ? Comment ouvrir et fermer tout à la fois, lâcher du lest et en reprendre ? Comment apprendre à se détacher de l'emprise de ses propres origines, tout en les donnant au monde comme modèle exemplaire de fidélité au baptême? Comment provoquer un catholicisme, en butte aux assauts délétères d'un monde ruiné moralement et spirituellement et risquer de le rendre obstinément conquérant? Comment résoudre ces « signes de contradiction » ? C'est cette tâche-là que le voyage de France a révélée à la fois au pape et aux fidèles interpellés.

Maison natale de Jean-Paul II à Wadowice. (Keystone.)

Avec sa mère Emilia Kaczorowska. (Lochon/Gamma.)

A deux ans, entouré de ses parents. (Lochon/Gamma.)

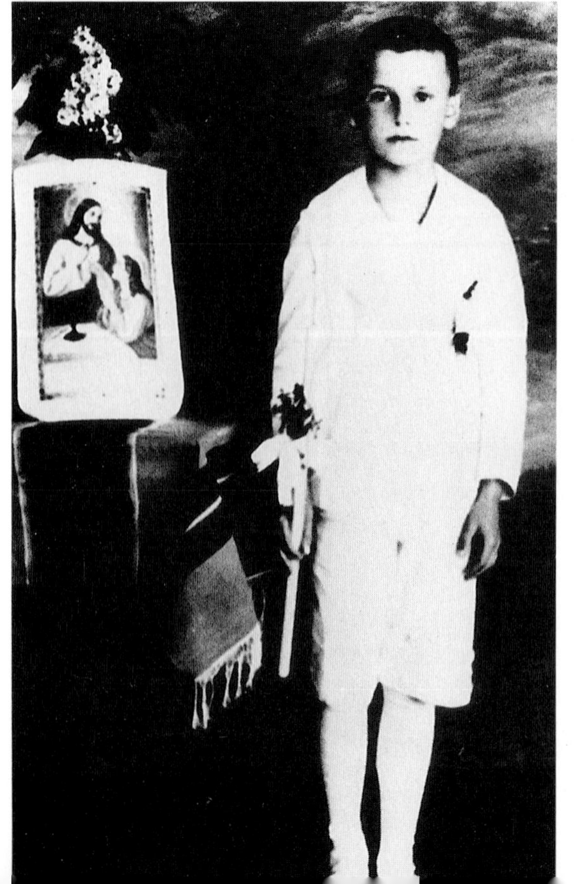

1927, en premier communiant. (Lochon/Gamma.)

Le jeune Karol Wojtyla assis en tailleur devant son père lors d'une visite d'une mine de sel à Wiecyka. (Keystone.)

Au collège Marcin à Wadouwity. Au troisième rang, premier à gauche. (Keystone.)

En 1938, dans la légion académique, deuxième en partant de la droite. (Keystone.)

En 1943, à Cracovie, avec sa tante et marraine Maria Wiadrowska. (Uzan/Gamma.)

En 1948, Karol Wojtyła est à Negowic, sa première paroisse.
Elle comptait 5 500 âmes. (Keystone.)

Le futur Jean-Paul II a toujours eu un goût prononcé pour le sport, ici au ski. (Keystone.)

Karol Wojtyla tout jeune prêtre. (Uzan/Gamma.)

Enseignant à l'université catholique de Lublin
où il était titulaire de la chaire d'éthique. (Lochon/Gamma.)

Lors d'une visite chez les montagnards des Tatras. (Laraflette/Gamma.)

Le 26 juin 1967, Karol Wojtyla devient le second homme en pourpre de Pologne après le cardinal Wyszynski. C'est aussi le premier témoignage de la grande confiance que lui accordait Paul VI. (Keystone.)

4 septembre 1978, le cardinal Wojtyla rend hommage à Jean-Paul Ier lors de son intronisation.
(Keystone.)

22 octobre 1978, intronisation du premier pape polonais de l'histoire de l'Église.
(Erwitt/Magnum.)

A Rome le 23 octobre 1978, lors d'une audience avec les Polonais, Jean-Paul II témoigne toute son affection au cardinal Wyszynski. (Arturo Mari/CPP/Ciric.)

Jean-Paul II en train de travailler dans l'avion qui le conduit à Mexico en janvier 1979. (Mayer/Magnum.)

Célébration des cérémonies pascales par le pape Jean-Paul II à Rome les 14, 15 et 16 avril 1979. Le Jeudi saint, le pape lave les pieds de vieillards et les embrasse. (Fabian/Sygma.)

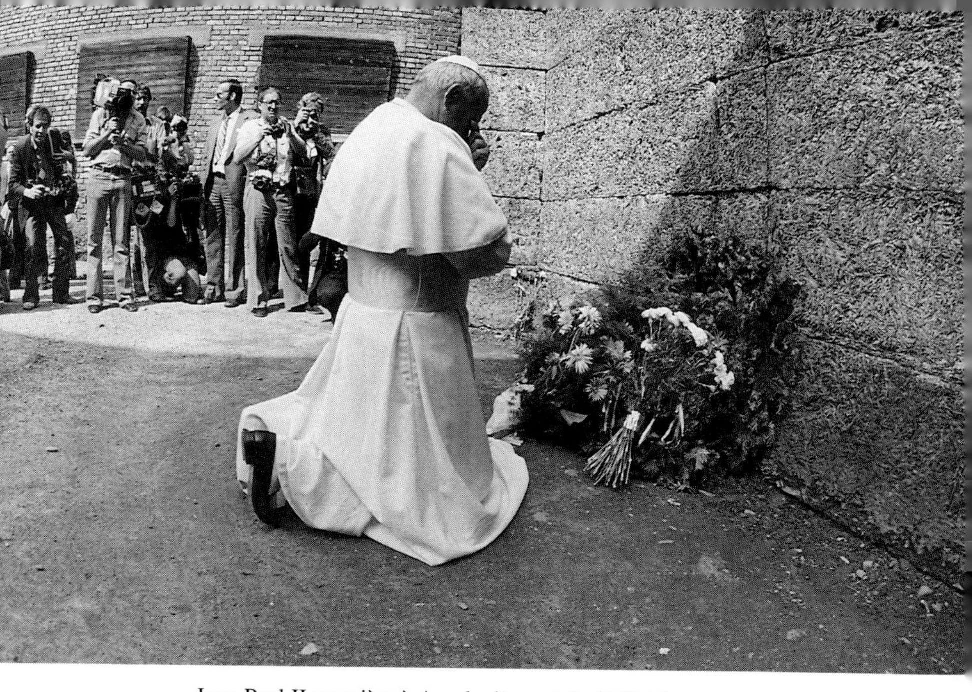

Jean-Paul II en prière à Auschwitz en juin 1979. (Sygma.)

Jean-Paul II à New York le 3 octobre 1979. (Press/Magnum.)

A Paris, en mai 1980, Jean-Paul II rencontre le président de la République Valéry Giscard d'Estaing. (Keystone.)

La reine Elisabeth II reçue par le pape au Vatican, en tant que chef de l'Église anglicane, le 17 octobre 1980. (Fabian/Sygma.)

Bénédiction papale à Rome, les 18 et 19 avril 1981. (Giansanti/Sygma.)

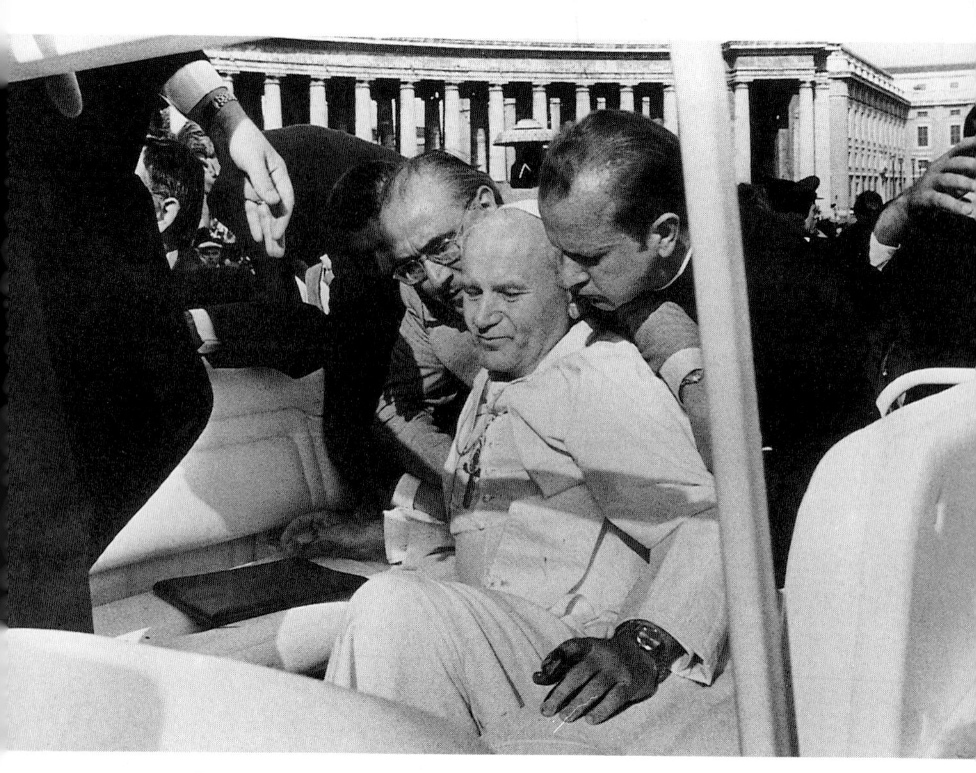

Attentat contre le pape Jean-Paul II le 13 mai 1981. (Fabian/Sygma.)

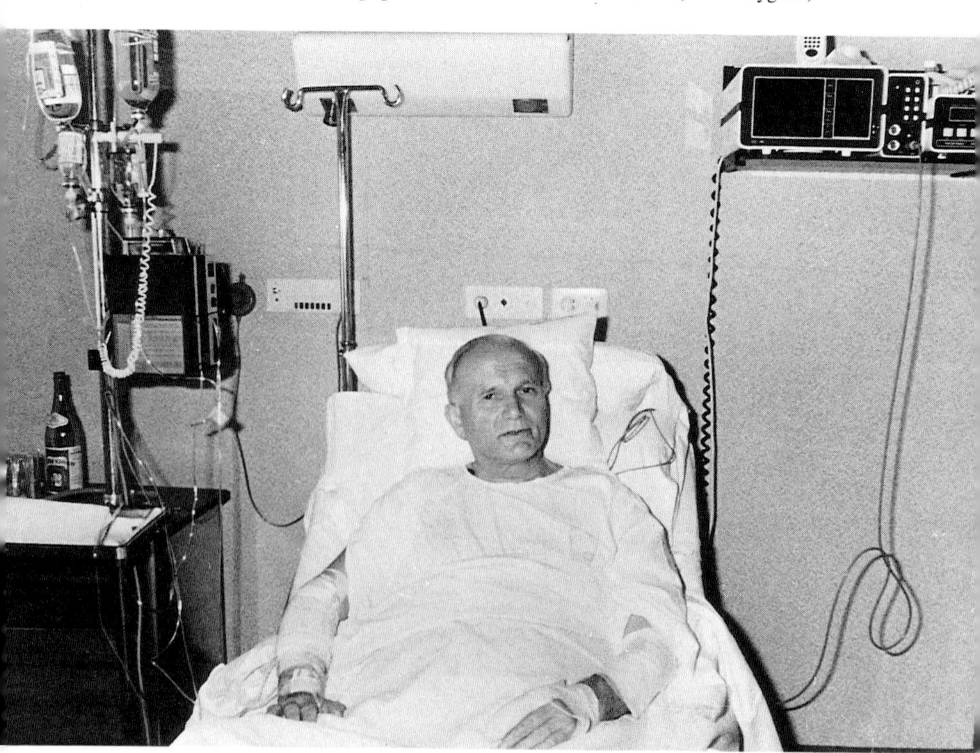

Le 22 juillet 1981 Jean-Paul II sur son lit d'hôpital après l'attentat dont il vient d'être la victime. (Giansanti/Sygma.)

Le 13 février 1982, visite du pape au Nigeria.
(Zihnioglu/Boccon-Gibod/Sipa Press.)

Jean-Paul II devant la statue de la vierge de Fatima en mai 1982.
(Keystone.)

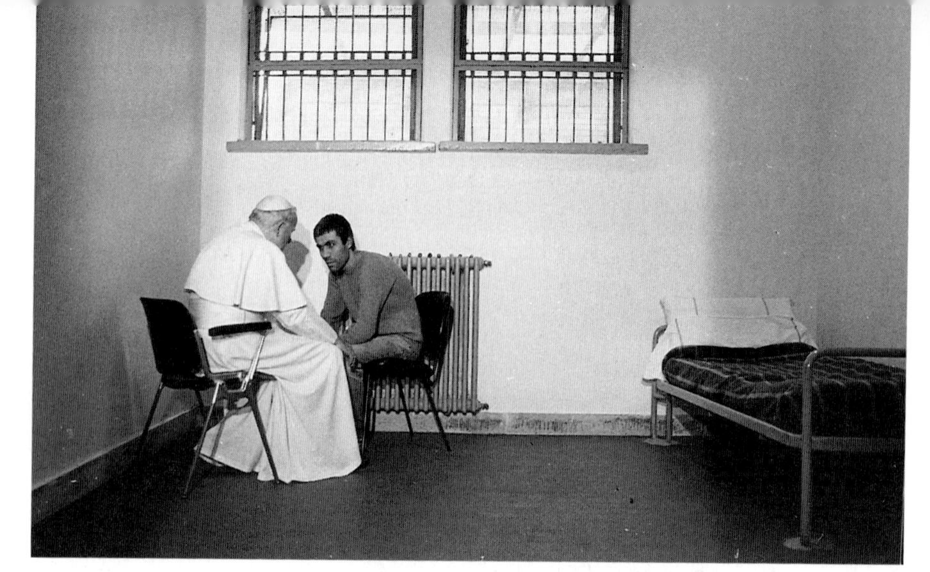

Le 28 décembre 1983, Jean-Paul II s'est rendu à la prison Rebbibia de Rome où il s'est entretenu avec le terroriste turc qui avait attenté à sa vie, Mehmet Ali Agca. (Keystone.)

Le pape couronne la Vierge à Quetzaltenango au Guatemala, en mars 1983. (Goldberg/Sygma

New York, 23 mars 1983, la maison d'édition Marvels Comics lance sur le marché de la BD un nouveau super-héros : Jean-Paul II. Ce livre, approuvé par le Vatican, est dû au talent du dessinateur John Tartaglione, de la coloriste Marie Severin et du scénariste Steven Grant. (Tannenbaum/Sygma.)

Image pieuse représentant Jean-Paul II dans les bras de la vierge de Jasna Gora. On prétend que ce cliché proviendrait de l'agrandissement d'une tache repérée dans le soleil au-dessus de Fatima. (D.R.)

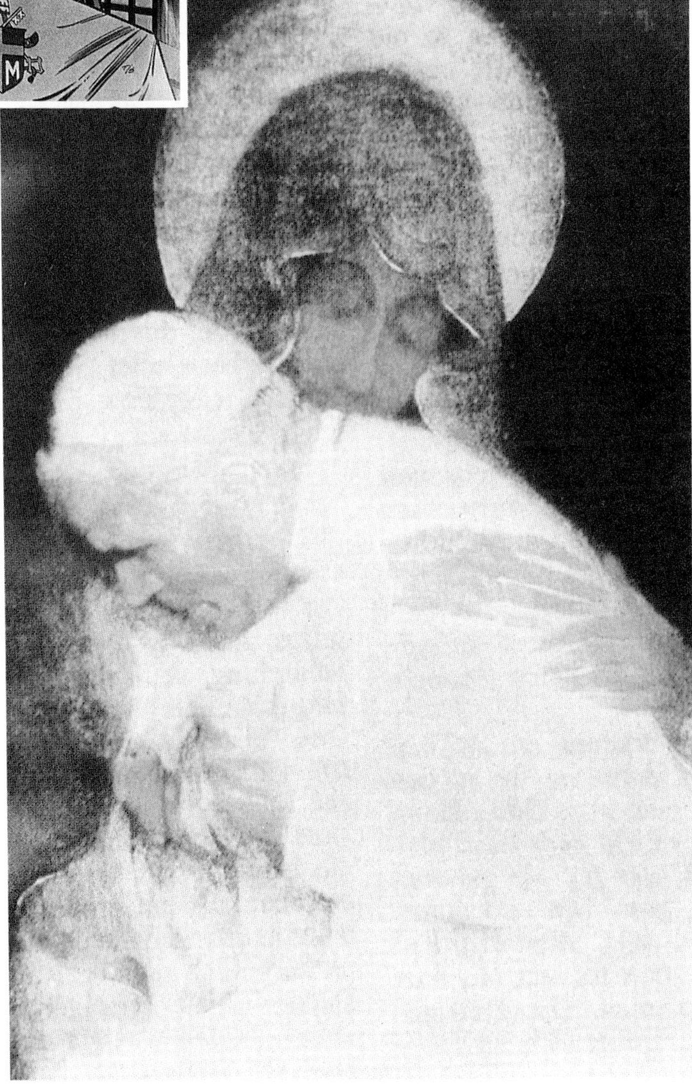

À Mariazell, en Autriche, le 13 septembre 1983. (Giansanti/Sygma.)

Voyage de Jean-Paul II en Nouvelle-Guinée en mai 1984. (Giansanti/Sygma.)

Rencontre avec le plus haut dignitaire du bouddhisme Ariya-Vongsakatayarne, en Thaïlande en mai 1984. (Giansanti/Sygma.)

Calcutta, le 3 février 1986, Jean-Paul II rend visite à mère Teresa.
(Raghu Rai/Magnum.)

Jean-Paul II accueilli par le grand rabbin Elio Toaff à la grande synagogue de Rome, le 13 avril 1986.
(Brogioni/Sygma.)

7 septembre 1986, Jean-Paul II
au mont Chétif. (Boccon-Gibod/Keystone.)

Au pied du versant italien du massif du Mont-Blanc, le 7 septembre 1986.
(L'Osservatore Romano/Keystone.)

Le général Wojciech Jaruzelski reçoit des mains du pape un livre de reproductions des fresques de Michel-Ange de la chapelle Sixtine, au cours de sa visite au Vatican, le 13 janvier 1987.
(Laski/Keystone.)

Mai 1987. Sucettes à l'effigie de Jean-Paul II, lors de son voyage en Allemagne de l'Ouest.
(Karwasz/Keystone.)

Visite de Jean-Paul II en Pologne, à Lublin, le 9 juin 1987.
Le pape passe près de sa statue monumentale. (Bisson/Sygma.)

31 juin 1987, devant un million et demi de personnes, Jean-Paul II célèbre la messe à Zaspa, quartier nouveau de Gdansk. (Sygma.)

Rome, début décembre 1987, Jean-Paul II rencontre l'archevêque orthodoxe Dimitrios. (Sygma.)

Rencontre historique de Jean-Paul II au Vatican avec Mikhaïl et Raisa Gorbatchev, le 1er décembre 1989. (Giansanti/Origlia.Sygma.)

Douze ans après leur première rencontre, Lech Walesa et Jean-Paul II se retrouvent à Koszalin, en Pologne le 1er juin 1991. (Grochowiak/De Keerle/Sygma.)

« Le Christ lui-même est africain. »
(7 mai 1980, Nairobi, Kenya).

L'évangélisation en Afrique représente un des plus grands enjeux pastoraux de Jean-Paul II. Les différents voyages qu'il y a accomplis (2-12 mai 1980 ; 12-19 février 1982 ; 8-19 août 1985 ; 10-19 septembre 1988 ; 28 avril-6 mai 1989 ; 25 janvier-1er février 1990 ; 3-10 février 1993) révèlent tout l'intérêt qu'il porte à ce continent, alors que les catholiques ne représentent qu'environ 13 p. 100 de la population. Les errances d'un Occident repu de matérialisme, les faiblesses spirituelles d'une Europe que le christianisme avait pourtant si fortement imprégnée, les aberrations d'un progrès et d'une technique toujours plus aveugles, les crises que le capitalisme a engendrées, et la déréliction à l'œuvre dans les ex-pays soviétiques, tout a montré que le primat de la vérité et celui de l'homme ont bel et bien été bradés. La reconquête est longue et les temps de plus en plus douloureux. A cette Pâque qu'il a enseignée et promise aux hommes de bonne volonté depuis le début de son pontificat répond trop souvent l'obscurité du Golgotha. Le chemin semble à rebours. Il se pourrait que, pris dans sa folie, l'homme, malgré la Promesse, retourne à la nuit du Calvaire. Mais le « pasteur montagnard », comme l'appellent les Polonais, est fort d'une foi presque brutale. Inlassablement, il reprend son bâton de pèlerin et poursuit sa mission, puisque « l'Église se trouve constamment en état de mission », et que l'évêque de Rome ne peut « plus accomplir son service, sinon en allant vers les hommes et donc, vers les peuples et les nations », comme le proclame le concile Vatican II.

L'Afrique est à ce titre un continent où la parole de l'Évangile risque de trouver un réel écho. Les foules que le pape a rassemblées tant en Pologne qu'en Europe occidentale ont-elles été pour autant converties ? Son arrivée dans le roulis infernal de la vie moderne a souvent fait l'effet d'un éclair, semblable à la parole de l'Évangile, dont la limpidité et la violence appellent au sursaut de l'âme, mais très vite l'engrenage de ces sociétés matérialisées a ravi ceux-là mêmes qui s'étaient pourtant déplacés pour venir écouter, comprendre ce que ce pape pèlerin voulait leur dire.

En Afrique, les mentalités ne sont pas encore complètement gangrenées par la modernité, elles ont cette disponibilité que réclame l'Évangile. Aussi Jean-Paul II accorde-t-il une attention toute particulière aux populations africaines, « éprouvant profondément le besoin de contacter de près[67] » ce continent.

L'urgence de cette évangélisation demeure parce que l'Afrique est à la dérive, déchirée entre ethnies opposées, ravagée par le sida, volée par les grandes puissances industrialisées, asservie par des régimes, affamée, mise à mort, fascinée par les biens matériels, et néanmoins demeurée naïve, c'est-à-dire près de la naissance, près des sources. C'est parce qu'existe ce « signe de contradiction » que l'Église va porter la parole de Jésus-Christ, non pas en conquérante mais en témoin. Parce que l'âme africaine est « naturellement chrétienne », comme disait Tertullien, en ce sens qu'elle est « profondément religieuse dans les couches, toujours aussi vastes, de sa religiosité traditionnelle », « sensible à la dimension sacrée de tout l'être, convaincue de l'existence de Dieu et de son influence sur la création, ouverte à ce qui est au-delà du terrestre, au-delà de la tombe»[68].

Cet accueil spirituel dont est capable le peuple africain permet à Jean-Paul II de penser que le renouveau de l'Église pourra surtout venir de lui. Aussi jette-t-il les germes de l'Évangile, du Zaïre à la Côte-d'Ivoire, du Congo au Kenya, du Nigeria au Bénin, du Gabon à la Guinée équatoriale, du Togo au Maroc, du Cameroun à la République centrafricaine, du Zimbabwe au Mozambique, de Madagascar à la Zambie, de l'Ouganda au Soudan. Et partout c'est toujours le même appel à la fidélité, à l'obéissance à l'Église de Rome, au renoncement aux idoles, à l'éveil de la conscience personnelle, à la vigilance aux droits de l'homme, à la vérité de l'homme «dans sa dignité en tant que personne humaine[69]».

Les thèmes sont systématiquement repris par le pape au cours de ses voyages, martelés, et souvent comme il aime à le faire, et comme son «public» le lui demande, incantés: «N'ayez pas peur! Le Christ n'est pas un "ravisseur", mais un Sauveur. Il est venu pour que vous ayez la vie», proclame-t-il à Libreville devant des milliers de jeunes enthousiastes[70].

Ces marathons africains sont le moyen pour Jean-Paul II de «recomposer» la carte du monde, telle qu'il l'a conçue bien avant son élection. Son statut stratégique de pasteur polonais lui a permis de juger des effets néfastes du redécoupage du monde après la Seconde Guerre mondiale, et il sait que l'Église peut lui donner une autre image.

La gestion de la planète est à revoir. L'Afrique est la preuve tragique des dysfonctionnements et des déséquilibres. C'est pourquoi il prêche pour une solidarité mondiale, se faisant agitateur, perturbateur des grands monopoles qui depuis Yalta se partagent les richesses. Or Jean-Paul II est persuadé que les richesses de la planète sont à toute l'humanité. La lecture de l'Évangile fonde cette conviction qu'il ne craint pas de proclamer au sein des instances concernées. « A chacun il est demandé d'accepter que les biens de la terre soient donnés par Dieu à tous pour le bénéfice de tous », déclare-t-il à Detroit, États-Unis, le 19 septembre 1987. A ce titre l'Afrique, continent laissé-pour-compte, pauvre entre les pauvres, a sa compassion et c'est là que sa mission sacerdotale doit s'exercer prioritairement.

Parcourir l'Afrique constitue donc pour Jean-Paul II la réalisation de sa vocation. Les conditions matérielles désastreuses dans lesquelles se trouve le continent africain, les pénuries aussi bien alimentaires que spirituelles qui l'accablent, l'assaut en de telles circonstances des « idoles renaissantes[71] », idéologies, sectes, fondamentalisme islamique, font de lui un continent en danger, qui a plus que jamais, aux yeux de Jean-Paul II, besoin du Christ : « Puisse la Parole de Dieu être la lampe de vos pas et la lumière de votre chemin », déclare-t-il aux jeunes de Kampala, le 6 février 1993, reprenant en cela les paroles du psalmiste. Reprenant son credo antitechniciste, il affirme la spécificité de l'Afrique, lui conseillant de ne pas se calquer sur les modèles occidentaux dont il sait les effets ravageurs sur des sociétés en voie de développement ou qui, trop longtemps bafouées par des régimes oppressifs, se précipitent aveuglément dans l'illusion capitaliste. « Vous n'avez pas à courir après des besoins artificiels, dit-il aux Zaïrois, qui vous donneront une liberté illusoire ou qui vous mèneront à l'individualisme alors que l'aspiration communautaire est si fortement chevillée en vous. » C'est parce que la mentalité africaine est au plus près encore des vertus patriarcales et pastorales d'un christianisme utopique ou ancestral qui lui est cher que Jean-Paul II aime l'Afrique. Parallèlement à cette mise en garde, le pape se donnera ainsi la possibilité de dénoncer les travers et les vices des sociétés dites « avancées », mais, comme il le clame, « avancées vers quoi ? »[72].

L'agonie prévisible de l'Afrique, si une plus grande justice sociale ne se met pas en place, vient donc de cette transposition des modèles de vie occidentaux « qui ont tendance à installer les personnes et les familles dans le matérialisme, l'individualisme et l'athéisme pratique, et à laisser pour compte les marginaux[73] ».

Le rôle de Jean-Paul II dans la relation conflictuelle que le Nord et le Sud ont entre eux est considérable. Il adresse à l'un des rappels à l'ordre pour la justice et à la solidarité sous peine d'explosion de la planète et à l'autre des encouragements à se prendre en charge. Responsabilité, respect de la personne, sens de l'échange et qualité du don, sa catéchèse est conforme à celle qu'il pratiquait déjà dans son diocèse de Cracovie.

L'Afrique (comme l'Amérique latine d'ailleurs) permet au pape de situer la place exacte de l'Église dans les grandes mutations indispensables à l'avenir de ces continents : non seulement elle joue un rôle de garde-fou et de conseil, mais encore, associés à cette fonction évangélisatrice, elle s'arroge le devoir et le droit de promouvoir socialement ces pays et ces peuples en difficulté. La promotion intégrale de l'homme est l'enjeu véritable que l'Église s'est assigné, comme le pape le déclare à Yaoundé en août 1985 : « Relever le défi économique » et « trouver une manière de le faire qui, par elle-même, développe les qualités les meilleures de l'être humain ». La présence de l'Église en Afrique relève aussi d'une inquiétude réelle devant les enracinements ancestraux de pratiques rituelles difficilement contrôlables. Son maintien dépend beaucoup sinon des concessions qu'elle voudra bien tolérer du moins d'aménagements nécessaires dont Jean-Paul II est tout à fait conscient, ainsi que le fut déjà le concile. L'africanisation de l'Évangile est un des problèmes les plus aigus que l'Église tente de résoudre avec l'aide des épiscopats locaux. Maintenir sa présence c'est forcément « et à bon droit », comme dit le pape[74], « présenter le message chrétien d'une façon qui atteigne l'esprit et le cœur » des Africains. La catéchèse, la réflexion théologique, l'expression dans la liturgie ou l'art sacré relèvent aussi de cette nécessaire adaptation au milieu. « Être pleinement chrétien et pleinement africain », telle est sinon la contradiction, du moins la problématique à résoudre. C'est en ce sens que Jean-Paul II, relayant les idées du concile, reconnaît que la « construction du royaume ne peut pas se dispenser d'emprunter les éléments des cultures humaines[75] ».

Si l'Église parvient à intégrer le message évangélique dans le contexte original de l'Afrique, alors l'Afrique sera une de ces « pierres d'attente du christianisme », comme Jean-Paul II le dit dans son discours aux évêques zaïrois.

Cette africanisation ne saurait cependant se dispenser de la pierre angulaire qu'est Rome : « Aucune communauté nouvelle greffée sur l'arbre de l'Église ne peut vivre de manière indépendante », déclare-t-il dans son homélie du 5 mai 1980 à Brazzaville. C'est pourquoi beaucoup de ses discours, s'ils sont à lire dans le cadre d'une problématique africaine, expriment aussi une catéchèse universelle. Développant un motif poétique qui lui est cher, Jean-Paul II, s'adressant aux Congolais, évoque la métaphore de l'arbre pour signifier que « le greffon [nouvellement évangélisé] vit de la sève qui circule dans l'arbre », rappelant ainsi à toutes les Églises locales, qu'il y a une parole et une doctrine universelles qu'aucune lecture ne pourrait contredire.

Ainsi les voyages qu'entreprend le pape sont-ils toujours à deux portées : l'une, immédiate et ancrée dans la réalité locale, l'autre plus universelle et propre à engager de manière unifiée l'avenir de l'Église. Les discours sur la sexualité et sur le sida prononcés en Ouganda sont très révélateurs de cette méthode. Depuis l'Afrique, Jean-Paul II rappelle la doctrine de l'Église, une manière comme une autre de se souvenir de la dimension planétaire du dépôt. Ses voyages lointains doivent donc intéresser tous les chrétiens et approfondir leur catéchèse quotidienne à laquelle l'Église les invite en permanence.

Les voyages sont les relais illustratifs et plus conviviaux des encycliques ou autres documents officiels adressés par le Saint-Siège au « diocèse du monde ». Quand Jean-Paul II prononce à Kampala son discours sur la sexualité (6 février 1993), il ne dit rien d'autre que ce que l'encyclique *La Splendeur de la vérité* énonce : appel au silence intérieur, refus du bruit et de la confusion dus surtout aux conditions de la vie moderne, éloge sans réserve de la chasteté, encouragement à la résistance au mal et stimulation du courage moral, seule force capable de réduire à néant le mal et le mensonge.

« Que la solidarité remplace l'égoïsme », proclame-t-il : ce n'est pas seulement un appel convenu dans la bouche d'un pape mais une vraie pratique de vie proposée. Ces homélies et ces discours frappent toujours par la force de conviction que le Saint Père déploie : ce sont les ressorts intimes des êtres qu'il interpelle, ce courage qu'ils ont tous au fond d'eux-mêmes et qu'ils n'exploitent pas, pris qu'ils sont dans les mailles étroites du conformisme et de la facilité ambiante : « Vous avez le pouvoir », « N'ayez pas peur ! », « Vous devez maintenant... », « Ne fuyez pas », « Continuez avec courage », etc., autant d'exhortations qui jouent la fonction d'électrochocs susceptibles de réveiller les consciences, de changer le monde.

Les voyages africains sont donc bâtis sur ces deux volets : un local et un universel. Mais Jean-Paul II ne se cache pas les difficultés que ce continent pose à l'Église. Les discours d'ordre plus général ne sont pas faits pour camoufler la réalité ecclésiale africaine. Ce synode africain réclamé à cor et à cri par l'ensemble de l'épiscopat local est loin d'être aisé à réaliser. Le Vatican est en effet sinon peu disposé, du moins prudent, face à son élaboration, craignant une dispersion des pouvoirs ; l'insistance de la « locomotive de l'Afrique », Mgr Malula, cardinal zaïrois, à créer des instances locales capables de légiférer dans des domaines africains, le prouve.

Si les voyages de Jean-Paul II en Afrique sont fréquents

et à dates rapprochées, c'est parce que le Vatican est parfaitement conscient de l'enjeu qui y est posé : l'inculturation de l'Évangile à laquelle le pape fait toujours référence depuis son premier voyage de mai 1980 ne satisfait pas pleinement les Africains, aspirant à toujours plus d'autonomie dans l'adaptation du message évangélique à une culture autochtone. C'est pourquoi à chaque voyage est davantage précisée cette manière de propager la réalité du dépôt en fonction des coutumes locales et des cultures. A la différence de la vieille Europe qui s'est faite sur le modèle chrétien, la plupart des pays africains n'ont pas en effet de tradition ancienne dans ce domaine. Les rites et les traditions animistes sont fortement ancrés dans les mentalités et toute la difficulté réside dans la gestion de ce syncrétisme.

C'est pourquoi certains discours ne sont pas toujours reçus en Afrique avec l'intérêt souhaité par le Saint Père. Enseigner la conception du mariage chrétien dans une société où la polygamie est souvent considérée comme un acquis ancestral, une donnée inchangeable, y proclamer que la « polygamie tue le plan de Dieu », c'est faire confusément le procès des rites archaïques et provoquer la confusion et le trouble ; y déclarer que, pour « se préparer au mariage, la vocation à la chasteté est essentielle[76] » dans une société où le « mariage graduel », comme le rappelle Constance Colonna-Cesari, consiste à ne déclarer valide une union qu'après la naissance du premier enfant[77], entraîne naturellement une réelle incompréhension.

La poussée de l'islam sur ces terres, au Mali, au Sénégal comme au Maroc, redouble la vigilance de Jean-Paul II et sa détermination à maintenir la parole de l'Évangile. Elle doit aussi, disent les évêques catholiques africains, l'inciter à beaucoup de prudence et à moins d'intransigeance au risque de voir l'Église se dépeupler, les populations se faisant capter par d'autres religions, plus démagogiques ou plus « naturelles » à leurs yeux, plus proches de leurs coutumes.

La stratégie vaticane dans ce continent est donc extrêmement fragile et soumise aux évolutions politiques et cultuelles. C'est pourquoi Jean-Paul II favorise les initiatives œcuméniques qui rassemblent chrétiens et musulmans modérés, pour faire face à d'éventuelles actions agressives d'un islam fondamentaliste qui commence à prendre racine dans beaucoup de pays d'Afrique, notamment en Algérie ou au Sénégal.

Le discours du pape est donc en Afrique forcément polysémique, mêlant une parole universellement chrétienne, formelle et dogmatique, à une autre, plus poreuse, plus sensible à la mentalité africaine, tout en assortissant ce dernier discours de tout un appareil préventif rappelant l'autorité incontestable de Rome.

La nécessité du voyage africain rejoint en cela celle de tous ses autres voyages, leur but étant d'« affermir les Églises », de répandre les « semina Verbi »[78]. Jean-Paul II mesure, où qu'il soit, l'ampleur de la tâche : enraciner l'Évangile, c'est faire aussi le constat que tout est à recommencer, à reconvertir, tant l'homme ancien reprend le dessus, aime les friches, néglige l'Esprit. C'est pourquoi les grands voyages de Jean-Paul II revêtent aussi quelque chose de pathétique dont lui-même, souvent, prend conscience avec une émotion intense.

Dans les bains de foule qui pourraient devenir banals et médiatiques, la réalité du monde africain surgit, et Jean-Paul II la prend de plein fouet. Le voyage alors trouve sa vraie grandeur pastorale et ecclésiale : c'est la visite aux lépreux de la léproserie de Cumura en Guinée-Bissau, c'est « entre les tam-tam, les danses et les balafons[79] », le face-à-face avec le plus miséreux des paysans « qui a ouvert la porte de sa paillote au pape » : autant de moments forts qui donnent le ton de sa parole : que l'humanité se purifie de ses multiples formes d'égoïsme et d'indifférence devant la douleur d'autrui, qui « souillent l'esprit », que la liberté ne soit plus « piétinée par la pauvreté et bafouée par le manque de solidarité et l'absence de tout espoir dans l'avenir», il implore les paysans tentés d'abandonner leurs terres menacées par le désert, de «résister à cette tentation», etc.

Si enfin le pape aime particulièrement l'Afrique, c'est parce qu'en tant que Polonais, «fils d'une nation qui, dans son histoire, a éprouvé d'une façon spéciale ce qu'est le prix de sa liberté», il voit dans ce continent un peuple qui jouit depuis peu de son indépendance; la jeunesse africaine a la même espérance à ses yeux que celle qui souleva son propre peuple. L'évangélisation de l'Afrique et le travail qui s'y attachent relèvent de la Pentecôte, c'est le mystère pascal qui est à l'œuvre, c'est la «continuation des Actes des Apôtres, dont s'écrivent d'autres chapitres de génération en génération, de siècle en siècle[80]».

Le sens des pèlerinages de Jean-Paul II est tout inscrit dans le parcours africain: les risques du matérialisme, de la désagrégation de la famille, de l'affaiblissement des valeurs morales et spirituelles, de l'individualisme, sont à combattre où que ce soit mais l'âme africaine est à préserver davantage encore car leur naïveté, leur sens de la solidarité naturel, leur vision religieuse innée font des Africains les plus jeunes enfants de Dieu. La paternité dont Jean-Paul II se sent investi réagit avec force pour protéger du désastre ce continent. C'est pourquoi Jean-Paul II veut y apporter cette pastorale de la compassion, et faire de ses voyages le lieu singulier d'une vraie rencontre. En Afrique, à chaque voyage, le pape éprouve une émotion et une souffrance qui lui permettent de transgresser la solitude pathétique à laquelle son rôle de pontife et l'étiquette qui y est attachée le soumettent.

L'opinion internationale a longuement critiqué les conseils pastoraux que Jean-Paul II a prodigués aux Africains à propos du sida, de la contraception, du mariage, déclarant que le pape s'immisçait là où il n'avait pas compétence ni autorité. Mais les «coups de frein» brutaux qu'il a demandés (et par-delà les Africains à tous les chrétiens) ne semblent pas être des conseils rétrogrades et inadaptés au monde moderne, mais bien plutôt des certitudes que l'Évangile lui transmet.

André Frossard, dans un de ses billets du *Figaro*, déclare avec quelque bon sens : « Ce n'est pas le pape qui tient le volant de la voiture sur laquelle l'humanité voyage en ce moment. Il se borne à placer en lieu utile des panneaux signalant des virages dangereux ou des parcours glissants. Ce n'est pas sa position qui est "abrupte", c'est plutôt la nôtre, qui nous expose à un avenir sombre de dangers. Et ce n'est pas lui, mais nous qui sommes en train de déraper[81]. »

L'Afrique, proie des grandes puissances, dont la moisson d'un an est bradée pour quelques poignées de dollars, l'Afrique qui porte comme le Christ sa croix, le fléau du sida, plus que partout ailleurs dans le monde, l'Afrique, victime des violences tribales et des assauts frelatés du matérialisme, est pour le pape le continent en danger : au-delà de l'évangélisation, c'est le pape des droits de l'homme et de la promotion humaine qui parle. C'est dans cette double vocation qu'il s'y rend toujours.

L'Afrique est ainsi à naître, « une Afrique des Africains œuvrant ensemble, dans la solidarité mutuelle, pour bâtir un avenir meilleur[82] ».

C'est tout l'intérêt du synode africain auquel travaillent et le Saint-Siège et l'épiscopat africain. Synode signifie littéralement travailler ensemble. C'est à cela qu'aboutit la quête de Jean-Paul II, ce pèlerinage tant de fois recommencé en terre africaine.

« Nous venons de loin... »

(Assise, 27 novembre 1986).

Pourquoi, à une époque où les plus grandes religions connaissent des tentations fondamentalistes, Jean-Paul II est-il si attaché à vouloir les rassembler dans une même réflexion et les associer à ses propres combats ? Dès le début de son pontificat et déjà auparavant à Cracovie, le pape consacre une part importante de son activité pastorale à convaincre les représentants des autres religions de se rassembler non pas dans une sorte de syncrétisme mou mais au contraire, dans leurs propres différences, de se « rassembler pour témoigner, chacun suivant ses propres convictions, de la nature transcendante de la paix », et de redécouvrir par là, « que le défi de la paix tel qu'il se présente à toute conscience humaine transcende les différences religieuses[83] ».

De surcroît, cette volonté œcuménique offre l'intérêt stratégique d'opposer un front commun de sagesse et de prière aux excès intégristes et ultranationalistes de certains, tentés d'utiliser l'islam ou le judaïsme à des fins politiques et absentes de toute spiritualité.

Dans sa première encyclique de 1979, *Redemptor hominis*, Jean-Paul II avait précisé le cadre de cette réflexion : ce qui unit les différentes religions est plus vaste que ce qui les éloigne en apparence. La quête de la paix, la lutte contre toutes les injustices, pour les droits de l'homme, sont autant d'appels auxquels Dieu demande de répondre, quelle que soit la religion.

Aussi multiplie-t-il les initiatives pour amorcer le dialogue tant avec les juifs qu'avec les musulmans, les protestants que les orthodoxes. Ces efforts ne sont pas toujours récompensés. La suspicion devant tant de sollicitations, et le passé souvent hégémonique de l'Église ainsi que sa réputation prosélyte acquise dans l'Histoire, est latente et les chefs religieux non catholiques craignent une récupération comme le renforcement du prestige du pape.

Néanmoins il semble que le vœu de Jean-Paul II soit réel et que lui reprocher quelque intention dissimulée relève du procès d'intention. Le pape a une conscience suraiguë du devenir de la planète et sa vision, affermie par sa propre histoire, lui donne aussi l'exigence de l'urgence. Conquérant, certes, il peut l'apparaître, et dominateur à bien des égards.

Quand il décide d'organiser le 27 octobre 1986 une journée mondiale de prière pour la paix à Assise, dans la ville du *Poverello*, saint François, il souhaite réunir tous les responsables religieux du monde, au grand dépit des intégristes de toutes les religions. Ce jour-là, la petite cité ombrienne rutile des habits religieux des bouddhistes, des musulmans, des orthodoxes russes, etc. Douze confessions y sont représentées, « trois milliards de croyants » selon les chiffres fournis[84].

Pour ménager les susceptibilités de tous, les organisateurs ont donné à chaque délégation des lieux de prières pour se retrouver et éviter ainsi tout risque de confusionnisme. Pour Jean-Paul II, il est temps que les religions s'unissent au moins dans cette responsabilité universelle qu'est la paix, et fassent par là obstacle aux tentations extrémistes de certains. Pour lui encore, la prière commune est aussi une manière invisible de répandre l'onction de Dieu sur la terre.

Pour ne pas heurter les délégations, Jean-Paul II a cette

formule « heureuse » selon le mot de Mgr Etchegaray, « non pas prier ensemble, mais être ensemble pour prier ». Tous les groupes, après avoir prié dans leurs propres locaux, seront invités sur la place de la basilique San Francesco, à écouter « alternativement la prière des autres et pour visualiser encore l'absence de syncrétisme, chaque groupe se détachera du cercle commun pour exprimer sa propre prière dans un espace réservé[85] ».

Ce que Jean-Paul II attend de cette journée, c'est la « revalorisation de la prière », et l'« éveil du dialogue interreligieux » : on observe que les deux pôles de sa pastorale, dans quelque domaine que ce soit, traitent et du message évangélique et de la réalité du monde.

C'est pourquoi quand ce matin-là à Assise la prière est au cœur de la ville, ce n'est pas une sorte de rencontre de « l'ONU des religions[86] », mais un « signe » livré au monde pour qu'il prenne conscience de sa dérive et de la nécessité de l'union.

Ce désir de rassemblement venu du pape révèle un point fort de son action : constituer une « vraie culture du dialogue, afin d'éviter tensions ou conflits provoqués par le désir des uns de dominer les autres[87] ». « Culture du dialogue » que Jean-Paul II veut apprendre à décliner en « culture de l'amour », « culture de la vie », « culture de la paix »[88].

L'initiative lui paraît aller dans le sens de la conclusion de Vatican II : « Élargissez le cœur aux dimensions du monde ». Encore une fois, le pape, choisissant ce type de manifestations symboliques et fortes, se souvient de celles qu'il organisait en Pologne (anniversaires, pèlerinages, neuvaines, rosaires, à l'échelle nationale), qui finissaient par convertir ou semer quelque ferment de vérité. Il est convaincu que de telles actions ne peuvent se déliter dans le chaos du monde et qu'il reste toujours quelque chose de ce qui a été semé. Les résultats obtenus entre Israël et le Vatican après tant de suspicions et de malentendus, pour certains millénaires, sont à même de lui donner raison.

L'appel de Jean-Paul II tient toujours à ce motif qui est au cœur de sa spiritualité : faire de sa vie, de soi, de son travail, du monde qui est donné, de ses rencontres, de sa famille, « une préfiguration d'un monde en paix ». Ce qu'il veut signifier par cette rencontre d'Assise, c'est la preuve de la possible Alliance. Tout son enseignement, auprès des jeunes particulièrement, se résume à ce souhait-là : faire « l'Église en soi », donner corps et esprit sur terre au Royaume qui attend l'homme après sa mort. C'est pourquoi organiser une telle manifestation, c'est donner à voir l'existence du Royaume, prier dans cette communauté mondiale de langues, de religions, d'esprits et d'histoires différents, c'est admettre que la paix est possible et que, suscitée par la prière, elle vient de Dieu et est souhaitée par lui. Le pontificat de Jean-Paul II est à ce titre peut-être le plus symbolique qui soit : il renonce à tout prosélytisme, à toute ingérence personnelle et reconnaît « le fondement commun de l'humanité, à partir duquel on peut agir ensemble, en vue de la solution de ce défi dramatique : paix véritable ou guerre catastrophique[89] ».

Acte de repentir, acte de pénitence, acte de volonté, acte de confiance, la prière d'Assise prend en vérité un relief singulier en cette fin de siècle. Cette journée réhabilite la prière comme le moyen privilégié de lier l'homme à Dieu et par là d'instaurer une relation continue avec lui. Elle dit qu'on « ne peut avoir la paix sans la prière, et la prière de tous, chacun dans sa propre identité et dans la recherche de la vérité[90] ».

Trois semaines auparavant, le 4 octobre, fête justement de saint François d'Assise, Jean-Paul II avait lancé une initiative qui devait préparer la journée du 27 octobre dans la ville du *Poverello* : il adressait à « toutes les parties en conflit dans le monde un appel ardent et pressant pour qu'elles observent, au moins durant toute la journée du 27 octobre, une trêve complète des combats ». Le « pape des signes » croit dans ces pauses de grâce, où l'humanité, dans un sursaut d'elle-même, se ressaisit et s'engage dans la voie de la paix. La « trêve de Dieu », on le sait, ne fut que partiellement suivie, et les années futures verront se poursuivre, avec une intensité redoublée, les conflits et les violences de toutes sortes, ce qui donne aux exhortations pontificales une efficacité toute relative. A Noël 1990, il lancera urbi et orbi un message de veille à l'humanité tout entière, la mettant en garde contre les risques d'une guerre avec l'Irak. Il écrira à Saddam Hussein, à George Bush, à Perez de Cuellar. Le pathétique de Jean-Paul II réside aujourd'hui dans cette lutte sans merci contre l'« aventure sans retour » de la guerre, contre le « chemin indigne de l'humanité ». Tout se passe à ses yeux comme s'il savait que la lutte était difficile, et qu'à certains moments il pouvait y avoir échec. Mais il croit par ailleurs, en homme de foi, que la victoire du Bien est inéluctable. Aussi continue-t-il à œuvrer en grand exorciste, intervenant dès lors que l'homme est en danger, sachant que ce que l'on attend de lui, quoi qu'il arrive, c'est d'abord un témoignage de prêtre et non de stratège politique, habile et louvoyant.

« L'homme est la route de l'Église », a-t-il déclaré dès son élection. Il convient dès lors, et cela dans tous les domaines, de subordonner toute action à sa « promotion » et à sa dignité, sans concession. C'est pourquoi le combat contre la guerre est aussi bien adressé à Assise à tous les belligérants de la planète, mais encore à tous ceux qui détruisent, à ses yeux, l'homme dès sa naissance. Mgr Tauran, secrétaire pour les relations du Saint-Siège avec l'étranger, ne laisse planer aucune ambiguïté à ce sujet : « L'Église rappelle que l'homme a une dimension transcendantale et ne peut être réduit à l'état d'objet. Il doit être traité comme un sujet responsable, et on ne peut lui imposer des solutions mécaniques[91]. »

La médiation par la prière (assortie d'une exhortation à la négociation) est pour Jean-Paul II le témoignage de la réalité incarnée de l'Alliance, une manière signifiante d'unir « la fidélité rigoureuse à la révélation biblique et à la tradition de l'Église » à « la conscience des besoins et des inquiétudes de notre temps »[92].

«Je viens à vous, les héritiers spirituels
de Martin Luther, je viens en pèlerin...»

17 novembre 1980

Ce désir de l'Alliance qui est si fort chez Jean-Paul II n'a cessé de s'affirmer au cours de son pontificat à l'égard des protestants. Mais malgré la volonté d'unité, règne toujours du côté protestant une sorte de méfiance envers l'Église catholique et romaine.

La lettre adressée au pape peu avant son voyage en R.F.A., en novembre 1980, et signée de nombreuses personnalités et d'associations de laïcs, outre les questions brûlantes du mariage des prêtres et de la liberté de la science théologique, pose le problème de la séparation des Églises jugé, en cette fin du XXe siècle, archaïque et source de tension politique: «la Réforme est partie de notre pays, y est-il déclaré. Aussi nous sentons-nous spécialement tenus de surmonter, alors que près de cinq cents ans se sont écoulés, la séparation des Églises qui dure toujours. De très nombreux chrétiens en Allemagne ne comprennent pas que, en dépit de notre foi commune dans le message du Nouveau Testament, nous persistions à vivre avec des questions controversées qui portent la marque de leur époque, et que les Églises continuent de s'excommunier mutuellement... Dans ces conditions n'est-il pas requis de notre Église qu'elle pose des signes de réconciliation et qu'elle écarte d'importants obstacles à l'unification, rejoignant ainsi l'état actuel de la recherche théologique?... N'est-il pas nécessaire que le travail commun entre Rome et le Conseil mondial des Églises débouche enfin sur des résultats pratiques[93] ? ».

L'audace des questions posées par les nouveaux théologiens, le « deuil » de cette scission passée non encore accompli, n'ont cependant pas permis, malgré l'apparente bonne volonté de Jean-Paul II, de réaliser cet œcuménisme auquel semblent tenir les chrétiens allemands. « Difficile œcuménisme » titre l'article d'Alain Woodrow, relatant le voyage pontifical en RFA[94]. Pudique euphémisme quand on observe, en dépit des voyages du pape et de ses déclarations, un véritable piétinement dans la résolution de la réunification. Le Vatican du reste y tient-il vraiment ? « Ce que vous estimez être un petit pas est pour nous un très grand pas », déclare le cardinal Willebrands en réponse au problème de « l'hospitalité eucharistique » (invitation faite par une Église aux chrétiens d'une autre confession de communier chez elle[95] ». Si les chrétiens de base néanmoins sont prêts à « travailler » ensemble et à se rencontrer, à prier, à partager leurs églises, il n'est pas certain que la hiérarchie romaine réponde avec enthousiasme aux propositions des protestants. On peut lire toutefois dans la parole de Jean-Paul II une certaine volonté d'avancer : « Nous avons tous besoin de nous repentir », déclare-t-il aux représentants de l'Église évangélique[96]. Si le ton de la rencontre est cordial et franc, Jean-Paul II n'évite pas les réelles questions : « Les causes de la maladie sont profondes, dit-il, et ses symptômes sont multiples ; aussi convient-il de procéder de façon graduelle et de remédier aux maux les plus graves et les plus dangereux à l'aide des remèdes qui s'imposent afin de ne pas semer encore plus de désordre par une réforme précipitée. »

La réponse du président du Conseil de l'Église protestante d'Allemagne rappelle cependant les litiges graves qu'il voudrait voir dissipés : l'intercommunion, la liturgie de la parole en commun le dimanche, et les mariages mixtes « mal reconnus par l'Église ».

Lentement, le dialogue œcuménique cependant se tisse et en 1981, Mgr Godfried Danneels, archevêque de Malines-Bruxelles, prêche une homélie pendant l'eucharistie anglicane dans la cathédrale de Cantorbery, « église mère de la communion anglicane ». En 1982, Jean-Paul II lui-même dans la cathédrale de Westminster déclare : « Tout parle de nos anciennes traditions communes, que nous sommes prêts aujourd'hui à souligner. Moi aussi je suis prêt à regretter cette longue séparation entre chrétiens, à écouter la prière et le commandement du Seigneur, que nous soyons un à le remercier pour l'inspiration du Saint-Esprit qui nous emplit d'un désir profond de dépasser nos divisions, et d'aspirer à un témoignage commun à notre Seigneur et Sauveur ». Lors du même voyage en Grande-Bretagne, le pape signe un document avec le Dr. Robert Puncle, primat de la communion anglicane, créant une nouvelle commission internationale visant à « examiner... les différences doctrinales qui nous séparent toujours ».

Le dimanche 11 décembre 1983, le pape rend visite à la petite église luthérienne de la via Toscana à Rome, geste symbolique, « en cette année marquant le cinq centième anniversaire de la naissance de Martin Luther » comme le déclare Jean-Paul II. Puis c'est le voyage aux origines de la Réforme en Suisse, en juin 1984, et encore à la communauté œcuménique de Taizé annoncé dès janvier 1986 ; 1986, qui verra la rencontre fameuse d'Assise, acmé de la volonté de réconciliation du pape, « pèlerin de la paix » comme il se définira lui-même[97], Assise, « lieu de l'universelle fraternité ».

En 1989, Jean-Paul II tente de conserver « l'esprit d'Assise », rappelle « l'engagement irrévocable de l'Église » dans le processus œcuménique, exhortant son auditoire à dépasser « le temps d'amertume et de suspicion ». A Copenhague, le 6 juin 1989, il déclare : « Le désir d'entendre l'Évangile de manière neuve et de témoigner au monde, si vif chez les réformateurs, doit nous conduire à chercher d'abord le bien qui est chez les autres, à nous pardonner, à renoncer aux préjugés qui nous opposent encore ».

C'est enfin à Uppsala, en Suède, le 9 juin 1989, que le pape qui aime tant ces gestes symboliques en accomplira un d'une fermeté et d'une signification sans précédent puisqu'il priera à côté des héritiers de Luther dans leur cathédrale.

Le dimanche 24 janvier 1993 à l'issue de la traditionnelle semaine pour l'unité des chrétiens, Jean-Paul II réaffirme encore son souhait de voir se réaliser une « logique de fraternité », invitant les chrétiens à « la patience du dialogue, à la recherche de ce qui unit, plutôt que de ce qui divise »... « l'objectif, conclut-il, de l'unité est notre aspiration, elle est notre ardente et incessante invocation ».

Le nouveau directoire « pour l'application des principes et des normes sur l'œcuménisme », rendu public au Vatican le 8 juin 1993, renforce cette aspiration.

Mais en dépit de tous ces actes, de tous ces gestes, la suspicion et l'impatience règnent chez les « Églises sœurs », anglicane, réformée, luthérienne. « Les décennies de dialogues » entre les frères séparés n'aboutissent pas à cette unité tant souhaitée dans les vœux et les discours. Outre les divergences connues, particulièrement sur le culte de la Vierge Marie (comment le Saint Père pourrait-il le tempérer ?), le culte des saints, l'ordination des femmes (« l'augmentation du nombre des Églises anglicanes qui admettent ou se préparent à admettre les femmes à la prêtrise constitue un obstacle de plus en plus sérieux au progrès dans la réconciliation entre les deux Églises[98] ») ou le célibat des prêtres, c'est le rôle de l'Église qui est mentionné : « Elle doit être constamment réformée, lance abruptement l'évêque luthérien de Copenhague, Ole Bertelsen, et renouvelée, libérée de conditions qui, au nom de Dieu, sont maintenues de manière blasphématoire »[99].

Les suspicions courent toujours « en terre réformée » qui atteignent jusqu'à la personnalité controversée de Jean-Paul II, dont « l'absolutisme moral » irrite, ainsi que « la politique de grande puissance de l'Église » qu'il mène : « Il n'est presque plus tolérable de continuer à prier pour l'unité, alors que l'Église catholique refuse toujours aux autres chrétiens l'accès à l'eucharistie », déclare le pasteur Jean-Pierre Jornod, un président du Conseil de la fédération des Églises protestantes de Suisse[100].

On le voit, le pape appelle de tous ses vœux l'unité entre les chrétiens. « Belles paroles, lâche Hans Küng, le rebelle de Tübingen, gestes sans lendemain, simulacre œcuménique[101]. » Mais si le chemin continue, avec cette lenteur qui désespère, des freins tutélaires empêchent la réconciliation définitive. Trop de questions sont encore en jeu pour aboutir. Et l'ardeur même de l'actuel pape à vouloir réaliser cette unité ainsi que sa personnalité propre sont source de suspicion, font écran aux chances de réussite : étrange et paradoxale situation qui laisse toujours cette image d'exil et de solitude attachée à l'inlassable pèlerin...

XII

LES CRITÈRES ECCLÉSIAUX ET LES OBJECTIFS PASTORAUX

Ces voyages ont donc fait de Jean-Paul II le pèlerin infatigable de la cause des hommes autant que de celle de l'Église. A ceux qui prétendent que le pape doit « se mêler de ce qui le regarde », il répond que les droits de l'homme et ce qu'il appelle la « promotion » de la vie regardent au premier chef l'Église universelle. A ceux qui dénoncent les prodigieuses dépenses que ces voyages font peser sur les Églises locales, il rétorque qu'au regard des milliards dilapidés dans les régimes capitalistes et des spoliations auxquelles ces mêmes régimes se livrent sur les pays plus démunis, la parole pèlerine de l'Église représente une lueur d'espoir pour tous les hommes opprimés et perdus dans la grande obscurité matérialiste. Contre ceux qui se gaussent des manifestations populaires, dignes à leurs yeux des pires heures de la superstition, il magnifie au contraire ce type de piété comme un moyen de « libération chrétienne intégrale », « un instrument dont les peuples ont soif »[1]. Pour ceux qui doutent de l'efficacité de ces voyages, il inscrit à son crédit les accords de 1988-89 à propos des Indiens du Canada, sa contribution aux désagrégations des dictatures en Pologne, au Chili, aux Philippines, au Paraguay, en Haïti, etc.

Jean-Paul II sait que tout, toujours, est à recommencer.

Sa pratique pédagogique passée l'a amené à penser ainsi : le principe de la répétition est exemplaire, non pour imposer son message, mais pour qu'il s'incarne davantage dans l'esprit des hommes. C'est pourquoi, où qu'il aille, en Amérique Latine ou en Afrique, en Extrême-Orient ou en Amérique du Nord, en Papouasie ou au Liechtenstein, au-delà des spécificités locales évoquées, il rappelle la dimension universelle de l'Église en énonçant les principes inaliénables du magistère et les objectifs nécessaires à cette renaissance spirituelle qu'il appelle de tous ses vœux, et à la reconquête qui s'ensuit.

Aux Églises locales impatientes d'adapter le catholicisme aux couleurs et aux usages de leur continent, il répète toujours, tout en concédant que les Églises doivent « approfondir leur dimension locale », que la dimension universelle de l'Église est prioritaire. « Aucune communauté ne vit fermée sur soi, dit-il au cardinal Malula, chef de l'Église zaïroise, elle se relie à la grande Église[2]. »

Aussi profite-t-il de ses voyages pour rappeler les grandes orientations qu'il entend donner à ses « cadres ».

L'inventaire de ces critères est applicable, à ses yeux, à toutes les Églises et ils doivent être selon lui les fondations mêmes de l'engagement. Au premier plan, Jean-Paul II place l'« audace du prophète ». La vocation sacerdotale ne saurait être fonctionnaire ou répétitive. Il enseigne aussi bien aux séminaristes qu'aux religieux et religieuses cloîtrés, aux clercs, ce qui doit sous-tendre leur action. Sans cette audace-là, libératrice et vitaliste, il n'y a pas de propagation efficace de la Parole. C'est la certitude d'être, à la suite de Jésus-Christ et des apôtres, cette sorte de relais immémorial qui s'est constitué depuis la mort et la résurrection du Christ qui permet de supporter l'éventuelle solitude occasionnée par le célibat et cette « nuit » de sentiments terrestres que supposent les vœux. Il n'y a en quelque sorte de signe tangible et de présence de Dieu que dans cette consécration totale du Royaume, et seule l'énergie du prophète peut guider les pas du prêtre. Jean-Paul II croit avant tout à cette énergie dont lui-même se sent si doué et dont il exhibe avec « violence » la force comme pour servir de modèle à ceux qui l'accueillent. La vertu de l'exemple a beaucoup joué dans cette pédagogie de la réactivation de la vocation. Le pape en appelle toujours à cet état d'urgence qui stimule, « panique » les intentions, donne ce « feu mystique » dont il voudrait les embraser. La « polonitude » aussi est primordiale ici dans cet effort de conviction.

Tel saint Paul qui, dans les Épîtres aux Corinthiens, énonce les vertus et les dons à acquérir pour aider à l'avènement du Royaume comme à sa construction, il ne manque jamais de dynamiser ceux qui se sont consacrés à Dieu : « Vous communiquez quelque chose de lui », dit-il à Altötting le 18 novembre 1980. En incarnant Dieu dans le sacerdoce, « c'est Lui que vous servez dans les malades et les vieillards [...] c'est Lui que vous servez dans les tâches les plus simples comme dans celles qui exigent de hautes études [...] c'est Lui que [...] vous trouvez partout[3] ».

C'est ainsi que Jean-Paul II veut faire comprendre aux autres la vocation sacerdotale : le religieux est témoin privilégié de Dieu, il est celui qui, à l'exemple de Marie, a dit oui, et qui, muni de cette force visible, peut donner au monde l'idée de la Promesse et l'espérance du Royaume.

Mais cette « audace » visionnaire et scandaleuse dans le siècle, si elle fait des « subversifs » face à une société adonnée à la « chasse au bonheur », doit être tempérée par la « prudence évangélique du pasteur », deuxième critère du statut religieux. Par là, Jean-Paul II entend maîtriser les risques de débordement du message évangélique. En utilisant la métaphore conventionnelle du pasteur, c'est-à-dire du conducteur du troupeau, le pape invite les membres de l'Église à modeler leur cœur sur le motif majeur de l'amour. C'est à l'obéissance qu'il appelle, celle que le pasteur suprême, le successeur de Pierre, ne cesse de proclamer, en vigile attentif pour éviter les « dangers de la vanité, de l'orgueil, de la brutalité à l'égard d'autrui[4]». «Par l'obéissance aux supérieurs, vous aidez tous les croyants, et l'Église elle-même, à reconnaître, à repousser la tentation de la puissance, et par là, parfaire la liberté dans le don[5].» L'Évangile recèle en soi un tel appel de foi, une telle force d'utopie qu'il peut en toute bonne foi entraîner le pasteur dans les vertiges d'un salut temporel. Mais l'Évangile en appelle toujours au Père, dans le «don total». Cette notion de l'abandon et du don fait partie du corpus philosophique de Karol Wojtyla. Le don de soi à l'humanité de l'autre est constitutif du don préalable à Dieu. Wojtyla répond ainsi aux thèses aliénantes de l'existentialisme athée et du marxisme. La *prudentia* latine veut dire vigilance, celle qui non seulement induit le sacerdoce dans la voie de la contemplation et de l'amour du prochain, mais encore, troisième point ecclésial, renforce «la sûreté du guide et de l'orienteur». Prophète, pasteur, guide, orienteur, on le voit, la ligne que trace Jean-Paul II est parfaitement cohérente: celui qui s'est consacré au service de Dieu pour les hommes est nourri de Sa parole qui l'assure du bien-fondé de son travail pastoral. Mais faut-il encore entretenir le vœu initial, le fortifier en soi pour être «le signe visible du royaume de Dieu à venir». C'est parce que Dieu est toujours présent comme un défi aux illusoires tentations du monde que le pasteur pourra «conduire» le troupeau et particulièrement celui des jeunes, auquel Jean-Paul II fait toujours allusion. Il rappelle qu'aucune tentation démagogique ne doit altérer la profondeur du message, c'est justement dans cette fermeté évangélique (que d'aucuns interprètent comme de l'«entêtement») que le mandat de l'Église sera davantage compris et suivi.

A ces exigences, il ajoute encore la «force d'âme du témoin». Il ne peut y avoir pour lui d'engagement sacerdotal sans qu'il soit l'écho de Dieu, sans en être la trace. C'est cela que réclament les chrétiens. Ce n'est pas la difficulté d'appliquer les principes qui est cause de la plus grande désaffection de la pratique religieuse, mais bien plutôt le manque d'ardeur dans la mission. C'est pourquoi la pastorale de Jean-Paul II est avant tout mystique, elle exige beaucoup du corps de l'Église, lui demande d'être tendu dans une foi de martyre, dans une violence qui promouvra chez les fidèles « un cœur universel et une vision universelle ». Seule la pratique mystique conduira à la rencontre : « Alors, dit Jean-Paul II, le Seigneur pourra parler et appeler. [...] Alors le Seigneur vous offrira ses dons[6]. »

Par « force d'âme », Jean-Paul II entend ce courage, cette vertu d'élan qui donnent le pouvoir de rendre visible l'enseignement de l'Évangile, qui impose de « prêcher, d'éduquer les personnes et les collectivités, de former l'opinion publique, d'orienter les responsables des peuples[7] », fort de ce dont le Christ a lui-même témoigné.

Cette ardeur à transmettre ne saurait néanmoins se passer de « la sérénité, de la patience et de la douceur des pères ». Ce sont leurs vertus qui adoucissent la tâche, apportent l'onction et la compassion nécessaire pour être fidèle à ses vœux de baptisé et de consacré.

Jean-Paul II insiste beaucoup sur ce point précis. Si Marie, Mère de Dieu, est celle qui accompagne le sacerdoce, « Étoile de l'évangélisation[8] », et fait du serviteur de Dieu le fils absolu qu'Elle protège et guide, le sacerdoce fait du serviteur le père qu'il n'a pas été dans la vie terrestre. « La paternité et la maternité spirituelles » sont une preuve de l'amour de Dieu, et chaque consacré doit admettre cette dimension qui lui est donnée en abondance. A travers lui, c'est Dieu qui « traverse » comme dit Jean-Paul II, c'est Dieu qui donne, c'est Lui qui agit. Le pape scande ces paroles et ces conseils, on pourrait le dire, tous les jours, tant ses interventions en la matière sont constantes et incantatoires. Ce qu'il dira ici ou là, c'est toujours le même hymne : « Ne cessez pas de louer [Dieu]. Ne cessez pas de le remercier ! Ne cessez pas de revivre toujours de nouveau votre don total, votre vocation chaque jour sous la protection de la Vierge immaculée[9] ! »

On mesure à l'aune des discours et des rencontres officielles ou informelles la portée de l'enseignement de Jean-Paul II. Qui voudrait établir l'inventaire de sa pastorale itinérante n'aurait qu'à recenser la nature de son verbe et sa gestuelle et comprendrait qu'à part quelques indications précises concernant les pays visités (la théologie de la libération en Amérique latine ou le dosage subtil de l'occultation chrétienne en Afrique, par exemple, la menace à peine voilée de son désaccord absolu avec les gouvernements dictatoriaux, du président Marcos au général Pinochet ou bien encore le soutien aux ouvriers de Gdansk), à part donc ces spécificités qui ont à leur manière aidé aussi au rayonnement politique de Jean-Paul II au même titre que les interventions abruptes du général de Gaulle lors de certains de ses voyages, un véritable credo est inlassablement répété, très proche de son auteur même si celui-ci est tenu de se conformer aux actes du magistère.

Ce credo est composé d'objectifs pastoraux qui, pour la plupart inscrits dans le magistère, n'en portent pas moins, par leur intensité et leur récurrence, la patte de l'actuel pape. Il est, ne l'oublions pas, prononcé par un pape polonais (« J'ai grandi là-bas. J'ai donc amené avec moi toute l'histoire, la culture, l'expérience, la langue polonaise. La langue maternelle est irremplaçable[10] »). Il rappelle les exigences de la liberté, et singulièrement les exigences religieuses comme fondement de la liberté de l'homme, condamne ostensiblement la spoliation des richesses communes à l'humanité entre les mains de quelques-uns : « Je me suis mis immédiatement du côté des pauvres, des déshérités, des opprimés, des marginaux et des sans-défense[11]. » Il entend responsabiliser la communauté internationale, fait prendre conscience de l'apocalypse programmée du nucléaire, tente de redonner à l'Église sa vigueur d'autrefois, parce que porteuse, à ses yeux, de la vérité, elle est la lumière du monde et peut contribuer à l'édification de la paix.

Où que ce soit et au-delà des problèmes inhérents à chaque pays, c'est toujours la résistance aux idéologies, aux tyrannies, aux violences de toutes sortes, matérielles et spirituelles, au chaos du monde, dont il s'agit. Le credo répété veut par là « donner la vue, la vue pour le bien que l'on ne peut découvrir qu'avec le cœur[12] ».

Cette profession de foi qu'il colporte sur toutes les routes est toujours énoncée en référence à son influence polonaise. Aucun pape avant lui n'eut cette force de conviction et cette écoute si populaire. Pourtant la plupart de leurs discours étaient nourris de cette parole sociale, unitaire, commune au magistère. Elle paraissait néanmoins convenue, attendue et ne « passait » pas, comme on dit. Jean-Paul II le sait bien ; c'est pourquoi il a voulu à ce point « intimiser » son discours, bâtissant indirectement sa propre légende. « Ayant vécu dans un pays qui a été obligé de lutter pour sa liberté, confie-t-il à Jas Gawronski, dans un pays exposé aux agressions et aux diktats provenant de ses voisins, j'ai été amené à profondément comprendre les pays du tiers-monde, qui sont victimes d'un autre type de dépendance, surtout économique. » Pasteur d'expérience, de terrain, c'est grâce à cette empathie avec sa terre natale qu'il peut gérer le dépôt dont il est le garant, à sa manière, avec son charisme propre.

XIII

LA FORCE DE LA « POLONITUDE »

Réjouis-toi, Mère de la Pologne, car tu as donné à l'Église son meilleur fils, forgé dans les batailles et dans les souffrances de notre nation.

(Cardinal Wyszynski, 16 octobre 1978).

La vie et l'œuvre de Karol Wojtyla n'ont de sens que dans cette irrésistible pression de ce qu'on a pu appeler sa « polonitude ». « Polonitude » comme on dit « négritude » pour bien affirmer la revendication des origines et la spécificité de telles sources. Ce concept de « polonitude » attaché à Jean-Paul II montre bien que l'histoire de la Pologne et l'impact qu'elle eut sur lui comme sur tous ses compatriotes ont permis de définir en dehors de tout modèle et contre toutes les pressions étrangères un catholicisme singulier si ancré dans l'esprit du souverain pontife qu'il a induit toutes ses actions. On observe une continuité absolue entre le cardinal Wojtyla et le pape Jean-Paul II en ce qui concerne les méthodes pastorales, le lexique ecclésial, la pratique de la religion, la manière de faire se rejoindre la religion et le politique. Le monde entier crut découvrir un ton nouveau, un élan semblable à celui qui inspira les premiers chrétiens. Il faisait en réalité la découverte d'une spiritualité que les pouvoirs marxistes s'ingéniaient à occulter, issue des luttes qui opposaient précisément ce peuple à ces pouvoirs. L'érosion de la foi en Europe, l'influence des penseurs sceptiques ou athées, les problèmes particuliers de l'inculturation dans les autres continents ne pouvaient faire imaginer que, derrière les hautes murailles que le communisme avait édifiées, un catholicisme pétri de sentiment et d'affectivité, nourri de révolte et livré aux pires persécutions, cherchait à se vivre de manière immémoriale. C'est pourquoi l'affirmation si frontale de son identité a surpris et impressionné chrétiens et non-chrétiens du monde entier, habitués à la dilution du christianisme dans la matérialité ambiante. « Moi, fils de Pologne », « Nous, fils de Pologne, nous avons gardé la fidélité au Christ et à son Église, au Siège apostolique, au patrimoine des saints Pierre et Paul », « Vous parle aujourd'hui un pape polonais », « Moi, le pape Jean-Paul II, fils de la terre de Pologne », « Cracovie, la ville d'où je proviens », « Notre Pologne semper fidelis », etc. On pourrait citer à l'infini les déclarations du pape faisant référence à ses origines, dont il sait pertinemment qu'il ne se défera jamais et qu'elles vont conduire inconsciemment et consciemment sa mission.

Jamais un pape dans l'histoire de la papauté ne s'est tant investi personnellement et affectivement, n'a tant laissé apparaître la nature de son « cœur ». Les fragments biographiques dont il émaille ses homélies et ses discours, la part sentimentale, romantique et mystique qu'il révèle trahissent la nature émotive de ce « cœur » qu'il définit lui-même comme « polonais ».

Une des raisons de son immense popularité, surtout dans les dix premières années de son pontificat, vient de cette capacité exemplaire à « parler autrement », à rompre le discours attendu de la fonction. Jean-Paul II créait la surprise par son élection, et en même temps prolongeait cette surprise par sa fidélité à sa terre. En Europe surtout cette reconnaissance de la terre-mère venait comme une promesse dans la déliquescence des valeurs spirituelles. Cette question de la fidélité qu'il a toujours posée au cours de ses voyages, cette exigence du renouvellement des vœux du baptême, on les doit sûrement à cette conception emblématique du catholicisme polonais, au regard de l'exemplarité polonaise. Jean-Paul II croit à une certaine idée de la Pologne au même titre que le général de Gaulle se faisait « une certaine idée de la France », alimentée des fables et des épopées, de l'histoire de ses saints et de ses héros, alourdie d'un poids millénaire qui transcende toute les instances contingentes.

Que le pape soit né en 1920, deux ans après la naissance d'un État polonais indépendant, cent vingt-trois ans après que la Russie, l'Autriche, la Prusse eurent juré d'« effacer à jamais la Pologne de la carte du monde », qu'il ait vécu sa vie d'homme dans la résistance à la partition du monde née de la Seconde Guerre, explique à l'évidence la vocation messianique de Jean-Paul II, agent symbolique de la fidélité aux vœux du baptême que la Pologne avait signés à la fin du Xe siècle, et à partir desquels s'étaient fondés « les débuts de son unité nationale[1] ».

L'histoire de la Pologne est irréductiblement associée à celle du catholicisme au point que l'Église de Pologne affirma qu'« être polonais, c'est être catholique ».

Jean-Paul II n'a cessé depuis son élection de poser comme centre de la chrétienté occidentale son pays natal, avec une ardeur militante et une constance régulières. « Le pape Jean-Paul II, slave, fils de la nation polonaise, sent combien sont profondément enfoncées dans le sol de l'Histoire les racines dont lui-même tire son origine, combien de siècles a derrière elle cette parole de l'Esprit Saint qu'il annonce de la colline du Vatican près de Saint-Pierre, ici à Gniezno de la colline de Lech et à Cracovie des hauteurs du Wawel », proclame-t-il.

La formidable capacité de ce peuple à défier les forces d'oppression, à ressusciter de ses décombres, à ne jamais désespérer a été pour Karol Wojtyla un signe de la volonté de Dieu et la preuve d'une mission de la Pologne dans le grand dessein divin. La ténacité avec laquelle le peuple polonais pratiqua sa foi, malgré la propagande communiste, sut déployer une intense activité pastorale, tout autant comme une assistance au désespoir que comme une foi en Dieu bien ancrée, révèle la dimension épique de cette « polonitude ». Ce que les Polonais sous l'influence de leur épiscopat démontrèrent, c'est leur faculté à développer leur pratique religieuse comme une véritable organisation révolutionnaire, dont les réels desseins étaient plus clandestins que publics. Est né de la résistance un catholicisme dont les composantes jouent sur plusieurs registres, du religieux le plus sentimental à une mystique ardente et solitaire forgée par l'oppression et l'exclusion au monde, du nationalisme romantique au subterfuge révolutionnaire. Le catholicisme ainsi conçu devient une sorte d'outil transitionnel, un moyen de libération.

Comme l'écrit Georges Castellan, citant en cela un haut responsable polonais : « Chez nous, les jeunes ne fument pas la marijuana, ils vont à la messe[2]. » Mais cette « boutade » est loin d'être innocente. Par là se révèle le statut ambigu de cette « polonitude ». L'Église, de toutes les libertés d'expression, fut la seule rescapée de la répression communiste. Aussi très vite elle devint l'espace de résistance, le lieu où le mécontentement populaire se fortifiait, où les desseins subversifs s'élaborèrent. Aller à l'église fut l'unique moyen de prouver son hostilité à un régime qui entendait éradiquer toute forme de spiritualité, se rendre à de saints pèlerinages, une manière de défier l'autorité. Plus le nombre était impressionnant, plus les Polonais témoignaient par là de leur résistance. D'où les manifestations de plus en plus exubérantes de piété populaire, empreintes d'une religiosité presque gênante que l'épiscopat suscitait, neuvaines, processions, pérégrinations de statues millénaires à travers des provinces entières, célébration de fêtes religieuses subalternes, adorations perpétuelles, prêches lyriques, rites doloristes qui se sont affirmés dans des répliques cinglantes au pouvoir athée, manière silencieuse de protester. La pratique religieuse devint « une manifestation de rejet pour toute une société[3] ».

Il était inévitable qu'une telle pression, exercée depuis 1945, incitât les plus hautes autorités religieuses et particulièrement Jean-Paul II à admettre l'idée que la Pologne était dans le dessein de Dieu un moyen de raffermir la foi des chrétiens, la voie, le charroi qui redonnerait force et vitalité à ce qui semblait ailleurs s'essouffler et s'affadir sous les coups des théories rationalistes et relativistes. Certains même n'hésitèrent pas à parler de l'hostilité naturelle de Jean-Paul II à l'encontre d'une Europe qui aurait abdiqué sa foi et laissé pénétrer Satan.

Peu à peu s'est forgée l'intuition que son peuple pourrait être la voie du rayonnement de Dieu dans le lieu même où il fut chassé, à l'Est, réalisant en cela les ordres que la Vierge Marie intima à ceux auxquels elle apparut. « Mon cœur vaincra parmi vous », avait-elle proclamé, et il est certain que Jean-Paul II, porté par ce culte marial depuis l'enfance, eut à cœur de le réaliser. La vocation du pape se résout dans cette problématique de la mission, toute son action est dépendante de cette nécessité. Georges Castellan évoque avec raison les sermons que prononçait en 1957 déjà l'évêque Czajka : « La Russie se convertira au catholicisme et toutes les terres russes aussi. Marie implore pour qu'il en soit ainsi. [...] Vous devez rayonner vers l'Est, accélérer la conversion du plus grand de nos voisins slaves. Tous les Slaves suivront la Russie. Alors Notre-Dame de Jasna Gora régnera et indiquera la voie grandiose de la mission du peuple polonais[4]. » Est-ce à dire que tous les Polonais, quoique catholiques à 85 p. 100 en 1978, avaient conscience de cette mission ? « La piété des Polonais, déclare le ministre des Cultes Kakol (le 19 mai 1976) est [...] superficielle, affective [...]. Les catholiques polonais ignorent des dogmes : ils ne savent rien du péché originel, ni de la création du monde. Cela ne les intéresse pas, tout simplement. » Cette assertion émanant d'un homme politique par définition hostile à la pratique religieuse ne peut passer pour une vérité mais a néanmoins une certaine justesse. Est-ce à dire aussi que la « polonitude » de Jean-Paul II soit aveugle au point de ne pas déceler la part infidèle de chaque homme et l'inconstance de ses prétendues convictions ? Ce serait mal connaître l'expert en humanité qu'il est. Le pape sait très bien qu'à des temps de résistance et de ferveur peuvent succéder des temps d'oubli et d'ingratitude. La résistance au communisme a pris la voie de la foi, ostensible et ardente, et, semble-t-il, l'élan religieux était tel qu'il empêchait de révéler cette ingratitude-là. La pratique était une réponse au désespoir, un cri de désarroi dans le grand silence de plomb que la chape communiste avait installé sur l'Est tout entier.

L'expérience des catacombes qu'a connue Jean-Paul II durant ses années de séminaire a servi ainsi de modèle à la lutte qu'il conduisit contre le communisme. La ferveur que l'épiscopat tout entier sut entretenir devint une sorte de dramatisation qui permettait de mettre en scène tous les acteurs du drame, les bons comme les méchants, Marie comme Satan, de déployer toute une métaphore de la religion chrétienne. Relayant en cela l'ample vision des romantiques, le cardinal Wojtyla entretint tous les grands thèmes chers aux poètes du XIXe siècle : l'amour de la terre-mère, une pratique affective, une religiosité débordante, une plongée dans les grands courants telluriques, la conquête de l'indépendance nationale, un lyrisme conquérant, le goût du spectaculaire religieux, une vaillance de croisé, le désir de la sainteté, le recours au martyre, le culte des saints, une prédilection affichée pour le merveilleux, le sens mystique, le recours à la prophétie. Le cardinal sut concilier par cette pratique singulière appliquée à tout un peuple l'exigence de la liberté et des droits de l'homme et la fidélité à une foi millénaire. Jean-Paul II, devenu pape, voulut sûrement appliquer la même thérapie à l'Église universelle, comme en témoignent ses appels à une mystique ardente, au risque du martyre.

Cette nécessité de l'éveil à laquelle il appelle toutes les nations, l'obsession de l'apocalypse qu'il trahit par ses discours sur le désarmement et sur la profusion coupable des sociétés capitalistes, font partie de l'habituelle panoplie des grands prédicateurs messianiques dont l'inventaire des motifs est le même, de saint Paul au curé d'Ars.

Jean-Paul II reprend l'enseignement de saint Ignace de Loyola qui, dans ses *Exercices spirituels*, engageait le fidèle à « louer les reliques des saints, en vénérant celles-là et en priant ceux-ci. Louer aussi les stations, les pèlerinages, les indulgences, les jubilés, et les cierges qu'on fait brûler dans les églises. Louer la décoration et l'architecture des églises, ainsi que les images qu'il faut vénérer à cause de ce qu'elles représentent. »

La méfiance de Jean-Paul II à l'égard de certains intellectuels peut s'expliquer par celle qu'il a envers la culture contemporaine, génératrice de scepticisme, accusée à ses yeux d'avoir contribué à renier « le message impérissable du salut[5] ».

L'Occident, en accueillant des philosophies et des lectures critiques du christianisme et des religions en général, a précipité sa défaite et altéré le grand héritage spirituel du passé. Le pape ne cesse aussi d'évoquer « le crépuscule des idéologies, l'insatisfaction d'une existence basée sur l'éphémère, la solitude des grandes métropoles massifiées, la jeunesse abandonnée à elle-même, et le nihilisme [qui] ont creusé un vide profond qui attend de nouvelles dispositions de valeurs capables d'édifier une nouvelle civilisation digne de la vocation de l'homme[6] ».

C'est pourquoi à « l'épilogue fatal des courants philosophico-culturels et des mouvements de libération fermés à la transcendance[7] », le pape veut opposer l'autre défi, celui qu'il a provoqué lui-même en Pologne. Il s'agira donc de « donner, comme il le dit, une âme à la société moderne. [...] L'Église doit l'insuffler non pas d'en haut et du dehors, mais de l'intérieur[8] ». Après avoir œuvré, dans la « société monolithique de l'Est », il veut à présent influer sur « la société complexe et pluraliste de l'Occident »[9].

Là où le concile Vatican II était resté fort discret sur la

religion populaire, tout en suggérant néanmoins l'idée que l'Église était le « peuple de Dieu » et qu'à ce titre il fallait lui laisser « exprimer le message du Christ en se servant des concepts et des langues des divers peuples », Jean-Paul II, sûrement à cause de ses voyages et de son fond polonais, a exprimé son désir de voir s'épanouir cette religiosité populaire qui est, selon lui, le « plus formidable ressort libérateur des structures injustes qui oppriment [les] peuples[10] ».

Paul VI avait déjà fait observer tout l'intérêt pastoral et catéchétique que pouvait revêtir cette pratique. Dans *Evangelii nuntiandi*, il affirmait : « La religiosité populaire a certainement ses limites. Elle est fréquemment ouverte à la pénétration de maintes déformations de la religion, voire de superstitions. Elle reste souvent au niveau de manifestations culturelles sans engager une véritable adhésion de la foi. [...] Mais si elle est bien orientée, surtout par une pédagogie d'évangélisation, elle est riche de valeurs. » La suractivité pastorale du cardinal Wojtyla en Pologne a montré en suscitant la dévotion si affective des Polonais la force évangélisatrice et dynamique que ces pratiques peuvent avoir. Sa conviction d'en remontrer à ce qu'il appelle « un cénacle, une élite spirituelle ou apostolique », qui confisque selon lui Dieu et son peuple, lui permet de libérer ce « souffle », ce « cœur » qui ne demandent qu'à s'ouvrir à Dieu : dans ces pratiques religieuses, confiera-t-il aux Indiens de Popayán en Colombie, le 4 juillet 1986, « vous rencontrerez une synthèse vitale qui fortifie la foi en toutes les circonstances de la vie, dans la joie comme dans la peine ». Il en disait autant au cours de ses prêches, de ses interventions spontanées lors de rencontres de jeunes, au bord d'un lac ou sur le terrain d'accueil d'un pèlerinage, dans les églises bondées de Cracovie et d'ailleurs, en rendant visite à ses paroisses, en Pologne. La survie d'une telle religion est à recevoir comme une « grâce et un appel » dira-t-il aux évêques français de la région Provence-Méditerranée, en 1982.

Le pape n'ignore pas, comme l'avait souligné Paul VI, les déviances de la piété populaire mais il sait aussi, en militant de Dieu, en conquérant de son Royaume, que « tout peut aider » à rencontrer le Christ. Il assure aussi en pédagogue qu'elle peut davantage que toute autre pratique « incarner la prière de l'Église », donner corps à ce qui paraît quelquefois inaccessible et tempérer l'élan vers Dieu. Si Jean-Paul II recommande à ses évêques de savoir « orienter », « maîtriser » les excès et les trop visibles traces des traditions païennes, il les encourage à exploiter cette religiosité parce qu'elle a du sens, provoque l'imagination et le cœur, et peut être, comme ce fut le cas pour son peuple même, un outil de résistance, un moyen de détourner les lois martiales comme les interdictions de se réunir en syndicats, une manière de braver l'autorité répressive, une façon de parler, de dire que l'on n'est pas d'accord.

C'est ainsi que s'exprime, sous le contrôle du pape, la congrégation pour la Doctrine de la Foi en mars 1986 : « Loin de mépriser ou de vouloir supprimer les formes de religiosité populaire, [...] il faut au contraire en dégager et en approfondir toute la signification et toutes les implications. Ce sont les pauvres qui comprennent le mieux et comme d'instinct que la libération la plus radicale, qui est libération du péché et de la mort, est celle accomplie par la mort et la résurrection du Christ. »

Instrument de pédagogie et de libération aussi bien politique que spirituelle, la religion populaire est encore la nostalgie d'un temps d'enfance, idéalisé, que Jean-Paul II porte dans son cœur, avec une candeur qui surprend chez cet intellectuel. Aussi apte à manier les concepts que Paul VI , sa « polonitude » a néanmoins teinté cet intellectualisme, et a engendré cette pastorale si personnelle qui, en même temps, restait d'une absolue fidélité au message de l'Évangile. Dire cependant que la Curie romaine, quoique obéissante en l'occurrence, ait spontanément accepté cette mise en avant si « polonaise » de la religiosité est un autre problème. Elle est la marque exclusive du souverain pontife.

Dans cette forme de religion, Jean-Paul II a saisi un matériau d'âme nu, naïf en quelque sorte ; elle répond à ce désir d'ailleurs, véritable tremplin où peuvent s'inscrire la liturgie et les dogmes et où peuvent s'entrevoir, par des failles suscitées par l'émotion, des bribes du Royaume. Quand Jean-Paul II lui-même fait sertir la balle de 22 long rifle qui a failli le tuer pour l'offrir à Notre-Dame de Fatima, il est dans cet espace de l'innocence et dans la pure offrande, dans cette petite musique de l'âme qui parle à mi-voix avec son Dieu, dans une gestuelle de l'émotion qui le libère de toute inquiétude, lui permet la re-connaissance.

On pourrait de même expliquer cette aspiration à la religiosité chez Jean-Paul II par la quête nostalgique de la mère morte, comme dernier « débris » de l'unité perdue et retrouvée, réincarnée par Marie, Mère de Dieu, substitut sublime et universel de la mère génitrice.

La religiosité populaire relie Jean-Paul II à une antériorité comblée d'affects et surprotégée. C'est en ces termes qu'il accueille en lui et pour les autres la Vierge Marie avec laquelle il entretient une relation presque panique, jamais oublieuse.

Elle est l'instance toujours implorée, qui clôt chacun de ses discours, comme voie du Passage, et de « la rencontre avec Dieu en Jésus-Christ » (Paul VI).

On n'en finirait pas de citer les textes du père Kolbe, pour lequel Jean-Paul II a une dévotion particulière, sûr d'être en face d'un des plus grands saints du XXe siècle. La piété du martyr du bunker d'Auschwitz est intégralement mariale, c'est par la Vierge Marie, « l'Immaculée », que l'homme parviendra à entrer dans la gloire de Dieu, elle est l'intercesseur le plus absolu du Royaume. C'est elle qui, « pétrie » de l'Esprit Saint, intervient auprès de lui pour qu'il nous pétrisse à son tour, et nous fasse acquérir cette docilité qu'Elle, Marie, eut d'emblée. Jean-Paul II a vécu sa jeunesse dans la guerre et le labeur forcé, soumis à la haine nazie, et les appels du père Kolbe, cette dynamique mariale qu'il a créée ont résonné en lui de manière vitale. Il apprend du père Kolbe que Marie peut être l'âme de sa vie apostolique, qu'elle peut le faire entrer dans son œuvre de rédemption des hommes. Elle fait de ceux qui sont engagés à ses côtés, elle la Reine du Ciel, des « chevaliers », et les accepte dans sa « Mission ». Elle demande en retour de son don, fidélité, obéissance, disponibilité, responsabilité. « Être à l'Immaculée », comme dit le saint polonais, c'est admettre la consécration « absolue, sans limites, inconditionnelle, irrévocable ». Les années de formation de Karol Wojtyla se sont déroulées dans ce contexte qu'on pourrait dire « frénétique ». L'adhésion à la Mission de Marie est libératrice et prévient de l'Annonce et de la Rencontre. Il en sortira profondément touché, « atteint » dans son cœur, ravi au sens mystique du terme. En Pologne, les grands lieux de culte marial sont suscités par l'épiscopat avec une ferveur intense ; à chacun de ses voyages, il ne manquera pas d'évoquer les lieux où Marie apparut, où son image est révérée. Il l'évoque au risque d'irriter certains de ses visiteurs, agacés d'une ferveur qu'ils jugent rétrograde, populaire ou sentimentale. Jean-Paul II s'est toujours méfié de la psychanalyse, il se moque des interprétations douteuses et incertaines qu'elle peut livrer ; il sait seulement qu'il y a en lui une certitude aussi ancrée que celle du père Kolbe qui désignait en Marie l'agent le plus efficace contre le « serpent infernal ». Ce que Jean-Paul II n'a cessé de méditer des Confessions du père Kolbe, c'est la consécration irréductible à Marie. Le modèle de la sainteté est, pour le pape, cet homme qui alla jusqu'au bout de sa foi en se livrant à ses bourreaux, acceptant la mort, portant la vie et la dignité humaine jusque dans un lieu où toute dignité devait être justement détruite. Comment le pape, quelle que soit la critique dont il est souvent l'objet ces dernières années, pourrait-il céder une once de sa certitude, lui qui s'est aussi engagé dans la Chevalerie de l'Immaculée ?

La résistance, Jean-Paul II l'a pratiquée de tout temps, pendant la guerre la plus cruelle que l'humanité ait connue comme pendant la guerre froide. Le père Kolbe est là encore l'instance vigilante qui, relayant les révélations de Fatima, déclare : « Un jour vous verrez la statue de l'Immaculée au centre de Moscou, à la plus haute pointe du Kremlin ! » Si la prophétie du conventuel franciscain polonais ne s'est pas tout à fait accomplie, des prémices peuvent y faire croire : la « politique » de Jean-Paul II a œuvré pour que le mur de Berlin tombe et pour que s'écroule comme un château de carte tout un système d'erreurs et de fausses conclusions qui s'oppose également à la saine raison et à la révélation divine[11] ».

Cette quête est conquérante, elle s'accomplit dans la consécration à Marie, et sans préjuger de sa réussite : « Je crois, disait Kolbe, que dans chaque nation devrait surgir une "cité de l'Immaculée" qui permettrait à l'Immaculée d'agir par tous les moyens y compris les plus modernes, car les découvertes devraient être employées à la servir, que ce soit dans le commerce, l'industrie, le sport, etc., et même la radio, le cinéma, en un mot tout ce que l'on pourrait découvrir et qui pourrait éclairer les esprits et enflammer les cœurs. » Même rhétorique fiévreuse, même foi dans l'accomplissement du vœu, même posture « chevaleresque », dévouée à Marie, que dans les discours et homélies de Jean-Paul II.

Il s'agit avant tout de conquérir de nouvelles âmes pour Marie, et d'œuvrer ainsi pour le salut, c'est dans cette perspective que le pape a conçu ses pèlerinages que d'aucuns ont pu considérer comme des spectacles médiatiques ou des glissements de sens.

Comme le concept de « négritude », celui de « polonitude » entraîne vers l'isolement, la ségrégation, le ghetto, la résistance, la clandestinité. Les lectures de Jean-Paul II durant ses deux années de séminaire clandestin à l'ombre de la brillante et redoutée personnalité de Mgr Sapieha tournent autour de cette notion de liberté de la culture polonaise et de conquête de l'esprit. Dès 1945, dans la mouvance de la revue qu'a soutenue le cardinal Sapieha, *Tygodnik Powszechny*, Charles Péguy, Georges Bernanos, Jacques Maritain, Gabriel Marcel étaient publiés, étudiés et admirés. Ils étaient ceux de l'« avant », comme disait Bernanos, par rapport aux combats périmés de « l'arrière ». Ils renonçaient aux facilités du succès littéraire pour préférer le primat de la conscience, l'affirmation de la grandeur de l'homme.

Cette notion de « chevalerie » à laquelle très tôt Karol Wojtyla adhéra s'inscrit dans ce schéma inhérent à la « polonitude ».

L'ouvrage du père Malinski révèle l'omniprésence des amis polonais de Jean-Paul II au Vatican. Les amis de Cracovie sont régulièrement invités, et l'on évoque des souvenirs du temps héroïque d'avant 1978, dans une grande familiarité de ton. Jean Chélini, dans son livre sur *La Vie quotidienne au Vatican sous Jean-Paul II*, n'hésite pas à parler de « filière polonaise » qui « aurait remplacé la "mafia milanaise", selon les bonnes langues romaines, l'image du "réseau" allant de soi pour un pape venu de derrière le rideau de fer ! Elle s'est imposée avec plus de force au fil du temps. Jean-Paul II en aurait tissé la trame avec des hommes qu'il connaît personnellement, dont il a éprouvé la fidélité et avec lesquels il peut parler librement[12] ». Ainsi, des religieuses de l'ordre des Servantes du Sacré-Cœur, familières déjà du palais archiépiscopal de Cracovie, aux secrétaires privés, d'un groupe important de religieux polonais répandus dans de nombreux services administratifs du Vatican aux « postes influents de la Curie[13] », la Pologne est partout représentée et semble conduire les affaires temporelles comme spirituelles du Vatican, donnant ainsi le « ton » du pontificat, et sa coloration. La « polonitude » est activée par un noyau d'inconditionnels, qui répandent la méthode Wojtyla comme ils l'ont eux-mêmes vécue. Ce sont des hommes éprouvés et rompus aux actions fortes du pape, qui réagissent avec la même sensibilité et la même appréhension des problèmes. La romanisation de Jean-Paul II put paraître au début de son pontificat aléatoire, il y a tendu pourtant avec sincérité et conviction, sûr de l'universalité de sa fonction qu'il ne pouvait ni ne voulait trahir. Mais la pratique est restée « polonaise » et cela malgré les années et la maladie qui ont fortement ébranlé le Saint Père. Il faut se souvenir de cette phrase assez surprenante que Jean-Paul II a prononcée place de la Victoire à Varsovie, le 2 juin 1979 : « N'avons-vous pas le droit de penser que la Pologne est devenue, en notre temps, une terre de témoignage particulièrement responsable ? » Cette assertion montre le sens que Jean-Paul II entend donner à son élection et, par-delà elle, à la mission de la Pologne que la persécution séculaire ne put jamais rayer de la carte du monde. C'est « entre Polonais » qu'il affirme cette idée, ailleurs énoncée mais moins catégoriquement, moins solennellement. C'est en hommage à cette « polonitude » justement qu'il la clame comme une vérité de Dieu. Mais Jean-Paul II n'ignore rien des faiblesses des hommes. Son expérience sacerdotale, de la plus humble à la plus magistrale, montre qu'il a porté ceux qu'il avait en charge avec une ténacité et une virilité comparables à celles du père Kolbe. « Porter », c'est peut-être le rôle majeur que Dieu, en vrai Père, confie à ses fils et au plus prestigieux d'entre eux. « Porter » l'humanité, se charger du vaste manteau de l'humanité comme disait Charles Péguy, en sachant qu'elle est capable de chanceler, de ne pas être fervente dans ses prières, de se laisser séduire par les illusions de Satan. C'est pourquoi Jean-Paul II est aussi suspicieux vis-à-vis du monde occidental capitaliste, dont il connaît les appâts et les facilités.

Il sait que la vigilance peut être relâchée, et qu'aux grandes manifestations religieuses et mystiques qu'il a pu susciter, du temps du communisme, peuvent succéder le désert spirituel et la grande attraction des biens matériels. Les marchands risquent d'envahir tôt ou tard l'Église qu'il a tenté de bâtir.

La vocation quelque peu défaillante d'une Pologne qui ne serait plus le phare de la catholicité latine telle que le cardinal Wojtyla puis Jean-Paul II l'avaient présentée au monde est durement ressentie par cet homme de foi conduit malgré lui à une solitude qui imprègne la fin de son pontificat. Il se sent impuissant devant le triomphe du matérialisme et la fascination que celui-ci peut exercer sur ses compatriotes. Comment le pape pourrait-il faire autre chose que de se caler dans ses certitudes, quitte à n'être plus « en phase » avec cette société qui, il y a peu encore, se réjouissait de sa modernité et de sa capacité à adapter l'Église millénaire aux pratiques de communication contemporaines ? Il reste néanmoins l'orgueil des Polonais, même si ceux-ci se laissent séduire par les illusions du capitalisme aux portes de leur pays. Homme de résistance et sûr de cette philosophie personnaliste qu'il a toujours prônée, il demeure cependant à la barre, certain que cette Pologne dont il a tant chanté le génie saura allumer des contre-feux à la déliquescence ambiante. Au relâchement observé, il oppose cette ténacité qui l'a constamment porté : sa spiritualité sacerdotale l'y oblige. Elle exige de lui qu'il soit le témoin qui proclame la « présence de l'absolu dans la vie quotidienne », comme un de ses maîtres, le père Garrigou-Lagrange, à l'écoute lui-même de saint Jean de la Croix, la recherchait. Jean-Paul II sait l'inlassable travail, les nuits et les Pâques qui se succèdent. Le travail pastoral, toujours prôné comme le seul acte de présence, est plus que jamais d'actualité. C'est pourquoi cette spiritualité traditionnelle et polonaise qui l'a nourri est à ses yeux plus que jamais de saison. Étrange paradoxe d'un homme qui a voulu être le pasteur vivant, se reconnaissant une parenté universelle avec tous les hommes, et qui apparaît non plus seulement comme l'homme de pierre intraitable qu'il fut face au communisme, mais plus mythiquement, comme la statue du Commandeur, ancré dans sa foi au point de donner souvent l'image d'une Église minéralisée, engourdie dans ses propres convictions !

XIV

LA REPRISE EN MAIN DOCTRINALE

« Une immense affliction. »

(In lettre de Jean-Paul II adressée motu proprio, juillet 1988.)

Le conflit qui oppose dès le début de son règne pontifical Jean-Paul II au chef de file des traditionalistes, l'ancien archevêque de Dakar, Mgr Lefebvre, pourrait surprendre, en raison des positions traditionnelles que le nouveau pape a prises dès le lendemain de son élection. Le culte affirmé de la Vierge Marie, le retour à une foi populaire, le goût « polonais » pour les pèlerinages et les associations votives, les confréries et les célébrations d'anniversaires, la reconnaissance et la légitimation d'une foi « naïve » et affective, dix-neuviémiste en quelque sorte, mais aussi les déclarations très nettes que Jean-Paul II a formulées sur le célibat des prêtres, sur la discipline et la formation pastorale, et en général sur la perception de la foi, tout aurait pu faire croire à une réconciliation que d'aucuns avaient jugé impossible sous le règne de Paul VI, dont l'approche intellectuelle de la pratique religieuse était étrangère à l'interprétation préconciliaire de Mgr Lefebvre. Seul l'évêque d'Écône put croire à cet espoir de détente, comme il l'a déclaré près de deux ans après l'élection de Jean-Paul II[1].

La perte des vocations est le problème que le nouveau pape, dès 1978, va prendre à bout de bras. La plupart de ses discours, de ses interventions auprès du corps ecclésial ne cessent de l'inciter à susciter des élans nouveaux. La force de conviction de Jean-Paul II, son activisme spirituel, son sens pédagogique lui font répéter inlassablement cette invitation solennelle: «Oui, le Seigneur a besoin d'intermédiaires, d'instruments pour faire entendre son appel. Chers prêtres, offrez-vous au Seigneur pour être ses instruments en appelant de nouveaux ouvriers à sa vigne. Il ne manque pas de jeunes qui soient généreux[2].»

D'emblée Jean-Paul II a rappelé à la communauté ecclésiale, masculine et féminine, l'importance que revêtait à ses yeux la collaboration qu'il réclamait d'elle. Le danger majeur qui guette l'Église réside dans son extinction de facto par l'érosion du sacerdoce et les assauts progressistes tendant à laïciser le corps religieux. D'où la nécessité de ce «don total» qu'il exige et dont le radicalisme mystique peut encore tenter une jeunesse en quête d'états limites. Aux tensions frelatées de la vie matérielle dont le sexe, la drogue, la consommation sont les principaux emblèmes, Jean-Paul II voudrait opposer la tension mystique de la marche vers Dieu: «Pas de plus grand idéal de vie que le don total de soi-même au Christ pour le service du Royaume.»

Par ailleurs, Jean-Paul II n'a de cesse de rappeler l'intense activité pastorale qu'il a menée à Cracovie, n'hésitant pas à évoquer en pleine homélie solennelle devant les mille trois cents prêtres réunis dans la basilique Saint-Jean-de-Latran des souvenirs personnels au charme presque désuet: «Comme j'aimais les visites des paroisses, cellules fondamentales de l'organisation de l'Église et de la communauté du peuple de Dieu! J'espère que je pourrai les continuer ici afin de connaître vos problèmes et ceux des paroisses.»

Autant d'attitudes et de comportements qui peuvent laisser présager une résolution du problème traditionaliste.

Mais très vite Mgr Lefebvre discerne la personnalité de Jean-Paul II et la stratégie qu'il emploiera. Si le pape a tenté d'adopter une position modérée pour éviter le schisme, l'évêque rebelle sait que malgré la « pépinière » de séminaristes que le courant traditionaliste suscite, Rome sera intransigeante sur la notion de respect et d'obéissance. Jean-Paul II, lors de ses premières allocutions, a insisté sur le fait que la discipline et son autorité naturelle ajoutée à celle de sa fonction ne sauraient accepter « le climat de chantage » comme le dit Alain Woodrow[3], dans lequel Mgr Lefebvre le place. Comment en effet tolérer les déclarations péremptoires de Mgr Lefebvre : « Les gens qui nous ont condamnés sont toujours en place à la Curie, et tant qu'ils n'auront pas été changés, je ne me sentirai pas pleinement rassuré. Ou alors il faudrait que Jean-Paul II fasse un acte d'autorité très net. [...] Il faut en tout cas attendre de connaître la manière dont le pape va se comporter lors de la réunion des épiscopats latino-américains à Puebla, à la fin de janvier ; comment il résistera aux assauts que les progressistes préparent à son intention. »

La morgue de Mgr Lefebvre et les multiples provocations qu'il a lancées depuis Vatican II ont abouti à une situation de tension extrême en 1978, et Jean-Paul II ne peut que répondre. Lors des sessions de Vatican II, l'évêque d'Écône n'a cessé de fustiger le libéralisme des évêques conciliaires, prétendant que ses frères ont « tourné le dos à la véritable Église de toujours, lui ont donné de nouvelles institutions, un nouveau sacerdoce, un nouveau culte, un nouvel enseignement[4] ».

Les ouvrages qu'il a publiés jusqu'au schisme de juillet 1988 sont de véritables brûlots contre l'institution et l'autorité du pape : *Un évêque parle, Lettre ouverte aux catholiques perplexes*, et enfin *Ils l'ont découronné, Du libéralisme à l'apostasie, La tragédie conciliaire*.

Usant d'une rhétorique lyrique et enflée, il y compare l'état de l'Église à Gethsémani, prophétisant l'apocalypse aux zélateurs de ce qu'il appelle la « secte libérale ».

Son « obstination insensée et devenue morbide »,

comme la qualifiait Paul VI dans les confidences recueillies par Jean Guitton[5], crée un malaise dans une Église que Jean-Paul II est en train de revitaliser par ce sang neuf, polonais. Comment par ailleurs le pape qui a œuvré de manière aussi précise et active dans la préparation des textes du concile peut-il accepter la déviance de l'intégrisme ? Cette « démytisation », comme le dit Mgr Lefebvre, du concile peut entraîner des risques de pollution de la stratégie de Jean-Paul II, et faire croire à une faiblesse de l'Église. Or le pape le sait : c'est sur l'autorité retrouvée, sur une foi indéfectible et une, que l'Église pourra regagner, auprès des jeunes et des continents nouveaux à évangéliser, des forces de conviction propres à éveiller l'enthousiasme. Le combat de Mgr Lefebvre peut rencontrer une certaine écoute de la part de Jean-Paul II. Sur l'héritage du passé de l'Église, sur le maintien du caractère sacrificiel de la messe prononcée selon le rite de saint Pie V, sur l'eucharistie et sur le statut des prêtres, Jean-Paul II est sur la même latitude que l'évêque traditionaliste. Mais bien d'autres problèmes sont en jeu sur lesquels le pape ne peut transiger. Le refus de considérer l'Église comme un grand corps vivant qui doit s'adapter au monde moderne sans rien lâcher du dépôt, la négation de l'œcuménisme qui s'oppose ainsi au vaste projet d'Est en Ouest de Jean-Paul II, le fait de considérer comme hérétique la liberté religieuse sont des obstacles insurmontables et à propos desquels le pape ne peut avoir d'indulgence. Lui-même incitateur des grands textes conciliaires, et conscient que toute concession avec l'évêque d'Écône ne pourrait être comprise de la part de l'opinion internationale que comme une compromission suspecte, le pape n'est pas sans savoir non plus que le traditionalisme a des bailleurs de fonds d'extrême droite qui risquent d'entacher la stratégie sociale et sinon progressiste du moins de progrès que Jean-Paul II entend conduire.

Quelle volonté anime en réalité l'évêque d'Écône ? Lui qui fut formé à l'obéissance au pape la plus stricte, qui revendique l'Église comme la seule légitimité, et le message du Christ comme la seule explication du monde, comment en est-il arrivé à affronter directement le Vatican, et à se mettre ainsi en marge de l'Église ? Il semble selon divers témoignages que Mgr Lefebvre, dont le caractère farouche et obstiné était légendaire, se soit luimême laissé prendre au piège de cette « persécution » intimement souhaitée, ne craignant pas d'entraîner dans sa dérive personnelle et égocentrique des milliers d'hommes et de jeunes séminaristes aveuglés par leur passion et le charisme que l'évêque dégageait incontestablement. Possédant le sens du discours et de la rhétorique, mesurant ses effets avec ostentation, jouant au prélat mystérieux, et fort d'une autorité sacrale, il a séduit des esprits faibles ou craintifs, que les confusions de la modernité ébranlaient, ou bien des conservateurs qui voyaient dans sa certitude inébranlable des raisons de s'enfermer dans des schémas dépassés et xénophobes. Le peuple de fidèles que Mgr Lefebvre a ainsi rassemblé était hétéroclite, à l'instar de celui des mouvements d'extrême droite, avec lesquels les liens étaient d'ailleurs fortement établis. Comme le dit René Rémond dans un article confié à la revue *Études* en janvier 1989 : l'intégrisme catholique « recueille [...] l'héritage d'une piété du XIXe siècle marquée profondément par les épreuves de la Révolution, qui invite à la pénitence et célèbre un culte de réparation publique pour les fautes commises par la nation française : la dévotion au Sacré-Cœur, le culte du Christ-Roi se prêtent bien à une symbiose entre la fidélité à la transcendance divine et la nostalgie de l'ancien ordre des choses ».

La frénésie de Mgr Lefebvre est cependant absolue. Respecter la tradition post-tridentine qui exalte le culte triomphal de Jésus-Christ et la pratique de la dévotion lyrique est pourtant le vœu de Jean-Paul II. Le nouveau pape, on l'a vu, ne craint pas, en plein siècle matérialiste, de rappeler à son troupeau égaré les devoirs du culte et de magnifier la pratique, même s'il abandonne les chapes et les ornements sacerdotaux trop luxueux pour préférer d'ascétiques chasubles tissées dans un goût plus sobre. Et Mgr Lefebvre se rend bien compte de cette ambiguïté. Mais il déplace le problème de la pratique religieuse, sur lequel il pourrait y avoir entente (Jean-Paul II serait prêt à lever l'interdiction de célébrer la messe en latin selon le rite de Pie V et à écouter les prêtres ordonnés par l'évêque d'Écône) sur un autre terrain plus politique, le brouillant dans une rhétorique presque délirante qui enchante néanmoins son auditoire, venu là pour entendre ses imprécations contre l'institution qu'il accuse de « désorientation diabolique » selon le mot prononcé par sœur Lucie à Fatima. La mission prophétique et messianique dont il se targue ne connaîtra plus au cours des années 1979-1988 de ralentissement. Constatant intimement que la partie est jouée, Mgr Lefebvre radicalise sa position, ordonnant, confirmant à tour de bras, lançant des anathèmes de plus en plus violents, nommant les « coupables ». Refaisant à sa manière l'histoire secrète de l'Église et brossant le tableau de sa destruction, il déclare : « Cette secte [libérale], nous l'avons vue surgir au XVIe siècle de la révolte protestante, puis devenir l'instigatrice de la Révolution. Les papes, pendant un siècle et demi de lutte sans trêve, ont condamné les principes et les points d'application du libéralisme. Malgré cela, la secte a poursuivi son chemin. Nous avons assisté à sa pénétration dans l'Église, sous couleur d'un libéralisme acceptable, dans l'idée de concilier Jésus-Christ avec la Révolution. Puis nous avons appris, stupéfaits, le complot de pénétration de la hiérarchie catholique par la secte libérale, nous avons vu ses progrès, jusqu'aux plus hauts postes, et son triomphe au concile Vatican II. Nous avons eu des papes libéraux. [...] Le premier pape libéral, celui qui se riait des "prophètes de malheur", convoqua le premier concile libéral de l'histoire de l'Église. Et les portes du bercail ont été ouvertes et les loups ont pénétré dans la bergerie, et ils ont massacré les brebis. Vint le second pape libéral, le pape au visage double, le pape humaniste ; il renversa l'autel, abolit le Sacrifice, profana le sanctuaire. Le troisième pape libéral est survenu, le pape des droits de l'homme, le pape œcuméniste, le pape des Religions unies, et il s'est lavé les mains, et il s'est voilé la face devant tant de ruines amoncelées, pour ne pas voir les plaies sanglantes de la Fille de Sion, les blessures mortelles de l'Épouse immaculée de Jésus-Christ[6]. »

On le voit, toute la rhétorique de l'idéologie fasciste ou des groupuscules d'extrême droite (le Front national en France dans ses fêtes populaires n'a jamais manqué d'inviter les prêtres de Saint-Nicolas-du-Chardonnet à venir célébrer la messe) est convoquée : fantasmatique du complot, de la persécution, du siège à mener, profération ironique contre les ennemis jurés, goût pour la métaphore ample et solennelle, risque de la contamination, on s'autoproclame gardien du Temple, etc.

Le Vatican a longtemps tenté de négocier avec le courant traditionaliste, voulant à tout prix éviter le schisme qui est toujours un drame et un échec pour une Église. Ainsi le 11 septembre 1976, Paul VI avait reçu Mgr Lefebvre grâce à l'intercession de Jean Guitton, qui fut l'ami et le confident du pape. L'évêque avait déjà été condamné par Paul VI et suspendu *a divinis* mais Paul VI n'avait pas voulu fermer la porte définitivement, reculant devant l'excommunication.

La rencontre de septembre 1976 n'apporta rien de nouveau, la certitude doctrinale de Mgr Lefebvre et ses exigences ne pouvaient être admises du pape qui constata l'irresponsabilité du prélat, son entêtement qui confinait au « morbide ».

L'entrevue que Jean-Paul II décida comme pour refuser cette situation larvée et dangereuse se solda par le même échec, le 18 novembre 1978, soit quelques semaines à peine après son élection. La fatuité de l'évêque n'arrangea pas les choses. Si rien n'a filtré de l'entretien, tout laisse à penser que Jean-Paul II a voulu mettre la situation au clair et affirmer son autorité toute neuve de pape. La forfanterie de Mgr Lefebvre, son goût pour la provocation et sa mégalomanie étaient célèbres. Rejoint au péage de l'autoroute Rome-Florence après son entrevue au Vatican par une équipe de télévision, il répondit « oui » à toutes les questions que les journalistes lui posaient : « Satisfait ? », « Reverra-t-il le pape ? », « C'est donc le signe qu'un dialogue s'est engagé ? », pour terminer par cette réplique sibylline : « Un accord est possible ? » Là, Mgr Lefebvre lève les bras au ciel en murmurant : « Peut-être »[7].

L'attitude de l'évêque dans cette affaire est peu diplomatique. Les années 1978-1980, qui ont vu une certaine pondération de la part de Jean-Paul II et une volonté affirmée de ne pas rompre, ont été pour l'évêque d'Écône des temps où, profitant de cette relative trêve, il s'est cru en voie de triompher. « Divagations ridicules », comme le soulignent les milieux officieux[8] ? Mauvaise évaluation de la situation ? Délire de persécution ? Goût du martyre ? Ou bien messianisme inconscient ? Toujours est-il que, pendant cette période de latence, il n'a cessé d'inaugurer écoles, séminaires, oratoires, de dispenser interviews et communiqués de presse, de prêcher en chaire en rendant publiques ses négociations avec Jean-Paul II, n'hésitant pas même à prévenir de leur issue. Ainsi le dimanche 25 mars 1979, en Vendée, à La Roche-sur-Yon, devant plus de mille fidèles, il lit la lettre qu'il a adressée au pape, le suppliant de céder à ses injonctions : « Très Saint Père, pour l'honneur de Jésus-Christ, pour le bien de l'Église, pour le salut des âmes, nous vous conjurons de dire un seul mot aux évêques du monde entier : "Laissez faire". » Jouant sur tous les registres, l'évêque manifeste un sens très habile de la médiatisation. Les journalistes sont toujours convoqués, et il ne manque jamais de faire un bon mot pour relancer le débat, accentuer la pression.

A Mgr Paty, évêque de Luçon, qui l'adjure de ne pas aller à la cérémonie de confirmation de cent dix-sept enfants à laquelle il a décidé de se rendre, lui déclarant : « Ce serait de votre part un acte de désobéissance formelle envers l'Église, juste au moment où vous manifestez par vos déclarations votre désir de vous réconcilier », Mgr Lefebvre répond avec une certaine mauvaise foi qu'il n'est pas libre de décider seul mais que ce sont les fidèles qui lui demandent de venir. Il ne manque pas non plus de donner satisfecit ou blâmes à l'action pastorale du pape, appréciant ses textes, encycliques, comme *Redemptor hominis*, ou homélies, déclarant sans ambages : « Je ne l'ai pas lue [l'encyclique], mais dans mon entourage, on estime qu'il y a des motifs de satisfaction mais également des réserves. Cependant la doctrine paraît bonne[9]. »

Mais la hâte mégalomaniaque de l'évêque d'Écône donne peu à peu à ce conflit l'allure d'une bouffonnerie qui, si elle n'entraînait avec elle des fidèles abusés et désorientés, des communautés déjà troublées, et ne montrait une image de la foi affligeante, pourrait être comique. En septembre 1979, Mgr Lefebvre, pour célébrer son jubilé sacerdotal, organise une grande cérémonie au palais des Expositions de la porte de Versailles, à Paris, et donne des interviews stupéfiantes à la presse internationale, affirmant que le pape aurait accepté un accord secret « l'autorisant à célébrer la messe selon le rite latin de saint Pie V, déclarant de surcroît que Jean-Paul II l'aurait nommé cardinal[10] ».

De telles attitudes irritent, pour le moins, le pape dont la patience est à bout. Mais la décision de l'excommunication est toujours reculée. La presse internationale et les observateurs notent avec intérêt ce qui pourrait paraître une valse-hésitation. Le traditionalisme avéré de Jean-Paul II pèse beaucoup dans cette prudence. Il est vrai aussi que Mgr Lefebvre a dans ses différents séminaires formé à un enseignement irréprochable au plan doctrinal des centaines de prêtres, ce qui est considérable dans une période de perte de vocations. La présence de Mgr Ratzinger, dont les positions doctrinales sont plus traditionalistes que progressistes, joue un rôle modérateur: « Nous devons tout tenter en vue d'une réconciliation », affirme-t-il[11].

Mais comment Jean-Paul II peut-il renier l'aggiornamento de Vatican II dont il a été l'un des inspirateurs sans paraître ambigu aux yeux d'une Curie qui l'a élu? La rencontre d'Assise de l'automne 1986 au cours de laquelle le pape a invité des membres éminents d'autres religions du monde entier sera prépondérante dans la décision de Mgr Lefebvre de pousser plus loin encore la provocation en menaçant de sacrer les évêques. « Le scandale sans mesure et sans précédent » d'Assise, comme l'appelle l'évêque dissident, l'amène inexorablement à franchir des limites comme s'il souhaitait désormais le schisme. « Rome, dit-il, est dans les ténèbres de l'erreur et n'écoute plus la voix de la vérité. Les traditionalistes ont des devoirs imprescriptibles pour assurer la continuité de l'Église. » Une telle affirmation place Mgr Lefebvre dans une situation de rivalité avec Jean-Paul II, inacceptable et intolérable pour un pape qui n'a cessé au cours de son pontificat d'insister sur son rôle de gardien de l'orthodoxie doctrinale. L'âge avancé de l'évêque intégriste (quatre-vingts ans) le conduit encore à accélérer le processus de rupture. Néanmoins les négociations « de la dernière chance » ont lieu entre octobre 1987 et mai 1988. Selon les mots mêmes de Mgr Lefebvre, « Rome a été généreuse ». Beaucoup de concessions ont été en effet faites par le Vatican pour garder dans le giron de l'Église la « singularité » du mouvement intégriste. Un compromis favorable surtout aux traditionalistes précise qu'un « visiteur apostolique se rendrait au séminaire d'Écône » pour préparer le retour de la Fraternité Saint-Pie X. Mgr Siri, l'archevêque de Gênes, connu pour ses positions conservatrices, pourrait être cet émissaire, les ordinations des deux cent cinquante prêtres seraient validées, la messe « tridentine » pourrait être célébrée sans inquiétude... En revanche, Mgr Lefebvre s'engagerait à accepter les textes litigieux du concile qu'il réprouvait, ceux concernant la liberté religieuse et l'œcuménisme. Pression de l'entourage dur de l'évêque rebelle ? Inconséquence fatale ? Paranoïa qui lui ferait croire à son rôle « providentiel » ? Toujours est-il que le spectre de l'ordination envers et contre tout d'un évêque dissident continue de planer sur les entretiens et ce malgré les apparentes promesses de l'évêque d'Écône. Tout se passe comme si Mgr Lefebvre, possédé par l'idée fixe de cette ordination, estimait que son œuvre serait soudain absorbée, avalée par la grande machinerie du Vatican, et perdrait en quelque sorte son identité. Orgueil et vanité sûrement ont présidé aux dernières décisions. Dès cette époque, Rome sait pertinemment que la partie est jouée et perdue. Il faudra en effet recourir à l'archaïque et impopulaire excommunication dont chacun sait les effets déplorables qu'elle a sur les consciences des fidèles et le risque qu'elle entraîne de créer des martyrs. Aussi Jean-Paul II exhorte-t-il avec « un cœur paternel le vénérable frère à renoncer à [son] projet », on parle de « sanctions canoniques » inéluctables, Mgr Lefebvre ne veut rien entendre : « Il se voit en conscience obligé de procéder à l'ordination d'un évêque le 30 juin[12]. »

Ce printemps-là, la lutte doctrinale est à son comble. S'affrontent deux positions irréductibles, irréconciliables : « Nous nous donnerons nous-mêmes les moyens de poursuivre l'œuvre que la Providence nous a confiée », déclare-t-on à Écône.

Dans le séminaire suisse, malgré la tension de ces derniers mois, les hésitations et les espoirs déçus et inconsciemment rejetés, la vie est calme et même désuète. Ce séminaire que Mgr Lefebvre a voulu « à l'abri de la corruption des séminaires modernistes » semble vaquer à ses occupations pastorales avec une certaine paix. Le schisme n'est pas encore consommé mais ici tous se sentent déjà martyrs. Mgr Lefebvre multiplie les déclarations insolentes et provocatrices : « Qu'est-ce que ça peut bien nous faire ? [L'excommunication] n'a aucune valeur. C'est eux qui devraient être excommuniés », déclare-t-il à des journalistes de *Libération*[13] (16 juin 1988). Si schisme il doit y avoir, « c'est, dit-il, avec le pape moderniste, pas avec le successeur de saint Pierre ». La sensibilité de Mgr Lefebvre est celle d'un vieillard qui « craint d'être mené en bateau », comme il dit, il « se méfie d'eux », le risque de la banalisation de « son » église est trop grand pour qu'il accepte le compromis. C'est dans cette perspective de méfiance, de revanche aussi sur une Église qui ne l'a pas entendu, dans cette sorte de dolorisme assumé et romantique que Mgr Lefebvre entérine le schisme. L'échec vient de lui-même, de cet orgueil de prélat sûr de sa mission, aveuglé en quelque sorte.

C'est le jeudi 30 juin 1988 que l'irrémédiable est accompli. Comme aucune des deux parties ne croyait à un rattrapage possible de la situation, l'événement eut lieu sans grande fébrilité ni frénésie. Quatre évêques traditionalistes sont donc consacrés par Mgr Lefebvre. Ipso facto l'évêque intégriste se met sous le coup de l'excommunication qui ne tarde pas à tomber, quelques heures à peine après que Jean-Paul II est averti de la transgression. Le porte-parole du Vatican annonce en ces termes la décision du souverain pontife : « Aux termes du canon 1013 disposant qu'aucun évêque ne peut en consacrer un autre sans un mandat du souverain pontife, les consécrations épiscopales du 30 juin célébrées par Mgr Lefebvre, malgré la monition du 17 juin, ont été effectuées expressément contre la volonté du pape, avec un acte formellement schismatique selon le canon 751, Mgr Lefebvre ayant ouvertement refusé de se soumettre au souverain pontife et à la communion avec les autres membres de l'Église, qui lui sont soumis. »

Le pape informe les fidèles qui se sont ralliés à la cause d'Écône qu'un document ultérieur viendra afin d'éviter leur excommunication. La compassion du cardinal Lustiger à leur égard est grande, d'abord parce que ce problème est francophone, et parce que sa condition d'évêque l'oblige à une vocation de rassembleur. La dérive de ses catholiques fidèles est particulièrement émouvante et Jean-Paul II les confie plus spécialement au cardinal-archevêque de Paris : pour manifester cette compassion, il décide de célébrer une messe selon le rite de Pie V à Notre-Dame de Paris, cherchant par tous les moyens à trouver des solutions dignes afin qu'aucun ne se sente humilié. Des bureaux d'accueil sont mis ainsi à la disposition de ceux qui sont désorientés et qui, fidèles à Mgr Lefebvre, refusent néanmoins d'être diabolisés et exclus de la communauté ecclésiale, les prêtres intégristes pourront aussi se confier à des théologiens aptes à les entendre et à les comprendre, trois églises même dans Paris seront admises à célébrer le rite latin.

A Écône cependant, ce matin-là du 30 juin, la foule s'est assemblée sur une vaste prairie. Ici jour de fête, dans l'Église, « jour de deuil » comme le dira Mgr Decourtray[14].

La cérémonie passée, c'est une fête plutôt campagnarde, on n'y sent ni amertume ni violence. L'impression paradoxale que « les schismatiques, c'est les autres ». Sûre de son droit et de sa vérité, la foule déambule dans « une ambiance de kermesse » bon enfant, où voisinent cependant livres intégristes teintés de relents xénophobes, images pieuses représentant Mgr Ducaud-Bourget, père spirituel de Mgr Lefebvre, et l'évêque d'Écône bien sûr flanqué de sa famille. Jour de gloire pour l'évêque excommunié qui, dans son fantasme de persécution, n'hésite pas à dire que l'Europe sera bientôt envahie par les communistes et qu'il a à ce titre consacré deux évêques qui « résideront en Argentine et aux États-Unis [...] afin d'assurer l'indépendance, pour leurs voyages, les deux autres Bernard Tissier de Malleray et Bernard Fellay, risquant d'être retenus en Europe[15] ». Certain de son rôle charismatique et prophétique, il rappelle le message de la Vierge qui, dans une apparition en Équateur au XVIe siècle, prédisait de graves apostasies en Europe au XIXe siècle et au XXe siècle, et qu'un prélat s'opposerait au déclin de l'Église. La mégalomanie aidant, Mgr Lefebvre laisse entendre qu'il pourrait bien être ce prélat...

Ce n'est pas de plein gré que Jean-Paul II s'est résolu au schisme. Outre qu'il altère l'unité de l'Église universelle et l'autorité de son chef, jusqu'alors indiscutée dans l'opinion, la rupture a mis en évidence les concessions que le pape lui-même a faites aux intégristes, si toutefois ceux-là avaient daigné faire allégeance. La négociation entreprise par les soins de Mgr Ratzinger avait en effet abouti à des privilèges qui n'avaient jamais été accordés aux progressistes. Les fidèles d'Écône les ont repoussés ostensiblement et inconsidérément, par entêtement ou par orgueil, mais ils peuvent se targuer néanmoins d'avoir fait céder en un certain point le Vatican et permis de révéler jusqu'où le Saint-Siège pouvait pousser la négociation. La complaisance avec laquelle ils ont été traités trahit en vérité la ligne traditionnelle de Jean-Paul II, plus en accord somme toute avec Mgr Lefebvre qu'avec Hans Küng, par exemple, ou le père Pohier, autrement plus dangereux à ses yeux que les rites ostentatoires de Saint-Nicolas, processions, neuvaines, messes en latin, cultes de saints et de Marie, dont le pape est familier par sa sensibilité même. Aussi les structures d'accueil mises en place pour les prêtres intégristes troublés par le schisme, et toutes les volontés légitimes de réintégration du troupeau rebelle dans le grand sein de l'Église, comme les souplesses d'adaptation à la situation présente de Mgr Lustiger, pourtant bien malmené pendant cette crise par les intégristes eux-mêmes, n'hésitant pas à restaurer des manifestations d'un autre âge, spectaculaires et solennelles, le chemin de croix le Vendredi saint à Montmartre, le renouvellement du vœu marial de Louis XIII, des célébrations selon le rite de saint Pie V à Notre-Dame de Paris, toute la stratégie de l'après-schisme montre à l'évidence les points d'ancrage qui relient l'intégrisme au Vatican malgré les apparences. Jean-Paul II demande ainsi que soit respecté « l'état d'esprit de tous ceux qui se sentent liés à la tradition liturgique latine ». Ce n'est pas une volte-face cependant ni une adaptation cynique à l'événement mais bien plutôt et confusément un accord tacite à une pratique religieuse commune.

Si l'opinion internationale a reconnu dans sa majorité le grand courage de Jean-Paul II et a exprimé, comme le gouvernement français par la voix de son ministre des Affaires étrangères, Roland Dumas, son « appui total » aux principes « d'adaptation au monde moderne assoiffé de justice et de paix »[16], il n'empêche que l'exclusion a quand même démontré l'objective « collusion » avec le schisme. Comme le déclare Gérard Dupuy dans son éditorial[17], « le recentrage néo-traditionaliste impulsé dans l'Église par le pape actuel s'en trouvera confirmé, voire redoublé comme le craignent nombre de "cathos de gauche" qui n'aiment guère la nouvelle cohabitation qui leur est imposée. »

« Même la théologie doit présupposer la foi. »

Jean-Paul II, 18 novembre 1980.

La gestion par Jean-Paul II des affaires délicates que lui a laissées Paul VI donne de précieuses indications sur la ligne qu'il entend imprimer à son pontificat et révèle les grands axes de sa « politique ». Le monde entier s'interroge sur sa vraie personnalité, sur la réalité de sa modernité, sur les traces tantôt affirmées, tantôt refoulées, ou bien encore spontanément émergées à l'occasion de l'actualité, de ce que certains ont pu même appeler son « fondamentalisme ». Nous avons vu que la force de la « polonitude » chez lui est telle qu'elle infiltre ses comportements, induit souvent son action, colore ses initiatives. Peut-il vraiment échapper aux influx de sa terre natale, aux combats qu'il y a menés ? La vie du souverain pontife, véritable saga, est ponctuée de trop d'actes de foi, de signes providentiels, de ritualité, fût-elle populaire et chargée d'affects, d'une religiosité plus près du XIXe siècle que du nôtre, pour être oblitérée, et cela malgré les positions résolument progressistes qu'il a su prendre aussi bien dans son pays que lors du concile Vatican II. Aussi l'intégrisme de Mgr Lefebvre ne lui était-il pas totalement étranger. Avec le rebelle d'Écône, il était si l'on peut dire « en famille ». La pratique de Mgr Lefebvre, eût-elle été à l'épreuve d'un régime totalitaire, lui eût valu peut-être les félicitations de la hiérarchie. Car le « marchons droit » d'Écône, face à l'oppression, eût été considéré comme un acte héroïque. Après tout, hormis les deux points litigieux que Mgr Lefebvre contestait, on n'observe guère de différences entre certaines pratiques catéchétiques et pastorales polonaises du temps du cardinal Wojtyla et celles du séminaire d'Écône.

Acculé à la résolution du schisme, Jean-Paul II, par ailleurs irrité par la personnalité farouche de l'évêque rebelle, a surtout tenté de barrer la route à l'idée de confusion entre religion et extrême droite que l'intégrisme propageait dans les esprits. D'où sa relative indulgence à l'égard de Mgr Lefebvre, par ailleurs considéré comme *fissato*, comme le déclare Jean Chélini d'après une confidence qu'un cardinal lui a faite[18].

Bien plus sèche est la condamnation à l'égard des théologiens progressistes comme de la théologie de la libération.

Le dialogue inabouti avec Mgr Lefebvre portait surtout sur une certaine conception de la pratique.

Le plan sur lequel Hans Küng ou le père Pohier plaçaient le débat était plus intellectuel. Jean-Paul II, avec sa solide formation philosophique, ses capacités pédagogiques et son sens aigu de la dialectique, a réagi avec plus d'âpreté aux propositions théologiques de ces penseurs catholiques dans la mesure où leurs positions risquaient de mettre en péril l'Église. Le livre du père dominicain Pohier *Quand je dis Dieu* est jugé en 1978, date de sa parution, par la congrégation de la Doctrine de la foi, « de nature à mettre gravement en péril la foi des lecteurs ». Le père Pohier met en doute, en effet, la résurrection du Christ et nie l'éternité de l'âme : deux idées qui, bien sûr, vident de sa substance la doctrine chrétienne et ébranlent l'essence même du christianisme. Aussi le père Pohier est-il suspendu de messe et de prêche en avril 1979 et invité à se retirer dans une maison dominicaine pour y travailler. Le cas de Hans Küng est plus révélateur de la position d'arbitre de Jean-Paul II : plus médiatisée, cette affaire révèle la méthode autoritaire du magister de l'Église qui, déclare le philosophe suisse, « ne peut pas prêcher la justice et la bafouer en son propre sein. [...] Il peut devenir Jean XXIV ou Pie XIII, mais pas les deux à la fois ».

L'« affaire » Küng n'est pas un fait isolé, elle vient après d'autres remises au pas comme celles du père Pohier, on l'a vu, mais aussi des pères Edouard Schillebeeckx, Curran, McNeill, Legrain, Hasler. La certitude que Jean-Paul II réclame en matière de foi et veut inspirer par l'unité retrouvée de l'Église ne saurait donc être compromise par « des interrogations sans réponses » ou « des réponses modifiées à l'infini », comme le déclare le cardinal Höffner. Élu un an plus tôt, le souverain pontife ne peut laisser se répandre des doutes sur la doctrine et affaiblir ainsi le dépôt qui est inaltérable. Aussi l'inflexibilité qu'il manifeste dans cette querelle a-t-elle pour but de consolider sa propre autorité en réaffirmant ses propres choix, au risque de s'aliéner une grande partie des intellectuels et des théologiens et de faire croire, comme n'a pas tardé à le souligner Küng lui-même, au retour (ou au maintien) des « procédures secrètes et inquisitoriales » que d'aucuns croyaient, avec l'élection du nouveau pape si « moderne », révolues. Au risque également de se contredire, Jean-Paul II ayant, en d'autres instances, réclamé des théologiens des efforts de « créativité », pour éviter de « répéter simplement de vieilles choses »[19].

Küng enfonce le clou en déclarant que, si Galilée a été réhabilité par le Vatican, « la même autorité inquisitoriale » qui l'avait autrefois condamné recourt à présent « à la même politique inhumaine ».

Au-delà des points de doctrine litigieux que le père Küng soulève (infaillibilité de l'Église et donc remise en cause du dogme formulé en 1870 par Vatican I, doute sur la consubstantialité au Père du Christ, problème de l'extension du droit de célébrer l'eucharistie aux baptisés), on assiste à un raidissement de la hiérarchie. Cela crée chez tous les fidèles un certain malaise que beaucoup d'instances religieuses, même fidèles à Rome, ne craignent pas de signaler : « nouvelle insécurité », « réduction au silence », « opérations tous azimuts sans précédent », « indignation », tels sont les mots qui reviennent le plus souvent sous la plume d'universitaires, de théologiens, de rédacteurs de revues catholiques reconnues, etc.[20]

Ce n'est pas tant l'audace de la pensée de Küng qui est en cause que l'autorité du magister. Ce qu'il avait déclaré dès son homélie d'intronisation sur l'inaliénable dépôt se joue ici. Küng, lorsqu'il déclare au *Monde* le 17 octobre 1979, se sachant déjà menacé, que « beaucoup d'hommes se demandent si ce pape tellement capable d'imposer ses opinions avec force au grand public et sachant donner aux questions fort complexes une réponse simple peut encore changer et apprendre », pose peut-être le vrai grand problème : Jean-Paul II, et la question est formulée un an à peine après la grande espérance que son élection a soulevée, est-il le pape de la modernité ou celui de la tradition ? En voulant concilier les deux termes, peut-il préserver la sensibilité variée du peuple chrétien, sans imposer sa propre vision du monde et sans heurter les consciences ?

Plus que tout apparurent les méthodes de la congrégation romaine, jugées inadéquates et archaïques : « examen secret, confrontation avec des juges et des défenseurs choisis unilatéralement, décision sans appel[21] », autant de gestes qui déçurent.

Le fantasme du retour d'Arius qui, au IVe siècle, à Alexandrie, osa défier le fondement de la doctrine chrétienne en faisant de Jésus une « créature » seulement humaine renaît régulièrement dans l'Église et celle-ci n'a de cesse que de l'éradiquer. Küng, Schillebeeckx sont considérés comme les nouveaux « arianistes », et la démarche du pape, conquérante et glorieuse, ne peut accepter ces « adaptations » du cœur de la foi, et de la liturgie.

Aussi ce qu'on a appelé les « tendances sécularisantes » des néoarianistes contredisent et altèrent la ligne vaticane. Des jésuites aux théologiens allemands, les penseurs catholiques sont sermonnés ou exclus d'enseignement parce qu'ils n'approuvent pas la discipline de l'Église, et déroutent les consciences. Les best-sellers de Küng sont à ce titre non seulement provocateurs mais inquiétants pour l'unité. Il faut entendre dans ce sens l'intransigeance de Jean-Paul II dans cette remise au pas et l'idée fixe qui hante ses discours. Les deux « non » qu'il a prononcés, lors de son voyage en France, à l'égard du progressisme qu'il définit comme « la hantise d'avancer » et de l'intégrisme qui, à ses yeux, « se durcit dans un stade historique attardé[22] », montrent bien l'axe de sa pastorale. Elle ne saurait être compromise par des trublions, fussent-ils de brillants intellectuels, ou par des parasitages qui risqueraient de ternir l'image de l'Église que lui, Jean-Paul II, entend redorer avec ce charisme providentiel qui est en effet, peut-être, une chance pour l'Église contemporaine.

Le Renouveau charismatique, « une confirmation vigoureuse de ce que “l’Esprit dit aux Églises”... »

Jean-Paul II, VIe Rencontre triennale à Rome, mai 1987.

L’élan pentecôtiste du Renouveau charismatique est considéré comme une chance, un « espoir » pour Jean-Paul II. Depuis près de vingt-cinq ans, le Renouveau est reconnu dans l’Église catholique comme un mouvement propice à éveiller la foi, à raviver la religiosité d’une piété qui avait tendance à se scléroser. Il se présente comme un des outils les plus providentiels pour entamer la « seconde évangélisation » promise par le pape. La sympathie qu’il a accordée au mouvement, bien que Paul VI déjà en eût reconnu l’intérêt tout en tâchant d’en modérer les excès, l’aide qu’il lui a apportée, l’encadrement dont il l’a pourvu montrent à l’évidence que la pratique charismatique est une de celles qu’affectionne le Saint Père. Ses origines polonaises bien sûr ne peuvent que fortifier cette sympathie. Les grandes rencontres des communautés entre elles, leur ferveur sentimentale, l’obéissance à l’Esprit Saint et par-delà à l’Église, la jeunesse du mouvement, et ce lyrisme des sources qui se déploie pendant les réunions de prières, la réhabilitation de l’oraison et la revendication du culte marial, le goût missionnaire et l’évangélisation dans la cité, autant de composantes du Renouveau qui sont proches de cet appel si singulier que Jean-Paul II avait lancé lors de son intronisation et qu’à chaque fois qu'il l'a pu il a proclamé (à Fatima par exemple) : « N'ayez pas peur ! Ouvrez toutes grandes les portes au Christ ! »

L'identité catholique fièrement assumée des communautés charismatiques, cette joie et cet enthousiasme affichés entrent dans cette praxis exubérante et militante de la foi qu'a toujours prêchée le pape avant même qu'il ne le soit.

Les charismatiques reconnaissant par ailleurs spontanément la hiérarchie de l'Église et l'autorité du pape, Jean-Paul II considéra donc dès le début de son pontificat le mouvement du Renouveau comme un « fruit vigoureux » qui fait « conserver à l'Église une vitalité jeune et continuelle ».

La seule chose qu'il dut tempérer, c'est justement la vigueur de cette jeunesse, la foi de ces nouveaux « convertis », qui pouvait paraître fanatique et trop bruyante aux paroissiens comme aux intellectuels de l'Église. Au fond de lui-même, le pape éprouva cependant toujours une grande affection pour ces groupes qui redonnaient sens à saint Paul et réincarnaient une foi qui avait tendance depuis Vatican II à se séculariser et à mépriser souvent les cultes populaires et les manifestations pèlerines, jugées « naïves ».

Ne pouvant laisser le mouvement charismatique évoluer seul, sans guides structurels attachés à l'Église institutionnelle, au risque de débordements dus à son enthousiasme et à l'abondance de ses charismes spectaculaires (don des langues, de guérison, de prophétie, de discernement, etc.), Jean-Paul II fit en sorte de retenir dans le sein de l'Église ceux-là mêmes qui d'ailleurs le désiraient, et accueillit favorablement, paternellement, le Renouveau.

L'aspect informel apparent du Renouveau est considéré justement comme un retour aux sources, une sorte d'appel des origines. Après la théorisation à outrance et comme pour s'opposer aux « lectures » déviationnistes des théologiens progressistes, le Renouveau vient avec sa pratique humble, d'écoute, de prière spontanée, expérimenter l'enseignement pastoral de Jean-Paul II, celui même qu'il prêche dans ses homélies ou dans ses dialogues avec les religieux du monde entier.

La pensée philosophique même du pape, en réhabilitant la notion de personne, met toujours l'accent sur la relation personnelle avec Dieu, principe premier de l'expérience religieuse. La manière qu'ont les charismatiques d'entretenir cette relation intime fait d'eux des témoins privilégiés du Christ, les apôtres des temps modernes. Jean-Paul II a sans cesse appelé le chrétien à « faire l'Église » en lui et autour de lui, dans son dialogue personnel avec le mystère du monde mais aussi en famille, au travail, dans sa patrie, etc. Or les charismatiques vivent cette « Église » dans une perspective communautaire, sans complexe (la théophanie, la Fondation, le Pain de Vie, les Béatitudes, autrefois le Lion de Juda, etc.), avec une énergie que le don des charismes renforce et encourage. C'est pourquoi le pourtant très sévère cardinal Ratzinger a pu déclarer qu'un tel mouvement fait « songer à une aurore de Pentecôte dans l'Église ».

Malgré la suspicion que le Renouveau a pu inspirer auprès d'une large frange de fidèles qui ont vu en lui une pratique de type sectaire, une exubérance gênante et une impudeur trop sentimentale, l'Église depuis Jean XXIII a sans cesse encouragé les initiatives ardentes d'un mouvement qui, de surcroît, promettait de remplir les séminaires passablement désertés depuis Vatican II. Il n'est donc pas étonnant que Jean-Paul II ait considéré ce mouvement comme une authentique interpellation pour le monde. Sa catéchèse a toujours porté sur la nécessité de l'illuminisme au sens paulinien ou primitif du terme, c'est-à-dire d'une relation « en phase directe » avec Dieu.

L'allégresse qui s'empare des nouveaux « baptisés dans l'Esprit » fait penser à celle qui a animé le cardinal Wojtyla durant ses rencontres avec la jeunesse étudiante polonaise, et anime encore de manière constante le pape : une même « violence » spirituelle, un même abandon au mystère, une même certitude qu'à l'abandon se donneront les grâces, une même foi dans une Église rénovée où souffleraient, enfin retrouvés, l'ardeur et le bonheur d'être chrétien, comme l'ont clamé des générations d'enfants dans le cantique : « Je suis chrétien, voilà ma gloire... ».

Il n'est pas exclu cependant que Jean-Paul II, en stratège pénétrant, n'ait vu dans le Renouveau de quoi combler les manques d'une pastorale trop tiède et trop intellectualisante. C'est en ces termes que Mgr Marcus analyse la situation : « Un haut responsable de l'Emmanuel, raconte-t-il, m'a dit un jour que l'Église alimente les sectes "faute de dire les choses simples de l'Évangile et de laisser sa saveur à la vie ecclésiale". Il y a là peut-être, au-delà des clivages entre chrétiens plus "avancés", la remise en cause d'un christianisme trop cérébral, volontariste (l'insistance sur l'engagement), perfectionniste (quelle précaution ne faut-il pas prendre pour commencer à parler de Jésus-Christ !), sans anges et sans démons[23]. »

Le pape, en inaugurant avec son pontificat, selon ses mots, une « seconde évangélisation », a pu trouver là de quoi nourrir sa « croisade ». Les charismatiques appellent eux aussi à « se jeter à l'eau sans attendre, à se plonger dans la prière et dans le Seigneur[24] », à se reconnaître partie prenante dans le grand dessein de Dieu, à tisser toute une trame, un réseau de rencontres, de sessions, de « maisonnées » comme ils disent, qui seront le « pneuma » de l'Église, son poumon vital. Le charismatique, à l'instar du pape, est missionnaire, il veut répandre la Bonne Nouvelle. Il prend son bâton de pèlerin et va essaimer, en Afrique, en Amérique latine, où des centres d'accueil se multiplient. Cette dimension originelle de l'apostolat n'est pas pour déplaire au pape intimement, de même que cette notion de communauté retrouvée, qui entraîne nécessairement une rupture radicale avec la société de consommation, et le matérialisme. L'utopie du Renouveau, incarnée surtout par la libre expression de l'Esprit, par une disponibilité totale, renvoie à une vision édénique d'une société en Dieu, libérée des esclavages modernes. La pastorale de Jean-Paul II, en s'appuyant sur quelques points forts, est d'une limpide simplicité. Celle du Renouveau se calque sur cette idée d'un christianisme que certains ont pu estimer « fondamentaliste » et même « naïf ». L'obéissance à la parole de saint Paul et son application à la lettre, par exemple en ce qui concerne la place de la femme dans la communauté, ou bien encore l'apparent désengagement des problèmes sociaux et politiques pourraient bien avoir quelques relents réactionnaires ou même intégristes. Jean-Paul II, en prenant la responsabilité du schisme, se coupait d'une communauté qui se voulait exigeante envers les dogmes et était fidèle au merveilleux chrétien. La reconnaissance des charismatiques réhabilite dans le sein de l'Église cette fidélité-là, en favorisant de plus une convivialité plus effusionnelle, une gestuelle plus visuelle, une soif de prière. Les charismatiques ne sont en fait suspects qu'aux progressistes. Leurs prises de position fermes envers les mouvements féministes contre l'avortement et tous les fronts progressistes font d'eux les gardiens d'une orthodoxie renouvelée, rajeunie, qui a l'avantage d'être spirituellement très proche du Vatican. Jean-Paul II reçoit régulièrement les groupes charismatiques et c'est là une preuve de l'intérêt qu'il leur accorde et de l'espoir qu'il place en eux. Un autre point de convergence entre le pape et les charismatiques est l'idée que le centre spirituel de l'Église est, plus que Rome, Jérusalem : « Ce que nous demandons, c'est la prise de conscience de nos racines, de l'unité de l'histoire du salut au-delà de toutes nos faiblesses. C'est une entrée réciproque dans la repentance, dans l'humilité, dans la prière. [...] C'est nous ouvrir ensemble à l'amour de Dieu[25]. »

Jean-Paul II a encouragé une pratique mystique au quotidien, à laquelle il appelle tous les fidèles. Le Renouveau illustre bien des aspects de sa pastorale, et particulièrement cette quête de transcendance, ce refus du rationalisme, ce « droit du cœur[26] », ce sentiment d'être coulé dans l'effusion de l'Esprit quand la prière est totale. C'est pourquoi le pape, tout en rappelant toujours les liens de fidélité qui doivent se fortifier avec le Renouveau, parle à ses membres « en intimité » et dans une certaine complicité d'expérience. En exaltant le travail de l'Esprit Saint et l'émergence de la Pentecôte dans l'Église, il accorde à ses dons spécifiques – l'effusion, la jubilation, les larmes, la transe mystique, l'extase eucharistique, le chant, l'invasion d'une joie intense et inconnue – des valeurs féminines auxquelles lui-même a cédé, dans sa pratique mariale par exemple et sa recherche « naïve » d'être au plus près du mystère, pour faire en quelque sorte contrepoids à la toute-puissance des valeurs masculines de l'intellect et de la critique. Le Renouveau a une pratique dont Wojtyla avait déjà saisi toute la valeur quand il pratiquait lui-même, à Wadowice comme à Cracovie, des rencontres de prières ferventes. Le travail de l'Esprit opérait alors en sous-main, comme une graine dans la terre d'hiver, enfouie dans les ténèbres, et, comme Monique Hébrard a soin de le préciser, l'Esprit, après avoir travaillé dans les groupes informels de fidèles laïcs, a lentement tracé son chemin dans certains monastères où les charismes sont très présents, et continue à le tracer dans toute la structure de l'Église. C'est pourquoi Jean-Paul II a une affection particulière pour les charismatiques, ils ont été les premiers signes de ce souffle nécessaire et urgent que Dieu entend communiquer à son Église tout entière. Le Renouveau en est le témoin vivant.

C'est pourquoi le pape dira aux pèlerins charismatiques venus lui rendre visite : « Il est essentiel que vous cherchiez toujours à approfondir votre communion avec l'Église toute entière : avec ses pasteurs et ses maîtres, avec sa doctrine et sa discipline, avec sa vie sacramentelle, avec tout le peuple de Dieu[27]. »

Contre les « relectures » de l'Évangile,
proclamer « l'unique Évangile »

(In discours de Puebla, 28 janvier 1979.)

Dès le début de son pontificat, Jean-Paul a à cœur de mettre un terme aux lectures déviationnistes de l'Évangile qu'incarne la fameuse théologie de la libération. Il est significatif que son premier grand voyage aille à la rencontre du continent américain, où il prononce le fameux discours de Puebla dont les observateurs ont senti quelle importance et quelle portée qu'il aurait sur la vision à long terme du pontificat. Avec ce discours, l'Église saura à quoi s'en tenir sur les projets ecclésiaux du pape et sur sa fermeté à vouloir les appliquer. A ce jour, cette théologie semble avoir perdu de son autorité, battue en brèche peut-être par l'aspiration au capitalisme et au matérialisme, par la violence, par la drogue, par l'afflux des sectes venues d'Amérique du Nord qui, profitant du désarroi et de la misère des plus démunies, séduisent davantage que le message de l'Église catholique. Mais aussi affaiblie par la stratégie de Jean-Paul II qui, en plaçant des hommes plus sûrs à la tête des Églises locales, plus obéissants que leurs prédécesseurs, et en leur demandant d'appliquer la doctrine sociale de l'Église avec plus de conviction et de présence, a réussi à quasiment éradiquer l'enseignement inspiré par Gustavo Gutierrez et que Dom Helder Camara, l'« évêque rouge », a illustré abondamment.

Jean-Paul II, en s'adressant au monde, lors de son intronisation, n'a pas caché ses visées : celles d'un pape conquérant, fort et prestigieux, déjà assuré de certains succès à l'Est et défiant tout à la fois le communisme et le capitalisme, qui entendait réhabiliter l'homme dans sa dignité et lui faire retrouver le chemin de Dieu. Il s'agissait bien d'une « seconde évangélisation », de l'Europe d'abord, en réconciliant le poumon oriental et le poumon occidental, puis en s'attachant à démarxiser le continent latino-américain : « Ouvrez, ouvrez toutes grandes les portes au Christ ! A sa puissance salvatrice, ouvrez les frontières des États, les systèmes économiques et politiques, les immenses domaines de la culture, de la civilisation et du développement. N'ayez pas peur[28] ! »

Homme des défis majeurs, il entend en Amérique latine remettre de l'ordre dans ce qui lui apparaît une vraie menace pour l'unité de l'Église. Dès son arrivée donc, Jean-Paul II souhaite infléchir la politique de Paul VI en la matière, plus à l'écoute des théoriciens de la libération, plus nuancé dans son approche des problèmes de société et de mœurs que le pape polonais. La conférence de Medellín et les options qu'elle avait prises montraient la précarité de l'Église catholique romaine et le danger que représentaient certaines insubordinations à Rome, l'ouverture aux thèses marxistes, la critique affichée des régimes dictatoriaux fondés sur des traditions catholiques et dirigés par de grands seigneurs arrogants, soutenus par des évêques conservateurs. L'impact de l'Église institutionnelle se trouvait réduit par l'activisme des Église locales, des communautés ecclésiastiques de base, des prêtres et de certains évêques ouvertement favorables à la libération des petits subissant la violence des plus nantis. On se souvient de la fameuse réplique de Dom Helder Camara : « Quand je donne du pain aux pauvres, je suis un saint ; quand je demande pourquoi les pauvres ont faim, je suis un communiste[29]. »

Cette pastorale qui « double » en quelque sorte celle

de l'Église officielle remporte infiniment plus de succès par son écoute compatissante des problèmes de base, crée un dialogue constant dans tous les pays du continent, s'installant chez les plus démunis, n'hésitant pas à s'ancrer dans les favelas et les barrios, du Brésil comme du Venezuela, trouvant dans cette communion la vraie dimension du message évangélique, une proximité plus étroite avec le Christ. C'est en ce sens que la théologie de la libération, de concessions en concessions aux problèmes du quotidien, devint une religion plus horizontale que verticale, et finit par se rapprocher objectivement des thèses de libération marxistes. Leonardo Boff, Gustavo Gutierrez, Enrique Dussel ont ainsi œuvré pour une Église révolutionnaire, faisant du Christ un autre Che Guevara. Ce que Rome, bien entendu, ne peut accepter, pour défendre sa suprématie d'abord et par fidélité à sa propre lecture du dépôt ; ainsi Jean-Paul II s'adressant aux évêques réunis à Puebla déclare-t-il : « On voit circuler aujourd'hui un peu partout – le phénomène n'est pas nouveau – des “relectures” de l'Évangile, résultant plus de spéculations théologiques que d'une authentique méditation de la Parole de Dieu et d'un véritable engagement évangélique. »

Pour lutter contre ce qui risque de devenir endémique, le pape va entreprendre aussitôt une offensive stratégique. Il commence par nommer des évêques à l'orthodoxie sûre, voire extrêmement conservateurs comme le successeur de Dom Helder Camara. Tout le monde attendait comme un signe cette nomination : Mgr José Cardoso, un homme qui s'était manifesté par des positions très réactionnaires, fut désigné au siège de l'archevêque de Recife.

Il s'agit de réduire l'influence d'organismes jugés à raison des foyers progressistes, comme la Conférence latino-américaine des religieux, la CLAR, et la Conférence épiscopale brésilienne, la CNBB, qui ont en leur sein des tenants de la théologie de la libération très déterminés.

On a vu qu'à Puebla les propos du pape furent fraîchement accueillis par ceux-là mêmes qui, sur le terrain, savaient qu'ils ne pouvaient être en phase avec les thèses du pape, et certains allèrent jusqu'à parler, malgré les observations louangeuses de la presse internationale, de l'échec de Puebla. L'irritation fut à son comble quand les évêques progressistes entendirent le pape proposer au cours de ses étapes un vrai discours social aux pauvres venus l'applaudir, créant ainsi une véritable confusion entre les paroles très sévères émises à Puebla et celles, enthousiastes et « révolutionnaires », prononcées en public.

Il faut bien voir que la mission pastorale de Jean-Paul II, outre qu'elle est chargée de conserver vivant le message du Christ, revêt aussi un projet géopolitique. Sur ce point, le pape a une vision personnelle, fondée bien avant son élection sur la piété mariale. Elle passe par une véritable mystique de croisé qui, continent après continent, répandra la Pax Christi à travers le monde entier. Fort de la victoire de Dieu sur le front de l'Est, fort de cette tentative de réconciliation des deux Europes, fort d'avoir à sa manière défié et vaincu Yalta, c'est à l'Amérique latine qu'il s'adresse à présent, pour tenter de maintenir vivante la présence de Jésus-Christ sur une terre qui est à la dérive, destructurée, dont l'humanité est abîmée, spoliée de sa dignité, affamée et atteinte, il le sait sans doute, du fléau du sida qui galope à travers le continent sans relâche.

« Croisé » en Pologne, prônant la résistance contre le communisme, Jean-Paul II sera aussi croisé en Amérique latine, en voulant briser l'influence de la théologie de la libération, accusée peut-être à juste titre de faire le lit du communisme. Faut-il voir, comme le souligne Constance Colonna-Cesari[30], dans le rétablissement « des relations diplomatiques interrompues depuis 1867 et rétablies en 1984 » la volonté de gérer à deux, États-Unis et Vatican, le danger marxiste ? La géostratégie de Jean-Paul II est en effet assez habile et virtuose pour favoriser de tels rapprochements, d'autant plus qu'ils servent le dessein que s'est toujours fixé le pape, fortifier l'Église universelle, lui rendre sa puissance. C'est pourquoi, voulant « purifier », selon ses mots, les spécificités des Églises locales, il affirme dans la grande tradition préconciliaire qu'« il n'y a ni Église noire, ni Église blanche, ni Église américaine, mais il doit y avoir une Église de Jésus-Christ[31] ».

Faut-il voir encore entre le président Reagan et Jean-Paul II un même fantasme messianique, conforté par les attentats dont tous deux ont été victimes à quelques semaines près, et auxquels ils ont survécu, « survie », comme dit le pape lui-même, qui tient de la Providence et du doigt avisé de Dieu...

Toujours est-il que les États-Unis comme la diplomatie vaticane vont déployer tous leurs efforts pour anéantir les visées révolutionnaires de certains mouvements et mater la subversion, chacun dans son domaine attitré. Aux uns, la lutte armée, à l'autre la réduction des partisans de la théologie de la libération. Au premier chef sont suspectés – persécutés, diront certains – les jésuites qui sont traditionnellement considérés, en Amérique latine du moins, comme les propagateurs de la subversion. Forte de vingt-cinq mille missionnaires, la Compagnie de Jésus est en Amérique latine ouvertement sympathisante des thèses de la libération. Le père Arrupe, supérieur général de l'ordre, jugé à Rome comme un véritable contre-pouvoir, surnommé le « pape noir », est l'objet de vives critiques de l'Institution. Il est remplacé à sa mort en 1983 par le hollandais Hans Kolvenbach, plus discret et moins provocateur dans ses propos, mais la tension demeure vive entre la Compagnie et le Vatican qui veille avec rigueur à son obéissance. Aux choix armés des États-Unis, auxquels le Vatican ne s'est opposé que très mollement, s'est ajouté le choix religieux que les Américains ont développé : implanter de nombreuses sectes comme celle de Moon, très puissante, qui, plus démagogiques à l'égard des populations, ont pu servir de structures d'accueil plus séduisantes encore que celles créées par les animateurs de la libération. Revers de la médaille pour le Vatican qui mesura un peu trop tardivement l'impact de ces sectes, dépeuplant les Églises locales, et finalement autrement dangereuses que les communautés chrétiennes progressistes ! L'enjeu de la conquête, on le voit, est immense. Pour Jean-Paul II, le projet pastoral de son pontificat réside dans l'ordre qu'il entend restaurer au sein de l'Église afin de lui redonner son lustre d'antan, surtout face aux poussées intégristes de l'islam et du judaïsme. Il s'agit avant tout de donner au monde l'image d'une Église forte, sans états d'âme, gardienne de ses bases et envisageant l'avenir avec les armes de la modernité. L'ennemi héréditaire de l'Église, ce sont bien ces forces athées et marxistes qui ont défait son unité et se sont immiscées dans les membres de son grand corps. A l'Est comme à l'Ouest, il fallait les éradiquer, extirper toutes leurs racines, les fouler aux pieds comme l'avait demandé la Vierge de Fatima. En Amérique latine, il fallait coûte que coûte réduire le prestige de ces « égarés » de la foi, alliés de la gangrène communiste ; consolider en Europe la vieille tradition, rétablir des pilotis sûrs dans la précarité de ce continent latino-américain, prétendre ainsi à une seconde « initiative d'évangélisation », « en suivant la trace des premiers évangélisateurs lors de la découverte du continent, de ces hommes religieux venus pour annoncer le Christ Sauveur, pour défendre la dignité des indigènes, pour proclamer leurs droits inviolables, pour favoriser leur promotion intégrale, pour leur enseigner la fraternité en tant qu'hommes et en tant que fils du même Dieu, Seigneur et Père[32] » et en omettant absolument d'évoquer le génocide amérindien...

Son autorité, on l'a vu, est tout entière jetée dans la balance. Sa vision internationaliste de la présence de l'Église répond à une virtuosité stratégique qu'aucun de ses prédécesseurs n'avait eue. Jouant avec la même souplesse sur les registres ecclésial et politique, Jean-Paul II se présente comme un pape de combat. Sa lutte pourrait paraître ambiguë, puisqu'il parvient à donner de lui une image si conservatrice et si progressiste à la fois, selon le moment et l'endroit. Elle est celle surtout d'un pragmatique dont la charge est de gérer un dépôt vieux de plus de deux mille ans, qu'il doit tenir éclairé au devant du monde.

Des pilotis très actifs au service du pape

La tradition de discrétion et de mystère qui entoure généralement les activités du Vatican, l'absence de transparence, l'adresse d'une diplomatie présente sur tous les fronts, la rigueur d'une micro-société presque exclusivement masculine ont toujours suscité auprès du public une certaine curiosité, proche du fantasme.

S'il est vrai que l'imaginaire joue souvent dans l'approche des réalités temporelles de ce milieu, il est non moins certain que le pape Jean-Paul II, en accédant au siège de saint Pierre, a renforcé son pouvoir de tout un réseau occulte, déjà mis en place sous les autres pontificats, en le dotant de responsabilités accrues. Des communautés charismatiques à l'Opus Dei, de certaines personnalités ecclésiales ou laïques à des communautés du type de Focolari (les «petits foyers»), de Ciellini (les «petits ciels») ou de Communion et Libération, toutes attachées à servir le projet pastoral du pape, c'est une vaste trame de soutien à laquelle Jean-Paul II a apporté sa bénédiction. Considérés comme les fers de lance de son évangélisation, ces groupes, ces associations, ces hommes liges sont les pierres sûres de sa croisade. Ligués contre l'ennemi fondamental de l'Église, le communisme, ils ont œuvré ardemment pour sa chute et continuent d'agir contre les méfaits du capitalisme que Jean-Paul II abhorre tout autant, parce qu'il est source de la laïcisation et de la sécularisation d'une société qu'il rêve de changer.

C'est pourquoi, malgré le soupçon d'appartenir à l'extrême droite qui pèse sur les membres de l'Opus Dei, malgré le mystère qui règne sur leurs activités, les apparentant à une franc-maçonnerie d'Église, Jean-Paul II a favorisé grandement, dès son arrivée au Vatican, l'ordre créé en 1928 par José Maria Escrivà de Balaguer. L'Œuvre de Dieu a été en effet impulsée par celui qui devint en 1992 le bienheureux Escrivà de Balaguer à la suite d'une révélation qu'eut le jeune prêtre espagnol et qui donnait la « sanctification sur terre » à tous ceux qui le suivraient. Voulant rivaliser avec les Jésuites, l'ordre trouva vite sa place dans les rangs d'une droite dure et recruta parmi les élites de la nation espagnole d'abord, puis européenne. Les liens qui unissaient l'Opus Dei avec le régime franquiste ne sont plus à prouver et beaucoup, après la guerre d'Espagne, s'inquiéteront de ce pouvoir secret dont le but affiché est la sanctification de ses fidèles. En accédant au pontificat, Jean-Paul II comprit l'importance que revêtait dans son entreprise de restauration de l'Église la force de l'Œuvre de Dieu et, confirmant son rôle, lui attribua une distinction particulière de « prélature personnelle », lui ôtant par là toute sujétion diocésaine. L'influence de l'ordre est, semble-t-il, immense. Parce qu'elle se refuse à toute transparence. l'Œuvre de Dieu excite la curiosité et l'hostilité, suscitant même quelquefois des fantasmes de complot, se prêtant à toutes les imaginations. Il n'en est pourtant pas moins vrai qu'elle dirigerait de multiples organes de presse, écrite, rediffusée et télévisée, aurait le contrôle de nombreuses écoles dans le monde et d'instituts, recruterait ses « soldats » dans les facultés les plus réputées, placerait à la tête des plus hautes sphères des États ou de l'Église les plus doués de ses membres.

L'activité souterraine de l'Opus Dei continue régulièrement d'exciter la curiosité des médias et surtout son silence feutré, ses règles comparables à celles des sectes, et les témoignages de ceux qui en « sortent », comme Maria Angustias Moreno qui fut pendant une vingtaine d'années une des plus influentes responsables du recrutement féminin au sein de l'Œuvre, les rapports très ambigus que la « société secrète » entretient avec l'argent, et jusqu'à la chasteté dans l'état laïque accompagnée de mortifications proches du sado-masochisme (garrots aux poignets, aux mollets, à la taille, etc.), tout permet de développer une sorte de fascination presque érotisée auprès du grand public.

Même si certaines hautes personnalités de la Curie déclarent que les journalistes d'enquête ne peuvent comprendre les rouages de l'Église, pour n'en être pas (comme l'avait dit le pape aux représentants de la corporation en 1978 : « Quand vous faites un reportage sur la vie et l'activité de l'Église, cherchez encore davantage à saisir les motivations authentiques, profondes, spirituelles de la pensée et de l'action de l'Église[33] »), le mode de fonctionnement de l'Opus Dei est loin d'être clair. Ce qu'on appelle la « garde noire du pape[34] » est de plus en plus rapprochée de lui : des quatre chapelains de Jean-Paul II au responsable de la salle de presse du Vatican, Joaquin Navarro Valls, de Rafaello Cortesini, chef du bureau de la congrégation pour la Cause des saints à d'autres « sous-marins » puisés dans le monde de la politique comme Alberto Michelini, conseiller du centre télévisé du Vatican et député national de l'ex-Démocratie chrétienne, ou dans celui de la haute finance, comme Gian Mario Roverero, conseiller au Vatican, sans compter les prélats proches de l'Opus Dei, comme le cardinal Martinez Somalo ou Mgr Javier Lozano, c'est tout un réseau qui est mis en place depuis l'arrivée notamment de Jean-Paul II pour « conquérir le pouvoir décisionnel ». « Dans les diocèses, raconte Christian Torras, directeur de la revue *Golais*, “le journal catho tendre et grinçant", ils n'existent pas. Il ne font que du lobbying théologique et économique. Ils ont mené une incroyable guerre d'appareil. Quand on voit les finances du Vatican, toujours en rouge, on sait qui renfloue les caisses. Pour l'Opus Dei, l'argent n'a pas d'odeur. La charité n'est pas une vertu. Le don n'existe pas. Il n'est qu'un seul et unique apostolat : le business[35]. »

Où que l'on se tourne, au Vatican, l'« armée de Templiers modernes » comme on l'appelle, « gros sous-marin laïque et intégriste, silencieux et indétectable[36] », rôde. Les ramifications sont considérables, singulièrement en Europe et en Amérique du Nord. Jean-Paul II, c'est un fait, lui porte une complaisante attention. La prélature personnelle qui a été décidée à son égard comme la béatification contestée et finalement imposée de José Maria Escrivà de Balaguer en sont les preuves patentes. Cette amitié, il est vrai, date de longtemps puisque Karol Wojtyla a toujours entretenu avec l'Œuvre des rapports étroits. Aussi, comme le déclare le vaticanologue Sandro Magister, « tantôt sous-terrain, tantôt explicite, mais toujours acharné, l'Opus a tout fait, sous l'ère Wojtyla, pour occuper des postes de pouvoir dans les palazzi du Vatican[37] ».

Dire que les buts que se sont assignés et le pape et l'Opus Dei soient communs serait rapide. Il n'est pas exclu que le projet secret de l'Œuvre soit la prise totale du pouvoir au Vatican. Et que celui du pape ne soit la consolidation par tous les moyens de la présence de l'Église, son renforcement sur le terrain comme le renflouement de ses finances. Chacun étant ainsi réversiblement utile à l'autre. Reste encore la teneur traditionaliste de l'Opus Dei qui, dans la grande dérive morale que connaît aujourd'hui le monde, représente aux yeux de Jean-Paul II un point d'ancrage et de repère. Les numéraires de l'Œuvre ont à cet égard l'affection du pape qui voit en eux une vaillance et une vigueur de cathare qui ne sont pas pour lui déplaire. Lui aussi au temps du cardinal

Sapieha vivait de cette même intensité de foi, fidèle soldat de l'armée de Dieu.

On le voit, des soubassements stratégiques ou inconscients expliquent la présence de l'Opus Dei sous le règne de Jean-Paul II.

De même de nombreux clubs très privés d'obédience catholique ont offert à l'Église leurs services à des fins avouées de défense et de promotion de l'Église dans le monde[38]. Jean-Paul II ne pouvait s'en passer, d'autant que des capitaux considérables étaient jetés dans la balance. Ainsi, le groupe Ampère dont le président, Rémy Montagne, avait défini l'objectif en ces termes: « promouvoir tout ce qui peut aider nos contemporains – les jeunes en particulier –, à croire, à vivre la foi, à acquérir une dignité humaine conforme au vouloir de Dieu ». Citant Jean-Paul II, il ajoutait: le pape « en appelle volontiers et avec insistance à tous ceux qui le peuvent à s'engager sans faiblir dans ces réalités de la presse, de l'édition et de l'audiovisuel[39] ». Le groupe Ampère, avalé par le holding Media-Participations (siégeant en Belgique), possède désormais 30 p. 100 de la BD et 50 p. 100 de la presse catholique en France et en Belgique, s'est attribué la publication de la catéchèse de Jean-Paul II et étend ses compétences aux cassettes vidéo dont on sait l'importance que Jean-Paul II leur accorde pour la diffusion de son message à travers le monde entier.

Paranoïa ou pur fantasme de journaliste? Comme la dialectique de l'extrême droite est fondée sur la menace d'une Internationale socialiste, d'un rassemblement occulte de francs-maçons, de juifs et de communistes, on parle d'une Internationale charismatique ou catholique, que gèrent des lobbies puissants, finançant à coups de milliards. Ainsi le magnat hollandais Piet Dirksen, que sa « conversion » due à une guérison miraculeuse aurait incité à « témoigner pour l'amour de Dieu » – c'est le nom de l'« ordre » qu'il a créé –, en vendant ses parts de capitaux engagés dans les fameux parcs de loisirs, Center Parks, pour les replacer dans des entreprises caritatives, des structures hospitalières, des entreprises de presse, propres à former des journalistes chrétiens, des médias tout favorables à Jean-Paul II auquel Piet Dirksen voue un culte absolu. On parle encore de ces groupes charismatiques, les Béatitudes (ex. Lion de Juda), Communion et Libération, Emmanuel en France, qui œuvrent activement pour la promotion de l'Église et accaparent lentement les structures étatiques du Vatican. Jean-Paul II n'est pas sans savoir que ces « mariages » occultes ne sont pas dénués de dangers. Ces mouvements laïcs, le plus souvent de structure « fanatique » et sans états d'âme, peuvent à court terme, certes, servir l'Église et renforcer son autorité dans le monde (un des sièges les plus activistes se trouve à Bruxelles, capitale de l'Europe), mais à long terme menacer le pouvoir central lui-même. C'est cet équilibre très fragile que Jean-Paul II gère avec hardiesse et habileté.

Pape médiatique, pape superstar, les épithètes n'ont pas manqué pour désigner Jean-Paul II. A Cracovie, le cardinal Wojtyla savait déjà combien il est nécessaire de s'appuyer sur tout un réseau de communication pour « faire passer le message ». En matière d'évangélisation, il a toujours professé l'idée, issue de Vatican II, qu'il « est nécessaire de rappeler les chrétiens aux vérités évangéliques[40] ». A ses yeux, il n'y a pas de meilleur moyen de faire entrer l'Église dans le IIIe millénaire que d'user des moyens de communication les plus performants de la technologie moderne. Outre l'image d'une papauté enfin dynamique et « dans le coup », l'avantage de répandre grâce aux outils de presse sophistiqués le message et l'enseignement de l'Église est non négligeable.

Aussi, considérant, comme il l'a rappelé courtoisement mais fermement à l'ensemble de la profession journalistique, dès le 21 octobre 1978, que « les faits d'Église sont [...] plus difficiles à saisir pour ceux qui les regardent, [...] en dehors d'une vision de foi et plus encore à exprimer à un large public qui en perçoit difficilement le vrai sens», prouvant qu'on n'est jamais mieux servi que par soi-même, Jean-Paul II va créer des organes et des agences de presse propres au Vatican et dépendant strictement de lui. Ainsi ne sera «vendu» et diffusé au monde que ce que le Saint-Siège souhaite, dans le domaine de la relation des voyages et des images du pape.

Mieux encore, le grand dessein du pape de porter l'Église partout dans le monde va se trouver conforté grâce à la réalisation du programme satellite Lumen 2000, qui pourvoira l'Église de son propre réseau à projection planétaire. La catéchèse se répandra ainsi sur tous les continents, véhiculant le message le plus fidèle de l'Église. Ce vaste projet, qui ne pouvait se réaliser que grâce à des fonds gigantesques, trouva son mécène dans le fameux milliardaire Piet Dirksen qui, s'inspirant des expériences déjà accomplies en ce domaine par les charismatiques américains, n'eut de cesse, par une diplomatie aussi secrète que diligente, d'obtenir l'accord du Vatican. L'évangélisation du IIIe millénaire accomplie sur le mode télévisuel put ainsi commencer dès 1987, grâce à des lobbies extrêmement zélés.

Même tactique médiatique pour diffuser dans la presse écrite la ligne pastorale de Jean-Paul II. Les succès de librairie stupéfiants enregistrés ces dernières années par la publication du *Catéchisme pour l'Église universelle* et de la dernière encyclique, *La Splendeur de la vérité*, témoignent de l'intérêt et peut-être du désarroi spirituel des chrétiens d'aujourd'hui, cherchant des points d'ancrage sûrs, mais ils manifestent aussi la formidable orchestration éditoriale des services de communication de l'Église et leur adaptation aux méthodes modernes de promotion. Le catéchisme, dont l'idée est due à l'évêque de Boston Mgr Law en 1985, a donc nécessité près de sept années de travail de la part de la commission pontificale chargée de veiller à la vérité doctrinale et aux inflexions spécifiquement wojtyliennes. Si le succès en est immense, il a néanmoins été l'objet de critiques sévères non seulement de la part des laïcs (enseignement traditionnel, déphasage par rapport aux mœurs, retour d'une piété digne des catéchismes du XIXe siècle) mais encore de certaines instances religieuses qui dénoncent les « oublis » ou les condamnations timorées de certains fléaux comme l'arme nucléaire.

Il n'empêche que Jean-Paul II, par ces forces sinon occultes, du moins discrétissismes, comme par de vastes programmes pédagogiques relayés par ses propres médias, entend absolument universaliser l'Église en rabotant en quelque sorte tout ce qui pourrait défier l'autorité du magistère et de son magister.

Cette tentative de « fondamentaliser » l'Église vient singulièrement affronter les périls d'un islam agressif et affirmer ainsi la pérennité du message du Christ.

Les chrétiens seront ainsi, aux yeux de Jean-Paul II, « à l'avant-garde » d'un monde dont ils auront, grâce au message de Salut que le Christ leur a proposé, à restaurer la grandeur et à éliminer les déviances.

La tâche que le pape s'était fixée, dès le début de son pontificat et bien avant, dans la conception qu'il s'est toujours faite de sa vocation sacerdotale, s'accomplit patiemment et méthodiquement.

« [...] Conduisez-vous en enfants de lumière, [...] ne prenez aucune part aux œuvres stériles des ténèbres [...]. »

(Eph., 5, 8-11, cité in *La Splendeur de la vérité*.)

Entre l'enthousiasme d'octobre 1978 et le désappointement des années 90, voire le désarroi des chrétiens eux-mêmes, la position de Jean-Paul II a-t-elle réellement changé en matière de morale ? Que s'est-il passé pour que beaucoup de fidèles et la plupart des observateurs laïcs, occidentaux surtout, aient manifesté leur désapprobation face aux interventions pontificales en ce qui concerne la sexualité, le sida, la vie familiale et qu'ainsi la confiance et l'autorité que le Saint-Père avait su inspirer se soient effritées au point que certains souhaitent sa démission, comme s'il n'était plus « en phase » avec la société contemporaine ? Le pape, qui avait toujours voulu être symboliquement « le pape de l'an 2000 », ne serait-il pas apte à passer ce seuil, et de moderne qu'il était apparu aurait-il recouvré l'image convenue de ces évêques polonais dont Mgr Wyszynski déplorait qu'ils fussent « si souvent accusés d'idées rétrogrades, d'obscurantisme et d'attachement à des privilèges féodaux[41] » ?

Jean-Paul II est apparu au cours de son long pontificat comme un défenseur acharné des droits de l'homme, rejoignant en cela les préoccupations de ses contemporains. Sa personne est indissolublement attachée à la chute des régimes totalitaires, particulièrement à l'Est.

Sa foi et ses efforts à travers le diocèse du monde pour restaurer une ferveur vacillante, chasser des doutes, raffermir la paix, redonner courage à des populations désespérées sont des acquis inébranlables. Mais ses prises de position en matière de vie morale et privée, contraception, avortement, lutte contre le sida, son intransigeance en ce qui concerne par exemple le sacrement du mariage ont fait de lui un pontife que beaucoup (et pas seulement les anticléricaux convaincus) n'hésitent pas à brocarder, à considérer définitivement comme un « réactionnaire », un « conservateur ». La « croisade » que Jean-Paul II a entamée dès son arrivée à Rome n'est cependant pas nouvelle. La découverte que le monde occidental semble faire aujourd'hui en ce domaine relève du total malentendu ou plus simplement de la méconnaissance de son œuvre pastorale. Pour ceux qui ont analysé sa vie et les nombreux documents qu'il a écrits, ses positions d'aujourd'hui ne sont pas nouvelles et ne témoignent pas d'une évolution radicale. Tout au plus pourrait-on parler d'une crispation de Jean-Paul II sur certains points qui lui tiennent à cœur, comme s'il voulait, face à un monde dont il connaît les faiblesses et les lâchetés, « fait de blocs, de nations et d'individus qui s'acharnent à céder à leur penchant naturel pour le péché[42] », tenter de le purifier, et de lui faire prendre conscience de la transparence évangélique. L'attitude de Jean-Paul II au cours de ces années où son action a été mise en lumière, par les médias et aussi par ses soins, s'est avérée, comme dit Constance Colonna-Cesari[43], « inclassable ». Quand on le croit à l'avant-garde des idées, il peut proclamer une parole qui, soudain, efface la force subversive dont il avait témoigné, et son image revient à celle de ces prêtres obstinément tournés vers un XIXe siècle contre-révolutionnaire. Où donc est Jean-Paul II ? Son combat contre le communisme pourrait faire penser qu'il privilégie la société libérale, or, il accorde des interviews pour en dénoncer les méfaits et les échecs. Le totalitarisme et la société du Veau d'or sont renvoyés dos à dos, pour laisser place à un espace qui est celui de l'Église. N'acceptant pas le dépeçage de Yalta, il ne veut pas non plus accepter les rigueurs de la guerre froide, préférant imposer une voie autre, qui sera singulière et la marque de son passage. A la différence de certains autres prélats et pontifes, Jean-Paul II a une vision philosophique et théologique du monde très personnelle que ses recherches, ses travaux universitaires souvent hors des circuits catholiques, ont permis d'éclairer autrement. Tout se passe comme si Jean-Paul II refusait les modèles en place, et tous les systèmes de référence que le monde, à l'Est comme à l'Ouest, a mis en place. L'encyclique *Redemptor hominis*, la première qu'il ait écrite, précise bien cet angle d'attaque : « Il n'est pas nécessaire de recourir à des systèmes et idéologies pour contribuer à la justice, car l'Église possède, grâce à l'Évangile, la vérité sur l'homme. Cette vérité se trouve dans une anthropologie que l'Église ne cesse d'approfondir et de communiquer ». Autant dire que toutes ses actions « relèvent d'un espace particulier, celui de l'éthique [...], pivot du raisonnement, [...] et trouvent leurs fondements directement dans l'Évangile. Le cercle est bouclé. Il n'y a pas de politique bonne, c'est-à-dire capable d'assurer la vie humaine, qui ne respecte la morale. Cette morale est le lieu exclusif de l'intervention de l'Église en politique ; mais la source de la morale est tout entière dans l'Évangile ; c'est donc l'Église, dépositaire du message évangélique, qui détient les critères d'une bonne politique. Toute l'histoire de l'Occident est ainsi prise à rebours. La géopolitique de Jean-Paul II consiste en une reconquête par l'Église de son autorité[44] ».

En matière de mœurs, la « reconquista » de Jean-Paul II est tout aussi ferme et abrupte. On en parle beaucoup dans la presse qui néglige les autres textes moins « porteurs » et pourtant nombreux, comme ceux concernant la vie religieuse, l'enseignement de Jésus-Christ, toute cette catéchèse qu'inlassablement le pape répète en pédagogue, mais qui sont pratiquement occultés au bénéfice des rappels à la morale, sexuelle surtout, qui frappent davantage les esprits. Il en résulte que la seule connaissance que semblent avoir les contemporains des idées de Jean-Paul II ne porte que sur ces problèmes de morale sexuelle, abondamment répercutés dans une presse pas toujours impartiale, préférant faire du sensationnel, et stigmatisant l'image d'un « Père Sévère » dont l'autorité est vacillante, voire ridiculisée.

L'ancien prieur de Boquen, Bernard Besret, fustige l'inflexibilité de Jean-Paul II : « Votre position est si difficile à tenir, écrit-il, et si incompréhensible pour nos esprits de la fin du XXe siècle que, lors même que vous manifestez votre sollicitude aux femmes bosniaques, violées comme on sait au nom d'une absurde et ignominieuse "purification ethnique", l'opinion publique ne retient de vos propos que la condamnation implicite qu'ils contiennent de l'interruption de grossesse à laquelle certaines d'entre elles ont eu recours. [...] Dans ces situations limites vos certitudes nous font mal[45]. »

Des esprits plus persifleurs et plus voués au pamphlet féroce, comme Constance Colonna-Cesari, n'hésitent pas à dénoncer la violence de ses « diktats » en matière sexuelle, et la « remise au pas » de tout l'appareil[46].

Mais cette « remise au pas » justement, ne peut-on l'analyser autrement que comme une habile stratégie qui aurait consisté à utiliser, à dévoyer les moyens modernes de communication pour mieux imposer une mission préalablement définie ? Quand l'abbé Pierre déclare publiquement que Jean-Paul II est « buté », ne pourrait-on pas plutôt dire au contraire qu'il bute contre toute une « polonitude » dont il n'a jamais vraiment tenté de se débarrasser, dès lors qu'il était devenu le pape de tous les catholiques du monde ? L'âge aidant, les échecs essuyés en certains domaines, particulièrement le désarmement, les massacres ethniques dans sa « chère » Afrique, les irritations qu'il provoque au sein même du

Vatican, et ce que la psychanalyse prétend, à savoir qu'on ne se sépare jamais de son enfance, de sa tradition, tout cet appareil contraignant n'est-il pas venu à bout des intentions libérales d'un pape au départ disposé à « changer l'Église », à lui redonner force et vitalité dans un monde de plus en plus laïcisé, et qui va à sa perte ?

Il s'avère en effet que les déclarations publiques qu'il a faites à propos du problème le plus sensible à l'opinion, celui du sida et des moyens pour endiguer l'épidémie qui risque d'être mortelle pour l'humanité, ne sont pas propres à modifier l'image quelque peu ternie de Jean-Paul II. Sa rencontre avec les milieux scientifiques, à Rome, le 15 novembre 1989, montre son obstination dans le domaine de la prévention contre le sida, et l'apparent décalage avec son temps : « Il apparaît, dira-t-il ce jour-là, blessant pour la dignité humaine, et donc moralement illicite, de développer la prévention du sida, basée sur le recours à des moyens et des remèdes qui violent le sens authentiquement humain de la sexualité et qui sont un palliatif pour ces troubles profonds où sont en cause la responsabilité des individus et celle de la société. »

L'épiscopat français, déjà suspect aux yeux de Jean-Paul II, va prendre ses distances avec Rome, en publiant dès le 9 janvier 1990 un document préconisant l'usage du préservatif, « moindre mal » pour ceux qui, comme dit Mgr Lustiger, sont « incapables d'abstinence »[47]. La campagne contre les propos du pape s'intensifie à mesure que le fléau s'aggrave, et des médecins chrétiens n'hésitent pas à déclarer que « le pape marche à côté de ses pompes » : « L'autorité ecclésiale devrait dispenser un discours purement évangélique, adapté à la période que nous vivons. Je n'ai jamais lu dans l'Évangile une parole qui refuse au prochain le droit d'être protégé[48]. »

Le Vatican néanmoins, devant ces fronts de contestation, n'en démord pas, et *L'Osservatore Romano* déclare que « le seul moyen efficace, c'est d'éviter la cause de la contagion, ce qui, dans 95 p. 100 des cas, revient à s'abstenir de rapports sexuels en dehors du mariage, et de l'usage des drogues». Devant l'ampleur de l'épidémie en Afrique noire, l'archevêque de Yamoussoukro en Côte-d'Ivoire déclare sans ambiguïté que le préservatif «peut être le moindre mal» en tempérant sa position par cette nuance: «Mais nous devons mettre l'accent sur d'autres aspects de la prévention dont on ne parle jamais assez: l'autodiscipline, la continence, la fidélité. On n'insiste pas assez sur le fait que ces comportements sont possibles et que beaucoup les vivent avec succès[49].»

Mais les instances supérieures de la hiérarchie sont divisées, hésitent, ressentent certes le problème comme crucial, à la fois pour le devenir de l'humanité mais aussi pour la fiabilité des principes chrétiens, par essence indissolubles et inaltérables. Si le subversif Mgr Gaillot approuve sans ambages l'usage des préservatifs et de la contraception, Mgr Decourtray, que ses positions libérales ont rendu en son temps fort populaire auprès du public français, n'a pas hésité en 1985 à vouloir faire interrompre la campagne de publicité décidée par le ministre de la Santé, Evin, déclarant: «Si l'on croit que le préservatif, c'est le remède, c'est triste[50].»

Le même cardinal aujourd'hui à Rome auprès du Saint-Père a pris fortement position en faveur des si contestables commandos anti-avortement qui sèment la terreur dans les salles d'opération.

Ainsi le 27 avril 1993, témoignant en faveur de Mme Claire Fontana, devant comparaître devant le tribunal correctionnel de Bordeaux, Mgr Decourtray, dans une lettre à ce tribunal, déclara: «J'ai eu connaissance des actes qui lui sont reprochés par l'exposé que Mme Fontana m'a fait de ses motivations. Elle a voulu se porter au secours de sept enfants menacés d'avortement. L'enfant qui n'est pas encore né est déjà un homme, et de plus un homme innocent. C'est pourquoi le concile Vatican II a énoncé que "l'avortement est un crime abominable" suivant la tradition unanime de la doctrine catholique au cours des siècles. Mme Fontana croit, comme tout chrétien digne de ce nom, que chaque homme a été voulu, dans son identité personnelle unique, par Dieu, qui l'a créé à son image et à sa ressemblance, et appelé par son amour à un rôle irremplaçable sur la terre.» Suit une longue apologie des agissements de Mme Fontana, au terme de laquelle Mgr Decourtray conclut par ces mots: «Voilà quel a été le pari de Mme Claire Fontana. Elle a préféré le jouer presque seule avec quelques femmes et hommes courageux, plutôt que de seulement travailler à des lendemains hypothétiques. Pour ma part, je ne cesse d'encourager les efforts engagés par les fidèles pour la promotion et le respect de la vie humaine naissante, sous diverses formes d'actions complémentaires. Celle de Mme Claire Fontana devrait nous inviter à la réflexion sur le deuil de notre nation, pour ces générations d'enfants dont elle s'est privée.»

Il semble que l'archevêque de Lyon ignore les actions extrêmement violentes de ces commandos fanatiques, ce qui expliquerait la relative indulgence qu'il accorde à Mme Fontana. Des groupes de «chrétiens anonymes» envahissent les services hospitaliers où l'on pratique les IVG, interviennent dans les blocs opératoires, se dressent entre la patiente et le corps médical, se livrent à des prières, brandissent des crucifix, égrènent des chapelets, scènes surréalistes qui, prônant la non-violence, se transforment en actes terroristes. Ces méthodes provenant des États-Unis font néanmoins l'admiration du clergé si l'on veut bien en croire le père de Dinechin, jésuite et délégué de l'épiscopat pour «les questions morales concernant la vie humaine»: «Je suis heureux, dit-il en évoquant les États-Unis, de voir que dans un pays où une loi a tout libéralisé de façon absolument épouvantable en matière d'avortement, les consciences se réveillent. Et cette question éthique, c'est la question de notre fin de siècle, et peut-être du siècle suivant.» Olivier de Dinechin a raison d'affirmer que la «question éthique» est celle qui hante les consciences des dernières années du siècle. Loin de nous de penser que l'avortement est un moyen de contraception légalisé. Mais peut-on pour autant légitimer des actions brutales et agressives, violant les consciences de celles qui décident à tort ou à raison de pratiquer sur elles-mêmes une interruption volontaire de grossesse ? Est-ce à des commandos d'origine le plus souvent douteuse au plan politique à légitimer de telles actions, à se poser en croisés conquérants de l'Évangile ?

L'utilisation abusive (?) de l'image de Jean-Paul II dans le logo de l'association La Trêve de Dieu – le pape portant à bout de bras un nouveau-né – traduit les courants souterrains que le Vatican utilise pour conforter sa position dans le combat qu'il mène pour la défense de la vie humaine. S'il est normal et légitime que le successeur de saint Pierre soit intransigeant sur le principe du maintien de la vie, il semble étrange qu'il accepte de cautionner des associations dont il ignore sûrement toutes les implications et les agissements névrotiques. Il n'est qu'à voir les émissions télévisées auxquelles certaines de ces associations ont participé pour s'en convaincre : violences verbales, exhibition d'un fœtus en plastique à chaque mois de son évolution, discours inquisitorial et fanatique, etc.

Ce sont de tels agissements qui ont fortement irrité l'opinion internationale.

On considère par ailleurs que le discours de Jean-Paul II le 6 février 1993 à Kampala en Ouganda fait figure de message universel et propre à exprimer sa pensée. Ce matin-là, dans le stade Nakivubo, devant quelque soixante mille jeunes Ougandais, Jean-Paul II a prononcé une allocution clé qui vaut pour tous les peuples. Avec son habituelle convivialité et ce sens de la rencontre qu'il manifeste à chaque voyage, le pape a parlé le langage des jeunes, s'est mis, comme il l'a toujours fait, depuis Cracovie, à leur niveau de langage, et au niveau de leurs préoccupations : « Chaque jour, vous devez fuir le tourbillon du bruit et de la confusion, rester silencieux et calmes

[...] mais le prince de ce monde cherche souvent à éteindre votre lumière. » Évoquant la mission des jeunes, où qu'ils se trouvent, il déclare en usant plusieurs fois du verbe devoir que « la vocation à la chasteté est essentielle. [...] Le Seigneur veut que nous usions de notre sexualité selon son projet. [...] Sans les liens du mariage, les rapports sexuels sont un mensonge. [...] La chasteté vous fait grandir dans l'amour des autres et de Dieu. [...] Le lien sexuel de la chasteté est l'unique manière sûre et vertueuse pour mettre fin à cette plaie tragique qu'est le sida, que tant de jeunes ont contracté. [...] Le monde contemporain a besoin de ce genre de révolution ! »

De telles assertions assenées dans un continent qui risque d'être rayé de la carte du monde pour cause de sida sont apparues aux yeux de tous les observateurs politiques comme « criminelles ». Une grande contestation s'est élevée pour dénoncer l'« irresponsabilité » du pape et de ses conseillers. Mauvais procès intenté contre le pape ou bien révolte existentielle sincère ? L'ex-père Besret rétorque : « Des milliers de morts du sida, peut-être des millions ne comptent pour rien à vos yeux par rapport à l'horrible offense faite à Dieu par l'usage d'un préservatif. On croit rêver. Malheureusement on ne rêve point. Sur ce point vous êtes parfaitement cohérent avec vous-même. Pour vous, la sexualité est ordonnée de toute éternité à une seule fin : la procréation. Le préservatif, par les qualités de son latex, s'y oppose. Il est donc intrinsèquement mauvais. [...] Il ne reste donc plus qu'un seul choix : le risque de la mort ou la chasteté[51]. »

Et d'achever son réquisitoire en ces termes : « C'est parce que vous faites parler Dieu que vos déclarations sont intolérables[52]. »

La colère de Bernard Besret rejoint beaucoup d'autres indignations surtout en France, mais il est vrai qu'une tradition d'incompréhension a toujours sévi entre la « fille aînée de l'Église » et l'actuel pape.

Il n'empêche que Jean-Paul II reste intraitable. Si l'on

en croit une de ses oreilles attentives, André Frossard, il est inimaginable de penser que le pape reviendra sur cette position. Il sait néanmoins que beaucoup de membres de ses Églises locales composent avec les moyens mis en place pour lutter contre le sida et préconisent parfois ouvertement le préservatif : plus à même de constater sur le terrain les dangers d'une démographie galopante ou d'une épidémie qui décime des pays entiers, ils lâchent progressivement du lest et Jean-Paul II ne s'y oppose pas ostensiblement. Il lui appartient de veiller à ne pas faire dévier la Parole. C'est cette formidable ferveur et cette foi inexpugnable dont il est le garant qu'il veut, lui, exprimer au risque de la solitude et de l'incompréhension. C'est pourquoi il apparaît que Jean-Paul II, aujourd'hui malade et diminué physiquement, isolé dans la Curie, poussé à la démission au point de devoir démentir la nouvelle impudente, vit les temps les plus saints de sa vie : ceux du martyre qui consiste à ne pas être entendu des siens, à subir leur indifférence ou leurs sarcasmes, à ne pas avoir réussi à imposer sa certitude. Mais que peut-on attendre par ailleurs d'un souverain pontife qui a pour mission de perpétuer la tradition et de ne rien lâcher du dépôt ? A court terme, il est sûr que ses propos ne répondent pas à l'attente de la majorité des chrétiens et des couples qui souhaitent que la plus haute instance morale du siècle puisse approuver, sinon leurs excès sexuels, du moins une libéralisation sexuelle promue par une avancée des consciences et de la technologie. Mais à long terme, il n'est pas évident que Jean-Paul n'ait pas raison de maintenir sa position. Dans un siècle qui a révélé son impuissance, ses échecs, a paradoxalement avancé dans le progrès et régressé dans la morale, a fait de l'état du monde un état de deuil plus qu'un état d'Alliance, est-il si incongru que cela de tenir le cap d'une vraie échelle des valeurs, de marteler des idées de fidélité, de sexualité tempérée, maîtrisée, de couple, d'unité, autant d'Églises à bâtir chez soi, en union avec le monde ?

Est-ce le devoir et le rôle d'un souverain pontife que de déclarer tout de go à l'instar de Mgr Gaillot, à l'indulgence bien trop grande et aux ambiguïtés médiatiques bien suspectes, que « tout est permis », quand sa conviction profonde et celle dont il est le porteur désignent l'ascèse, le silence, la réconciliation entre les êtres comme les clés d'un monde harmonieux, délivré du fameux « péché » ?

Là encore, l'expérience personnelle dans une Pologne livrée aux envahisseurs, souffrante et douloureuse, revient comme une donnée existentielle fondamentale. « Beaucoup grandissent, en étant blessés dans leur esprit, indifférents aux vertus et aux valeurs spirituelles, qui, seules, peuvent assurer le vrai bonheur et l'authentique progrès de la société. Cette crise spirituelle frappe surtout les jeunes, de qui dépend l'avenir de votre pays », déclare-t-il aux jeunes Ougandais, se souvenant toutefois de sa patrie. La Pologne est rivée, on le sait, au cœur de Jean-Paul II. Il sait les vicissitudes par lesquelles elle dut passer depuis mille ans pour accéder à une démocratie même contestée, comme le gouvernement du pourtant aimé Lech Walesa est perçu aujourd'hui.

Il voudrait communiquer au monde entier les ancrages spirituels dont il sait aussi qu'ils sont fondateurs de l'être. C'est cette espérance pathétique, peut-être vaine, comme il doit quelquefois le soupçonner, qui l'oblige à durcir sa position. Mais encore une fois, cette position est bien celle que le cardinal Wojtyla a toujours soutenue, et même auparavant, au temps des études à Wadowice ou de la clandestinité.

Dès ses premiers textes poétiques, Jawien-Wojtyla développe les motifs de la rencontre, de la marche pèlerine, de la « nuit d'étoiles » que Jésus lève, de la présence, de la source. Malgré l'aridité des âmes.

> Ferme à demi les yeux, l'espace se remplira d'insondables substances, les ténèbres des hommes s'écarteront, le bien en jaillira.

La récurrence de ces thèmes montre la constance de la pensée wojtylienne, il n'y a de rédemption que dans ce travail sur soi, de soi, cette quête des origines et de la naissance, de la splendeur de la source. Quelle autre parole un prêtre, un pasteur d'hommes peut-il proférer que celle de l'élévation, de la hauteur de l'esprit et de l'âme ?

La parole de Jean-Paul II n'est pas en ce sens contingente de sa fonction, mais de cette conception de la vie religieuse qu'il a toujours énoncée. Que le siècle ne trouve pas de coïncidence avec elle est un autre problème que lui, devenu pape, infiniment lucide sur le désir du vide, du rien, du gouffre qui anime tout homme, mais infiniment espérant, cherche à résoudre. Cette résolution porte l'exigence de la vérité, ce qu'il nomme dans son encyclique la « splendeur de la vérité », élan qu'il ne cesse de proclamer, de susciter et qui, pour beaucoup, tombe dans le grand puits de l'oubli, de l'indifférence et du sarcasme.

En matière de morale privée, pour Jean-Paul II, la catéchèse qu'il déploie commence d'abord par la famille, « premier séminaire ». Sans elle, « comment les enfants, rendus moralement orphelins, peuvent-ils grandir dans le respect des valeurs humaines et chrétiennes ? Comment, dans un tel climat, les germes de vocations peuvent-ils se développer, germes que le Saint-Esprit ne cesse de déposer dans le cœur des jeunes générations[53] ? »

C'est l'acuité du ton et la fréquence des interventions qui font croire en apparence à une obsessionnalité de Jean-Paul II ; mais ce qu'il dit n'est rien d'autre que ce que le magistère de l'Église a toujours proclamé. Seules interviennent ici la sensibilité du pape actuel, sa manière d'appréhender ces problèmes, et son expérience personnelle, polonaise. La poésie slave a toujours ressenti avec violence, après la Première Guerre mondiale, les temps de déréliction qui s'annonçaient. Poésie spirituelle, elle a déploré la perte progressive de l'identité de l'homme, et éprouvé, de l'intérieur si l'on peut dire, la glaciation d'une société qui « tuait » l'individu. « Après la "mort de Dieu", la mort de l'homme », comme le déclare à propos de Gombrowicz son critique Jelenski. Comme Czeslaw Milosz, Karol Wojtyla sait que pour s'attaquer aux pouvoirs totalitaires, il faut glorifier l'homme, lui rendre sa dignité, lui restituer les valeurs d'amour et de fidélité au divin qui ont été dissoutes par les appareils réducteurs.

Aussi ce que Jean-Paul II énonce, c'est une vision de l'Évangile relue par la conscience et la spiritualité slaves, une lecture de qui a connu la persécution de ses frères et leur martyre.

La famille donc, premier « sanctuaire », premier « autel » de l'Église, première église même où se fonde l'homme, où ses valeurs s'édifient, mûrissent, lui font prendre conscience de sa dignité d'homme, font de lui un homme de bien, un homme de Dieu. La famille, lieu des « forces vives » qui forgent l'homme, lieu protégé, archétypal du Jardin et qui, à l'abri des « sutures du monde » annonce « la parole des retrouvailles ».

La lettre aux familles que Jean-Paul II leur adresse en ce début d'année 1994 pour célébrer l'Année de la famille est le testament moral le plus dynamique que le pape ait écrit. Sorte de synthèse de tout ce qu'il a déjà éprouvé, vécu, enseigné, catéchisé, propagé, cette Lettre rassemble d'une manière prophétique toutes ses craintes et ses espérances.

« Le Veau d'or et le mirador » comme disait André Frossard[54] pour métaphoriser le capitalisme et le communisme ne sont pas terrassés, mais tout aussi condamnables. Il faut que les familles tentent de leur opposer la « civilisation de l'amour » : « Nous nous trouvons, écrit le pape, en face d'une énorme menace contre la vie, non seulement d'individus, mais de la civilisation tout entière. [...] Une "civilisation de la mort" se confirme de manière préoccupante[55]. »

La vision pessimiste n'est jamais absente chez Jean-Paul II, la Croix est le passage obligé de cette humanité, dont le Christ a fait avant elle l'expérience terrible. La famille est alors la promesse rédemptrice, le signe de l'espérance à vivre. C'est pourquoi le pape attache une importance capitale à la sauvegarde du sacrement du mariage, à son mûrissement toujours plus intense, à la fidélité, au respect de sa présence, à la vigilance de l'amour qui doit circuler dans la famille, à la nécessité de l'accueil et du don, y compris celui de l'embryon. Cohérence d'une éthique qui glorifie toujours l'homme, et rejette toutes les formes du mépris contre l'homme. L'Évangile de la famille ainsi proclamé est celui qui enseigne que la famille est au centre de toutes les dissensions du monde, « entre le bien et le mal, entre la vie et la mort, entre l'amour et tout ce qui s'oppose à l'amour[56] ».

Pour que la « famille soit forte de Dieu », selon la belle expression que Jean-Paul II utilise, il faut qu'elle « s'approprie les forces du bien [...] dont la source se trouve dans le Christ Rédempteur de l'homme[57] ».

L'exhortation du pape n'est pas convenue ni traditionnelle, elle appelle à un surcroît de vigilance et de don, dans des temps qu'il compare à ceux de l'agonie, du deuil : Gethsémani et Golgotha ne sont jamais éloignés de l'homme.

Les thèmes favoris du pape, ses hantises et ses angoisses personnelles ravivent ainsi la parole officielle de l'Église sur la famille. Rejetant le néo-positivisme, méfiant à l'égard du progrès, franchement hostile au confort, aux techniques quand ils anesthésient la conscience humaine, il veut encore et toujours réhabiliter la relation humaine, le dialogue, la grandeur de la personne en ce qu'elle a de capacités d'échanger, de donner, d'accueillir : vivre « en communion », servir la vérité dans l'amour, « don de la personne à la personne », « exprimer en plénitude son humanité », considérer la famille comme une « société primordiale et, en un sens, souveraine », dispensatrice de culture, solidaire des droits de l'homme, enfin « épouse du Christ », car « c'est seulement s'ils prennent part à cet amour et à “ce grand mystère” [celui de l’Époux], que les époux peuvent aimer “jusqu’à la fin”[58] ».

La construction du « sanctuaire » se fait donc contre les tentations du « père du mensonge[59] » qui « pousse constamment à prendre des voies larges et dégagées, à l’apparence facile et agréable, mais sont en réalité remplies de pièges et de dangers[60] ».

Les voies du « père du mensonge » sont donc multiples et dangereuses. Le pape slave, amoureux des grands lacs et d’une nature sauvage, nostalgique d’une communauté patriarcale et rurale, connaît néanmoins la double face des techniques modernes, les immenses services qu’elles ont pu rendre à l’homme et l’asservissement où elles peuvent l’entraîner et il n’est pas loin de penser que « le prince des ténèbres », comme il appelle Satan, se cache derrière elles. Ainsi la télévision est-elle pour lui une source de progrès mais aussi un redoutable danger pour le « sanctuaire » familial. Si elle peut « resserrer les liens entre les membres de la famille et encourager leur solidarité à l’égard des autres familles et de la communauté humaine », elle peut aussi contribuer à « inculquer le relativisme moral et le scepticisme religieux, en divulguant des comptes rendus faussés ou des informations manipulées »[61].

La longueur du message indique que Jean-Paul II pense que la télévision est surtout un outil de division et d’erreur : deux termes qu’il a toujours combattus. S’adressant aux personnels responsables, il les exhorte à se faire « les promoteurs d’authentiques valeurs spirituelles et morales et d’“éviter tout ce qui porte tort à la famille dans son existence, sa stabilité, son équilibre et son bonheur”[62] ».

De tels messages sont souvent reçus de la part de l’opinion internationale comme des intrusions scandaleuses de Jean-Paul II dans la vie quotidienne. Pire, ils apparaissent comme un discours stéréotypé et figé qui ne fait pas cas des réalités du monde moderne. La plupart du temps parcourus, ou synthétisés partiellement ou tendancieusement, ces textes ne recueillent pas l'écoute spirituelle qu'ils réclament. Jean-Paul II en est parfaitement conscient mais il poursuit la tâche qu'il s'est assignée avec une intransigeance et une constance qui finissent par forcer l'admiration comme si le monde avait besoin, confusément, de ces êtres « garde-fous », à la portée visionnaire, qui témoignent envers et contre tous de la « splendeur de la vérité ».

Érotisme, violence, pornographie, apologie du divorce, attitudes antisociales, avortement, sexualité débridée sont parmi les maux les plus destructeurs du siècle aux yeux de Jean-Paul II. « Ne vous modelez pas sur le temps présent », exhorte-t-il, reprenant en cela l'Épître aux Romains[63], et invoquant l'« esprit de discernement ». Le désarroi du monde est tel que Jean-Paul II martèle les vérités de l'Évangile avec une insistance qui, en effet, gêne et indispose les instances temporelles. Il répète inlassablement « la question fondamentale que le jeune homme de l'Évangile posa à Jésus : "Maître, que dois-je faire de bon pour obtenir la vie éternelle ?"[64] ».

Il est vrai que les déclarations de Jean-Paul II relèvent aux yeux de la plupart des chrétiens et de ceux qui le contestent d'une excellence qu'ils ne se sentent pas capables d'assumer. Même s'il affirme que « cette vocation à l'amour parfait » que Jésus assigne à tout homme « n'est pas réservée à un groupe de personne » mais à tous[65], la « violence » de cet appel et ce qu'il exige de force morale semblent hors de mesure du monde contemporain. C'est pourquoi l'ex-père Besret parle à ce propos de « christianisme intégral pour tous » qui friserait l'« intégrisme ». « Jésus, tel que vous le voyez, édicte des "normes universelles et objectives" bonnes pour tous de manière uniforme. [...] Excusez-moi, mais je ne trouve pas ce Jésus-là dans mon texte des Évangiles[66]. »

On discerne là le malentendu fondamental et latent qui sépare la conception que l'Église se fait de la sexualité de celle, laïcisée, désinstitutionnalisée dont parle Bernard

Besret et ceux qui la conçoivent comme unique « lieu du plaisir, de l'énergie vitale et de la joie de vivre[67] ».

C'est ignorer le discours que le magistère tient depuis longtemps sur le sujet et auquel renvoie Xavier Thévenot, père salésien professeur de morale à l'Institut catholique de Paris. Ce discours selon lui possède trois dimensions : la première, la plus fondamentale, est que l'amour est d'abord rencontre, union, relation de l'un à l'autre, la seconde considère que l'amour se transcende dans la fécondité et la troisième, moins fortement exprimée certes mais réelle, prend en compte le plaisir que l'on trouve rapporté dans les textes magistériels sous l'expression d'union[68].

L'harmonie dont parle Jean-Paul II dans ses discours aux jeunes ne dit rien d'autre : « Une sexualité "juste", au sens où elle se calque par sa "justesse" sur l'harmonie cosmique, doit savoir faire le lien entre ces trois dimensions. En gommer une serait altérer le sens que Dieu a donné à l'être d'être en harmonie avec lui, "instrumentaliser le corps, chosifier la personne"[69]. »

« Quand Dieu nous a créés, il nous a donné plus d'une manière de "parler" entre nous, déclare Jean-Paul II dans son discours en Ouganda du 6 février 1983. Non seulement nous nous exprimons par des paroles, mais nous nous exprimons aussi par l'intermédiaire de notre "corps". Les gestes sont comme des "paroles" qui relèvent ce que nous sommes, les actes sexuels sont comme des "paroles" qui révèlent notre cœur. Le Seigneur veut que nous usions de notre sexualité selon son projet. »

Il faut donc établir des passerelles entre les trois dimensions de la sexualité, relationnelle, de fécondité, d'union, mais encore ne pas considérer que la sexualité est une « affaire privée, mais sociale ». Livrer sa sexualité à l'instinct, ou à la « seule spontanéité des psychismes » est un risque pour la société elle-même : « C'est perturber le tissu social, puisque c'est perturber le rapport homme-femme. » C'est pourquoi X. Thévenot reconnaît à la sexualité envisagée selon le regard de l'Église une dimension sacrale.

« Pour un chrétien, mariage signifie mariage sacramentel », déclare Jean-Paul II dans ce discours de Kampala. La liberté sexuelle déchire ainsi l'harmonie voulue par Dieu, fait reculer la promesse du Royaume, alors que le mariage dans sa conception sacramentelle, tendant au don mutuel par la fidélité, est déjà promesse du Royaume. Penser aujourd'hui que la sexualité ne concerne que soi installe le couple dans une violence qui crée des rapports de force. Thévenot touche là au problème majeur : la sexualité, pensée uniquement comme plaisir, ignore l'autre, le détruit. La sexualité prônée par l'Église ne tient compte que de l'autre : « Donner votre corps à une autre personne, c'est vous donner tout entier à cette personne », rappelle Jean-Paul II.

La débâcle d'une civilisation occidentale en laquelle le christianisme avait trouvé ses racines n'est pas la moindre détresse du pape actuel. Le rejet de la spiritualité dans les pays de l'Est, leur soif de consommer et de « vivre » à l'instar de ce qui s'est passé en Espagne après la chute du franquisme (sexualité libérée, invasion pornographique, laxisme sexuel, « vagabondage sexuel », etc.), la chute de fréquentation des églises en Pologne même contribuent à durcir le ton de Jean-Paul II, qui n'ignore pas les dérives humaines, les freins que s'imposent eux-mêmes les hommes, les chutes mais garde cette faculté d'espérance qui lui fait croire à leur fatale rédemption. C'est pourquoi il porte cette parole d'altérité en usant toujours de la lumière, en défiant les forces obscures, en posant bien les enjeux, au risque d'aller momentanément à contre-courant.

La sexualité qu'il enseigne aux jeunes, et quel homme de bonne volonté, quel père, quelle mère pourraient s'en plaindre, les plus athées soient-ils ? c'est celle de l'accueil aux autres, du don de soi, du respect, de la fidélité, de la vérité : « La force de votre futur amour conjugal dépend de la force de votre effort pour apprendre le véritable amour », leur dit-il. Quel père, quelle mère, encore une fois, souhaiterait pour ses enfants une sexualité fondée sur le mensonge, la facilité, l'égoïsme ? C'est pourquoi le débat sur la sexualité ne dépend pas seulement de la catéchèse adaptée aux jeunes, mais aussi de la famille, tabernacle de l'Église. La famille est essentielle dans l'apprentissage de l'enfant et doit elle aussi enseigner que tout est régi par la relation à l'autre. Hors de cela, il n'y a que mensonge et chaos. Il ne s'agit donc pas de vivre, comme le dit Bernard Besret, sous « le mode de la soumission [...] ou sous celui de la transgression », mais dans une relation consciente à l'autre, sachant que si l'on n'est pas marié, on admet par là que l'on peut changer d'idée dans l'avenir, et que « le don total serait absent ».

On comprend mieux dès lors la colère de Jean-Paul II, qui reprend la plupart des discours déjà énoncés par Paul VI, mais avec cette singularité de l'urgence et de l'acuité, comme si les temps, imperméables à la parole sacrée, renonçant au projet de Dieu, faisaient la guerre. La seconde évangélisation prônée par le pape procède de cette désaffection du monde moderne : qui donc, autre que lui, pourrait la conduire ?

Les objections que le monde oppose à la morale énoncée par le magistère via Jean-Paul II se fondent sur la revendication d'une plus grande et toujours plus totale liberté personnelle. Le pape, en premier lieu, parle au chrétien, à l'exigence chrétienne, et à la morale qu'elle enseigne. Cette exigence ne peut accepter « l'amour comme une collection d'orgasmes », comme le déplore une catholique interviewée dans un magazine[70].

Il ne peut être que « connaissance » de l'autre, c'est-à-dire don de soi à l'autre, avènement de soi au mystère de l'autre, en ce sens préfiguration de la beauté de Dieu. L'amour doit alors être vécu comme une sorte de quête spirituelle qui ramène à l'origine, à la notion d'émerveillement et d'innocence. L'exigence est « exorbitante » ; Michel Del Castillo, considérant que cette exigence est « autoritarisme et ordre moral », déclare que l'Église fait ainsi « la démonstration de son incapacité à joindre les hommes là où ils se trouvent. On me rétorquera qu'elle défend sur ce point l'essentiel. Si c'est le cas, je renonce à cet absolu-là, qui abandonne les hommes au plus terrible risque. J'opte pour une moralité moins orgueilleuse, d'abord attentive à des souffrances et à des agonies évitables[71] ». Les propos du romancier résument toute la difficulté qu'a l'Église de faire passer son message en la matière. Accusée a priori de frilosité et de pudibonderie, de sectarisme et d'intransigeance, peut-être du fait d'une longue histoire, elle ne parvient pas à se faire entendre. La compassion de Jean-Paul II, les nombreuses commissions créées pour aider les malades du sida, les visites systématiques du pape dans les services où sont soignés ces malades et le discours qu'il y tient ne sont cependant guère ambigus : « Le fléau du sida est un défi pour tous. Comme l'ont justement observé les évêques de l'Ouganda, "il faut affronter cette situation qui frappe tout le monde, avec solidarité, beaucoup d'amour et de sollicitude pour les victimes, [...] et un grand effort pour renouveler le style chrétien de vie morale"[72] ».

Si le préservatif reste dans les plus hautes sphères ecclésiales une panacée bien dérisoire ou au mieux un pis-aller (voir le conseil de Mgr Dubost, évêque aux Armées : « A ceux qui ont décidé d'avoir une vie sexuelle active et multiforme, je leur dis d'utiliser, si besoin est, un préservatif[73] »), la solution d'absolu que Jean-Paul II énonce est celle de la fidélité. Cautionner le préservatif pour jouir d'une vie sexuelle débridée serait aller à l'inverse de ce que l'Église n'a cessé d'enseigner, y compris dans les Évangiles. La parole, abrupte, de Jean-Paul II dans une société qui aime qu'on la flatte et qu'on lui fasse des concessions mériterait d'être alors tempérée : le risque d'une Afrique rayée de la carte du monde en est l'enjeu majeur. Il y a forcément un discours d'absolu à tenir mais aussi un discours de prévention et d'urgence. Or, Jean-Paul II n'est pas loin d'admettre que l'extension du fléau du sida est un signe de la colère de Dieu, au même titre que la destruction de Sodome et de Gomorrhe, et que les souffrances infligées à ces malades sont une « occasion de grâce pour promouvoir la renaissance morale de la société[74] ».

C'est cette inflexibilité et cette apparente dureté qui déconcertent le monde et les chrétiens eux-mêmes.

Mais le discours et la pensée de Jean-Paul II relèvent de l'épique et du martyre. Ses propos sont totalement opposés aux valeurs de l'argent et du pouvoir sous toutes ses formes, ils dérangent le conformisme ambiant et c'est pourquoi ils sont déformés, brocardés, refusés.

« L'erreur de l'homme, déclare Jean-Paul II à André Frossard, et je crois bien que le pape me dit "son péché", corrige celui-ci, est de vivre comme si Dieu n'existait pas[75]. »

L'aspiration à la sainteté dont dépend toute approche chrétienne n'est certes pas dans le goût du siècle. Jean-Paul II, qui connaît l'Histoire, pour l'avoir subie, pour savoir, comme dit encore Frossard, que la pente naturelle des hommes « est le totalitarisme[76] », n'a cure de plaire. Ses pratiques médiatiques sont sûrement ses ultimes concessions au siècle. « J'ai, confie-t-il à André Frossard, à me préoccuper de plaire à Dieu[77]. »

XV

L'AFFIRMATION DU MAGISTÈRE : ENCYCLIQUES ET CONSTITUTIONS APOSTOLIQUES

L'activité pastorale de Jean-Paul II est dans le droit fil de celle qu'il déployait au temps de son sacerdoce polonais : rythmes intenses, régularité dans les publications, instauration de rencontres et de visites sur le terrain, mobilisation extrême de la pensée, écoute aiguë de l'état du monde, catéchèse toujours réactualisée, création de réseaux multiples, toute une stratégie de propagation du Message que relaient les innombrables textes officiels que publient les éditions du Vatican : constitutions apostoliques, homélies et discours, prononcés tant à Rome qu'au cours des grands voyages, et bien sûr encycliques. Ce sont elles qui définissent la ligne de l'Église, et ont pour but de raffermir et de mieux expliquer des points précis de doctrine et de morale. Particulièrement fécond en ce domaine, Jean-Paul II a publié de 1979 à 1994 dix lettres encycliques qui ont pour beaucoup d'entre elles (*Redemptor hominis*, *Laborem exercens*, *Veritatis splendor* surtout), bénéficié d'une large « couverture » médiatique orchestrée d'ailleurs par les services de presse du Vatican avec beaucoup d'efficacité. Il est vrai que depuis longtemps le pape a compris que le meilleur moyen de communiquer la doctrine de l'Église était d'utiliser tous les outils modernes de communication. Aussi s'en sert-il avec une virtuosité exemplaire : la dernière lettre publiée, *Veritatis splendor*, pourtant adressée aux évêques, « vénérés frères dans l'épiscopat », et d'un contenu théologique dense, a connu un succès de librairie immense et mondial.

Sur les dix lettres, quatre ont une vocation théologique : *Redemptor hominis* (4 mars 1979, dans laquelle Jean-Paul II évoque la mission de l'Église et le destin de l'homme, racheté par la Croix du Christ), *Dives in misericordia* (30 novembre 1980, où est rappelée la miséricorde de Dieu dans l'Ancien et le Nouveau Testament ainsi que dans la mission de l'Église), *Dominum et Vivificantem* (8 mai 1986, pour définir la présence de l'Esprit Saint dans la vie de l'Église et du monde), et *Redemptoris Mater* (25 mars 1987, pour inaugurer l'année mariale et glorifier la place de Marie dans l'Église).

Une encyclique *Slavorum apostoli* (2 juin 1985) est écrite dans l'optique du recentrage de l'Europe que Jean-Paul II a toujours espéré et en vue de cette nouvelle carte de l'Europe qu'il entend dessiner, une autre sur les missions, *Redemptoris missio* (7 décembre 1990), une encore sur la morale, *Veritatis splendor* (6 août 1993). Trois enfin en matière socio-économique, *Laborem exercens* (14 septembre 1981), sur les droits des travailleurs, reprenant les thèmes wojtyliens déjà développés dans ses précédents travaux, philosophiques comme poétiques, *Sollicitudo rei socialis* (30 décembre 1987), à l'occasion du vingtième anniversaire de la lettre encyclique de Paul VI, *Populorum progressio*, sur le thème de la solidarité comme réponse à la misère du monde, et, enfin, *Centesimus annus* (1er mai 1991), à l'occasion du centième anniversaire de *Rerum novarum*.

Ces documents, auxquels s'ajoute l'enseignement oral de Jean-Paul II, constituent le creuset de la pensée jean-paulinienne, la référence majeure, et scellent le « rocher » inébranlable auquel Jean-Paul II, à peine pape, faisait allusion pour évoquer le trône de saint Pierre.

Les voyages que le pape a accomplis, les discours et

homélies qui les ont sous-tendus sont en fait les meilleures illustrations de la pensée contenue dans ses encycliques. Schématiquement, celles-ci traitent de deux points précis : la vie dans le monde et l'aspiration à la transcendance.

Aucun pape depuis l'encyclique de Léon XIII, *Rerum novarum*, texte subversif s'il en est dans un XIXe siècle bourgeois et conservateur, n'avait réaffirmé avec autant de force la doctrine sociale de l'Église. A ceux qui sont tentés par la théologie de la libération, à ceux qui ne voient pas d'issue à leur esclavage dans la conception contre nature du travail que professent les communistes, à ceux qui sont pris dans l'engrenage du labeur capitaliste, à tous ces Sisyphes modernes, Jean-Paul II rappelle les grands repères de la doctrine sociale.

Redemptor Hominis, *Laborens exercens* et *Centesimus annus* ne font donc que redéployer la théorie que, inlassablement, Jean-Paul II a énoncée au cours de ses voyages, aussi bien devant un auditoire de paysans mexicains que devant les Africains, aussi bien à la tribune de l'ONU en 1980 que face aux ouvriers de Gdansk.

Avant la chute du communisme, qui, pour le pape, ne faisait pas de doute, ce qui expliquait sa ténacité et l'âpreté de sa méthode, Jean-Paul II avait affirmé la primauté du travail comme moyen de libération pour l'homme. Déjà dans *La Carrière*, œuvre poétique, et dans *Profils du Cyrénéen*, il avait dénoncé l'aliénation de l'homme quand le sens du travail n'est pas clairement reconnu et quand l'homme, utilisé seulement comme un outil, est renié en tant que tel.

> Je tourne des écrous,
> je façonne des fragments de mort,
> je ne saisis jamais l'ensemble
> du destin de tous.

fait-il dire à un ouvrier d'une usine d'armement.

Le travail, nécessaire à la marche de la société et du

devenir de l'homme dans l'univers, ne peut être séparé de lui ; au contraire, constitutif de l'homme, il est lien entre les êtres, « système de communication » comme dit Buttiglione[1], et, par la souffrance et la peine qu'il impose, il est « le martyre de l'homme, c'est-à-dire le lieu de son témoignage[2] ».

La révolte et la colère ne viennent alors s'inscrire au cœur de l'homme que lorsqu'il constate qu'il est spolié de son apport, que cette dimension spirituelle et mystérieuse de transformation du monde grâce à son labeur lui est déniée.

Le travail est, dans la conception wojtylienne, le fil qui relie l'homme à la fidélité à Dieu et chaque acte, chaque douleur issue du labeur est le signe de sa participation à la souffrance et à la rédemption du Christ. Le travail est en ce sens la manière symbolique pour l'homme de suivre son chemin de croix et donc de Vérité, celui qui l'amène à l'esprit, à la lumière du Christ.

A la théologie révolutionnaire et violente de la libération, il oppose une autre libération, fondée sur une autre conception du travail, qui libère : « Le travail n'est pas une malédiction, c'est une bénédiction de Dieu qui appelle l'homme à dominer la terre et à la transformer pour que, par son intelligence et ses efforts, il continue l'œuvre divine de la création », clame-t-il dans le stade Jalisco de Guadalajara, le 30 janvier 1979.

« C'est pourquoi le travail ne doit pas être une simple nécessité ; il faut y voir une vraie vocation, un appel de Dieu à construire un monde nouveau dans la justice et la fraternité, qui sont une anticipation du Royaume de Dieu, un monde où il n'y a ni carences ni limitations », poursuit-il.

Justice sociale, propriété privée, et reconnaissance des « corps intermédiaires », syndicats, coopératives, associations, tels sont les trois points que Jean-Paul II reprend de l'encyclique *Rerum novarum*, en y apportant cette dimension mystique et slave que ses poèmes et l'expérience du travail selon les communistes lui ont permis de personnaliser.

La défaite du communisme lui donnant raison, il n'en approuve pas pour autant le système capitaliste : cette défaite « ne fait pas place au seul modèle capitaliste », déclare-t-il dans *Centesimus annus*. Déjà en 1987, dans *Sollicitudo rei socialis*, évoquant le développement du tiers monde, il avait dénoncé l'emprise des États capitalistes sur les pays pauvres, et avait appelé ceux-ci à ne pas accepter l'ordre prédateur qui, à moyen terme, les entraînerait à leur perte. Aux ex-pays communistes laissés dans le désarroi, comme si le communisme, non seulement avait détruit les structures sociales et économiques, mais encore vidé les hommes de leur essence spirituelle, il recommande de ne pas sombrer dans la fatale alternative du capitalisme et dans l'illusion de la société de marché quand celle-ci fait fi, tout autant que le système communiste, de l'homme et de sa grandeur spirituelle.

Sûr de l'infaillibilité de la parole de l'Église, il rappelle dans l'encyclique de 1991 la prophétie de Léon XIII, qui dénonçait déjà l'éradication de la dimension transcendantale de l'homme dans la surétatisation des outils de production : « Le caractère social de l'homme ne s'épuise pas dans l'État, déclare la doctrine sociale, mais se réalise dans deux groupes intermédiaires, de la famille aux groupes sociaux, politiques et culturels, qui ont chacun son autonomie propre. »

Les révoltes de Gdansk sont ainsi pour Jean-Paul II l'illustration de la dignité retrouvée. Au-delà des enjeux et des risques politiques de ces grèves (l'attitude de Mgr Glemp était à ce sujet plus réservée), les ouvriers revendiquaient leur participation affective, spirituelle dans le travail qu'ils accomplissaient, et Jean-Paul II soutenait cette dimension-là, elle était sa fierté, car elle renvoyait les idéologies et les systèmes de production collectivistes à des entreprises désespérantes pour l'homme.

La manière dont les ouvriers polonais et ceux de bien d'autres pays communistes ont au terme d'un long processus de destruction affirmé leur dignité est pour le pape le signe du « caractère positif d'une authentique théologie de la libération intégrale de l'homme ».

Une fois le « socialisme réel » liquidé, rien n'est cependant résolu.

Les ex-pays communistes ressemblent à de misérables matrices vides, exsangues et dépossédées de leur sève même par les méfaits d'un athéisme militant. Basculer dans l'économie de marché reviendrait à retomber dans une autre aliénation contre laquelle Jean-Paul II met en garde son auditoire et les chrétiens du monde entier. Les tentations capitalistes et donc occidentales sont tout aussi dangereuses à ses yeux que le « vide spirituel » du communisme. Aussi bien dans ses lettres que dans ses discours pastoraux, il ne cesse de dénoncer les errances auxquelles le capitalisme sauvage et mal géré entraînerait les hommes. Les risques d'une économie qui deviendrait un absolu, « où la production et la consommation des marchandises finissent par occuper le centre de la vie sociale et deviennent la seule valeur de la société », sont sans cesse évoqués et montrés du doigt. La cruauté du système capitaliste actuel rejoint celle de la première ère industrielle et fait de l'homme un esclave moderne. La constante dénonciation des dangers dus à l'abandon des valeurs culturelles et spirituelles représente donc le credo de Jean-Paul II en la matière.

Ce qui le préoccupe surtout, c'est l'avenir du tiers-monde et des ex-pays communistes. Le modèle occidental est-il applicable pour ces pays ravagés, et spirituellement en crise ? « Si par "capitalisme", on entend un système où la liberté dans le domaine économique n'est pas encadrée par un contexte juridique ferme qui la met au service de la liberté humaine intégrale, dont l'axe est d'ordre éthique et religieux, alors la réponse est nettement négative » *(Centesimus annus)*.

La seule issue que Jean-Paul II prêche pour l'homme est celle de sa transcendance retrouvée. Il n'y a pas d'autres possibilités que celle d'un monde où Dieu est le centre ou d'un monde sans Dieu qui va à sa perte, l'expérience de l'Histoire prouve ce schéma.

« L'homme est la route de l'Église », rappellera Jean-Paul II, et sa pastorale, inchangée depuis ses premiers engagements dans le sacerdoce, ne dit rien d'autre que ce qu'il énonce de manière solennelle dans ses encycliques.

Tout se passe comme si l'homme était toujours détourné de son chemin, dévié, dérouté. Il s'agit sans cesse de retrouver la Voie, la Route, de renoncer aux chemins de traverse, aux routes biaisées. Les dix encycliques de Jean-Paul II reprennent, comme des exhortations, son credo, en une sorte de relais plus fermement énoncés, moins soumis à l'élan oratoire et affectif de la pastorale itinérante.

Aussi l'encyclique portant sur la morale, *Veritatis splendor*, qui a été tant critiquée de la part des Occidentaux, récapitule-t-elle tout ce que Jean-Paul II a enseigné en ce domaine.

Sa théologie n'est en réalité pas la sienne, tirée d'une conception individualiste – en ce sens la critique d'obsessionnalité sur les problèmes de la morale sexuelle qu'on lui fait régulièrement est infondée – Jean-Paul II rappelle « un certain nombre de principes de base qui sont présupposés à toute théologie morale chrétienne[3] ».

Ce qu'il veut à toute force transmettre, c'est son « souci passionné de l'homme créé à l'image de Dieu », cette « splendeur »-là de la création, altérée, niée, par des théories individualistes qui deviennent « l'ennemi de l'humanisme[4] ».

On comprend moins dès lors les attaques proférées contre Jean-Paul II, les reproches d'intolérance et de sectarisme qui lui sont portés, quand on sait qu'il ne fait que replacer l'homme du XXe siècle, égaré dans un monde à la dérive, dans la cohérence du projet divin. Cette tâche de sauvetage, le pape la conduit avec une obstination rare, sachant qu'il ne s'agit que de répéter, à l'exemple des litaniques prières des saints, la « sainte doctrine », encore et toujours la doctrine chrétienne du mariage, de l'amour, du rôle de la sexualité dans l'existence.

La « civilisation malade » que génère notre société fin de siècle, l'inquiète parce qu'elle comporte des « virus » qui atteignent le cœur même de la famille, des rapports entre les êtres. L'« approbation juridique » de l'homosexualité par le Parlement européen est ainsi à ses yeux une façon de légitimer le désordre social. « Le Parlement, dit-il, a indubitablement conféré une valeur institutionnelle à des comportements contraires au dessein de Dieu, en favorisant les faiblesses de l'homme[5]. » Ce sont de telles condamnations, énoncées au nom d'une morale qui appelle à « suivre le Christ, à s'abandonner à Lui, à se laisser transformer et renouveler par Sa grâce et par Sa miséricorde », qui installent le malentendu entre Jean-Paul II et un Occident fasciné par des théories de plus en plus individualistes. Les encycliques de tonalité théologique et morale veulent recentrer l'homme au cœur d'une christologie qui suppose un abandon de soi, une défaite des valeurs matérielles auxquelles l'homme avait cru devoir adhérer, et surtout une grande humilité. L'orgueil d'un Occident que Jean-Paul II n'aime guère, parce qu'il n'a pas su rester fidèle, ne laisse pas de place à cette « transparence totale à la grâce de Dieu[6] ». Les encycliques ont cette vocation de poser des fondements, de consolider des pilotis de l'Église, de marquer encore des caps dans la pratique de la pastorale, mais, à vrai dire, Jean-Paul II en a fait sa matière quotidienne, la trame même de son enseignement aussi bien à Rome lors de ses rencontres publiques du mercredi que dans les voyages.

Tout son ministère consistera à répéter (« ressasser », diraient certains) la dimension morale et divine de l'homme et à tenter de le ramener dans le champ déique. Seule « la vérité transcendantale [...] garantit des rapports juste entre les hommes» *(Centesimus annus)*, et les garde des défaites. Les encycliques, comme les lettres apostoliques, sont les garants doctrinaux de cette pastorale du cœur que Jean-Paul II conduit à travers le monde. Quand, à l'angélus du midi, il «lance un appel à toutes les consciences, à toutes les âmes libres[7]», il ne fait que reprendre sur le mode oral ce qu'il a déjà énoncé dans ses encycliques précédentes. Les «vérités» du christianisme s'affirment comme les ultimes remparts contre la société totalitaire des robots. Les encycliques depuis 1979 alternent entre domaines théologiques et politico-économiques. La stratégie est volontaire, elle répond à l'état du monde et aux réponses à lui apporter: le Père, le Fils, le Saint-Esprit, Marie.

La portée spirituelle de ces lettres est ainsi considérable: elles proposent un pacte de sagesse, et renforcent la quête d'unité qui a toujours présidé à l'enseignement de l'Église: *corpore et anima unus.*

Elles permettent à l'homme, et la vigueur du magister si téméraire qu'est Jean-Paul II renforce cette parole, de renouer avec les commandements de Dieu, dont les théories anthropologiques l'avaient séparé, et de retrouver cette liberté originelle dont «la vocation vient de Dieu[8]».

L'objet des encycliques de Jean-Paul II, nombreuses et fortes dans leur contenu, procède de ce désir «obsessionnel» qui le tenaille d'aider l'homme à rechercher l'«élan intime» de sa liberté: «C'est une question de plénitude de sens pour sa vie[9].»

Les encycliques ont ce rôle de «passeur» qui, de l'une à l'autre, signale la route aux hommes. Citant sa première encyclique *Redemptor hominis* (1979) dans la dernière, *Veritatis splendor* (1994), montrant par là que toutes se recoupent, Jean-Paul II déclare: «L'Église désire cet objectif unique: que tout homme puisse retrouver le Christ, afin que le Christ puisse parcourir la route de l'existence, en compagnie de chacun[10].»

XVI

LA LIQUIDATION DE L'IMMÉMORIAL CONTENTIEUX

« Vous êtes nos frères préférés, et d'une certaine manière, on peut dire que vous êtes nos frères aînés. »

Jean-Paul II, 13 avril 1986, synagogue de Rome.

On doit mettre à l'actif de Jean-Paul II la reconnaissance d'Israël par le Vatican et la normalisation de rapports toujours tendus entre les deux grandes religions. La visite du pape à la synagogue de Rome, le 13 avril 1986, relie désormais sans ambiguïté l'Église catholique au judaïsme, et affirme l'héritage spirituel d'Israël.

L'obstination de Jean-Paul II à faire prier en commun pour la paix, à faire collaborer juifs et catholiques, à déplorer la Shoah (et cela malgré cependant quelques limites), à nouer toujours plus précisément ces liens que lui-même avait tissés dès son enfance puis pendant l'occupation nazie à Cracovie témoignent de sa portée prophétique. La constatation de l'historien français des religions Pierre Pierrard : « Entre Rome, la ville des diplomates, et Jérusalem, la ville des prophètes, la distance reste infinie. Pour notre malheur[1] », semble à ce sujet déjà dépassée. Que les tentatives et les initiatives de réconciliation et de reconnaissance soient quelquefois perçues comme de subtils pas de diplomatie, et suspectées d'arrière-pensées obscures importe peu en fait : seuls les actes comptent, et Jean-Paul II n'est pas avare de signes, de gestes symboliques et irrévocables, de paroles définitives.

Le 16 novembre 1980, lors de son premier voyage en

Allemagne fédérale, Jean-Paul II s'adresse à la communauté hébraïque à Osnabrück. Cet important discours montre sa détermination à aller vite dans le processus de reconnaissance et de liquidation des contentieux avec ceux qu'il appelle désormais ses « frères ». Jean XXIII et Paul VI avaient déjà ouvert timidement la voie, Jean-Paul II, avec sa « violence » évangélique coutumière, va accomplir en quinze années ce que des siècles et des siècles n'avaient pu réaliser. C'est sans doute une des actions majeures que l'Histoire retiendra. Cela ne veut pas dire pour autant que le vœu du pape se soit réalisé sans problème.

Malgré son activité résistante pendant la Seconde Guerre mondiale, l'identité polonaise de Jean-Paul II est longtemps restée (et reste encore auprès de certains esprits et groupes ultranationalistes, ou fondamentalistes) un objet de suspicion. La tradition antisémite de la Pologne, à laquelle le pape par éducation et par foi a refusé d'adhérer, a longuement perturbé les rapports avec les juifs. La proximité d'Auschwitz, malgré les multiples pèlerinages que l'archevêque de Cracovie y a faits, n'a pas aidé à tempérer l'irritation des autorités juives, Mgr Wojtyla n'ayant pas reconnu expressément la singularité juive des camps de concentration. Enfin la tradition catholique a durablement véhiculé l'idée d'une « fausse vision religieuse du peuple juif, vision qui a été, au cours de l'Histoire, l'une des causes de la méconnaissance et de la persécution[2] ».

Un tel passif n'a pas cependant altéré l'espoir de Jean-Paul II d'arriver à un dialogue entre « deux religions qui, avec l'islam, ont pu faire don au monde de la foi au Dieu unique, ineffable et qui nous parle, et qui veulent le servir au nom du monde entier[3] ».

L'urgence de cette reconnaissance et de l'établissement d'un tel dialogue est une exigence historique : de plus en plus, catholiques et juifs appellent à cette union, « au-delà de tout syncrétisme et de toute appropriation équivoque[4] ». La prise de conscience de l'horreur de la dernière guerre a permis de renouer le dialogue, et de dépasser les différences pour approfondir plutôt le « si grand patrimoine spirituel[5] ».

L'état de guerre qui domine dans les territoires du Proche-Orient, berceau de la Révélation, accentue la pression et invite rapidement à la résolution du dialogue. Enfin, les germes de la « peste » renaissent ici ou là en Europe (profanations de cimetières juifs, inscriptions antisémites, manifestations néonazies, etc.), et semblent suffisamment inquiétants pour justifier la recherche de l'unité. Face aux fondamentalismes et aux idéologies extrémistes, l'Église et les juifs savent que l'heure est venue de réfléchir en commun et surtout de reconnaître entre eux assez de points de convergence propres à provoquer la paix et à la garantir.

Pie X, Pie XI, Jean XXIII, Paul VI avaient déjà condamné formellement l'antisémitisme, mais il faudra attendre, sous l'impulsion de Jean XXIII, les travaux du concile pour que cette question trouve un écho réellement formel et solennel dans les actes de Vatican II. Comment l'Église pouvait-elle, après la révélation des camps de concentration, rester silencieuse sur ce chapitre sans perdre elle-même sa dimension évangélique, de vérité et de compassion ? C'est grâce au cardinal Béa que ce problème est débattu en assemblée conciliaire. Attaquée, rejetée (principalement par les patriarches orientaux et par l'aile traditionaliste du concile), soutenue, et enfin adoptée à l'arraché certes mais adoptée quand même la déclaration *Nostra aetate* (16 octobre 1965) sur les religions non chrétiennes est enfin votée. « Ayons la magnanimité de demander pardon au nom de tous les chrétiens coupables », avait imploré l'évêque de Strasbourg, Mgr Elchinger. Paul VI, en rejetant les atténuations proposées par les conservateurs, et en prononçant une vibrante adresse aux juifs, avait clos la polémique.

L'acte est définitif et, malgré les aléas de l'Histoire, les appréciations diverses sur les relations entre Juifs et Palestiniens, malgré les derniers lambeaux d'une fausse vision du judaïsme, d'ordre irrationnel, l'élan est irréversible : Jean-Paul II n'aura de cesse que de conduire à son terme la reconnaissance des relations entre Israël et le Vatican et une visite à Jérusalem, point d'orgue des efforts engagés.

Il n'empêche que l'archevêque de Cracovie, Mgr Wojtyla, en 1964, lors du concile, n'a guère participé aux débats enflammés sur la question du judaïsme. Occupé par le schéma XIII sur les rapports entre l'Église et le monde moderne, et inspirateur de la constitution *Gaudium et Spes*, il ne semble pas que le combat du cardinal Béa l'ait particulièrement sollicité : « Pour ce jeune évêque polonais, pétri d'une culture théologique et philosophique tôt remarquée, Vatican II a été un temps d'apprentissage, de mûrissement, d'ouverture à des réalités alors ignorées ou sous-estimées dans les Églises de l'Est[6] », constate Henri Tincq.

C'est après Vatican II que Karol Wojtyla va prendre peu à peu toute la mesure du débat instauré par *Nostra aetate*. Cette prise de conscience aboutira à la visite d'Osnabrück. A partir de 1965, l'International Jewish Committee on Interreligious Consultations, l'IJCIC, se met en place, des relations se tissent entre ce comité et le Conseil œcuménique des Églises, quatorze sessions ont lieu qui affermissent les liens entre juifs et catholiques, l'avant-garde étant menée par l'épiscopat français, et en particulier par le père de Lubac et Mgr Elchinger. Mais la reconnaissance d'Israël semble être le point d'achoppement des négociations, le Vatican craignant des représailles pour les minorités chrétiennes dans les pays arabes.

Conscient de l'importance de *Nostra aetate*, le Vatican publie en 1975 et en 1985 des textes sur Israël : *Orientations et suggestions pour l'application de la déclaration conciliaire* et *Notes sur la manière correcte de présenter les juifs et le judaïsme dans la prédication et la catéchèse de l'Église catholique romaine*.

Il s'agit avant tout de « tenir compte de la foi et de la vie du peuple juif, telles qu'elles sont vécues maintenant ».

Si pour la première fois est utilisée l'expression « peuple juif », pour la première fois aussi est citée la Shoah, « la catéchèse devrait aider à comprendre la signification, pour les Juifs, de leur extermination *(shoah)* pendant les années 1939-1945 et de ses conséquences ».

Pour la première fois encore, les *Notes* évoquent l'« État d'Israël », mais portent à cette reconnaissance explicite des nuances qui en atténuent la force : « Ses optiques religieuses doivent se référer, dans une optique qui n'est pas elle-même religieuse, aux principes communs du droit international ». C'est dans cette pratique alternée, où soufflent le chaud et le froid, comme si le Vatican ne voulait pas lâcher tous les freins qui depuis mille neuf cents ans le retenaient, comme si le repentir et la normalisation avaient du mal à se mettre en place, que l'on arrivera enfin à l'issue heureuse de l'hiver 1993.

La visite à la grande synagogue de Rome le 13 avril 1986, après celle de Mgr Angelini sur les lieux de l'attentat à la synagogue de Trastevere, le 9 octobre 1984, la grande rencontre d'Assise, le 27 octobre de la même année, fait pendant à la visite de Kurt Waldheim, président de la République d'Autriche et ancien officier SS, et à la réhabilitation morale de Pie XII, le 11 septembre 1987, à Miami (« Pie XII a ressenti en profondeur la tragédie du peuple juif »). La difficulté à résoudre le problème du carmel d'Auschwitz, les déclarations ambiguës de Lech Walesa et du cardinal-primat, Mgr Glemp, dont les observateurs savent bien qu'il n'a jamais été le candidat préféré du pape mais que celui-ci a voulu honorer le vœu du cardinal Wyszynski, la polémique autour de la sanctification des deux victimes à Auschwitz, le Polonais Maximilien Kolbe, réputé antisémite, et l'Allemande Edith Stein, la visite de Yasser Arafat au Vatican, juste avant l'attentat de la synagogue, alternent fâcheusement aux yeux des Juifs et de la diaspora tout entière avec des reconnaissances qui deviennent, comme le dit Serge Klarsfeld[7], le chasseur de nazis, « ambiguës » (Passages, octobre 1989). Sans compter la nomination de Mgr Lustiger à la tête de l'archevêché de Paris, juif converti au catholicisme et baptisé à quatorze ans.

Les difficultés que Jean-Paul II et avec lui l'Église catholique rencontrent dans ce délicat et ancestral problème des rapports avec le judaïsme sont de l'ordre, on le voit bien, des affects et trouvent leur source dans leur histoire commune et millénaire. C'est pourquoi Henri Tincq a raison de parler de « travail de deuil » au sens psychanalytique du terme, et ce travail est long, ne se fait pas sans résistance, sans appréhensions.

Mais, malgré tous les obstacles, les buts que Jean-Paul II s'étaient assignés dès l'allocution d'Osnabrück sont en voie d'être réalisés. Jean-Paul II reprend à son propre compte les déclarations des évêques allemands en 1980 sur les relations de l'Église avec le judaïsme : « L'héritage spirituel d'Israël pour l'Église est [...] à comprendre et à conserver dans sa profondeur et dans sa richesse. » La persécution des Juifs est explicitement reconnue, les théories nazies ouvertement condamnées. Le dialogue entre juifs et chrétiens est indispensable, dialogue qui doit se poursuivre non seulement entre les hommes mais aussi « à l'intérieur de notre Église, pour ainsi dire entre la première et la seconde partie de notre Bible ». Jean-Paul II rappelle que la dimension spirituelle des Églises et des religions est d'être aussi « une bénédiction pour le monde dans la mesure où [elles] s'engagent ensemble en faveur de la paix et de la justice parmi tous les hommes et parmi tous les peuples ». Ce discours prépare et annonce celui du 13 avril 1986, à la synagogue de Rome, qui consacrera définitivement les actes posés par *Nostra aetate* et achèvera le travail de Jean XXIII.

A 17 heures donc, le 13 avril 1986, Jean-Paul II parvient malgré la foule au seuil de la synagogue. Il est salué par le grand rabbin de Rome, le professeur Elio Toaff. Ils s'embrassent. L'Alléluia résonne dans le temple, puis le rabbin Della Rocca lit deux textes extraits de la Genèse et du prophète Michée. Le professeur Saban, président de la communauté juive de Rome, et le grand rabbin Toaff lisent leurs discours auxquels répond Jean-Paul II.

Son allocution reprend en l'approfondissant le discours de 1980, mais ici les paroles et la « repentance » comme il est dit prennent une tonalité plus émouvante, et plus symbolique. Jean-Paul II sait que sa parole est historique, il apporte la pierre définitive après celle qu'avait posée « le juste » Jean XXIII, comme l'appelle le professeur Saban.

La référence au pape du concile sera d'ailleurs dans tous les esprits ce jour-là tant son initiative en la matière fut déterminante : « L'héritage que je voudrais recueillir [...] est celui du pape Jean qui, un jour, passant par ici, [...] fit arrêter sa voiture pour bénir la foule des juifs qui sortaient de ce temple même. » Le génocide est à nouveau rappelé en termes d'« exécration » : « Vraiment ce peuple qui a reçu de Dieu le commandement "tu ne tueras point" a éprouvé sur lui-même, dans une mesure particulière, ce que signifie le meurtre ». Jean-Paul II, après avoir fermement affirmé le lien unique qui relie juifs et chrétiens, leur « vocation irrévocable » selon les mots de saint Paul, définit à ses yeux le champ du dialogue : se respecter, supprimer toute forme même déguisée de préjugés, approfondir le dialogue de façon loyale, encourager une collaboration commune « dans une société perdue dans l'agnosticisme et dans l'individualisme », rendre grâces ensemble au Seigneur « car il est bon », comme dit le psalmiste.

Tout est donc en place pour qu'une « normalisation » s'effectue, mais elle sera lente, jalonnée d'échecs et de reculades, de pressions et de mises au point embarrassées. Si l'identité religieuse est reconnue et même proclamée solennellement, il n'en va pas de même pour l'identité politique de l'État d'Israël et malgré les visites de chefs d'État dont celle, fameuse, de Golda Meir, reçue par

Paul VI (« Je sentais bien que je parlais au représentant de la Croix, [...] et lui sentait bien que, devant lui, était assise une juive[8] »), malgré les « fréquents contacts et les consultations réciproques », malgré les prétendus imbroglios juridiques invoqués, le pape va œuvrer pour que le processus de reconnaissance se réalise.

Les pressions d'un grand nombre de catholiques choqués par les agressions de l'Irak envers l'État juif (missiles aveuglément tirés sur Tel-Aviv et Haïfa), le processus de paix engagé entre les pays arabes et Israël décident le Vatican à accélérer ces négociations. Le statut de Jérusalem est au cœur de ces entretiens, car, aux yeux de l'Église, Jérusalem est un « trésor de l'humanité, un trésor religieux et culturel. Ce n'est la propriété de personne, ou c'est la propriété de l'humanité ». Jérusalem est pour Jean-Paul II « le point de rencontre entre la terre et le ciel » (*Redemptionis anno*, 1984), et doit être considérée comme le lieu de l'œcuménisme retrouvé, « lieu interconfessionnel entre les trois religions ». Le Vatican cherche donc un point de rencontre possible avec Israël pour déterminer le caractère propre de Jérusalem et pour placer les Lieux Saints sous contrôle d'une instance internationale, ne pouvant accepter qu'un tel patrimoine soit entre les mains d'un seul État. Il faut « des garanties internationales pour un accès libre aux Lieux Saints, un respect du patrimoine religieux de Jérusalem, et un fonctionnement correct de nos institutions », déclarent les émissaires du Vatican, selon H. Tincq[9].

Enfin le 30 décembre 1993, Israël et le Vatican signent un « accord fondamental » qui se concrétisera au printemps 1994 par un échange d'ambassadeurs (Mgr di Montezemolo et Schamouel Hadas). C'est la fin de cette étrange partie de cache-cache à laquelle les deux parties se sont livrées depuis 1948. Le rapprochement qui avait commencé au plan diplomatique dix-sept mois auparavant aboutit à la reconnaissance des deux États. Un bond spectaculaire est donc réalisé si l'on se souvient de la fameuse réplique en 1904 de Pie X à Theodor Herzl, le fondateur du sionisme : « Les Juifs n'ont pas reconnu Notre-Seigneur, c'est pourquoi nous ne pouvons reconnaître le peuple juif. »

L'accord comporte quinze points qui ne traitent que de principes généraux déjà plus ou moins respectés, sur le mode de fonctionnement des institutions catholiques et sur les libertés religieuses. Comme le soulignait Mgr Celli, secrétaire d'État du Vatican qui a conduit l'accord avec M. Beilin, vice-ministre des Affaires étrangères israélien, « les libertés existent déjà à Jérusalem. Nous convenons même qu'elles sont plus fortes aujourd'hui qu'à l'époque de l'Empire ottoman, du mandat britannique et de l'occupation jordanienne. Nous souhaitons donc des garanties internationalement définies pour un accès libre aux Lieux Saints, un respect du patrimoine religieux de Jérusalem, et un fonctionnement correct de nos institutions[10] ».

« En substance, déclare *L'Osservatore Romano*, on se trouve face à une espérance qui se nourrit d'actes concrets et qui, de la table des négociations, promet de s'étendre largement à tout le Moyen-Orient[11]. »

L'esprit d'Assise semble donc avoir été le souffle qui a animé ces négociations. Les garanties qui y sont définies – liberté de religion et de conscience, situation juridique de l'Église catholique en Israël, collaboration dans les domaines d'intérêt général, mise en relief de la lutte contre le racisme, y compris l'antisémitisme, refus de la violence et recherche de solutions pacifiques aux conflits, élimination de l'intolérance religieuse –, signées à la veille même du 1er janvier où Jean-Paul II lance un message de paix dans le cadre de la Journée mondiale de la paix, résonnent comme un signe d'Alliance. Venu « après des milliers d'années de haine et très peu d'années de lumière » comme l'a déclaré Yossi Beilin, il marque l'espérance de la réconciliation. « La trop longue histoire d'une déchirure », pour reprendre l'expression de Michel Kubler[12] n'est cependant pas close. Tout n'est pas entièrement réglé, en particulier le statut définitif de Jérusalem. Il y a loin entre le vœu du Vatican de « protéger la spécificité de la Ville sainte » ou le « rêve » de Mgr Decourtray : « Je rêve de voir monter à Jérusalem les juifs au mur des Lamentations, les musulmans à la mosquée d'Omar et les chrétiens au Saint-Sépulcre [...] et Jérusalem sera élevée au-dessus de toutes les montagnes comme l'annonçait le prophète Isaïe[13] » et la réalité. Le fameux « syndrome de Jérusalem », dérive fanatique qui consiste de la part des extrémistes des trois religions à préserver la ville sainte de toute impureté, en est un des plus alarmants signaux.

Par ailleurs, l'acte n'aborde pas le problème de la Palestine.

L'article 11 déclare bien, mais de manière floue, l'engagement des deux parties pour la « promotion de la solution pacifique des conflits entre les États et les nations, excluant la violence et la terreur de la vie internationale » et le Saint-Siège a soin de préserver « en chaque occasion le droit d'exercer son enseignement moral et spirituel » et de rappeler « son engagement solennel à demeurer à l'écart de tous les conflits uniquement temporels ». Ce souci d'indépendance marque un singulier retrait par rapport aux légitimes espérances qu'avait pu fonder la communauté palestinienne.

L'accord ne lève donc pas toutes les ambiguïtés et les difficultés, l'écheveau dans cette région du monde est trop embrouillé, mais le « pas sanctionné » par les signataires de l'accord, comme dit Jean-Paul II[14], est suffisamment grand pour espérer la venue du pape « en Terre Sainte » (et non dans l'État d'Israël, la distinction est de taille), pour que ce vœu « si fort » du Saint Père de « traverser » la Terre Sainte (ce qui signifie aussi les pays arabes mitoyens) puisse être enfin envisageable.

Ce grand pèlerinage, point d'orgue de la réunion d'Assise, imploration symbolique pour la paix, serait l'autre grand acte politique et religieux de Jean-Paul II, après la subversion évangélique de l'Est.

Ainsi, de même que le pèlerinage à Saint-Jacques-de-Compostelle avait symbolisé au Xe siècle le début de la « Reconquista », une seconde évangélisation consacrerait à sa manière la délivrance des Lieux Saints, par le retour d'un pape. Cette vision rejoindrait alors celle, messianique, que Jean-Paul II s'est toujours confusément faite de sa propre mission. On se souvient de cette adresse qui avait inauguré son homélie du 31 janvier 1990, en pleine guerre du Golfe, aux « juifs, chrétiens et musulmans », les implorant de ne pas succomber à la tentation de la violence, comme de sa prière solitaire dans sa chapelle privée, lorsqu'il avait appris par le président de la République italienne, Francesco Cossiga, que la guerre avait commencé.

Ainsi, l'histoire des relations entre Israël et le Vatican est tissée de reculades et d'élans. Le pape le plus actif de toute l'histoire de la papauté, qui n'a pas ménagé ses efforts dans le monde entier, a mis du temps (mais que sont quinze années de pontificat au regard de contentieux millénaires ?), pour accomplir du moins *de jure* le travail du deuil. Sa propre histoire, mûrie dans une Pologne antisémite et dans un christianisme que n'aurait pas désavoué un Mgr Lefebvre, a peut-être freiné l'énergie d'homme de progrès qu'il a par ailleurs manifestée. Les subtilités rhétoriques à propos de la Shoah, sa tentation de christianiser le génocide et de faire d'Auschwitz le « Golgotha du monde moderne » sont à mettre au compte de ces freins inconscients qui, néanmoins, le cours de l'histoire aidant, ne pouvaient perdurer. L'urgence d'un monde qui a perdu toute vision eschatologique et qui est en danger de mort a convaincu Jean-Paul II, homme de prière avant tout, de progresser dans la voie de l'unité entre des frères issus du même Dieu. Pour Jean-Paul II, qui n'a jamais voulu faillir à sa vocation messianique, il était temps de rassembler les cadets et les aînés.

XVII

VIVRE AU VATICAN : 1978-1994

Ce que Jean-Paul II avait voulu vivre avant son élection, en Pologne, c'était la plénitude de son état de prêtre. L'évêque, l'archevêque, le cardinal qu'il fut devait toujours céder la place à la vocation plénière de la prêtrise.

Aussi les témoignages qu'égrènent depuis son élection tous ceux qui l'ont approché en Pologne dans sa tâche sacerdotale et pastorale insistent sur le mode de vie du « pasteur de Cracovie », comme le nomme Jean Chélini. A l'écoute de ses fidèles, attaché surtout à former des prêtres et à tisser un réseau de liens communautaires entre les prêtres, les jeunes, les familles, il applique à sa fonction de pasteur tout le sens que Pierre lui donne.

Son mode de vie, à Cracovie, loin d'être celui d'un prélat honoré et luxueux, fut, on l'a vu, dénué de toute ostentation et attaché au contraire à privilégier la qualité des rapports humains, à relier et à souder dans la fidélité au Christ tous ceux qui se reconnaissaient en Lui.

Homme du dehors, si l'on peut dire, homme de combat, imitant scrupuleusement l'exemple de Jésus-Christ, prédicateur et, sans affronter le pouvoir en place, cherchant à établir un contre-pouvoir, celui du règne de Dieu, il n'a pas pour autant négligé l'homme du dedans. Ses compatriotes rappellent aussi les heures farouches de leur cardinal abîmé dans la prière, les temps mystiques qu'il savait se conserver. La devise de Léonard de Vinci pourrait aussi lui convenir : « Une obstinée rigueur »... Dans une gestion très habile de son temps, jamais en repos sinon quelques heures la nuit, il sait alterner les temps de prière et de méditation et ceux que sa tâche et son corps réclament. On rappelle volontiers et souvent ce que son secrétaire a pu rapporter : le cardinal s'était fait installer dans sa chapelle privée de Cracovie une petite table basse qui devait servir, entre deux temps de prière, à prendre des notes, fruit de sa méditation, ou plus prosaïquement, concernant les problèmes à résoudre dans la journée, rendez-vous ou courrier. De même, sa voiture était équipée d'une petite lampe à basse tension qui lui permettait pendant ses déplacements de revoir ses dossiers.

C'est dire que le cardinal à Cracovie accordait peu d'intérêt à l'aménagement de ses appartements, fidèle en cela à cet idéal de pauvreté auquel ses engagements l'avaient voué. C'est pourquoi il était aimé de ses fidèles comme de ses séminaristes qui voyaient en lui simplicité et modestie, presque un compagnon de route apte à entendre, à comprendre leurs problèmes. Ils ne voyaient jamais en lui, malgré la puissante autorité qu'il pouvait exercer, et parce qu'il possédait au plus haut point cette capacité d'écoute que ses concitoyens réclamaient avant tout, un prélat solennel ou pétri de vanité, mais un homme comme eux. C'est peut-être là que se situe le « génie » de Karol Wojtyla : sans démagogie et sans stratégie machiavélique, il avait su être de son peuple, incarner ses souffrances, ne pas être au-dessus de lui, vivre sa vie, ses douleurs, ses révoltes. L'internement du primat Wyszynski dans les geôles communistes avait rendu celui-ci populaire, mais, à la différence du hiératique cardinal, Karol Wojtyla possédait une bonhomie, une intuition de l'échange qui le rapprochaient encore davantage de ses compatriotes. Sa vie quotidienne à Cracovie, frugale et même pauvre, lui avait ainsi rallié la faveur et l'estime des siens.

C'est cette vie-là qu'il entend mener aussi dans le palais pontifical. Il ne sera jamais un pape coupé des autres à cause de ses fonctions, il ira au-devant de ses paroissiens et, par-delà eux, au devant du monde.

Lorsqu'il arrive au Vatican, le luxe ostentatoire qui présidait au décor de Pie XII avait déjà été sérieusement entamé sous les pontificats précédents. Jean XXIII avait supprimé beaucoup d'éléments luxueux, et Paul VI, dont la vie intérieure et la tendance mystique étaient plus visibles, s'était attaché à atténuer la pompe des appartements, en faisant remplacer par exemple les lourdes tentures damassées rouge cardinalice par des tentures aux coloris plus sobres qui s'harmonisaient davantage avec les collections de peinture moderne qu'il avait acquises. Paul VI était un intellectuel et un esthète, très attentif aux évolutions de l'art et, fidèle en cela à la vocation de mécénat des papes antérieurs, il voulut que les peintres modernes aient, à la suite des maîtres précédents, leur place au Vatican. Rouault, Braque, Chagall, Léger, Matisse, et son ami Guitton sont ainsi à l'honneur dans cet immense musée d'art sacré que possède le Saint-Siège. Les préoccupations de Jean-Paul II ne semblent pas être d'ordre esthétique. L'homme est plus rude, plus engagé dans les âpres combats politiques ou pastoraux. Jean-Paul II a toujours considéré en homme de terrain les nécessités de l'urgence. Homme pressé, homme mobile, a-t-on pu dire. L'urgence réclame une présence plus tenace pour faire face aux dangers du temps. Tout dans son histoire personnelle a fait que le futur Jean-Paul II ne s'attache pas au confort d'une vie quotidienne, fût-elle celle d'un pape.

Aussi, en s'installant au Vatican, le pape a-t-il spontanément calqué son mode de vie sur le modèle de ce qu'il vivait à Cracovie. Tous les témoignages concordent pour affirmer que, malgré la solennité du nouveau lieu, Jean-Paul II a tenu à conserver cette vie ascétique qui est pour lui le signe de la vocation ecclésiale. Le « oui », le *fiat* que le prêtre a prononcé le jour de ses vœux « doit être toujours de nouveau affirmé au Seigneur », rappellera-t-il aux religieux allemands lors de son voyage en Allemagne fédérale le 18 novembre 1980. A la fois tourné vers le monde extérieur et le monde intérieur, l'enseignement de Jean-Paul II s'applique d'abord à lui-même. L'esprit de pauvreté, la pureté, la soif de justice, la douceur, la miséricorde, la recherche de la paix, la patience dans l'épreuve, la persévérance dans la persécution à cause de Jésus, tels sont les enjeux de l'engagement sacerdotal. Ce sont ceux-là qu'il développera lors de son voyage en Afrique, le 19 février 1982, à Libreville, devant les représentants des Églises locales. Ce mode de vie suppose à la fois beaucoup de déplacements et aussi un besoin de recueillement soutenu par une grande simplicité quotidienne.

Le planning du pape est traditionnellement toujours très rempli. S'étant considéré, bien qu'il soit passé par tous les échelons de la hiérarchie ecclésiale, comme un simple prêtre, devant fuir les dangers de la vanité et de l'orgueil, comme ceux du luxe et de l'ostentation, tout entier au contraire tourné vers l'image et le modèle de Dieu, Jean-Paul II veut en toute occasion manifester ce principe de pauvreté et de modestie. « Par les signes visibles, dira-t-il aux personnes consacrées réunies le 18 novembre 1980 à Altöting, en Bavière, de cette pauvreté, vous aidez, chers frères et sœurs, tous les membres de l'Église et l'humanité à administrer fidèlement ce monde, à posséder les choses de manière à ce que les choses ne nous possèdent pas, à ne pas faire de ce qui constitue la manière de vivre le fondement de la vie. »

La gestion du temps est chez lui d'une grande rigueur : pas une seconde le pape ne connaît en quelque sorte de temps « mort » qui serait perdu pour l'œuvre de Dieu dont il se sent un des artisans. A Cracovie, ses collaborateurs déjà avaient admiré l'extraordinaire puissance de travail et la force vitale du cardinal Wojtyla, épuisantes d'ailleurs pour l'entourage. Avec la mission providentielle du

16 octobre 1978, l'énergie redouble. Conscient de la tâche, Jean-Paul II apparaît néanmoins très vite à l'aise dans le huis-clos curial qu'il va s'employer à ouvrir. Là où Paul VI et Jean-Paul Ier avaient manifesté réticences et timidité, Jean-Paul II va évoluer avec une aisance et un dynamisme exceptionnels, injectant au Saint-Siège une énergie nouvelle. Il se couche relativement tôt, vers 23 h 30 pour s'éveiller vers 5 h 30. Cet « abandon » à Dieu, celui de la nuit et du sommeil auquel il se livre, confiant, est le seul moment où l'état de « vigile » est comme latent. Ce temps appartient à Dieu, ce temps que Dieu a utilisé pour « ravir » au sens presque mystique Jean-Paul Ier. Le reste est occupé à servir Dieu. Dès qu'il est levé, le pape se livre à une séance légère de gymnastique, douche puis, vers 7 heures, messe traditionnelle dans sa chapelle privée. Ce lieu est à ses yeux le « vivier » de sa vie spirituelle. Ce temps presque secret comparable au mystère matinal des monastères et des carmels, est pour le pape essentiel. Il est le temps du don, du rappel des vœux, de la reconnaissance chaque jour affirmée et que le psaume CXV qu'il affectionne particulièrement traduit en ces termes : « Que rendrai-je au Seigneur pour tous les dons qu'il m'a faits ? J'élèverai le calice du salut et j'invoquerai le nom du Seigneur. »

A cette messe assistent, outre ses deux secrétaires et les sœurs qui veillent à l'entretien de sa maison, quelques privilégiés que le pape invite, en fonction de son calendrier personnel, honorant quelques personnalités italiennes ou étrangères, des évêques de passage à Rome, des laïcs, des recteurs d'instituts, des Polonais aussi. Le rituel qui préside à cette messe est immuable, et après avoir passé la fameuse porte de bronze du sculpteur Enrico Manfrini, ornée de scènes de la vie de Jésus-Christ, l'assistance découvre le pape qui déjà est en méditation devant l'autel de marbre blanc.

A 7 heures donc le pape commence à célébrer la messe. L'intensité spirituelle de la prière est accrue par la disponibilité et l'acuité que Jean-Paul II a toujours exigées de l'oraison et de la prière communautaire.

Le recueillement est très grand, Jean-Paul II privilégiant des pauses de silence. Ses gestes sont lents, graves, veulent conserver tout le sens de la Cène. Quand il élève le ciboire au moment de la communion, il y associe tous les participants, comme s'il voulait les englober dans cet instant de ferveur, ce fragment du Royaume. Avec lui, il ne viendrait pas à l'idée de quiconque de communier à la manière postconciliaire, en recueillant l'hostie dans les mains, fussent-elles offertes en signe de prière ; il donne la communion dans la bouche, fidèle en cela à une tradition que la Pologne a scrupuleusement observée.

Après la messe, le pape tient à rencontrer ses visiteurs dans la bibliothèque attenante, il parle avec chacun d'entre eux, signe pour lui de son apostolat. Si les visiteurs ont préalablement offert au pape quelque cadeau, il remet à chacun un souvenir de cette rencontre spirituelle, un chapelet ou une médaille, ou encore une image pieuse. Certains sont enfin tenus de partager le petit déjeuner du pape. C'est un honneur relativement fréquent. L'esprit de convivialité qui l'avait rendu si proche de ses paroissiens est au Vatican maintenu, peut-être tempéré depuis l'attentat et la maladie qui en 1992 l'a atteint. Le pape déjeune de manière assez frugale, comparable à celle des monastères, café, lait, pain et confitures. Sa présence charismatique si puissante n'entrave pas cependant l'échange. Il est de ceux qui savent écouter, faisant état de cette fonction essentielle du prêtre qui est d'écouter. Sa connaissance du monde, des autres, lui est, dit-on, venue surtout de cette qualité de dialogue qu'il possède, tâtant le pouls du monde auprès de ses paroissiens, ou l'état moral et spirituel de la jeunesse polonaise grâce aux entretiens qu'il a eus fréquemment avec elle.

L'ambiance est très décontractée, le pape questionne, parle. Quel que soit le moment, sa ligne de vie consiste à garder cette disponibilité-là, qu'il travaille comme une ascèse. Il semble ne manifester aucune impatience de quitter ses invités. Cette rencontre du matin est à ses yeux comme un exercice spirituel au même titre que la prière et le travail apostolique.

Jean-Paul II va ensuite à son bureau où l'attendent ses collaborateurs avec lesquels il définit le planning de la journée. Mais cet entretien est très court, le pape reste seul jusqu'à environ 11 heures. Ce nouveau temps personnel est consacré à une sorte de méditation intime, variante en quelque sorte du temps de réflexion monacal inscrit dans toute règle. Ce temps alterne entre la prière et la réflexion, le pape passe aisément de sa chapelle à son bureau, prie, écrit, prie de nouveau, et dans cette alliance Jean-Paul II réalise peut-être la part la plus importante de sa journée. C'est vraisemblablement là en effet qu'il prend ses décisions, quête les signes de Dieu, infléchit ainsi sa marche.

Il n'hésite pas dans ce temps méditatif à se plonger dans la prière la plus essentielle. Le besoin qu'il a de trouver réponse dans la prière l'oblige en effet à se livrer, dans une proximité très forte avec Dieu, à une prière presque physique, en s'agenouillant ou en baisant l'autel. N'incitera-t-il pas, lorsqu'il s'adressera aux travailleurs étrangers lors de son voyage en 1980 en Allemagne fédérale, les musulmans à prier en public « pour donner à nous, chrétiens, un exemple qui mérite le plus grand respect » ?

Après 11 heures, le pape rejoint ses collaborateurs, dans sa bibliothèque ; c'est le temps des audiences et des rencontres informelles, le dialogue, toujours le dialogue au premier plan de ses préoccupations. C'est à cette heure-là que Jean-Paul II reçoit, outre les ambassadeurs, des ministres et des membres de la hiérarchie ecclésiale de passage à Rome, mais aussi des visiteurs recommandés par diverses instances religieuses ou personnelles. Au cours de ses rencontres, que Jean Chélini estime à environ cinq cents par an, Jean-Paul II écoute encore, et se renseigne ainsi sur cette paroisse du monde dont il veut avoir la charge plénière.

Après cela, et avant de déjeuner, il arrive que des groupes étrangers viennent lui rendre visite. Ses audiences publiques sont généralement conduites sur un mode bonhomme où ses capacités d'accueil lui permettent que s'ouvrent les cœurs. Lier, réunir, tels sont les principes de son apostolat, termes qu'il exige des religieux du monde entier et dont il veut être d'abord le modèle.

Le déjeuner est plutôt léger, souvent le pape reçoit, impromptu, des invités non attendus. La cuisine est simple : « Même si le pape n'accorde pas une importance excessive à ce qu'il mange, les religieuses polonaises veillent à faire alterner les plats italiens à la cuisine nationale, les pirojki, les petits pâtés, les sernik, les gâteaux au fromage et les poissons en gelée. »

Intellectuels, religieux, écrivains quelquefois se réunissent autour de lui. Ce que le père Malinski déclare dans ses Mémoires se vérifie ici aussi : « Il était présent comme personne d'autre ; il était sensible à tout ce qui se passait à l'intérieur de son diocèse, il réagissait instantanément à toutes les actions, à tous les courants, à tous les projets, à tout ce qu'il considérait comme important. Il avait un sixième sens pastoral[1]. »

Instinctivement, donc, le pape rompt la solennité du protocole qui exigeait autrefois que le pape mangeât seul.

Après le déjeuner, le pape se livre à un nouveau temps de solitude assumée, un temps où il se « ramasse », fait retraite pour affronter le reste de la journée. Mais il ne faudrait pas imaginer qu'au protocole d'autrefois il en ait substitué un autre, fût-il plus spontané et plus naturel. Le pape est connu aussi pour ses impulsions, ses désirs imprévus de casser l'ordre apparemment immuable de ses journées. Le pape Paul VI « avait fait aménager une terrasse protégée sur le toit du palais pour lui permettre de prendre l'air sans descendre dans les jardins », comme le raconte Jean Chélini. Il y trouvait ainsi une quiétude et une commodité certaine, l'arthrose dont il était atteint étant devenue très gênante. Jean-Paul II, au début de son pontificat, se promène souvent dans les jardins mais il est trop sollicité ou interpellé, son temps d'oraison en étant d'autant altéré. Aussi passe-t-il plus fréquemment ce temps sur cette terrasse où il peut à la fois bénéficier de la douceur de l'air romain et du silence.

C'est après s'être reposé dans ses appartements privés, très simplement aménagés, que le pape va sur sa terrasse près d'une heure. Il vient enfin à son bureau, où il restera jusqu'à 18 h 30.

Le travail ne sera interrompu que par le dîner prévu à 20 heures. A son bureau, Jean-Paul II s'attelle tout aussi bien à la préparation de ses discours qu'à la rédaction des textes officiels, à sa correspondance, à la lecture de requêtes. A cette heure, le pape reçoit ses collaborateurs qui lui soumettent des dossiers, se fait communiquer ceux qu'il a sollicités, prend des nouvelles du monde politique ou religieux.

Vers 23 heures le pape retourne dans ses appartements, comme un moine, il fait complies et achève sa journée par l'invocation à la Vierge Marie. Ce rythme dense, Jean-Paul II l'a maintenu durant toute sa vie, du séminaire au Vatican, c'est dans cette ardeur qu'il gère le mieux son esprit et son temps, dans cette ferveur et cette foi en sa charge qu'il peut, à ses yeux, le mieux être entendu. Il porte au plus haut point la responsabilité de son rôle, et maintient vaille que vaille, vivace et comme un signe de sa vocation, cette formidable puissance de travail. L'attentat de 1981 ne l'altérera qu'un temps, le rythme effréné des voyages pastoraux témoignera de cette violence de conviction. Seules les années 1992-1994 marqueront, après quinze ans de pontificat et une vie entière de lutte, un ralentissement des activités sinon une lassitude, une sorte de solitude un peu désabusée, comme si l'état du monde en cette dernière décennie avant l'an 2000 n'avait pas tenu compte des messages et des appels que Jean-

Paul II n'avait pourtant cessé de prodiguer. Comme si encore l'état du monde, en guerre et aux prises avec ce qu'il appelait la « tentation du malin[2] », avait révélé la vanité de toute son action.

XVIII

UNE SUBVERSION ÉVANGÉLIQUE POUR UNE PROCLAMATION DE JÉSUS-CHRIST

« Solidarité [...] ce mot est votre fierté. »
(11 juin 1987, Gdynia, Pologne.)

Que Jean-Paul II ait galvanisé les foules polonaises en juin 1979, qu'il se soit fait l'allié objectif d'un peuple humilié, qu'il lui ait confirmé sa solidarité, inaugure sans ambiguïté la suite d'événements qui, partis des chantiers navals de Gdansk, vont entraîner inexorablement la chute du communisme et porter au pouvoir un petit électricien qui prie à genoux la Vierge Marie et négocie avec une âpreté de terrien les nouvelles donnes politiques.

On se souvient du redouté voyage de Jean-Paul II en Pologne, du 2 au 10 juin 1979, des formules choc qu'il a prononcées et de l'enthousiasme populaire qui l'a désigné aussitôt comme le leader de la révolte montante. Il est vrai qu'en Pologne le cardinal Wojtyla s'était déjà illustré par sa pastorale très attentive aux problèmes sociaux et était apparu le plus souvent aux yeux du pouvoir communiste comme un farouche interlocuteur. Cherchant à déstabiliser l'adversaire, plaçant le débat sur un autre plan, plus spirituel et moral, et professant la non-violence, Karol Wojtyla avait fini par passer pour plus redoutable et dangereux que le cardinal-primat de Varsovie qui, pourtant, avait payé cher sa résistance au pouvoir en place. Dans toutes ses homélies, lors du voyage de 1979, Jean-Paul II, pape depuis huit mois seulement, a bouleversé les méthodes feutrées de la diplomatie vaticane, peu habituée sûrement à traiter avec de tels adversaires. Homme du terrain, il connaît de l'intérieur les comportements et les violences de l'État communiste. Il sait mieux que quiconque comment lui faire face, comme le pousser dans ses derniers retranchements. Aussi ses déclarations en 1979 sont-elles provocantes et claires. Ni le peuple polonais ni les autorités communistes n'ont d'ailleurs été dupes : tous ont entendu l'appel à la résistance que le pape « de chez eux » leur lançait. Sous couvert de pèlerinage – « c'est une bonne chose que mon pèlerinage en Pologne, à l'occasion du neuvième centenaire du martyre de saint Stanislas, tombe dans la période de la Pentecôte et en la solennité de la Sainte-Trinité[1] » –, Jean-Paul II déclare une autre guerre à l'État communiste. Sans jeter d'anathème ni lancer des appels inutiles de modération à un pouvoir qui n'en avait cure, il affirme sa présence et son identité polonaise à la face du monde, se déclare solidaire d'un peuple qui est bafoué dans ses droits fondamentaux, et en appelle au sursaut moral et au renouveau religieux. Tout dès lors devient parole symbolique, que ce soit celle qui prône le martyre du saint patron de la Pologne (5 juin), celle qui exalte la mémoire de Maximilien Kolbe (7 juin), ou de sainte Hedwige qui « paya de la mort de son propre fils le prix de la paix et la sécurité des terres qui lui étaient soumises » (5 juin), celle qui est prononcée dans la cité même de Nowa Huta, où il a contribué pendant son sacerdoce à faire édifier une église (9 juin), celle encore qu'il adresse, mystique, aux jeunes à Jasna Gora (4 juin) ou aux mineurs de Haute-Silésie (6 juin). Et partout et toujours le même hymne à la liberté décliné sur tous les registres, à tous les auditoires : « Le Christ n'approuvera jamais que l'homme soit considéré – ni qu'il se considère lui-même – seulement comme un instrument de production » (9 juin, Nowa Huta).

De tels appels mystico-politiques ne pouvaient évidemment rester sans réponse. Le peuple polonais, à l'issue de ce voyage, avait fait de Jean-Paul II son unique recours, son emblème, son témoin privilégié et le plus apte à rendre compte au monde de sa détresse et de sa volonté de liberté. « Reste avec nous, criait-il, ne t'en va pas », entendait-on dans la foule amassée sur son passage. Dire que le pape a été, comme les responsables communistes le lui ont reproché, l'instigateur des troubles est sans doute excessif, mais il n'est pas inexact de prétendre qu'il a été l'élément déclencheur du processus de libération qui se déroule à partir de l'été 80, « fruit du voyage papal de 1979 », selon l'analyse de l'ex-dirigeant communiste Jerzy Waszczuk[2].

Et en effet, malgré les choix économiques désastreux du pouvoir et la gestion de Gierek, malgré l'absence des libertés essentielles, malgré les mesures idéologiques répressives, malgré tout ce qui pourrait expliquer objectivement la défaite d'une politique et l'apparition des troubles sociaux, il apparaît que le rôle de Jean-Paul II sur l'échiquier de la Pologne, et par extension sur celui de tout le bloc communiste, a été puissant et calculé. Un an après le premier voyage « pastoral » du pape, comme emportée par l'élan mystique et messianique de Jean-Paul II, la Pologne se révolte. Le pape en est informé à Castel Gandolfo. Les chaleurs romaines sont étouffantes en ce mois d'août. Il apprend encore que sa propre personne sert de tremplin à la révolte, d'image emblématique. Il sait que la partie sera serrée, mais cela ne déplaît pas à celui qui a toujours joué au chat et à la souris pendant son sacerdoce polonais.

Jean-Paul II garde en mémoire ses actions passées, au temps où il était cardinal-archevêque de Cracovie. Pas un instant il n'a oublié qu'il se nomme aussi Karol Wojtyla. Il n'a pas comme ses prédécesseurs le « complexe russe », il connaît parfaitement les mentalités slaves, leurs faiblesses et leurs forces, il a étudié en philosophie les théories marxistes et leurs désastreuses applications staliniennes et léninistes. Il « connaît la musique », comme on pourrait dire.

Aussi son Ostpolitik est-elle plus audacieuse, plus

cruelle pour le communisme, plus habile et en même temps plus révolutionnaire. L'Église doit surtout vivre. Tel est le slogan dont il ne s'est jamais séparé depuis des décennies. « N'ayez pas peur », avait-il dit à tous les peuples, en octobre 78. « Ouvrez les frontières », avait-il rajouté en direction des peuples bâillonnés par le communisme. C'est dire qu'il va semer des germes de subversion dans tout le bloc communiste : de la lettre « au vénérable frère Joseph », le cardinal Slipyj, archevêque majeur de Lwow et chef de l'Église uniate, au conflit ouvert, partant, avec le patriarcat de Moscou, de l'appel sous-jacent à la liberté en Pologne à la reconnaissance de tous les catholiques en Lituanie ou en Tchécoslovaquie.

L'Ostpolitik devient sinon agressive du moins frontale, elle n'a pas peur, elle fonce même. Cela n'est pas toujours du goût de la Curie romaine qui n'a guère l'habitude d'une pratique aussi « ouverte », et se plaint presque publiquement de la constitution d'un lobby polonais qui tend justement à faire de la Pologne le modèle de la reconquête de l'Église à l'Est et par là à l'Ouest. Si Mgr Casaroli demeure un diplomate écouté et influent, si rien ne se fait sans son conseil et si sa modération est légendaire, il reste que Jean-Paul II semble s'être arrogé dès le début de son pontificat une part de liberté qu'il entend gérer personnellement et selon sa propre sensibilité. Et celle-ci est polonaise, bien sûr, avant tout polonaise.

Cette part personnelle que Jean-Paul II s'est réservée lui permet, à côté de la classique pratique vaticane, de libérer des espaces plus sensibles, plus familiers et plus inattendus. Ce sont ceux-là que l'opinion et les fidèles conservent de ses voyages et de son action. « Réintroduire le Christ dans la société », redonner à une grande Europe, de l'Atlantique à l'Oural, ses racines spirituelles, convertir l'ex-Russie, voilà le vaste et romantique dessein de Jean-Paul II.

Aussi quand son visage apparaît sur des affiches accrochées aux grilles des chantiers de Gdansk, quand des badges à son effigie et des banderoles portant son nom sont arborés dans les foules en grève, quand de surcroît la Vierge Marie est associée en posters ou en badges elle aussi à son nom, il est clair à l'esprit de Jean-Paul II que le bras de fer qu'il savait par ailleurs inévitable a commencé. Il ne s'étonne pas de voir se réaliser ce projet que d'aucuns croyaient utopique : l'épicentre de la révolte dans tout le bloc communiste se situera donc en Pologne, terre natale, et la Pologne puisera son énergie et son courage dans la religion catholique. Tous les motifs étaient réunis pour que commence une saga où s'affronteraient, comme dans toute épopée, le Bien et le Mal.

Ce grand roman à la Tolstoï se déploie devant les yeux étonnés et vaguement séduits de l'Occident qui croit assister en direct et sans responsabilité personnelle à ce singulier bras de fer entre un peuple opprimé et le géant communiste (au point que la presse, les intellectuels, les écrivains s'emparent du « sujet » ; on se souvient de *L'Été 80* de Marguerite Duras et du dossier de *Témoignage chrétien*, intitulé *L'été polonais*). Mais c'est de l'arrêt de mort du pouvoir communiste à l'Est qu'il s'agit. Jean-Paul II, de sa cité du Vatican, tire les ficelles : il est en première ligne, appelé par les grévistes, « solidaire » entièrement de ses compatriotes : tel était le sens de l'invocation de la Pentecôte prononcée le 2 juin 1979, place des Victoires, à Varsovie : « Et je crie, moi, fils de la terre polonaise, et en même temps, moi, le pape Jean-Paul II, je crie du plus profond de ce millénaire, je crie à la veille de la Pentecôte : Que descende ton Esprit ! Que descende ton Esprit ! »

La Pentecôte était donc venue en cet été 80, l'Esprit allait descendre sur cette Pologne qui en avait été privée par une idéologie athée et totalitaire.

Sa diplomatie particulière le pousse à poser des actes symboliques qui ont pour fonction de dérouter l'adversaire ; à la fois naïfs et redoutables, ils perturbent l'aveugle machine communiste, rigide et sans imagination. C'est parce qu'il ose ces petits actes, véritables grains de sable, que Jean-Paul II est menaçant. Ainsi, le 20 août 1980, au Vatican, il fait pour la première fois allusion aux événements de Gdansk devant vingt mille fidèles dont neuf cents Polonais. Il chante avec eux une hymne utilisée par les résistants polonais à l'époque de l'occupation allemande : « Dieu qui, pendant tant de siècles, a protégé la Pologne, bénis notre patrie libre. » A tous les fidèles réunis, il associe les chrétiens du monde entier présents, et leur demande de prier « pour ma patrie, la Pologne ». Le pape engage le monde dans « sa » guerre, la lutte polonaise va devenir la lutte juste, pour la liberté et la dignité de l'homme. Mais cette lutte, Jean-Paul II ne la dissocie jamais de Dieu et du projet divin. C'est précisément par cette rencontre entre le peuple polonais et Dieu que la victoire sera certaine. C'est pourquoi ce qui se passe en Pologne est de première importance non seulement pour l'Ostpolitik vaticane mais aussi pour la place de l'Église dans le monde entier.

L'enjeu de cette « guerre » va au-delà de la lutte contre le mal absolu qu'est le communisme aux yeux de l'Église, son ennemie héréditaire ; de la victoire dépend la crédibilité de la pastorale universelle du pape, qui promet la paix et la justice dans tous les domaines à ceux qui voudront suivre le Christ.

La grève cependant s'amplifie dans les chantiers navals, ce qui pose un problème à la diplomatie du Vatican qui a toujours été réservée à l'égard du droit de grève. Le pape lui-même, lors de son voyage au Brésil, a manifesté une grande discrétion à ce sujet, dans la ligne de Vatican II qui la considère comme un « recours ultime » plutôt que comme « moyen nécessaire ». Néanmoins, l'évêque de Gdansk apporte son soutien tacite aux grévistes. Mgr Kaczmarek exprime sa « compréhension pour les ouvriers qui réclament l'amélioration de leurs conditions de vie et le respect des droits de l'homme ». Le vice-Premier ministre, M. Barcikowski, campe de son côté sur ses positions, ne veut pas entendre parler du rétablissement des communications téléphoniques avec Gdansk, ce qui permettrait aux grévistes de rentrer en contact non seulement avec le reste de la Pologne, mais encore avec le monde entier. Le pape adresse des messages appuyés au cardinal-primat de Varsovie, plaçant les revendications politiques sous la protection de la Vierge Noire : « Ces quelques phrases que je vous adresse, écrit-il, me sont dictées par un besoin intérieur. Je suis avec vous au pied de la Dame de Jasna Gora dans la communauté du souci, de la prière et de la bénédiction[3]. »

Jean-Paul II, tout en suivant la situation de très près, recommande la Pologne à l'Église polonaise. Il ne souhaite pas publiquement mener la lutte, afin qu'aucun amalgame trop hâtif ne se fasse dans l'esprit de l'opinion internationale. Aussi est-ce au cardinal-primat qu'est dévolu ce rôle de médiateur. L'arrêt de la grève est le point névralgique du combat. L'Église déclare enfin que « les grèves ne servent pas le bien » (Mgr Kaczmarek, 24 août), et le conseil est repris par la cardinal Wyszynski le 26 août, à Czestochowa, à la satisfaction du pouvoir qui reprend ce point avec une telle ostentation, négligeant les autres, plus sévères à son égard, que l'Église, au risque d'être accusée de collusion, est obligée, dès le lendemain, de dénoncer le procédé et de confirmer son soutien aux grévistes. De son côté, Lech Walesa, le petit électricien qui porte au cours de ses négociations un badge de la Vierge Noire au revers de son bleu de travail, s'entoure d'intellectuels pour le conseiller : Mazowiecki et Cywinski, journalistes de *Znak* et de *Wiez*, et Wielowiejski, secrétaire général du Club des intellectuels catholiques. Or ces conseillers entretiennent tous les trois des relations privilégiées avec Jean-Paul II. On le voit, le pape, en sous-main, est présent et actif.

Malgré les menaces qui pèsent sur la Pologne – l'URSS prépare ses grandes manœuvres tout près de la frontière –, le comité des grévistes ne cède pas et se souvient de ce qu'avait clamé le pape : « N'ayez pas peur ! » Les accords de Gdansk du 31 août signent la victoire des ouvriers et le début de la décomposition du pouvoir communiste.

Mais Jean-Paul II ne mésestime pas pour autant la violence de l'URSS qui ne pourra accepter les libertés arrachées par les grévistes. Toute faille ouverte est une menace pour les États satellites. La Pologne et le pape observent le retour du balancier. Pour consolider l'autorité de Lech Walesa, Jean-Paul II se déclare disposé à le recevoir à Rome. Walesa envisage de s'y rendre le 16 janvier 1981.

Le bras de fer continue entre le bloc communiste, qui tente de se ressaisir (voir le long article de la *Pravda* du 13 janvier, louant l'amitié polono-soviétique : « L'avenir de la Pologne est lié au socialisme, y lit-on, la Pologne a besoin d'une Union soviétique puissante comme l'URSS a besoin d'une forte Pologne socialiste »), et la Pologne dissidente incarnée par le syndicat Solidarité nouvellement créé et une population inquiète mais elle aussi solidaire.

C'est dans ce contexte pesant que Lech Walesa et ses collaborateurs sont reçus au Vatican. Le défi du pape est immense. La rencontre avec Walesa est plus familiale que protocolaire, ce qui permet à Jean-Paul II de faire des déclarations encore plus audacieuses : « Les hommes qui travaillent ont le droit de s'associer librement, dans le but de s'assurer tous les biens auxquels le travail doit servir. Il s'agit ici de l'un des droits fondamentaux de la personne humaine », déclare-t-il. S'adressant précisément à Solidarité, il lui octroie un rôle social historique : « Cet énorme effort que vous avez encore devant vous n'est pas dirigé contre, mais exclusivement vers le bien commun. Un tel effort est un droit et même un devoir de toute société, de toute nation. » Aux yeux des observateurs, jamais le pape n'a été aussi détendu et heureux : « Ce fut une fête de famille joyeuse, émue, complice, au milieu des cardinaux sévères, des suisses de marbre et des huissiers à paillon blanc. Jean-Paul II riait de tous ses traits, tassé sur son trône de la salle du Consistoire, comme pour s'interdire une violation du protocole. Ils échangeaient des cadeaux, des blagues à mi-voix dans le secret, des accolades à n'en plus finir[4]. »

Cette complicité entre les dissidents communistes, les syndiqués de Solidarité et Jean-Paul II est insupportable. L'attentat du 13 mai 1981 perpétré contre sa personne pourrait bien être la réponse du pouvoir communiste aux « provocations » du Vatican. Une participation occulte du KGB est tout de suite envisagée. Mais les commanditaires de l'attentat ne seront jamais clairement désignés. Jean-Paul II quant à lui préfère tirer autrement parti du drame : la date fatidique du 13 mai le ramènera à la mystique de Fatima, et confortera sa mission messianique.

Jean-Paul II sait que le prix à payer risque d'être très lourd. A Fatima il invite les fidèles à prier pour sa patrie, mais, durant le dernier semestre de 1981, son intransigeance ne fléchit pas. Celle-ci, à ses yeux, n'est pas politique, mais évangélique : « La nation a payé, dit-il, un tel prix pour son indépendance [qu'elle] a le droit de décider de ses problèmes d'une façon autonome. Ce droit d'autodécision est le principe de l'ordre international. Il faut le respecter parce qu'il est réclamé par une véritable volonté de paix[5]. »

Les menaces se profilent à l'horizon : le pouvoir politique fustige la « contre-révolution », des manœuvres soviético-polonaises ont lieu aux frontières de la RDA, et l'on brandit dans les milieux autorisés l'éventualité d'un « état de guerre ». Et, le 13 décembre 1981, il est en effet déclaré. La nouvelle tombe sur tous les téléscripteurs du monde, la Pologne est de nouveau bâillonnée, les communications sont coupées. Jean-Paul II réagit en Polonais, en fils de la nation polonaise. Les tactiques diplomatiques prudentes, considérant le géant tutélaire qu'est l'URSS, ne rallient pas forcément l'adhésion du pape. « Dans de telles conditions, lance-t-il le 16 décembre, ma sollicitude s'adresse encore une fois à la patrie, à la nation dont je suis le fils. Une nation qui, comme toute nation ou pays, a droit à une sollicitude particulière de la part de l'Église. Cette sollicitude embrasse actuellement toute la Pologne et tous les Polonais. [...] Je confie au Christ et à sa Mère de Jasna Gora toute la patrie, cette nation de nouveau éprouvée dans une juste lutte pour le juste droit d'être elle-même. »

L'attention de Jean-Paul II est extrême, chaque jour, il adresse au monde entier et au pays des suppliques « pour que d'autres souffrances soient épargnées à la Pologne et à mon peuple ». Il dépêche Mgr Poggi pour renouer le contact, implore que « le sang ne soit pas versé ». Mais toujours demeure la même tactique, celle utilisée lorsqu'il était encore cardinal à Cracovie et que Mgr Casaroli énonce elliptiquement : « Inciter à la modération, mais aussi affirmer avec clarté certains principes ».

Le pape se jette dans la mêlée avec cet art de la symbolique qui apporte toujours davantage de sens, donne à mieux comprendre : la nuit de Noël, il allume un cierge à la fenêtre de ses appartements, invitant le monde entier à en faire autant.

La volonté de croisé de Jean-Paul II ne s'est jamais tant affirmée qu'à cette époque où tout peut basculer. Prenant néanmoins la mesure des risques, mais connaissant mieux que quiconque la dialectique qu'il a expérimentée avant 1978, fort aussi de son « infaillibilité » et de son discernement, il se déclare solidaire des ouvriers de Gdansk et de leur syndicat. Le combat contre le communisme prend allure de défi et de certitude spirituelle. Bardé de cette foi, il sait qu'il peut mettre à bas le communisme en Europe de l'Est. A cette époque, personne ne croit au vaste dessein de Jean-Paul II. L'Histoire lui donnera raison.

Comme au temps des mille ruses pour affaiblir le pouvoir politique et rester maître du jeu est imaginée la stratégie de la tournée paroissiale que le Vatican réclame auprès des instances communistes. Il s'agit de confesser dans leurs prisons les prisonniers politiques de Solidarnosc, et de s'informer auprès d'eux, par le biais de ces entretiens, de la situation réelle du pays. Cette demande est accordée et le père Jan Sikorski est envoyé en mission. Au fil des jours, des homélies, des rencontres et des déclarations de toutes sortes, Jean-Paul II réaffirme son attachement aux «extrémistes», comme le pouvoir appelle les grévistes, il condamne la «violation des consciences [...] le coup le plus douloureux que l'on puisse porter à la dignité humaine[6]», renouvelle son affection particulière pour Solidarnosc[7], dénonce l'URSS, «sphère d'hégémonie», qui a pu avoir son origine «dans des situations particulières et contingentes, et [...] qui ne devrait pas justifier [sa] persistance, à plus forte raison, si elle tente de limiter la souveraineté d'autrui». Une sourde opposition s'installe entre Mgr Glemp, partisan d'une normalisation et d'une réconciliation nationale, et le pape, plus radical dans son analyse. Mgr Glemp donne en effet l'impression de finasser, de modérer tant que le pouvoir se sent plus fort, plus apte à dominer la situation: «Nous ne pouvons admettre les condamnations sans appel, dit-il, Jésus n'a pas condamné. Il n'y a pas ceux qui sont totalement bons et ceux qui sont totalement mauvais. L'Église souhaite qu'aucun de nous ne fomente la colère. [...] L'unique voie possible est le dialogue.» Le gouvernement de Jaruzelski se réjouit en fait de cette attitude. Il est passé le temps de l'obstiné Wyszynski...

Mais Jean-Paul II n'accepte pas cette modération. Dès le 9 février, deux jours après la déclaration temporisatrice de Mgr Glemp, il réagit sans ambiguïté et apporte son soutien inconditionnel à Solidarnosc, réclamant «la restitution du respect effectif et total des droits des hommes au travail et spécialement de leur droit à un syndicat déjà créé et légalisé : seule voie pour sortir de cette situation difficile ».

La fracture, même si elle n'est pas avouée, n'échappe pas aux observateurs avertis : le pape s'est rangé du côté des « utopistes », des intellectuels de *Znak* dont il a toujours été très proche, alors qu'une autre fraction du clergé, plus traditionnelle, moins engagée et somme toute partisane d'un statu quo avec l'État socialiste, entérinant son autorité, condamne le clan « progressiste ».

C'est dans des circonstances aussi dramatiques qu'est néanmoins envisagé, à l'initiative de Mgr Glemp, un nouveau voyage de Jean-Paul II en Pologne. Le général Jaruzelski y met la condition que Solidarnosc cesse sa subversion. Le six centième anniversaire de Jasna Gora en est la raison officielle, mais le gouvernement polonais commence à connaître ces alibis spirituels générateurs de troubles et de prises de conscience que l'Église polonaise a l'art d'invoquer. L'entourage du pape sait que ce voyage n'aura pas lieu avant de longs mois. Malgré les gages de bonne volonté que Jaruzelski réclame, Jean-Paul II enfonce le clou : le 6 mai il redit son souhait que « partout, dans tous les pays et sous tous les régimes, les travailleurs jouissent de leur droit inaliénable de former des associations libres et autogérées ». A Londres, lors de son voyage officiel en juin 1982, il déclare tout net : « Nous savons que les efforts dirigés vers la liberté, le respect de la dignité humaine, la chance de vivre en paix avec sa propre conscience et ses convictions n'ont pas atteint les objectifs désirés. Ils ont toutefois changé l'âme de la nation et sa conscience. Il y a d'autres valeurs spirituelles et morales qui ne peuvent être mesurées par des valeurs matérielles mais qui sont des valeurs décisives dans la vraie hiérarchie de l'existence humaine. »

Le voyage du pape prend cependant corps dans les esprits en Pologne. Les autorités ont besoin de se rallier le plus possible de citoyens, et un refus de leur part serait très mal perçu. L'on s'achemine donc vers ce voyage que Jean-Paul II veut en tous points emblématique.

Fixé au printemps 1983, il sera le plus fort de tous. Le général Jaruzelski cependant ne relâche pas la tension et c'est avec une grande révolte que Jean-Paul II apprend la mise hors la loi de Solidarnosc, accusé de préparer une « insurrection armée » selon les mots de M. Barcikowski, membre du Bureau politique.

Profitant de la canonisation du père Kolbe, le 10 octobre 1982, Jean-Paul II déclare : « On constate la violation des droits fondamentaux de l'homme et de la société. Le siège apostolique et l'Église polonaise ont fait ce qu'ils pouvaient pour que n'adviennent pas de telles violations. Et dans l'avenir nous défendrons encore les droits légitimes des hommes de travail. »

Entre novembre 1982 et juin 1983, date à laquelle est prévu le voyage pontifical, s'écoulent de longs mois incertains. Dans le désarroi d'une population et les menaces policières qui pèsent sur tout le pays, la marge de l'Église est étroite. Elle ne peut cependant, « par tendance naturelle d'une institution à rechercher l'ordre, [...] subordonner sa stratégie à celle d'un mouvement clandestin[8] », et c'est pourquoi elle joue le pari du voyage pour créer un nouveau dynamisme. Néanmoins la bonne volonté de l'Église n'est pas perçue de tous les communistes avec la même « naïveté » que celle de Jaruzelski, à preuve l'URSS qui est consciente du rôle subversif qu'elle joue en Pologne. La revue *Autoéducation politique*, en date du 29 décembre 1981, déclare que « le chef actuel de l'Église catholique fait preuve de plus de conservatisme et de dureté à l'égard du monde socialiste [que ses prédécesseurs]. L'orientation de classe de ses discours est évidente. [...] La Pologne, rajoute-t-elle, n'est pas le seul pays à faire l'objet d'activités subversives de la part du Vatican : celui-ci prépare et envoie dans d'autres pays de l'Europe socialiste des “spécialistes” en matière de propagande du catholicisme. »

C'est dans ce jeu diplomatique et spontané tout à la fois où se fondent la prudence et l'affectivité polonaise de Jean-Paul II que se traite le dossier douloureux de la Pologne. Le pape, comme le dit Mgr Decourtray, « fait peur au totalitarisme soviétique ».

« On n'empêchera pas le pape d'être tout à fait lui-même[9] » dit-il, mais il sait aussi que, comme à Prague, les chars russes peuvent liquider la Pologne et la contestation.

Les négociations entamées par Mgr Glemp avec le pouvoir ne sont pas perçues favorablement de la part du syndicat désormais clandestin Solidarnosc qui y décèle un risque de collusion, voire de récupération. Le général Jaruzelski voit d'ailleurs d'une manière assez favorable ces négociations se poursuivre, pensant par là en tirer parti et caution morale. « L'Église, constate Bernard Guetta, a beaucoup cédé au régime. Trop même, à entendre nombre de militants de Solidarité, régulièrement indignés de voir le primat appeler avec constance, depuis le 13 décembre, à éviter les grèves, à se garder de toute violence[10]. »

Le risque de marginalisation est grand pour Solidarité qui, en la personne de son chef, Lech Walesa, va tâcher, en prévision de la manifestation du 1er mai, de reprendre son souffle. Walesa réaffirme sa présence et son autorité et rassure ceux qui voudraient l'extrémiser. Ne voulant pas que l'Église et l'État négocient ce qui avait été impulsé par Solidarité, c'est-à-dire que deux forces institutionnelles n'amenuisent son dynamisme, il se place comme l'autre interlocuteur inévitable de la crise. Habilement Walesa reconnaît la prééminence de Jean-Paul II (il déclare, le 20 avril, que le premier voyage du pape « a réveillé le pays de sa léthargie » et a inspiré « la naissance de Solidarité ») et en même temps rappelle que l'Église « ne nous impose rien. Ses buts sont plus larges que les nôtres, elle a une longue expérience. Cela dit, le monde du travail ne doit pas se laisser mener. Il a ses propres buts ».

Jean-Paul II sait que, dans ce conflit, la place de l'Église est infiniment subtile, à la fois instance responsable et interlocutrice face au pouvoir, et ne voulant pas par ailleurs se couper du peuple. Aussi, afin de lever toute ambiguïté avec Solidarité, le pape demande-t-il que son voyage soit précédé d'une amnistie générale. Cependant le voyage s'organise, et des consignes sont même adressées aux militants de Solidarité pour confectionner des banderoles sur lesquelles des passages de l'Évangile seraient écrits en caractères semblables au graphisme du logo de Solidarité[11].

C'est le jeudi 16 juin, à 18 heures que l'avion du pape se pose à l'aéroport militaire d'Okecie-Varsovie.

La presse internationale, malgré les difficultés d'obtention des visas (les journalistes de *Newsweek*, de la BBC, du *Soir* de Bruxelles sont « interdits »), est tout entière mobilisée. Que fera le pape, malgré ses promesses implicites de calme, et de pondération ? Une fois sur place, comme cela lui arrive souvent, ne se laissera-t-il pas emporter par cet élan messianique qui fait de lui un garant de la victoire contre l'ennemi plénier de l'Église ? De fait, les premiers mots prononcés sur sa terre natale sont explicites et signent la défaite de ce que Jaruzelski avait voulu convertir à son avantage. L'arrivée de Jean-Paul II pouvait en effet à ses yeux conforter sa position. Les discours du pape donnent le ton : « Je considère ce pèlerinage, en dépit de tout, comme un droit en tant qu'évêque de Rome, et en tant que Polonais », avait-il déjà dit le 11 octobre 1982. A présent arrivé à Varsovie : « Je continuerai à considérer comme mien tout le bien véritable de ma patrie, comme si j'habitais encore sur cette terre. » Les phrases clés ne manquent pas, elles sont de celles qui exaltent et emportent la victoire : « Nous sommes venus, nous avons vu, Dieu a vaincu. »

Profitant de toutes les haltes prévues sur son passage, il lance toujours le même mot d'ordre : « Nc te laisse pas vaincre par le mal, mais sois vainqueur du mal par le bien.

[...] C'est un programme évangélique.» Mais celui-ci est bel et bien perçu par les instances de l'État comme un programme politique. Les menaces voilées, à qui sait les «lire», se multiplient: «Je "veille" signifie aussi je me sens responsable de ce grand héritage commun qui s'appelle la Pologne», «L'homme qui travaille n'est pas seulement un instrument de production, mais également un sujet qui, dans tout le processus de la production, a la priorité sur le capital».

Vérité, solidarité, le mot est scandé, martelé, au grand dépit du pouvoir qui sent qu'il a été floué, que cette méthode Wojtyla est bien celle que dénonçait le frère soviétique, dans les *Izvestia*: «activités subversives de la part du Vatican», «activité antisocialiste des forces réactionnaires de l'Église catholique», «cynisme», «mensonge»[12].

Le voyage se transforme en plébiscite pour Jean-Paul II, il semble que les foules le considèrent comme leur unique chance de salut. Adam Michnik déclarera bien plus tard: «Jean-Paul II a tué le dragon du totalitarisme. Personne en Pologne n'a de doute sur le rôle essentiel du pape dans la chute du système communiste. [...] S'il existe dans le débat polonais une sphère "tabou", une sphère soustraite aux règles normales du débat, c'est justement la personne et la mission de Jean-Paul II[13].»

La foule, comme libérée de ces mois de contrainte et de bâillon, ne peut plus se contenir et partout lâche les cris interdits: So-li-dar-nosc! ou bien Lech-Wa-le-sa! Elle exulte quand elle entend le pape lui dire: «Comme fils de Dieu, nous ne pouvons plus être des esclaves car la liberté est donnée à l'homme.»

Le monde entier observe, médusé, le grand combat se dérouler en mondiovision devant lui. Chaque intervention du pape est un camouflet à l'adresse du pouvoir, il lui suffit d'emprunter quelques phrases de l'Évangile pour qu'une résonance de libération en jaillisse.

«Reçu comme un chef d'État par un État, cet homme

est un prophète au sens où Israël eut les siens[14] », déclare Bernard Guetta.

Comme galvanisé, Jean-Paul II renouvelle sa confiance à Solidarnosc, flagrant démenti apporté au père Levi, éditorialiste de *L'Osservatore Romano*, qui avait imprudemment déclaré que le Vatican lâchait en quelque sorte le syndicat dissous. Le 23 juin, Jean-Paul II arrache des autorités polonaises une rencontre avec Lech Walesa. Elle demeurera strictement confidentielle, mais se déroule symboliquement dans les monts Tatras, au cœur des montagnes, dans la vallée de Chocholowska. Rien ne percera de cette entrevue, et le silence même appartient à la légende : le « géant des Tatras », comme tous appellent ici Jean-Paul II, avait réussi par cet entretien à défier le pouvoir et à remettre en selle Lech Walesa.

Entre ces deux types de diplomatie, l'une, subtile, du Vatican, et l'autre, « crucifix au clair », comme dit *Le Canard enchaîné*[15], Jean-Paul II ébranle le bloc communiste. Ce que le pape ne cesse de déclarer, c'est que toute solution positive du conflit ne passera que par une « victoire de nature morale ». Comment éviter le parallèle avec Gandhi qui, par les mêmes biais stratégiques, réussissait à libérer son peuple de l'emprise coloniale ?

« Le pape n'est pas né d'hier », analyse André Fontaine[16] et son pèlerinage parle non seulement pour la Pologne mais aussi pour la chrétienté universelle. Partout où des poches d'oppression existeront, il faudra opposer l'évidence de l'Évangile. « Nous sommes au pied de la Croix », a-t-il déclaré. Il y a des épreuves qui forment les peuples, les légitiment. Les autres pays de l'Est sont sous le même joug. Il sait que son discours leur parlera de la même manière.

La victoire passe donc par la conversion qui, elle-même, peut nécessiter le martyre. La béatification à Cracovie du père Rafal Kalinowski, carme déporté en Sibérie pour s'être révolté contre l'Armée russe en 1863, est le modèle que Jean-Paul II brandit avec celui du père

Kolbe à la face des Polonais pour les inciter à cette forme de résistance, mais aussi comme un défi aux pays de l'Est tenus en laisse par le totalitarisme.

Le voyage du « pape de Solidarité », comme on l'a surnommé, a fait retentir le cri de sa patrie. Mais, une fois Jean-Paul II parti, que restera-t-il ? Jaruzelski entendra-t-il poursuivre, comme on a dit, son « travail » ? Jean-Paul II sait que rien n'est achevé, que des failles ont été creusées dans la grande muraille. Mais le grand corps totalitaire, blessé, n'entend pas lâcher prise.

C'est ainsi que seize mois après le 19 octobre 1984, le père Jerzy Popieluszko est sauvagement mutilé, et assassiné.

Celui que l'on n'appelle plus que « saint Jerzy » est l'objet d'une vénération immense : des millions de Polonais se rendront sur sa tombe, se souvenant de son charisme et de ses fameuses « messes pour la patrie », véritables provocations pour le pouvoir.

Les opposants politiques envahissent les prisons polonaises, on redoute les interrogations de la police politique dont on connaît les méthodes, le dialogue tant réclamé par Jean-Paul II ne parvient pas à se concrétiser. Le pouvoir se durcit, semble ne vouloir faire aucune concession, dupé par le second voyage, il oppose une attitude fermée. La répression est sauvage, et le mécontentement de plus en plus grand, la crise économique devient préoccupante, et les queues de Polonais devant les magasins d'alimentation s'allongent misérablement.

Ce n'est que le 11 septembre 1986 que le pouvoir libère enfin tous les prisonniers politiques. Le troisième voyage de Jean-Paul II est alors envisageable. Il reviendra donc sur sa terre natale, en juin 1987.

Dans le cadre d'un congrès eucharistique national sur le thème « Il les aima jusqu'au bout », Jean-Paul II va donc tenter, du 8 au 14 juin, de renouer le dialogue, faire que quelque chose bouge, redonner élan. Le même scénario de messes grandioses et de défilés solennels, de rencontres émouvantes et d'homélies messianiques, de foules scandant Solidarnosc et Lech Walesa se renouvelle. Mais il semble presque que ce soit désormais vain tant le pouvoir semble tenir en main la situation et cela, bien que tout se délite autour de lui.

Jaruzelski, qui a rendu visite au pape en janvier 1987 n'est pas tout à fait convaincu du statu quo policier. Il sait bien que quelque chose doit changer, que le monde libre a les yeux rivés sur lui et que la « normalisation » est indispensable. Sent-il le radeau couler et veut-il se défaire de cette image de dictateur que la presse internationale lui donne ? La perestroïka que la maître du Kremlin, Mikhaïl Gorbatchev, amorce en Union Soviétique lui permet de lâcher du lest. Aussi le voyage pontifical est pour lui l'occasion d'apporter des gages d'ouverture à l'Occident, et de restaurer son image. C'est pourquoi Jean-Paul II se sent plus fort encore : il exige de passer par Gdansk, ce dont se serait fort bien passé le pouvoir. Il béatifiera une jeune paysanne assassinée par un soudard, Karolina Kozka, et Mgr Michel Kozal, tué à Dachau en 1943. Mais l'acte le plus médiatisé sera sûrement sa venue devant la tombe du père Jerzy Popieluszko, assassiné trois ans auparavant. Il ira s'incliner longuement devant la grande dalle en forme de croix, en signe d'affection pour ce jeune prêtre dont il respectait la vigueur pastorale et le défi constant au pouvoir, la jeunesse flamboyante et cette indifférence au martyre. Et Jean-Paul II aime ceux qui pratique « l'amour jusqu'au bout », comme il le dit dans son homélie du dimanche 14 juin.

Le voyage, de prudent, devient téméraire, de cette témérité qu'affectionne l'âme polonaise, violente et émotive. Que ce soit dans son discours aux intellectuels polonais à Lublin le 9 juin, dans son homélie à la cathédrale de Cracovie le 10, son fameux discours aux gens de la mer à Gdynia, le 11, son homélie pour les ouvriers de Gdansk, le 12, ou l'appel à la résistance à Jasna Gora, le 12, c'est un pape plus déterminé que jamais qui s'expose et défie les autorités. Le monde entier a les yeux rivés sur les étapes successives où Jean-Paul II enfonce le clou, martèle, au grand dépit de Jaruzelski et contre toutes les promesses que le chef du gouvernement avait cru recevoir, le nom de Solidarité, et clame son complet soutien aux Polonais opprimés. « Le travail, dit-il à Gdansk, ne peut être traité – jamais et nulle part –, comme une simple marchandise, car l'homme ne peut être une marchandise pour l'homme, mais doit être un sujet. Il entre dans le travail à travers son humanité tout entière et toute sa subjectivité. Le travail manifeste, dans la vie d'une société, toute la dimension de la subjectivité de l'homme et aussi de la subjectivité de la société elle-même, composée de travailleurs. Il importe donc d'envisager tous les droits de l'homme par rapport à son travail, et de les satisfaire tous[17]. »

« Au nom de l'avenir de l'homme et de l'humanité, il a été nécessaire de prononcer ce mot de solidarité. Aujourd'hui, ce mot déferle comme une grande vague à travers le monde, un monde qui comprend que nous ne nous pouvons vivre selon le principe "tous contre tous", mais seulement selon le principe "tous avec tous", "tous avec tous"[18]. »

Et enfin l'appel à Marie « Reine de la Pologne, à l'heure de l'appel de Jasna Gora, [...] je te demande pour tous mes compatriotes cette "victorieuse espérance"[19] ».

Le harcèlement de Jean-Paul II et cette rhétorique incantatoire qui va trouver son acmé à Gdynia, face aux hommes de la mer, embrasent la sentimentalité polonaise et lui donnent de « recharger ses accus », comme dira Lech Walesa à l'issue de la messe du 12 juin à Gdansk.

Mais de retour à Rome, Jean-Paul II sait que la lutte continue. Le camouflet qu'il a imposé aux autorités polonaises dépitées n'est pas, il le devine, sans risque. Il sait aussi que Gorbatchev peut être celui qui va ébranler la chape de silence et d'oppression qui pèse sur tout le bloc de l'Est. C'est lui désormais l'interlocuteur providentiel.

La rencontre historique entre le pape et le dirigeant

soviétique a lieu le 1er décembre 1989, au Vatican. Elle scelle une nouvelle ère, et peut-être même Jean-Paul II, pourtant certain de son rôle providentiel, n'imagine-t-il pas l'écroulement du communisme si proche.

La rencontre qui se déroule dans la bibliothèque privée du pape est la plus cordiale possible. Il semble qu'entre les deux hommes le courant passe. Malgré la mise en scène dramatisée de l'événement, deux points importants sont révélés au public : la reprise des relations diplomatiques entre le Saint-Siège et l'URSS et le projet d'une loi que Gorbatchev promet de soumettre au Soviet suprême sur la liberté de conscience et, singulièrement, religieuse.

« L'impensable est arrivé, l'impondérable a explosé, l'insaisissable a pris corps, le mystère de l'Histoire a vaincu les plans des hommes », déclare *L'Osservatore Romano*[20].

La glasnost inaugurée par Gorbatchev fait cependant vaciller l'empire. Jean-Paul II, en stratège habile, commence à concevoir l'immense vague de fond qui va mettre à bas tout l'édifice communiste. De Gdansk à Berlin, ce sont tous les pays de l'Est qui s'embrasent, et secouent le cœur de l'empire. Le *papa rimskii* de sa cité du Vatican tire enfin les fruits de son Ostpolitik. Il s'agit de continuer la conquête, la Hongrie, la Tchécoslovaquie, la Bulgarie, l'Albanie, pousser toujours plus loin les frontières de ce bloc de glace, redonner leur identité à la Lettonie, à l'Estonie, à la Lituanie, réinstaurer l'idée religieuse, lui rendre sa liberté.

C'est le « combat de la dignité » comme le nomme André Frossard[21].

Tout se passe comme si Jean-Paul II, au-delà de sa lutte pour les droits de l'homme, n'avait pas abandonné le dessein millénaire de l'Église catholique de convertir la Russie au catholicisme.

C'est le 17 mars 1991 que Jean-Paul II, recevant solennellement Lech Walesa, devenu président de la République polonaise, précise le vaste projet qui l'a toujours conduit, presque obsessionnellement : dénonçant une nouvelle fois la conférence de Yalta qualifiée d'« anéantissement de la victoire », il rappelle le statut de ces peuples soumis au diktat du nouvel ordre de l'Europe d'après-guerre. « La Pologne et d'autres pays, assure-t-il, ont ressenti d'une manière très douloureuse les décisions de cette conférence : la nation ne se réconcilia jamais avec elle et ne succomba pas à l'idéologie et au totalitarisme qui lui étaient imposés. »

La tâche de Jean-Paul II aura donc été de venir en aide, « sans violence ni arrogance, sans guerre ni révolution, dans l'esprit de l'Évangile et dans le dialogue réciproque et avec le sens des responsabilités », à tous ces pays opprimés. Il a contribué, sans nul doute, à leur libération, mais le sel du message du Christ, à la lumière duquel il voulait que s'éclairent ces peuples libérés, a-t-il été entendu ? En Pologne même, Jean-Paul II ne pourrait-il poser une question analogue à celle qu'il posait à la France : « Pologne, es-tu encore fidèle à ton baptême ? » Si, en 1983, le pape avait fait de sa Pologne le modèle de son Ostpolitik, et même celle de sa politique à l'Ouest, peut-il aujourd'hui, en 1994, s'appuyer sur ce modèle ?

Jean-Paul II a souvent estimé que cette Pologne d'où était partie la grande débâcle communiste devait être, presque par « décret providentiel », l'image emblématique de la fameuse réévangélisation du monde, dessein majeur du pape. Or la Pologne, aujourd'hui séduite par l'économie européenne, n'écoute guère les mises en garde du pontife contre la société capitaliste, source de tous les maux du monde et dont les dégâts se lisent aussi bien en Amérique qu'en Afrique.

Le repliement d'une Pologne, méprisant les séductions trop faciles d'un capitalisme sauvage, et vivant de cette énergie évangélique dont l'Église avait cru, peut-être naïvement, qu'elle était inaltérable, semble bien irréalisable.

Aussi le désenchantement de Jean-Paul II, accru par le fait même de sa « polonitude », est-il grand. Les fruits de son Ostpolitik, s'ils ont contribué à balayer le totalitarisme, encore que le « dragon » renaisse en plusieurs endroits de ses cendres, n'ont pas donné par la suite les effets escomptés. Partout, dans les ex-pays communistes, c'est un monde qui se cherche, divisé et déchiré en conflits nationalistes, brutaux et anarchiques, un monde livré aux mirages d'un capitalisme désastreux ; les intégrismes de toutes sortes renaissent, et ce qu'il appelle « le Mal » rôde à Varsovie comme à Moscou : la dégradation spirituelle, et la dissolution des mœurs. Certes, des foyers de lumière existent, d'autant plus intenses qu'ils ont été longtemps bâillonnés, Jasna Gora accueille des foules immenses et des rassemblements de piété populaire incomparables, Zagorsk, dans la campagne moscovite, brûle toujours de son ardeur spirituelle qu'accroît le rite orthodoxe. On y voit plus de jeunes et de couples qu'on ne voyait autrefois de vieilles babouchkas sous leurs châles noirs. Mais qu'en est-il réellement de cette vigueur « salvifique », comme dirait Jean-Paul II, et qui devait, selon ses vœux, installer un nouvel ordre ?

« Imprégner de l'Évangile la vie quotidienne », tel est le souhait qu'il a émis devant Lech Walesa, le 5 février 1991.

Devant le vide pathétique que le communisme a laissé, devant ces nations à l'identité vacillante, livrées aux convoitises internationales, aussi démunies qu'elles avaient pu l'être autrefois, devant ces crises de la conscience, l'Église, et Jean-Paul II le comprend bien, a sa place à prendre, parce qu'« elle a été la gardienne des valeurs morales suprêmes [...] et annoncé l'Évangile, défendu les hommes, conservé la tradition de la nation ».

Un autre virage de l'Ostpolitik est donc à conduire.

La cible politique : l'attentat du 13 mai 1981

« J'ai besoin de tant d'agents de police pour visiter une paroisse ! Pourquoi donc, mon Dieu ? »

(25 janvier 1979, dans l'avion vers Saint-Domingue.)

Jean-Paul II avait-il l'intuition du risque encouru en s'exposant poitrine nue à la foule, lorsqu'il déclarait, le 30 mai 1980, au cours de son homélie devant le parvis de Notre-Dame de Paris : « Plus d'une fois nous nous demandons en tremblant si la haine ne l'emportera pas sur l'amour, la guerre sur la paix, la destruction sur la construction. » De même, il n'avait cessé depuis quelques années de dénoncer les dangers pour la paix que provoque le terrorisme : « La violence ne fait que retarder le travail de la justice. La violence détruit le travail de la justice[22]. » Plus prophétique encore était la parole qu'il avait prononcée à Turin le 13 avril 1980 : « Le projet qui choisit la mort des hommes innocents ne donne-t-il pas, disait-il, le témoignage qu'il n'a rien à dire à l'homme vivant ? Qu'il ne possède aucune vérité avec laquelle il peut vaincre ? » Et le 6 mai 1980, il invitait à prier les gardes suisses qui venaient prêter serment « pour que Dieu maintienne la violence et le fanatisme à l'écart des murs du Vatican ».

Pierre Georges, le journaliste du *Monde* qui avait couvert la première journée du pape à Paris, déplorait les mesures de sécurité trop apparentes que le gouvernement français avait mises en place : « Elle est donc devenue cela, la France officielle, qui n'ose même plus s'offrir de messe pontificale que quadrillée comme une manifestation autonome, encadrée par mille et mille policiers, filtrée de mille manières ? [...] On voudrait tant [...] n'avoir rien vu. Ni ces tireurs d'élite perchés sur l'Hôtel-Dieu [...] ni ces jumelles brillant sur la galerie à jour de Notre-Dame, ni ces dizaines de talkies-walkies au grésillement plutôt profane, ni ce car de commandement caché square Jean-XXIII. Ni ces photographes de police bardés d'appareil – pour quoi faire ? »

Oui, pour quoi faire? Cruelle réponse apportée le 13 mai 1981, quand à 17 h 17, place Saint-Pierre à Rome, Mehmet Ali Agça, déjà condamné à mort pour l'assassinat du rédacteur en chef d'un grand quotidien turc, tirait à bout portant sur Jean-Paul II.

17 h 17 précisément. Quarante mille pèlerins sont massés sur la place Saint-Pierre. La rumeur qui entoure le pape est bon enfant comme d'habitude en pareille occasion. Des groupes d'étrangers chantent des cantiques de leurs pays, des jeunes, impatients, scandent le nom de Jean-Paul II, comme ils le font tous dans les stades où le pape les réunit. Jean-Paul II arrive enfin, debout dans sa jeep blanche. Il est accompagné de son secrétaire polonais, Stanislas Dziwisz, et commence à saluer et à bénir la foule comme à l'accoutumée de ce geste ample et plein d'onction. Il y a quelque chose de paternel dans ce rite qu'il a instauré et que la foule attend avec joie. Le pape s'attarde auprès des enfants, comme s'il y avait entre eux une complicité secrète. Quelques secondes à peine avant l'attentat, le pape a pris dans ses bras une petite fille, Sandra Bartoli, que le drame a tirée de son anonymat. Puis des coups de feu éclatent. Des pigeons s'envolent tous en même temps. Un peu plus loin, dans la foule, on croit à des pétards qu'un groupe, trop agité, aurait lancés. On ne s'en préoccupe pas, attentif à voir arriver la jeep, à ne pas la rater. Mais une confusion s'installe, le pape s'écroule dans sa voiture, sa soutane blanche se tache de sang, puis ce cri, terrible, qui fend la place, mais sans

panique: « On a tiré sur le pape ! » Il faut quelques fractions de secondes pour que le secrétaire personnel de Jean-Paul II et son camérier Angelo Gugel prennent conscience de la situation. Des images surgies de la mémoire collective, celles d'une voiture décapotable à Dallas, reviennent. Ici personne n'a oublié la mort tragique d'Aldo Moro et tout le monde a à l'esprit l'attentat perpétré contre Ronald Reagan, il y a quelques semaines à peine.

Dans la cour gauche de la basilique Saint-Pierre stationnent en permanence des ambulances pour parer aux éventuels évanouissements de la foule, souvent très dense. La voiture du souverain pontife s'y rue, on dépose Jean-Paul II sur un brancard, l'ambulance file vers la polyclinique Gemelli, celle où le pape avait rendu visite à son ami, l'évêque Andrzej Maria Deskur, frappé la veille de son élection d'une apoplexie très grave. Plus tard, des photos de l'attentat seront développées. Par chance, si l'on peut dire, elles révèlent exactement la scène. D'un côté, à droite, le geste vaste du pape, de l'autre, à gauche, dans la foule, au milieu des bras et des mains levés, pointe un revolver que tient un homme, dont on n'arrive pas à discerner vraiment les traits. Le jeu des mains, les unes offertes, les autres ramassées sur une arme prêtent aussitôt à une vision manichéenne et emblématique de l'état du monde. D'un côté le prince des ténèbres, de l'autre celui de la lumière.

Le sang gagne sur la robe de Jean-Paul II, il en perd beaucoup dans la voiture qui le mène à la clinique romaine, son secrétaire reçoit sa confession, récite avec lui les dernières prières.

Il est 18 heures lorsque l'ambulance entre dans la clinique. La nouvelle s'est répandue dans toutes les rues de Rome, sur les téléscripteurs de toutes les télévisions du monde, l'incroyable nouvelle est annoncée. Personne n'y croit, l'incrédulité cependant cède vite à la réalité, partout s'élève la colère mais aussi une sorte de résignation, comme si chacun était coupable de ce crime odieux, comme s'il éprouvait l'ampleur de l'abandon d'un monde qui va à sa propre perte.

Des postes de télévision sont installés aux vitrines des magasins, à Rome, le spectacle est indicible, les passants s'arrêtent, commentent, vont spontanément sur la place Saint-Pierre, des hélicoptères survolent à basse altitude la ville, lui donnent des airs de coup d'État. On ne sait pas encore qui a perpétré le crime, mais tous disent : « Qui ? Qui a pu commettre cet acte ? A qui profite-t-il ? » On pense aux Brigades rouges, aux islamistes, à l'extrême droite.

Le va-et-vient entre la place du Bernin et la polyclinique se fait naturellement. Les Romains comme le monde entier passent de ce lieu à l'autre, essayant de comprendre, appréhendant que l'on n'annonce le décès du pape. Le diagnostic est réservé : des déchirures dans les intestins, dues à la trajectoire de la balle, et, plus bénin, des blessures à l'épaule droite et à l'index de la main gauche. Jean-Paul II a été touché presque à bout portant, et c'est déjà un miracle qu'il n'ait pas été tué sur le coup. L'événement extraordinaire au sens le plus étymologique du terme, c'est ce qui s'accomplit depuis 17 h 20, sur l'immense place Saint-Pierre. Après la colère qui faillit lyncher le tueur, que la police entraîna très vite dans ses locaux, un silence impressionnant se répand sur la place. La consternation cède la place à la prière. Des groupes spontanés se rassemblent, prient intensément, comme s'ils portaient dans une dimension mystique le corps de Jean-Paul II et, par-delà lui, celui de l'Église. Quelque chose de stupéfiant se produit : sur l'estrade où devait parler Jean-Paul II un homme monte. Il s'agit du jésuite polonais Kamizierz Przydatek, chargé de l'accueil des pèlerins de son pays depuis 1975. Sans commenter l'événement, il prend le micro et se met à prier. Ses compatriotes se rassemblent autour de lui, d'autres fidèles se joignent à eux et, après avoir récité un Pater Noster et un Ave

Maria, le chapelet se déploie, lentement. Entre les dizaines, des chants polonais s'élèvent. C'est toute la prière d'une nation qui s'exprime ici, celle d'un peuple blessé à mort, qui risque de perdre le plus sûr agent de sa libération. Les Polonais prient dans cet élan sentimental, avec une émotion qui ne parvient pas à cacher les sanglots. Jamais ne s'est tant ressentie qu'à ce moment précis la relation privilégiée, intime, que le pape a instaurée avec eux depuis tant d'années. Les Polonais mesurent soudain la dimension du vide, de l'absence. A Varsovie le cardinal-primat est en train de mourir, il ne peut plus se lever, parvenu au stade final d'une longue maladie. Le destin exigerait-il donc que les deux plus charismatiques fils de l'Église polonaise disparaissent en même temps ? Et si cela avait été programmé ? Si le tueur n'était pas un fou solitaire mais la main armée d'une organisation qui aurait décidé de décapiter dans le même mois, au plein cœur de la lutte de Solidarnosc, toute la résistance de l'Église ?

Quelque chose de dérisoire se lit dans cette scène pathétique : le groupe polonais avait prévu d'offrir au pape un grand tableau de la Vierge Noire de Jasna Gora, elle est là parmi eux, posée sur le siège même où devait s'asseoir Jean-Paul II et cette place ne manque pas d'être elle aussi symbolique. Des milliers de pèlerins sont à présent massés autour du prêtre polonais. Il apprend à la foule que l'opération a commencé. Dès 18 heures, le pape est entre les mains des chirurgiens, la prière s'exhale plus fortement encore, monte comme l'encens. La scène prête au lyrisme, à l'évocation sentimentale, au kitsch religieux, dirait Milan Kundera, mais qu'importe, c'est bien comme cela que les pèlerins l'ont vécue.

Le prêtre polonais, à l'instar de ces groupes de prières qui naissent spontanément en Pologne, entre deux cadences d'usines, pendant les pauses de travail, ou bien encore au cours des immenses pèlerinages qui voient se déplacer des foules de fidèles, conduit cette prière en implorant la Vierge Noire de toutes les souffrances. A 18 heures, il lit le premier message émanant de la polyclinique : « Le Saint Père a été gravement blessé au ventre par un coup d'arme à feu. Les deux autres coups n'entraînent pas de conséquences graves. Peu avant 18 heures, les médecins ont commencé l'opération, après que le pape se fut confessé et eut reçu les saintes huiles[23]. »

Les Romains, les délégations étrangères, consternées, quelquefois même en pleurs, se joignent au groupe polonais, près de dix mille personnes se regroupent, et la prière pénitentielle monte dans le ciel de mai. Des jeunes, beaucoup de jeunes, de l'Action catholique comme des scouts, entreprennent une longue veillée de prières. La place Saint-Pierre est investie par le peuple des chrétiens, décidé à « porter » le pape dans sa souffrance, et à l'aider à vivre, sûr qu'il est de la force de sa prière. La scène est allégorique de la parole de Jésus-Christ : veillez, avait-il dit, gardez toujours le monde en prière, suppléez ceux qui ne peuvent pas prier pour l'heure, et opposez à la nuit la lumière de vos prières.

Vers minuit, la foule apprend que Jean-Paul II s'est réveillé de son opération. La prière devient action de grâces. A l'endroit même où le pape a été blessé, des hommes et des femmes ont déposé des bouquets de fleurs, sorte d'autel précaire, que les chants et les suppliques entourent. Dans toutes les églises d'Italie et de Rome, des messes au rite de supplication sont organisées. Cette chaîne de piété n'est pas le moindre signe de cette ferveur populaire que Jean-Paul II a su réinsuffler aux chrétiens. Une sorte d'immense innocence remplit les hommes. Comme si l'acte insensé et sacrilège les avait rendus soudain démunis, comme des enfants. L'attentat donne mesure de la faillite spirituelle du monde (l'assassinat odieux d'Aldo Moro avait déjà signifié cet échec), mais aussi de sa naïveté, de sa pauvreté. La prière pour lui devient le seul recours.

En Italie surtout, les observateurs catholiques et les grands dignitaires de l'Église (le cardinal Poma, archevêque de Bologne, ou Mgr Martini, archevêque de Milan par exemple), rappellent la campagne de dénigrement dont Jean-Paul venait il y a peu de temps d'être victime de la part des associations laïques, défenseurs de la liberté sexuelle et de la libéralisation de l'avortement. Le même 13 mai, sur une grande place romaine, une grande manifestation politique rassemblait autour de Berlinguer, secrétaire général du Parti communiste italien, groupes féministes, et antifascistes, favorables à l'avortement. Amalgame volontairement conduit de la part de ces observateurs ou bien certitude que des forces anticléricales puissantes minaient le message du pape ? Nul ne peut le dire mais les allusions que ces prélats ont faites au cours des grandes messes de supplication insinuent de telles relations : « On a voulu déchaîner des mouvements hostiles contre la personne du Saint Père, et contre les associations ecclésiales, comme si la civilisation devait les accuser de ses "retards" et comme si c'était un délit d'exprimer sa propre opinion, d'éduquer les consciences et de proclamer bien haut le message évangélique dans sa substance et dans ses effets immédiats[24]. » « Quand s'insinue dans les cœurs une propagande qui voudrait faire croire que le droit coïncide avec la puissance, quand certaines formes de violence entrent dans les mœurs et se voient saluer comme un progrès, quand on craint que le pape ne constitue une menace pour une vie commune sans dérangement, au point de souhaiter étouffer la voix de celui qui doit obéir à Dieu plutôt qu'aux hommes, quand cette propagande, selon Jean-Paul II, subodore la possibilité d'une soumission pacifique des individus, il est permis de se demander quelle cohérence il y a, dans l'âme de certains, entre les insultes et les railleries d'hier et leur touchante émotion d'aujourd'hui[25]. » Les vœux de prompt rétablissement adressés par les leaders de gauche au Saint Père sont très mal perçus par la hiérarchie qui ne craint pas d'accuser les forces progressistes d'avoir sinon commandité du moins inspiré l'attentat.

En Pologne, on l'imagine, l'émotion est à son comble. La part si active qu'à prise le pape dans le conflit des chantiers navals a montré combien il était précieux à la cause de ses compatriotes. Que le pape meure, et c'est tout leur espoir d'un règlement pacifique de la crise qui s'écroule. Sans preuve formelle encore, la rumeur publique échafaude des hypothèses sur l'attentat ; des interprétations fantasmatiques, paranoïaques même, logiques dans le contexte de résistance où vivent les Polonais, circulent. L'agonie du primat de Pologne conjuguée à celle du pape prend valeur de signe et de hasard organisé.

Et si le tueur n'était pas un fou isolé mais l'agent d'un vaste complot venu de l'Est qui aurait ainsi voulu régler rapidement la question polonaise ? Après qu'on a longuement hésité à lui communiquer la nouvelle du drame, le cardinal Wyszynski, qui mourra le 28 mai, jour de l'Ascension, tandis que le pape sera encore alité, est enfin mis au courant. Il déclare : « Ce qui est arrivé au Saint Père marque la culture du monde d'une tache noire et douloureuse, elle qui ne s'est pas montrée capable de protéger l'apôtre universel de l'ordre, de la paix et de l'amour, et qui remplit les hommes d'aujourd'hui d'inquiétude pour la sécurité du monde. »

Très vite, l'attentat devient ainsi acte emblématique, et métaphorique d'un mystère, d'une grande interrogation divine : l'activité de Jean-Paul II « dérange, déclare le cardinal-primat, les puissances des ténèbres. C'est pour cela qu'elles ont voulu frapper à mort le Saint Père. Quelle signification ont ces coups dans le contexte de la grande angoisse qui saisit aujourd'hui la famille humaine[26] ? » Cette question est reprise par tous les catholiques polonais, sûrs d'une interférence divine, sûrs que ce geste ne peut être gratuit, mais qu'il dit quelque chose à déchiffrer : « Dieu l'a peut-être permis, suggère l'évêque Dabrowski, pour secouer la conscience du monde, il fallait peut-être ce choc pour que le monde, fasciné par les conquêtes techniques et allant à la dérive, se ravise, se réveille et dise : Assez ! ça ne peut pas continuer ainsi ! Sinon c'est l'abîme qui s'ouvre devant nous et nous y sombrerons avec notre folie ! » Le fait de considérer cet attentat « à la lumière du surnaturel » va trouver son apogée dans le rapprochement qui va très vite être fait par Jean-Paul II lui-même avec la date anniversaire de l'éclatement de la révolution d'Octobre. Le télescopage qu'opère ici Jean-Paul II relève de sa forte croyance dans la piété populaire et dans une religion de signes plutôt que d'une stratégie qui consisterait, comme on a pu le dire, dans une récupération de l'événement à des fins prosélytes.

Le pape croit aux signes invisibles de la Providence, aux mystères obscurs qui sont autant de points de lumière propres à enseigner le monde.

Que Jean-Paul II ait une dévotion particulière pour Notre-Dame de Fatima qui s'est présentée aux bergers comme la Reine de la résistance contre les forces du mal acharnées à détruire la foi, n'étonne pas. C'est à Fatima que la Vierge a « reconnu la puissance de Satan » en prédisant beaucoup de calamités : guerres effroyables, famines, persécutions envers les hommes de bonne volonté mais aussi envers l'Église, souffrances particulières du pape, auxquelles succéderont la victoire du Bien et la conversion de la Russie.

Jean-Paul II, qui a connu les dangers de la lutte contre l'idéologie, n'a pu que comprendre le message de Fatima et le créditer de toute la foi de l'Église, d'autant que guerres, famines, persécutions ont été le lot d'un XXe siècle, volontiers profanateur, hostile à toute interprétation surnaturelle de l'univers. L'attentat, après les « souffrances » morales des papes qui ont succédé à Benoît XV, mort en 1922, est donc venu appuyer la thèse messianique de Fatima, dont le troisième secret non encore divulgué entretient l'inquiétude.

La compassion que l'attentat a provoquée dans le monde entier, peut-être feinte dans les pays de l'Est (sauf, semble-t-il, en Pologne où le président Jablonski déclara: « Ce forfait est particulièrement douloureux et je crois qu'il n'y a personne en Pologne qui ne souhaite pas à Jean-Paul II une prompte guérison et une pleine récupération de ses forces »), mais éclatante partout ailleurs, a inspiré une sorte de sursaut de sympathie à l'égard du pape, mais encore un élan de spiritualité, comme si chacun soudain prenait mesure de l'« absurdité de tels actes » et du « suicide » collectif dans lequel le monde était entraîné, selon les mots du professeur Galkowski[27], universitaire proche de Karol Wojtyla.

Jean-Paul II fait resurgir soudain la conscience de la veille, cet état que sa vocation et sa foi n'ont jamais cessé de lui inspirer. Ce que le cardinal-primat de Varsovie demande, c'est avant tout de retrouver cette puissance de la veille, que le monde avait forcément oubliée pour que le pape soit la cible des terroristes: « Il faut veiller à ses côtés, dit-il, nous sommes tous présents dans cet hôpital romain, nous sommes à ses côtés. » Ultime et meilleur moyen pour ne pas céder au découragement, pour être « forts, pour refuser de se plier ».

Jamais peut-être les voix de tous les hommes de bonne volonté, chrétiens, juifs, arabes et athées réunis, n'ont prié pour la guérison d'un homme avec tant d'ardeur. Jean-Paul II a forcé ici l'humanité entière à un rassemblement œcuménique auquel lui-même n'aurait pu croire en d'autres temps. L'impact d'un tel événement a, on s'en doute, créé un surcroît de légende qui, ajoutée à celle qui entourait déjà Jean-Paul II, a renforcé son image providentielle. Ainsi la place Saint-Pierre devient le « calice » qui accueille le sang du pape, héritier du Christ, le souverain pontife est présenté comme le « martyr vivant », la « profanation » *(Giornale nuovo)* fait redouter des temps de peur et de guerre: « Reste avec nous, titre *Il Giorno*, Wojtyla, parce que la nuit tombe... »

Quatre jours après, le pape transmet un message au monde. A midi, le 17 mai, bien que les fenêtres de ses appartements restent closes, la voix de Jean-Paul II envahit la place Saint-Pierre, à travers des haut-parleurs. La foule entière l'ovationne, crie sa joie, pleure aussi, agite de grandes serviettes : la voix est fragile, rien à voir avec celle qui, d'ordinaire, franchissait le seuil du balcon et affermissait les fidèles, leur donnait de l'énergie. Elle est presque éteinte, prend néanmoins peu à peu force et assurance, pour se livrer encore une fois à Marie : « Très chers frères et sœurs, dit-elle, je sais qu'en ces jours et spécialement en cette heure du *Regina coeli* vous êtes unis à moi. Ému de vos prières, je vous remercie et vous bénis tous.

« Je me sens très proche des deux personnes blessées en même temps que moi. Je prie pour le frère qui m'a frappé et je lui ai sincèrement pardonné.

« Uni au Christ, Prêtre et Victime, j'offre mes souffrances pour l'Église et pour le monde.

« A toi, Marie, je répète, *Totus tuus ego sum.* »

L'état de santé du pape est cependant précaire et, malgré les communiqués encourageants, ses médecins craignent une infection ; aussi Jean-Paul II doit-il rester plus longtemps que prévu sur son lit d'hôpital, obligé à l'inertie, voué à l'oraison surtout en prière avec le cardinal-primat Wyszynski agonisant à Varsovie. C'est le 28 mai que le « bon pasteur », comme l'appelle Jean-Paul II, s'éteint. Le pape vit cette heure avec douleur mais sans désespoir. Il sait toutefois que l'état du monde est sombre, que l'Église vacille sur ses fondations millénaires, que Satan, auquel il a fait tant de fois allusion dans ses discours et ses homélies, est à l'œuvre avec ardeur. « Je suis uni dans la douleur et la prière, dit-il dans son télégramme à l'Église de Pologne, à toute l'Église et à tous les habitants de ma patrie. En méditant le mystère de l'Ascension, j'implore de Dieu, notre Père, la vie éternelle pour l'infatigable pasteur et l'inébranlable témoin de l'Évangile. »

La « vague d'amour » que l'attentat a provoquée à l'égard du pape n'est peut-être pas la moindre preuve des « miracles » que Jean-Paul II a pu accomplir. Son énergie et sa conviction ont entraîné, rapporte-t-on, beaucoup de conversions et d'élans de foi comme celui qui atteindra Ali Agça lui-même lorsque Jean-Paul II, remis de ses blessures, mais fragilisé quand même par les lésions provoquées par l'impact des balles, lui rendra visite le 27 décembre 1983 dans sa cellule.

La personnalité du terroriste ne manque pas d'intriguer. Avec stupeur, on découvre que le même Ali Agça avait déjà menacé le pape lors de sa venue en Turquie le 26 novembre 1979 par une lettre adressée au journal *Milliyet* précisant : « Si cette visite inopportune et infondée n'est pas annulée, je le tuerai sans faute. » Il avait assassiné le 1er février 1979 le directeur de ce même journal. Arrêté en juin, il s'était évadé de sa prison lors de son procès en novembre 1979 « dans des circonstances encore mal établies[28] ».

Né en 1958, de famille modeste, étudiant en économie, il se présente comme un « terroriste indépendant ».

Condamné à mort par contumace en avril 1980, réfugié en Allemagne, on le retrouve donc ce 13 mai 1981, agent de l'ombre, sur la place Saint-Pierre.

Le procès du terroriste s'ouvre le lundi 20 juillet selon la procédure *per diretta*, neuf semaines après l'attentat. L'accusation « d'avoir agi pour des fins de terrorisme » est retenue, mais la personnalité d'Ali Agça et ses réels mobiles ne sont guère élucidés. Le document retrouvé dans sa poche, le jour de l'attentat, laisse perplexe : « Je me trouve obligé de tirer sur le pape pour protester contre le silence du monde et la mort des milliers d'hommes innocents tués par les impérialistes assassins américains et soviétiques dans différents pays du globe, de l'Afghanistan au Salvador[29]. »

Les différents endroits où il avait séjourné durant sa « cavale », restent invérifiables, et ses choix idéologiques semblent avoir été fluctuants. Il prétend lui-même n'être « ni rouge ni noir, mais rouge et noir simultanément. Je ne fais aucune distinction entre le terrorisme fasciste ou le terrorisme communiste. Je me suis servi des uns et des autres en fonction de mes besoins».

Rien ne semble donc plus difficile que de débrouiller les pistes qui auraient amené Ali Agça à son acte terroriste. Ni l'explication psychiatrique ni la thèse du complot international ne convainquent réellement, quoique les milieux autorisés et ecclésiastiques penchent pour la piste soviétique.

Quoi de plus séduisant en effet que la thèse soutenue par beaucoup (et singulièrement en France par Suzanne Labin dans *Paris-Match* et Claire Sterling) d'une vaste conjuration dont l'inspiration serait le KGB? Les grèves des chantiers polonais de Gdansk et l'appui notoire du Vatican au syndicat indépendant Solidarnosc ne cessent en effet d'inquiéter Moscou. Le fauteur de ces troubles et des risques de contagion qu'ils peuvent entraîner est nommément désigné: c'est le pape Jean-Paul II, instigateur habile qui tire les ficelles de la subversion depuis Rome; derrière lui, le cardinal-primat Wyszynski et tout le réseau du clergé polonais et de ses associations qui soutiennent la population, et l'incitent à la rébellion. Le père Labo n'hésite pas à suggérer, après avoir insinué que l'attentat vient au moment précis où les luttes pour l'avortement prennent en Italie un relief particulier, que «le général Ustinov, ministre de la Défense de l'URSS, aurait présenté le plan [d'éliminer le pape], à ses collègues du pacte de Varsovie, lors d'une réunion secrète tenue en novembre 1980[30].»

«Le complot international», comme le titre le *Corriere della Sera* du 15 mai, est peut-être trop vite proclamé. Nul ne le saura réellement, sinon peut-être le pape lui-même qui, dans la solitude de la cellule de Mehmet Ali Agça, aura connaissance du «secret» que son agresseur aura bien voulu lui confier. Au-delà de l'hypothèse du complot lui-même, il est sûr cependant que l'Occident est toujours perçu par le monde musulman comme un agresseur, féodal, capitaliste et chrétien. Même si l'Église catholique, comme le suggère Maxime Rodinson[31], directeur d'études à l'École pratique des hautes études, a tenté par ses appels à l'œcuménisme, par sa tolérance, de se rapprocher de l'islam, il n'empêche que restent inscrites les vieilles images du colonialisme, du mépris et de l'occultation des valeurs et de la culture orientales. Il n'est alors pas étonnant que Mehmet Ali Agça lui-même ait dénoncé Jean-Paul II comme « le chef camouflé d'une croisade » lors de son voyage en Turquie : tels seraient plutôt les prémices idéologiques qui ont conduit le terroriste à vouloir abattre le pape « avant de recourir aux pseudo-explications faciles de type paranoïaque : par exemple le centre terroriste occulte manipulé par le KGB pour déstabiliser l'Occident[32] ».

Jean-Paul II ne prit pas parti dans cette campagne de suppositions, préférant « lire » l'attentat à la lueur des révélations de la Vierge de Fatima, devant laquelle il ira se prosterner en voyage officiel un an exactement après, le 12 mai 1982. Homme à l'écoute des signes de la Providence, attentif au surgissement de « gestes » divins, il déclare dès son arrivée au sanctuaire marial : « Dès que j'eus repris connaissance, ma pensée se tourna immédiatement vers ce sanctuaire, pour y venir déposer dans le cœur de la Mère du Ciel mes remerciements de m'avoir sauvé du danger. En tout ce qui m'est arrivé, je ne cesserai de le redire, j'ai vu une protection maternelle spéciale de Notre-Dame. Et dans cette coïncidence, quoique dans les desseins de la divine Providence, ces coïncidences ne soient pas si simples que cela, j'y ai aussi discerné un appel, et peut-être, une invitation à prêter attention au Message parti d'ici-même, il y a soixante-cinq ans, par l'intermédiaire de trois enfants... »

Refusant de se mêler de la justice des hommes, Jean-Paul II donne à sa manière un jugement fondé davantage sur le religieux, et sur les implications mystérieuses que cet attentat revêt. Il appartient à la justice des hommes de débrouiller les fils ténus de l'affaire, il lui revient de répondre aux grandes questions spirituelles que cet acte a provoquées d'abord en lui puis au regard du monde et de l'Église.

La tentative d'assassinat sur sa personne révèle surtout à ses yeux l'agonie du monde et son refus de « participer à l'œuvre de Rédemption du Christ », comme il le déclare à Fatima dans sa prière solennelle. La « menace du mal » est si voisine de nous, « au point de nous interdire les chemins de l'avenir », qu'il convient de réparer cette faute que les hommes ont d'abord commise, celle de laisser la place vide, par leur absence et leur « froideur », aux forces noires. L'attentat l'appelle ainsi, dans une pure perspective mystique, et martyre, à tendre davantage encore à la sainteté et à la « consécration ».

On a pu jaser longuement sur les raisons qui ont motivé la décision du Saint Père de se rendre au centre pénitentiaire de Rebbibia où se trouve Ali Agça. La compassion et le pardon portés en public, et de surcroît filmés, ont ravivé les critiques lancées au pape superstar. Mais dans une optique mystique, un tel acte ne peut choquer. Les vingt minutes avec son agresseur redonnent au pape d'être en accord complet avec la foi qu'il professe, l'assimile au modèle du crucifié du Golgotha, du pardon qu'il adresse à ceux qui « ne savent pas ce qu'ils font », vingt minutes qui, comprises dans cette vision christologique, donnent tout son sens à la quête de l'Alliance, sans quoi le christianisme ne serait rien. « La rencontre, dira Jean-Paul II, s'est faite sans plan ni programmation. Cela s'est passé en toute simplicité et Notre-Seigneur Jésus-Christ m'a donné la grâce de cet entretien, une rencontre entre hommes et frères. Je crois qu'il l'a aussi faite pour lui, cette grâce. »

Et en effet le film renvoie le visage de Mehmet Ali Agça rayonnant, et bouleversé. Le regard intense du jeune Turc brûle soudain d'une ardeur immense, semble chercher du sens dans celui du pape. Extraordinaire face-à-face qui rend compte des mystères des hommes !

La « chère nation lituanienne. »

(Jean-Paul II)

La vie de Jean-Paul II peut s'expliquer, on l'a vu à plusieurs reprises, par la force de ses attaches polonaises et par des enracinements affectifs qui vont trouver leurs prolongements, quelquefois inconscients, dans son action future. Les racines lituaniennes de sa mère vont sûrement jouer un rôle puissant dans cette dynamique de libération à laquelle il voue tout son pontificat. La « subversion évangélique » dont nous avons déjà parlé va donc être pratiquée de manière farouche, avec une attention particulière pour la Lituanie, comme si Jean-Paul II voulait pas là rendre justice à la mémoire de ses parents maternels, et, par-delà eux, « après les souffrances, la déportation, la prison et le martyre[33] », consacrer le retour de la liberté et de la dignité humaine. Jean-Paul II a toujours accordé un regard particulier à ce pays balte parce qu'il avait été l'objet des pires persécutions religieuses et, le plus jeune pays évangélisé de l'Europe (« fille cadette de l'Église »), méritait à ce titre une protection paternelle redoublée. Le courage de la Lituanie a toujours été légendaire et Jean-Paul II aime ces peuples sous le joug des tyrannies qui cherchent à briser leurs chaînes. Leur fougue et leur résistance font d'eux des peuples messianiques, dignes de la grande inspiration romanesque slave, soulevés par quelque Mickiewicz, dont Renan disait d'ailleurs qu'il était « une sorte de géant lituanien, plein de la sève primitive des grandes races au lendemain de leur éveil ». Or la Lituanie a subi dès 1939, à la suite du pacte Molotov-Ribbentrop, une persécution de l'URSS sans précédent. Déportations massives en Sibérie, dislocation programmée des familles, présence brutale de l'envahisseur, répression sanglante, interdiction de pratiquer sa foi, génocide juif (deux cent quarante-cinq mille avant la guerre, cinq mille aujourd'hui), athéisme triomphant, etc. Mais la résistance à l'oppresseur n'a jamais été si réelle et si constante que dans ce pays balte. Une publication clandestine, *La Chronique de l'Église catholique de Lituanie*, envers et contre tous les risques que prenaient ses auteurs, face aux traques systématiques du KGB, parut régulièrement pour dénoncer les exactions et les meurtres perpétrés par le régime communiste. Relayée par Radio-Vatican, la revue a permis de révéler au monde la brutalité du régime et la violence de l'oppression. Le monde cependant ne s'en occupait guère et les assassinats de prêtres ou de résistants passèrent complètement inaperçus. L'archevêque de Cracovie, compte tenu de ses propres origines et de la présence polonaise en Lituanie, eut toujours une écoute fidèle des problèmes qui se posaient dans cette République qui ne comptait pas moins de 80 p. 100 de catholiques. Aussi quand il accédera au trône de Pierre, sera-t-il parfaitement informé de la situation et prêt à entreprendre ce travail de dissidence et de déstabilisation dont il savait qu'il était le seul moyen de mettre un terme au communisme.

Convaincu que sa mission est providentielle, et que son élection répond « au plan mystérieux de Dieu », c'est avec une frontalité inhabituelle dans la diplomatie vaticane qu'il va œuvrer pour la libération de ces peuples.

En apprenant la nouvelle par les radios occidentales, les Lituaniens savaient donc que leur pays ne serait plus « oublié », qu'il y aurait à Rome quelqu'un qui penserait à eux et leur viendrait en aide. De fait, la sollicitude du pape et sa compassion à l'égard de cette minorité résistante et bâillonnée ne feront jamais défaut. Jean-Paul II va multiplier les gestes et les paroles symboliques, et déployer toute une activité diplomatique pour que la Lituanie sorte des ténèbres. Son élection fut donc une chance pour elle : « Le *papa rimskii* [comme on l'appelle dans les pays de l'Est] ne peut pas ne pas entendre ces langues slaves et voisines. C'est peut-être justement pour cela que l'Esprit Saint l'a guidé, afin qu'il introduise dans la communion de l'Église la compréhension des paroles et des langues qui semblaient encore étrangères aux oreilles habituées aux sons romans, germaniques, anglo-saxons ou celtes[34]. » Le projet de Jean-Paul II recoupe donc plusieurs paramètres. Son combat sera polysémique : religieux d'abord (il veut être celui qui redonne élan et vigueur au message de Jesus-Christ partout dans le monde), messianique (il sera le libérateur des peuples opprimés par l'ennemi majeur de l'Église, le communisme), affectif (témoin lui-même et victime de l'oppression du régime communiste, il veut redonner à l'âme slave sa dignité et apporter à sa mère qu'il perdit si jeune, le témoignage de sa fidélité), politique (il rejette les accords de 39 et de Yalta qui consacrent l'inégalité et le mépris envers les peuples et leurs cultures, véritable défi au message évangélique), mythique enfin (par cette certitude mystique d'être le chef de cette « division » élue par Dieu appelée à éradiquer le mal, tel saint Michel Archange foulant au pied le dragon).

Ce rôle de témoin lui convient bien, il est emblématique de l'attitude évangélique qu'il réclame de tous les chrétiens et dont il veut donner, le premier, l'exemple. Témoin au sens le plus plénier du terme : à l'écoute, vigilant et combattant de la vérité. Cette charge, Jean-Paul II l'accepte davantage encore du fait de sa « polonitude » même, l'âme slave étant portée presque par nature à des postures romanesques et héroïques.

C'est pourquoi, dès 1978, la résistance au pouvoir central communiste est comme ravivée de l'intérieur en Lituanie. Malgré la brutalité de la répression, les déportations d'intellectuels et les meurtres en séries visant particulièrement les prêtres, la Lituanie poursuit son combat avec une âpreté qui force l'admiration de Jean-Paul II qui, de son côté, multiplie à son égard les gestes d'attention et de compassion. Il adressera sa barrette cardinalice à Vilnius qui sera placée symboliquement au pied de la Vierge de l'Aube, Vierge pour laquelle il a une véritable vénération et qu'il prie très souvent. Il s'entoure de plusieurs Lituaniens au point qu'au Vatican beaucoup s'inquiètent de cette mainmise slave sur les affaires. On parle à ce sujet de « lobby » et C. Colonna-Cesari n'hésite pas à prononcer le terme de « divisions » : « L'âme slavo-balte ne commence-t-elle pas à former une nouvelle division du Vatican ? »

En 1979, Jean-Paul II appelle donc des Lituaniens, tirés le plus souvent de la diaspora, comme Casimir Paul Marcinskus, argentier de l'Institut des œuvres religieuses ou Audrys Backis, secrétaire du Conseil pour les affaires publiques du Saint-Siège puis nommé en 1992 archevêque de Vilnius.

Malgré le désir si fort de Jean-Paul II de se rendre en voyage officiel en Lituanie, il n'obtiendra pas l'accord des autorités soviétiques en dépit de la perestroïka. Craignant un impact public encore plus spectaculaire que celui que provoqua sa première venue en Pologne, l'URSS lui fit savoir que ce projet n'était pas opportun. Ni en 1984 pour commémorer le cinq centième anniversaire de saint Casimir, patron du pays, ni en 1987 pour le six centième anniversaire de la conversion de la Lituanie au catholicisme. Ce sera donc au Vatican que Jean-Paul II célébrera ces anniversaires, invitant les chefs religieux de la diaspora et quelques Lituaniens ayant eu l'autorisation de quitter le territoire. On connaît le goût du pape pour béatifier des martyrs locaux ; certains observateurs diront que ces béatifications « à tour de bras » sont surtout politiques et servent plus l'inculturation qu'elles ne sont justifiées expressément. Il va donc le jour de l'anniversaire du baptême de la Lituanie béatifier Mgr Matulaitis, ancien évêque de Vilnius, rassembleur des diverses communautés de cette ville mosaïque.

Pour les autorités soviétiques, fussent-elles dirigées par un modéré comme Gorbatchev, la venue du pape est conditionnée par son attitude envers une autre minorité slave, celle des uniates d'Ukraine, catholiques de rite byzantin unis à Rome pour lesquels Jean-Paul II a entrepris aussi une croisade de libération et de reconnaissance face aux orthodoxes russes.

Or ce projet de reconnaissance crée des tensions très graves à l'intérieur de l'URSS, par la mise au grand jour des complicités objectives de l'Église orthodoxe avec le pouvoir communiste, et des persécutions dont ont été victimes les uniates.

Le visa d'entrée est accordé contre le silence : tel est le chantage auquel se livre l'administration soviétique. Or Jean-Paul II, qui connaît trop ce langage, sait comment ruser avec lui et le « doubler » en quelque sorte. Il n'ira donc pas à Vilnius mais ne s'interdira pas d'adresser de nombreux signes qui, sous la pression de plus en plus forte de l'opinion internationale, et à cause du besoin de reconnaissance qu'éprouve le gouvernement de la glasnost, finiront par le faire céder. La technique du pape est très accomplie, il connaît tous les protocoles de langues, les usages et les rites de la technique d'intimidation de la diplomatie soviétique et en joue avec une virtuosité redoutable qui effraie littéralement les autorités, habituées de leur côté à des agissements plus brutaux, moins imaginatifs (comme des assassinats camouflés en accidents de voitures qui ne trompent personne ou des passages à tabac qui s'achèvent en meurtres comme pour le père Laurinavicius, le père Chapoka ou en Pologne le père Popieluszko). Ainsi Jean-Paul II va-t-il nommer cardinal Mgr Sladkevicius, ancien dissident, chef de l'épiscopat lituanien, le 28 mai 1988, la veille même du sommet Gorbatchev-Reagan, ou adresser des vœux chaleureux et publics au fondateur du Comité de défense des chrétiens, Alfonsas Svarinkas. Ces gestes ne trompent personne. Ils sont à l'adresse d'abord de Gorbatchev. La volonté de rénovation de ce dernier est telle qu'il le confond et l'implique indirectement dans sa pratique « subversive ».

Comment en effet aspirer aux réformes et à la caution internationale et en même temps persécuter des minorités ? L'enjeu est décidément trop grand pour que le maître fragile du Kremlin s'empêtre dans une répression qui risquerait de ruiner ses efforts vers l'Occident. Aussi va-t-il au fur et à mesure lâcher du lest, adoucir l'étau, et, à chaque abandon du pouvoir, la résistance lituanienne, aidée par le réseau du Vatican, osera davantage : des rassemblements, des manifestations, des messes même, des revendications clairement affichées, dans tous les domaines, aussi bien écologique que spirituel, adressées au pouvoir central ; tout un peuple, petit mais fort de sa culture, va se dresser contre lui. Les exigences légitimes se multiplient : les Lituaniens réclament la restitution de « leurs » églises, jusqu'alors transformées en salles de conférences ou de meetings, ou, plus symbolique encore de la volonté de destruction culturelle, en musées de l'athéisme. Jean-Paul II assiste depuis le Vatican à cette résurgence évangélique, à cette croisade dont il est en partie le moteur, comme pour la Pologne ; en homme de foi et d'espérance, il croit, quoiqu'il en connaisse la nature équivoque, à la conversion au bien de la condition humaine. Cette clandestinité qui était encore si active au temps de son élection est maintenant passée au grand jour. Le pape ne craint pas d'interpeller ses frères de Lituanie du haut de la loggia de Saint-Pierre, à l'angélus du 4 mars 1989, adressant par là même un camouflet au Soviet suprême, et les Lituaniens lui répondent par la proclamation de leur indépendance le dimanche suivant.

Le combat n'est pas pour autant achevé. L'URSS libère le pays en employant la politique de la terre brûlée, en partant les soldats soviétiques négocient tout ce qu'ils peuvent, cassent les installations, laissent un pays déchiré, mais ne peuvent détruire l'énergie résistante du peuple lituanien. Si l'inconcevable, la chute de l'URSS, s'est accompli, contre toute analyse raisonnable, tout reste donc à faire. Dans ses vœux de Noël 1991, adressés urbi et orbi, comme l'exige la tradition, le pape met l'accent sur cette « nouvelle époque missionnaire » qui s'ouvre. Il affirme qu'après « la chute des murs de la division et de l'incompréhension, on voit grandir le désir de mieux se connaître et l'aspiration à l'entente mutuelle et à la collaboration ». Mais ces propos peut-être un peu trop conformes à l'exigence d'un message de Noël sont vite démentis par les faits que Jean-Paul II ne cache pas pour autant : « Assez de haine et de violence, s'écrie-t-il. Que cesse la guerre en Yougoslavie, que cesse la guerre sur la chère terre de Croatie, et dans les régions voisines, où les passions et les violences défient la raison et le bon sens. »

Il tient toujours et plus que jamais à ce voyage en Lituanie tant de fois retardé et compromis. Jean-Paul II est tenace et farouche. Il sait que son combat est long et toujours à reconduire. Aucun acquis n'est définitif. Par l'expérience même de l'Évangile, il sait encore que la conversion est quotidienne, à cause de la nature intrinsèque de l'homme.

Le 4 septembre 1993, il part enfin pour sa « chère Lituanie ». L'Europe occidentale dont il fait souvent remarquer qu'elle doit sa prospérité à beaucoup d'égoïsme, et de frivolité, et qu'elle a perdu dans cette consolidation de ses biens matériels l'espérance et la ferveur, est toujours pour lui le contre-exemple de la foi et de la vraie démarche chrétienne : « Que cessent, dit-il, l'indifférence et le silence devant ceux qui attendent compréhension et solidarité, devant la plainte de ceux qui continuent à mourir de faim au milieu des gaspillages et de l'abondance des biens. » La Lituanie, comme la Pologne pendant sa résistance majeure des années 80, est donc exemplaire d'une attitude de chrétien et d'homme de bonne volonté. Elle est symbolique de ce qu'il attend d'elle. Ce qu'il veut démontrer par là, c'est, en suivant l'obstiné projet de son pontificat, que l'Europe est mutilée sans le souffle courageux et « naïf » de l'Europe de l'Est qui a été arrachée à sa sœur de l'Ouest. Le courage et l'intensité de la foi des Lituaniens doivent servir de modèle, comme la Pologne, à une Europe repue de biens et de vices, défigurée et orpheline de Dieu.

La Lituanie est donc appelée à « réintégrer » (le mot est prononcé devant les Polonais de Vilnius, le dimanche 5 septembre) la communauté européenne, et à témoigner ainsi de son courage et de sa ferveur. En s'y intégrant, elle peut, aux yeux de Jean-Paul II, contribuer à sa restauration et à sa réévangélisation. C'est un appel au courage lancé à l'Europe tout entière devant les grands défis que la chute de l'ex-URSS a provoqués. Du temps du courage et de la résistance, l'Europe est passée à présent à celui de l'entraide et de la vraie solidarité, non plus comme un slogan, mais comme une nécessité, sans laquelle elle irait à sa propre perte. Mais cet appel est-il réellement entendu, et à Vilnius même ? Le pape a déjà eu l'occasion, par les nombreux rapports qui lui sont adressés et par son observation de visu, de prendre le pouls du monde. Il n'ignore pas que les facteurs de décomposition qui ont présidé au déclin moral de l'Europe sont toujours à l'œuvre et que, malgré les innombrables réseaux mis en place, ce qu'il appelle la force du mal ne cesse de croître.

Ce passage éternel des catacombes à la lumière et vice versa fait partie du cours fatal des choses. Quelquefois il en garde une saveur d'amertume et de découragement, mais sa certitude de Jésus-Christ est telle qu'il n'y succombe jamais. Il s'agit avant tout de maintenir ce « bateau ivre » qu'est l'humanité hors de l'eau. A chacun sa peine. Sa tâche, il la définit comme telle : celle d'un timonier qui a en charge l'ivresse pathétique d'un « bateau » qui oscille sans cesse et ne parvient pas, par constitution même, à se fixer, à se tenir sur le pôle du bien. Sa charge encore, c'est de tenter de guider cette humanité et, malgré les colères et les révoltes qu'elle peut avoir, avec cette douceur et cet amour que le Christ enseigne, la remettre sur la route.

Quand il va à Vilnius, il est aussi grave que ce Christ que les Lituaniens aiment à représenter : aussi méditatif et sombre que nos « Christs aux liens ».

La Lituanie s'est libérée. Elle se retrouve néanmoins dans un état de dénuement extrême et de détresse morale, de suspicion à l'égard de tous ceux qui veulent délivrer un enseignement moral. Aussi l'Église catholique n'est-elle pas toujours reçue par les nouvelles générations comme les « vieux » l'auraient souhaité, ceux qui ont souffert dans leur chair et dans leur esprit. Les jeunes craignent les catéchismes, pour avoir éprouvé celui, communiste, que leurs parents durent subir. Ils préfèrent les vendeurs de rêves à bon compte et comme dans tout l'ex-bloc soviétique, les sectes ont pignon sur rue et font florès. De Moon à Kiss (secte satanique), des Témoins de Jéhovah aux inévitables Krishna, ces sectes captent une jeunesse désœuvrée, vouée à la drogue et au chômage. La prostitution, la délinquance, le sida sont le lot habituel de ces déçus du communisme mais aussi d'un capitalisme dont ils avaient fini par rêver et qui les rejette. Un article d'Henri Tincq à ce sujet ne laisse aucun doute sur l'état de corruption et de dégradation de tous ordres auxquels la Lituanie a cédé. L'Église n'a pas su dans sa renaissance publique témoigner de sa vitalité et de sa vérité d'une manière assez forte pour emporter cette population. Force est de constater que les Églises locales catholiques n'ont donc jamais été aussi puissantes que lorsqu'elles étaient sous domination totalitaire, et qu'elles ont joué le rôle d'outil ou d'adjuvant à la libération des peuples.

La libéralisation des mœurs en Pologne comme la dégradation morale en ex-Yougoslavie, l'impuissance des forces morales à contrecarrer les germes de destruction à l'œuvre en Russie, et jusqu'à la fidèle Lituanie, en proie aux « dérives maffieuses et sectaires[35] » selon le mot d'H. Tincq donnent idée de la difficile pastorale de Jean-Paul II.

Mais par expérience, Jean-Paul II sait que la reconstruction est longue comme la délivrance de Jérusalem et si son espérance reste malgré tout intacte, elle n'est pas de pure forme ou protocolaire. La foi qu'il enseigne aux hommes, par le fait même de leur origine pécheresse, trouve son accomplissement dans un temps qui n'est pas forcément celui de l'immanence. Il n'est pas possible, considérant la scrupuleuse tentative d'éradication qu'a perpétrée le régime communiste, et l'ampleur du forfait, de réclamer de ces peuples à la dérive apparente des mentalités d'hommes religieux forts. Tout est à reconstruire, aussi bien la vie quotidienne que l'équilibre psychique et intellectuel, niés par les déportations et les aliénations de toutes sortes. De ce constat, Jean-Paul II tire cet enseignement de l'espérance et de la compassion. S'il plaide avec véhémence pour que ces peuples reçoivent de l'Europe occidentale de l'aide, ce n'est pas seulement par solidarité slave et chauvine, mais aussi et surtout par conviction chrétienne. Aussi le témoignage de sa pastorale ne peut-il faillir : il doit conserver l'intégralité du dépôt même si le monde moderne peut de moins en moins l'entendre et l'accepter. L'adoucir, l'adapter en fonction des désirs et des besoins d'un peuple chrétien en dérive relèverait de la démagogie et de l'infidélité au message évangélique. Le rocher de la foi est à ses yeux l'essentiel facteur d'unité.

L'harassant labeur auquel l'oblige son originale Ostpolitik montre ainsi les limites à court terme de l'évangélisation et en même temps, et à long terme, un projet qui, convaincu d'être dans le plan de Dieu, et sous peine de mort, devra forcément se réaliser.

La « résurrection » de l'Église uniate ukrainienne

L'effondrement du bloc communiste engendre, on s'en doute, un chapelet de problèmes, particulièrement au plan religieux, que Jean-Paul II essaie de résoudre. Son activité pastorale est sans faille et tente de restaurer la présence des Églises catholiques rattachées à Rome et que le communisme avait étouffées. Ainsi, le monde découvre-t-il avec curiosité la « résurrection » de l'Église uniate ukrainienne, une des fractions de ces Églises orientales qui ont rétabli l'union avec l'Église romaine catholique. C'est en juin 1986 que Jean-Paul II, qui ne veut pas laisser échapper l'influence de l'Église catholique dans cette partie du monde, convoque donc les évêques ukrainiens à Rome.

Grande « première » puisqu'aucun responsable de la hiérarchie uniate ne s'était rendu au Vatican depuis 1946. C'est pourquoi cette visite est assimilée à une renaissance. Le pape a toujours eu une tendresse particulière pour ceux qui, à cause de leurs convictions religieuses, ont été persécutés. Sa propre expérience fait de lui un « écorché » dans ce domaine et sa sollicitude, sa consolation vont spontanément vers ces exclus et ces bâillonnés de la foi. Si le Vatican n'ignorait pas le problème avant l'élection de Jean-Paul II, c'est sûrement la personnalité slave du nouveau pape qui a permis de susciter la révélation au monde de ces Églises menacées et fidèles. Le principe de modèle est toujours répété dans la pastorale de Jean-Paul II : lorsqu'il se rend à Vilnius, en Lituanie, visitant la fameuse colline aux croix, plantées en signe de fidélité aux victimes de l'oppression russe puis communiste, il déclare, ému : « Il faudrait faire venir ici toute l'Europe et le monde entier », n'étant pas loin de penser qu'il y a d'autres « Golgotha du monde moderne » qui peuvent servir de témoins de la barbarie des hommes.

La restauration de la liberté religieuse en ex-URSS permet d'apprécier l'ampleur des persécutions et des répressions. L'Église uniate, qui a maintenu coûte que coûte sa présence et a tenté de survivre malgré les spoliations et la clandestinité, est aux yeux de Jean-Paul II un exemple de ferveur et de fidélité qu'il veut donner au monde. La vigueur de cette Église, tant dans la diaspora que dans la résistance, tient du miracle et offre à l'imaginaire slave tout un éventail de motifs romanesques et héroïques digne des grandes épopées lyriques et légendaires russes.

La brutalité de la répression stalinienne, la confiscation de tous les biens de l'Église uniate, dont certains ont été recédés aux orthodoxes, la destruction de son identité même, et, malgré tout, l'obstination du Veilleur qui garde allumée la lampe, dans l'obscure nuit de la foi, voilà des « mythologies » qui ont du sens pour Jean-Paul II, et assurent de la force de la vérité. Aussi est-ce avec une grande émotion qu'il reçoit au Vatican dix évêques catholiques d'Ukraine et dix-huit évêques de la diaspora, pour redonner élan à cette Église qui compte quatre millions de fidèles.

Émotion certes, mais aussi « dossier brûlant », parce qu'au-delà de cette reconnaissance affective et de l'assurance que le pape « personnellement »[36] traite ce dossier, c'est toute la stratégie de Jean-Paul II qui est en cause.

Inviter les uniates à Rome, c'est d'une part répondre à

l'appel évangélique et voler au secours de l'opprimé, mais d'autre part, tenter, en les sortant de l'ombre, de rapprocher les catholiques soviétiques des catholiques de l'Europe de l'Est que Jean-Paul II ne cesse de rapprocher des catholiques de l'Ouest. Ainsi, de saint Benoît aux saints Cyrille et Méthode, c'est toute une Europe catholique « épurée » des pactes et des découpages politico-expansionnistes que Jean-Paul II restaure. C'est pourquoi la présence et la résurgence des uniates à Rome, et l'attention très (trop ?) appuyée que leur prête le souverain pontife n'est pas du goût de toute le monde et particulièrement des orthodoxes qui voient là une façon déguisée pour l'Église catholique d'affirmer sa présence et de pratiquer un prosélytisme déstabilisant pour l'unité des chrétiens et pour cet œcuménisme auquel, pourtant, Jean-Paul II tient beaucoup.

Le ton radical de Mgr Sterniuk, archevêque de Llov, ne laisse pas de doute sur les intentions de l'Église uniate, téléguidée aux yeux de certains par Rome : « Les orthodoxes doivent nous rendre les églises et les biens confisqués sous Staline[37]. » La foi obstinée du cardinal exilé à Rome, Mgr Myroslav Ivan Lubachivsky, malgré ses soixante-seize ans, est aussi sans ambiguïté : « Même si la répression active contre nos fidèles en Ukraine a cessé récemment, l'état de notre Église en Union soviétique n'a pas encore été résolu. Je suis très heureux de voir que nous sommes au bord d'une résolution, au sens où une solution à la situation sera portée rapidement. Je prie pour que bien vite notre Église puisse être libre de continuer son travail pastoral. »

C'est au sujet du dialogue avec les orthodoxes que le problème uniate se pose. Les uniates ont beau protester de leurs évangéliques intentions, déclarant vouloir « vivre avec l'Église orthodoxe en esprit de fraternité et collaboration, travaillant ensemble pour l'unité », affirmant que leur Église peut servir de « pont vers tous les autres frères, surtout ceux qui ont en commun la même tradition liturgique et spirituelle », Mgr Sterniuk a beau déclarer que l'Ukraine veut « seulement porter témoignage du règne de Dieu et non la recherche de sa propre gloire », le dialogue avec les orthodoxes reste encore entaché de soupçons et de doutes sur les réelles intentions du Vatican qui soutient l'Église uniate. La position de Jean-Paul II est donc extrêmement complexe et nécessite beaucoup de virtuosité car il s'agit avant tout de préserver trois points précis et souvent antagonistes : protéger les minorités religieuses, affirmer même discrètement la présence de l'Église de Rome, et conserver les acquis du dialogue déjà existant avec les orthodoxes.

Or l'uniatisme dont se réclame l'Église d'Ukraine et que, par sa visite à Rome, Jean-Paul II défend, est considéré par les orthodoxes comme « l'effort de réaliser l'unité de l'Église en séparant de l'Église orthodoxe des communautés ou des fidèles orthodoxes, sans prendre en considération que, selon l'ecclésiologie, l'Église orthodoxe est une Église sœur qui offre à elle-même les moyens de grâce et de salut[38] ».

L'ostensible visite des évêques d'Ukraine est donc perçue par l'Église orthodoxe comme un camouflet d'autant qu'en réclamant son statut d'Église sœur, l'Église uniate réclame aussi les trois mille églises dont les orthodoxes ont la charge.

Le statut privilégié de l'Église orthodoxe au temps de la perestroïka et sa présence aux cérémonies officielles auxquelles Gorbatchev en habile politicien a tenu à l'inviter sont un signe d'injustice pour les catholiques soviétiques. Jean-Paul II estime que : « Le temps est venu de doter des évêques et cardinaux d'une instance supérieure ayant juridiction sur l'ensemble de l'Union[39]. »

L'attention affectueuse du pape est donc lourde d'arrière-pensées pour les orthodoxes qui voient là une manière pour Rome d'imposer sa présence et leurs responsables influencent les instances politiques pour empêcher tout voyage pontifical en Russie.

Les bouleversements survenus à l'Est depuis 1989 n'ont

pas encore résolu les problèmes de l'Église uniate. L'été dernier, une commission mixte internationale pour le dialogue théologique entre l'Église catholique et l'Église orthodoxe s'est réunie au Liban. Cette rencontre, dite de Balamand, s'est déroulée du 17 au 24 juin 1993 et a clos ses travaux par un texte qui en dit long sur les zones de doute qui subsistent encore entre les deux Églises. La liberté religieuse étant rétablie en Europe centrale et orientale, les Églises catholiques orientales ont eu tôt fait de restaurer au grand jour leurs activités pastorales. « Ces questions sont devenues comme une pierre de touche de la qualité des relations entre les Églises catholique et orthodoxe[40]. »

L'uniatisme y est sans nuances rejeté, et plusieurs articles du document insistent sur la nécessité d'un dialogue franc et évangélique entre les deux Églises : considération de chacune d'entre elles là où l'une est plus enracinée que l'autre, abstention de déclarations ou de manifestations susceptibles de nuire au dialogue, éducation des séminaristes objectivement positive à l'égard de l'autre Église, exclure tout prosélytisme et toute volonté d'expansion des catholiques aux dépens de l'Église orthodoxe.

Le statut des Églises catholiques de rite orthodoxe est bien sûr évoqué. Faisant un bref historique de la situation, le document déclare : « Durant les quatre derniers siècles, en diverses régions de l'Orient, des initiatives ont été prises de l'intérieur de certaines Églises et sous l'impulsion d'éléments extérieurs, pour rétablir la communion entre l'Église d'Orient et l'Église d'Occident. Ces initiatives ont conduit à l'union de certaines communautés avec le Siège de Rome et ont entraîné, comme conséquence, la rupture de la communion avec leurs Églises-mères d'Orient. Cela se produisit non sans l'intervention d'intérêts extra-ecclésiaux. Ainsi sont nées des Églises orientales catholiques et s'est créée une situation qui est devenue source de conflits et de souffrance d'abord pour les orthodoxes mais aussi pour les catholiques. »

L'amertume et le dépit à l'encontre de l'influence

romaine sont très nets dans ce document, qui tout en réaffirmant la volonté des orthodoxes d'être « Église sœur » de l'Église catholique, n'en souligne pas moins, au nom de la liberté religieuse (et le trait est dirigé, semble-t-il, exclusivement à l'attention de l'Église catholique, jugée sans ambiguïtés prosélyte) la nécessité du dialogue et l'absence de toute pression « pour éviter que naissent de nouvelles suspicions ».

Les réclamations et les déclarations victimaires de l'Église uniate sont donc rejetées : « L'histoire des relations entre l'Église orthodoxe et les Églises orientales catholiques a été marquée par des persécutions et des souffrances. Quelles qu'aient été ces souffrances et leurs causes, elles ne justifient aucun triomphalisme : nul ne peut s'en glorifier ou en tirer argument pour accuser ou dénigrer l'autre Église. Dieu seul connaît ses vrais témoins. » C'est pourquoi le document réclame de la part de l'Église une plus grande discrétion à l'égard de l'Église d'Ukraine à l'exclusion de toute pression : les fidèles doivent décider par eux-mêmes s'ils veulent être en communion soit avec l'Église orthodoxe, soit avec l'Église catholique.

Les tensions se sont renforcées entre les « uniates » et les orthodoxes et quelquefois le dialogue souhaité s'est transformé en émeutes violentes. Et si le patriarche Alexis semble plus disposé que son prédécesseur à prendre en compte la cause « uniate », sa base demeure intransigeante, et reflète ce que l'article 9 du document révélait déjà : « Quoi qu'il en soit de l'intention et de l'authenticité de la volonté d'être fidèle au commandement du seigneur : "Que tous soient un", [...] on doit constater que le rétablissement de l'unité entre l'Église d'Orient et l'Église d'Occident n'a pas été atteint et que la division persiste, envenimée par ces tentatives. »

Jean-Paul II est donc toujours suspecté, malgré le souffle d'Assise, et peut-être aussi justement à cause de son ostensible désir d'œcuménisme, de vouloir étendre l'autorité de l'Église de Rome dans les parties orientales de l'Europe.

Cet esprit de conquête (décrit irrévérencieusement par C. Colonna-Cesari : « C'est toujours plus loin à l'Est que ce césaro-papiste de Polonais aura repoussé le Rubicon[41] ») est intuitivement pressenti par les orthodoxes d'autant plus que la compassion de Jean-Paul II pour les uniates n'a pas été toujours aussi franche que lors des vœux de nouvel an en 1988, ou lors des journées de 1990, des freins étant apparus au moment où le pape négociait son voyage à Moscou et dans les pays baltes. Or, concéder des privilèges aux uniates risquait pour Gorbatchev de s'aliéner les orthodoxes et Rome du même coup aurait eu à essuyer une brouille avec eux. Peut-être aussi, et confusément, les traces antiukrainiennes qui demeurent gravées en chaque Polonais du fait de leur histoire commune et sanglante, ont-elles influencé le pape, et ralenti le processus de libération. Malgré la complexité du problème, Jean-Paul II ne pouvait être étranger à cette quête de libération que l'Église uniate entreprenait. Il la plaça donc dans sa stratégie de « subversion évangélique » qui consistait dans la résolution de conflits que le communisme avait occultés et dont il serait le promoteur et l'inspirateur.

« L'Europe de Benoît, de Cyrille et de Méthode »

(Cardinal Casaroli, 5 juillet 1985.)

Au fur et à mesure des discours, Jean-Paul II affine sa conception d'une Europe chrétienne, qui va faire de lui le héraut de l'unité perdue et à reconquérir, ou le croisé d'une autre Jérusalem à délivrer. Si certains voient surtout en son action le retour nostalgique d'une ecclésiologie médiévale, la vision de Jean-Paul II, cohérente et récurrente, invite au contraire à une réflexion nouvelle sur une Europe qui, persistant à se crisper dans ses frontières et faute de regarder au-delà d'elles, méconnaissant les vertus d'accueil et d'écoute de l'Évangile, finira par s'étioler et dégénérer. Aux yeux de Jean-Paul II, cette sclérose a déjà commencé son travail. L'Europe, en acceptant sur sa terre l'idée de la « mort de Dieu », que ses philosophes ont répandue, a accepté sa propre destruction. Le suicide du vieux continent est programmé par des forces ténébreuses et illusoires qui, oubliant Dieu, le minent inlassablement. La « croisade » du pape, s'il y en a une, réside justement dans cette restauration d'une foi et d'un idéal érodés par les idéologies et le goût du plaisir.

Cette vision, gaullienne, affirme que l'Europe, de l'Oural à l'Atlantique, doit se méfier des arrangements de la coexistence qui a fait fi des peuples et des spécificités nationales. La vraie Europe n'est pas celle de Yalta, des

« divisions actuelles, des idéologies et des systèmes économiques et politiques », elle n'a de fondement que dans le christianisme et la réalité catholique et fervente de la Pologne en est la preuve. Mais au-delà de la Pologne, c'est encore l'Europe qui a accueilli les « apôtres de Jésus-Christ », qui les a « entendus parler sa langue, et lui raconter les merveilles de Dieu ».

L'échec des systèmes politiques et économiques a montré a contrario que seule la foi chrétienne est apte à redonner une « âme » à cette Europe appauvrie, déshumanisée, blasée et repue. C'est pourquoi toutes les homélies et tous les discours de Jean-Paul II en appellent au réveil, à la veille, au courage. Ce que le pape ne cesse de dénoncer à l'ONU comme en Pologne, c'est cette pusillanimité : « Ne craignez pas la fatigue, mais craignez seulement la légèreté et la pusillanimité. De cette difficile expérience qui a pour nom Pologne, on peut tirer un avenir meilleur, mais seulement à condition d'être honnête, sobre, croyant, libre d'esprit, fort dans ses convictions. » Il ajoutait à l'adresse des jeunes : « Vous devez avoir des convictions profondes et sincères, qu'elles soient chrétiennes ou marxistes. » Ce que Jean-Paul II veut transmettre avant tout, c'est cet élan qui l'a toujours animé. La « grande tâche à accomplir » est d'abord de redonner du courage, de réinjecter une vigueur nouvelle, dans cette Europe délitée à l'Ouest par les biens de consommation, et bâillonnée, mais piaffante à l'Est.

La Résurrection promise de Jésus-Christ passe par la libération des entraves de l'homme, par le refus de tout ce qui altère son intégrité et empêche sa promotion. La seule unité, c'est celle de la parole libératrice de Jésus-Christ. Le mur symbolique de Berlin, fruit des divisions humaines, doit tomber pour cela. La référence constante d'un pape catholique et romain mais « slave », l'affirmation presque obsédante de sa « polonitude » ne sont pas une manière de vouloir « annexer » l'Église universelle à la ferveur de la Pologne, mais bien plutôt un désir de donner à l'Europe qu'il entend ressouder ses racines historiques et eschatologiques. La vision transnationale de Jean-Paul II s'affirme dans cette perspective grandiose de réconciliation des deux « poumons », oriental et occidental, dans une fusion des deux sensibilités.

Une des raisons majeures de son succès médiatique en Europe vient du fait que ses interventions ont à la fois cette gravité et cette fougue qu'aucune autre personnalité politique ne semble avoir. Le langage qu'il parle réconcilie les peuples avec une interprétation plus cosmique, plus sacrale que celle, étriquée et politicienne, qu'on leur donne habituellement. Même si ces foules n'appliquent pas à la lettre l'enseignement pastoral du pape, elles frémissent de cet élan nouveau qu'il leur transmet. Jean-Paul II connaît ce don épique qu'il possède, il sait sûrement aussi l'usage que certains chefs spirituels ont pu en faire (on pense aux diatribes oratoires et solennelles de l'ayatollah Khomeyni, arrivé d'ailleurs sur la scène du monde la même année que Jean-Paul II), mais la fermeté doctrinale et le dessein grandiose qu'il propose sont à ses yeux les seuls moyens de redonner force et vie à l'Église.

Le « créneau » géostratégique de Jean-Paul II réside dans l'alternative prophétique qu'il ne cesse de clamer : l'évangélisation de l'Europe passe par la destruction de sa sécularisation, par l'abandon de ses plaisirs et de ses instincts de pouvoir. Cette vision étendue qu'il a de l'Europe n'évacue pas pour autant les valeurs évangéliques. Elles en sont au contraire constitutives. A ceux qui lui reprochent de faire de la politique, il répond qu'étendre l'Europe jusqu'à l'Oural, c'est « faire l'Église », redonner intégrité à son grand corps mutilé, amputé de l'aile slave. On le voit, la stratégie de Jean-Paul II en empiétant sur le domaine apparemment politique, touche à celui du symbolique. Il faut comprendre dans ce sens la référence à Méthode et Cyrille, fils et liens spirituels entre les deux Europe, entre Constantinople et Rome. Et là encore la Pologne joue un rôle clé dans cette vision qui tient aussi bien du lyrisme « mickiewitchien » que d'une Realpolitik. La Pologne (et c'est Dieu qui l'a ainsi voulu : « impénétrables sont ses voies »), est au centre de ces deux blocs, slave et occidental, elle est celle qui a conservé son identité orientale par la ferveur de ses rites et la part si riche qu'elle accorde aux affects, et néanmoins est restée fidèle au pape de Rome. La grandeur exemplaire de la Pologne, c'est d'avoir uni dans ses spécificité Byzance et la catholicité occidentale, c'est d'avoir fait rougeoyer la violence de sa ritualité et d'avoir été la plus obéissante de toute l'Europe occidentale à la tradition renouvelée par le concile.

La pensée de Jean-Paul II est tout entière dans cette certitude messianique de restaurer l'« Église indivise » : « Nous qui sommes réunis, proclame-t-il, le 14 octobre 1985, lors de son homélie de clôture du jubilé des saints Cyrille et Méthode, nous nous rendons compte d'une manière nouvelle, après onze siècles, de la haute signification de leur œuvre. [...] Nous savons que, à l'époque où se déroule leur mission, la chrétienté n'avait pas encore subi de division : Rome et Constantinople n'étaient pas séparées. Il y avait des différences mais pas de divisions. Entre les deux parties de l'Église, entre les deux grandes traditions du christianisme dans lesquelles l'unique foi s'est incarnée historiquement d'une manière merveilleusement diverse et complémentaire, entre la partie orientale et occidentale de l'unique Église. » La « mission » de Jean-Paul II, à son tour, c'est de retrouver cette unité au risque du martyre dont la tentative d'assassinat du 13 mai 1981 est peut-être l'illustration, et en tout cas au risque de l'incompréhension. La vision mondiale que le pape se fait de l'Église est trop conflictuelle pour recueillir une approbation consensuelle. C'est pourquoi, à son sujet, n'ont cessé de se poser les questions de son progressisme éventuel ou de son traditionalisme, interrogations qui n'étaient pas forcément obsessionnelles lors des pontificats de Jean XXIII ou de Paul VI. Jean-Paul II, lui, dérange parce qu'aucune de ses positions n'est attendue ;

sa piété traditionnelle, son goût pour les pèlerinages et les manifestations affectives de la foi, sa rigueur doctrinale pourraient séduire les traditionalistes d'Écône, mais il les dérange par cette vision duelle de l'Église qui favorise l'œcuménisme.

Jean-Paul II, non seulement veut unir « dans la théorie et dans la pratique la certitude divine et la certitude humaine », comme il l'écrivait dès 1974 dans le rapport qu'il avait rendu au pape Paul VI à propos de son exhortation sur l'évangélisation, mais encore élargir le champ du christianisme en en rassemblant les frères séparés. La spiritualité du pape est aussi byzantine, elle trouve ses sources dans l'approche nocturne de saint Jean de la Croix, mais aussi dans la perception orientale du Christ. Il veut réconcilier la Vierge iconique de Jasna Gora et la Vierge de Giotto, et il n'est pas rare de trouver dans ses homélies ou ses discours des emprunts à l'orthodoxie comme l'éloge qu'il fait, le 22 mars 1988, « pour le millénaire du baptême de la Russie » : « Comme elle est belle dans le rite byzantin, l'antique prière pour la bénédiction de l'eau baptismale, l'eau que la théologie orientale se plaît à identifier avec les eaux du Jourdain dans lesquelles entre le Rédempteur de l'homme ! »

L'identification de la Pologne à la « mission » du Christ est à ses yeux totale : il martèlera tous ses discours lors de ses voyages polonais de cette idée : de Auschwitz, « Golgotha du monde », à saint Stanislas, de Varsovie à Jasna Gora, l'histoire de la Pologne n'a d'autre référent que le « nom de Jésus-Christ ». Le peuple « élu » en quelque sorte est aussi celui de la Pologne qui, de surcroît, a donné un fils à la chrétienté pour réaliser l'unité perdue, sceller la fracture. Il ne dit rien d'autre à la cathédrale de Gniezno : « Le Christ ne veut-il pas, l'Esprit Saint ne dispose-t-il pas que ce pape polonais, ce pape slave, manifeste justement maintenant l'unité spirituelle de l'Europe chrétienne[42] ? »

L'intuition d'un vaste continent européen rassemblé lui vient, dit-il du Christ, il tire de lui cette conviction ; le défi de Jean-Paul II, singulièrement en Europe, est de susciter le besoin et la présence de Jésus-Christ et ce « malgré l'apparence de toutes ses absences[43] ».

La personnalité même de Jean-Paul II est, pourrait-on dire, providentiellement nécessaire : sa détermination inébranlable, sa manière de se comparer à un « rocher ». La nation polonaise fut trop soumise à la censure, à l'exploitation et aux brimades, à l'absence de toute liberté pour ne pas réagir d'une manière qui a pu et peut encore paraître doctrinale et monolithique. Jean-Paul II considère la lutte contre les idéologies délétères, et particulièrement le capitalisme sauvage et ce qu'il a entraîné, le matérialisme, et le reniement des valeurs de la vie, comme il a considéré la lutte contre le communisme, implacable. La rigueur doctrinale qu'il affiche, la sévérité inflexible qu'il arbore sont à mettre au compte de ce combat spirituel. Il ne faut pas s'attendre face à une Europe défaite de sa spiritualité, livrée au Veau d'or, à une attitude différente. Seule la foi permet à ses yeux de désaliéner l'homme, elle lui permet « seule de se définir grâce à la communion avec Dieu ». Ce remodelage de l'Europe, c'est toute la politique qu'il va conduire, dérangeant l'organisation artificielle des blocs, fondant le continent retrouvé sur une même « communauté de culte et d'aspiration[44] ».

Pasteur de l'Église universelle, Jean-Paul II en appelle au baptême des nations et à la fidélité des vœux qu'elles ont jadis prononcés. Les nations sont en ce sens non pas tributaires des Yalta de toutes sortes, mais de leur vocation ancestrale, être des nations de Dieu. Quand il dessine avec une hardiesse dérangeante pour les blocs mis en place après la Seconde Guerre mondiale, une Europe dans laquelle il inclut non seulement les pays de la Communauté européenne, mais encore, dès 1979, l'Espagne et le Portugal, et tous les pays de l'Est y compris les

Slaves de l'URSS et les Allemands de la RDA, il rappelle la « généalogie spirituelle » de ce continent.

Étrange discours dont la portée ne se mesure plus en termes de partages économiques ou d'influences idéologiques mais en termes de tradition et de morale, et en une vaste vision d'alliance des parties orientales et occidentales de l'Europe d'aujourd'hui. C'est le christianisme qui a fait l'Europe et la marche pèlerine du pape procède de ce constat oublié. On comprend dès lors l'influence affichée et occulte tout à la fois que Jean-Paul II a exercée dans la brutale décomposition de l'URSS et de ses satellites. L'activité inlassable de l'archevêque de Cracovie, cette manière d'essaimer des foyers de spiritualité dans toute la Pologne, cette présence qu'il a manifestée, ne dédaignant pas de se pencher sur le peuple et de le visiter, l'application presque maniaque du devoir pastoral ont œuvré en sous-main à cette décomposition. Ce déséquilibre qu'il a instauré consciemment montre à l'évidence l'autorité politique et stratégique de Jean-Paul II. Établissant, comme dit Jean Chélini le « droit à l'autodermination spirituelle[45] », le pape réhabilite ainsi la fonction sociale de l'Église, à laquelle il ajoute cette puissance messianique dont il se pare si souvent : il effectue toujours en effet des passages entre la « mission de l'Église[46] », et la sienne, les englobant dans la même quête de justice, propre à affirmer la notion de « service » de l'Église universelle[47].

C'est pourquoi Jean-Paul II se présente comme le garant de la morale chrétienne, l'inflexible propagateur des valeurs chrétiennes. Si l'Europe s'est affaiblie, si elle n'est plus la détentrice et la gardienne du dépôt dont pourtant elle était responsable, c'est parce qu'elle a connu l'épreuve de la tentation, celle de l'athéisme et de la négation de Dieu, du défi à Dieu. L'intransigeance du pape à l'égard des théologiens de la libération ou d'intellectuels progressistes comme Hans Küng vient de cette idée qu'ils sont les ferments de cette tentation qui a littéralement empoisonné l'Europe. Ce sécularisme a entraîné la faillite, voire le suicide d'un continent qui, livré sans amarre au vide et au doute, n'est plus qu'une épave.

L'échec cependant d'une telle société, fondée sur des mensonges et « vouée à la consommation, sous l'influence des mass médias[48] », vient selon lui, de cette séparation d'avec le christianisme. Les idéologies, les sciences, les théories philosophiques ont « voulu, dit-il, absolutiser l'homme et ses conquêtes terrestres », mais « l'être humain n'est pas la mesure universelle[49] ». Comment dès lors nuancer, fût-ce un instant, la ligne morale de l'Église ? Comment infléchir des principes aussi fondamentaux que ceux du respect de la vie, dans les domaines socio-politiques comme génétiques ou biologiques, ou encore ceux de l'indissolubilité de la famille ? Ces principes sont proclamés et réaffirmés au cours des voyages, aussi bien en Afrique qu'en Amérique latine où pourtant la structure familiale ou la démographie galopante pourraient peut-être nécessiter des adaptations. Jean-Paul II imagine donc volontiers la conquête de cette Europe dévastée, traversée de courants antagonistes et destructeurs. « Europe, retrouve-toi toi-même, lance-t-il à Saint-Jacques de Compostelle, le 9 novembre 1982, car le fameux pèlerinage est par excellence le symbole de cette Europe d'autrefois, « immense réseau de voies de communication unissant les villes et les nations qui la composent, et je revois ces chemins qui depuis le Moyen Age ont conduit et conduisent vers Saint-Jacques-de-Compostelle ».

La vision lyrique du corps de l'Europe, dont le sang vivifiant du Christ parcourt les veines et les artères, voies et sentiers, anime celui qui est aussi, ne l'oublions pas, poète et bon poète. Jean-Paul II est polonais et poète, et son regard projette une vision épique, irréaliste dans l'état actuel du monde mais, sinon prémonitoire, du moins consciemment utopique, comme pour mieux susciter, exalter la croisade à laquelle il appelle le continent « sécularisé ».

C'est pourquoi il renvoie dos à dos capitalisme et communisme, les deux tyrannies à ses yeux triomphantes du monde moderne, cherchant à réinjecter du religieux sur ce continent qui a gardé cependant des traces de son passé chrétien. Est-il intimement persuadé de raviver cette foi d'autrefois ? Ce qu'il a tenté et souvent réussi en Pologne, peut-il vraiment le réussir dans cette Europe de l'Ouest vouée à l'absurde et au péché ? L'enjeu de toute manière plaît à l'« homme de marbre », sa stature héroïque et l'autorité qu'il dégage conviennent bien à cette bataille qu'il entend mener. Ne nous trompons pas cependant sur la portée de ce défi : Jean-Paul II aspire avec cette inflexibilité virile dont il sait que, seule, elle lui permettra d'avancer, à la création d'une « culture fondée sur des valeurs familiales et matrimoniales ». Le modèle absolu est celui de la Sainte Famille, recours contre tous les malheurs et tous désespoirs. La croisade se joue en termes de trahison et de fidélité. Ce que Paul VI avait bien évidemment déjà déclaré, il le proclame à nouveau mais avec une force de conviction presque sauvage et un militantisme qui surprend. Ce qu'il ne cesse de proclamer, c'est le salut de l'homme par Dieu. Il s'agit, dit-il le 2 janvier 1986, de « reformuler pour l'homme contemporain, de manière convaincante, le message impérissable du salut ». Rien alors ne peut faire obstacle à cette vocation de la réconciliation : œcuménisme, projection d'une Europe nouvelle fondée sur sa culture chrétienne, souci de rendre à ce continent son identité religieuse, inspirer un renouveau d'âme, inciter au ressourcement par tous les moyens, fussent-ils ceux fustigés, comme la télévision ou les moyens les plus sophistiqués de communication : l'enjeu réside dans cette quête de vérité et de fidélité. Il est certain que le projet de Jean-Paul II peut paraître passéiste aux yeux de certains, la sécularisation a dessillé, désémerveillé les hommes, leur a donné des dialectiques virtuoses où ils ont pu se sentir plus libres. Le malentendu foncier qui, avec le temps, s'est accentué et a creusé le fossé qui sépare à présent Jean-Paul II du peuple chrétien, vient sûrement de cette nostalgie d'unité presque bucolique qui anime secrètement le pape. De tous ceux qui l'ont précédé au XXe siècle, Jean-Paul II est peut-être celui qui, tout en usant de méthodes ultramodernes et de tous les progrès de la technique, est resté le plus près d'une religiosité du siècle passé. Le fantasmes de la terre généreuse, de la terre natale, associée à la quête de la mère perdue à travers le culte marial, tout en lui tente de renouer avec l'image de l'origine, dont il a gardé la secrète nostalgie, temps communautaire d'une société apaisée et pacifiée, occupé par le religieux.

Cette vision du christianisme, si elle interpelle « sur le coup » les auditeurs de Jean-Paul II et ses fidèles, davantage semble-t-il par l'audace de cette parole que par son pouvoir final de conviction, ne parvient pas à être « en phase » avec le monde moderne. La menace cependant est ressentie profondément, celle d'un « danger d'autodestruction atomique[50] » comme celle d'un déséquilibre mortel que l'Europe a sécrété nocivement dans les domaines écologiques, biologiques, moraux, technologiques, stratégiques, en les exposant dans toutes les autres régions du monde. C'est en ce sens que la mission de Jean-Paul II est la plus âpre. Il se sait porteur d'un message qui peut redonner souffle à ce qui agonise, inlassable pèlerin comme on l'a souvent appelé, il ébranle les consciences, vite démobilisées, asservies par l'illusion du pouvoir et des facilités matérielles, et sa tâche est celle, pédagogique et mystique tout à la fois, de la répétition, du témoignage sans cesse réexpliqué.

Est-ce à dire que, dans l'Europe projetée par Jean-Paul II, son enseignement ait échoué ? Si le pape a contribué grandement à la destruction du mur de Berlin comme du bloc soviétique, il n'a pu prévoir la montée des nationalismes et des égoïsmes, les dérapages xénophobes en ex-RDA, en Pologne, et l'arrivée massive de populations pauvres et attirées par le mirage capitaliste. Le rêve de la grande Europe fraternelle semble s'enliser dans un pur formalisme, des élans religieux certes percent ici et là, parallèlement il est vrai à d'autres espaces de religiosité frelatée (sectes et Églises locales) et si les voyages du pape rassemblent toujours autant de monde, avec peut-être plus de scepticisme, ils offrent aussi l'image d'une quête pathétique, à l'instar de celles de l'exemplaire mère Teresa ou de l'infatigable abbé Pierre. Mais la présence sur la scène mondiale de Jean-Paul II est exigée par le « code moral de l'Évangile » comme disait Mgr Casaroli lors d'une conférence qu'il donnait le 20 janvier 1972 à Milan. La parole de l'actuel pape, tout en reprenant celle des papes précédents, ne peut cesser cette proclamation. Il en va de la permanence de l'Église, mais aussi de la pérennité de son message, et encore du fragile équilibre du monde. C'est pourquoi la marche du pèlerin est continue. L'activité du Saint-Siège est toujours fébrile, comme occupée à maintenir le dialogue. La tâche essentielle de Jean-Paul II est tout entière là : garder le contact, servir de lien, de courroie avec qui le veut bien, sans dogmatisme. Cette exigence est celle de l'Évangile. Le colportage spirituel, comme on pourrait l'appeler, de Jean-Paul II, tient dans cette affirmation de l'Alliance, dont l'instance majeure se trouve à Rome.

L'ancrage de la catholicité au cœur de l'Europe porte Jean-Paul II à vouloir redonner à cette partie du monde toute sa vigueur et cette qualité de phare qu'elle a perdues. « L'ivraie funeste a poussé dans le champ de l'Histoire, semée par le drame du péché et du mal », déclare-t-il[51]. Aussi se dit-il « hanté[52] » par sa résurrection spirituelle et culturelle, parce qu'il sait (troisième secret de Fatima ?), que des « catastrophes ultérieures » peuvent détruire l'Europe. Déployant tout à la fois une dialectique du salut et de l'apocalypse, il ne manque jamais au cours de ses voyages ou de ses discours d'évoquer le risque possible de conflagration nucléaire, et d'une Europe qui va à son propre suicide « malgré le message des grands esprits». C'est donc en termes de combat et de mission que l'histoire de l'Europe se joue aujourd'hui.

Pour cela, Jean-Paul II a conduit depuis son accession au trône de saint Pierre une diplomatie intense, personnelle, lançant à la face du monde des conseils et des critiques qu'aucun chef d'État ne pourrait se permettre. Ainsi, répétant inlassablement ses thèmes les plus chers – respect des droits de l'homme, primat de la personne, conscience de l'intolérable disparité des biens, respects des libertés religieuses –, thèmes analysés dans l'encyclique *Redemptor hominis*, Jean-Paul II affronte le malaise de l'Europe d'abord par une thérapie de choc en lui rappelant ses injustices et ses faiblesses, en l'appelant à la réparation. Sa «croisade» est à ses yeux fondamentale, vécue comme l'exigence du christianisme même, comme signe de l'appartenance à Jésus-Christ. Comment rester les bras baissés devant la montée des périls, particulièrement nucléaires?

Si cette «croisade» n'est pas engagée avec fermeté et responsabilité (deux axes chers au philosophe Wojtyla), le risque de l'apocalypse n'est pas exclu. La menace n'est pas seulement rhétorique, elle est consciemment ressentie. L'Europe doit faire face à ce défi: le motif de l'universalité dans lequel Jean-Paul II englobe sa vision géopolitique fait que l'Europe se doit de donner l'exemple et de retrouver les sources de sa civilisation sous peine de disparition. Dans cette perspective, Jean-Paul II inclut la dissolution de la morale, et le philosophe, encore une fois n'est pas loin. A l'existentialisme décharné d'un Sartre qui prétendait que «l'enfer c'est les autres», le pape oppose ce qu'il n'a cessé de démontrer à Cracovie et à Lublin, que les autres, au contraire, sont des moyens d'accès à la paix. «L'autre est amour, c'est-à-dire l'ouverture sur la rencontre», comme le dit Rocco Buttiglione[53].

Ce que Jean-Paul II prêche dans ses voyages et à Rome, c'est sa «théorie de l'amour», l'Europe s'est trop abandonnée aux égoïsmes et aux haines, entraînant ses habitants dans la mort et les tortures de toutes sortes, accomplissant par là même la rupture avec Dieu. La praxis personnaliste que le pape a toujours professée l'autorise alors à lancer à son interlocuteur, qu'il soit un jeune ou un pays, voire un continent entier, une de ses fameuses interpellations dérangeantes et provocantes: «Oui, toi, dit-il à l'Europe, individuellement tu peux amorcer le mouvement, car toute bonne résolution, toute prise en charge volontaire d'une tâche, ne se décident jamais que par un individu[54]».

Sa diplomatie cherche à provoquer ce qu'il appelle la «renaissance continentale», qui sera le fer de lance de celle qui doit suivre, la renaissance à l'échelle planétaire. Ce ne sont pas de vaines formules que le pape profère ici, mais bien un appel charismatique, très mystiquement vécu. Déplaçant souvent le discours diplomatique habituel du terrain technique au seul terrain moral et spirituel, il grippe en quelque sorte la machine trop huilée des institutions pour insuffler un autre discours, plus «sauvage», dans ces assemblées policées. Observons que c'est toujours en prêtre que son action se conduit. C'est d'ailleurs le maître-mot de l'enseignement qui est pratiqué à l'Académie pontificale ecclésiastique qui forme les futurs diplomates du Vatican: «Il faut raisonner autrement que si l'on était dans la diplomatie civile, déclare ce jeune prêtre-étudiant, avant tout, être un prêtre, recevoir cet appel: servir l'Église[55].»

C'est toujours dans cette optique que Jean-Paul II lui-même intervient. La relation à sa vocation ecclésiale dirige son action, c'est elle qui lui permet ce langage de la nudité et du vrai. Délié des devoirs d'État, il n'hésite pas à mêler la morale au politique: «Il faut sans cesse se demander, dit-il aux représentants des institutions européennes à Luxembourg, le 15 mai 1985, si tout ce qui est réalisable et juste a été accompli, face à une importante fraction de l'humanité, en Afrique notamment [...], Europe, retrouve-toi toi-même.»

Doter l'Europe d'une résille d'institutions, de lieux de jurisprudence, de parlements revient à élaborer, de même qu'en Pologne le cardinal Wojtyla l'avait fait à l'échelle pastorale, des lieux de vie et de rencontres aptes à émettre des messages éthiques propres à faire rayonner dans le monde le message du Christ. La civilisation occidentale a favorisé des choix suicidaires pour sa survie, il est temps, clame le pape, de revenir à ses sources, à la grandeur et la dignité des personnes, tous les messages que Jean-Paul II adresse urbi et orbi le répètent : retrouvons le modèle familial, ecclésial en quelque sorte, puisque déjà le couple, la famille, sont les signes de l'Église, c'est-à-dire de la communion. C'est pourquoi il a dès son élection sollicité le corps des évêques pour établir une vraie collégialité, option fondamentale, à ses yeux, de Vatican II, qui assure l'« unité de l'Église », et l'empêchera de se diluer dans des projets pastoraux étrangers à ceux enseignés par le magistère.

Jean-Paul II intervient donc chaque fois que cela est nécessaire, et la présence de sa diplomatie est le signe de cette volonté d'être acteur majeur des enjeux qui se jouent en Europe pour l'avenir du monde entier. S'il a toujours averti ses évêques et ses diplomates qu'il ne s'agit pas de « se fourvoyer dans des projets socio-politiques[56] », ni de « se diluer[57] » dans le politique, il leur recommande une pratique vigilante, et une réaffirmation des principes évangéliques qui forcerait à renoncer aux égoïsmes et donnerait à cette Europe l'élan des missionnaires. Jean et Blandine Chélini rappellent ce souci permanent du pape de pourvoir l'Europe de structures communautaires, souci qui le poussera à créer une Commission des épiscopats de la Communauté européenne, la Comece, dont le but sera de « favoriser, dans l'esprit de la collégialité, une union et une coopération plus étroites entre les épiscopats et le Saint-Siège et ses représentants dans les questions qui concernent la Communauté européenne et qui ont une incidence pastorale, en complément de l'action menée par chaque conférence dans les différents pays[58] ».

Pour Jean-Paul II, le monde n'acquerra durablement la paix qu'en réaffirmant sa propre identité, mais en sachant faire profiter l'autre de ses particularismes et de ses grandeurs : « La justice sociale, le développement intégral et la construction de la paix sont à ce prix[59]. »

Jean-Paul II n'a pas ménagé les initiatives qui pouvaient avoir une répercussion sur le développement unitaire de l'Europe. Dans cette perspective, il associe les laïcs à cette œuvre de mission, dont la plus publique est la commission Justice et Paix présidée aujourd'hui par Mgr Etchegaray. Une telle tâche relève de ce que Wojtyla a toujours enseigné : entre l'apostolat des laïcs et la hiérarchie, il y a « complétude mutuelle. Ces diverses formes d'apostolat ont leur unique origine dans la vocation chrétienne[60] ».

La désagrégation des valeurs chrétiennes dans le champ européen, la dissolution de l'esprit de famille, tout ce qui contribue à hétérogénéiser le tissu chrétien en général force Jean-Paul II à multiplier les lieux de rencontre et de recherches comme autant de contre-feux, de points d'ancrage propres à ressouder l'unité des chrétiens et de leurs valeurs traditionnelles.

Si l'on observe les difficultés de l'Europe à se mettre en place, le faible oui accordé par certaines nations à l'élaboration d'une Europe unie, quand ce n'est pas le non proclamé, le désaveux infligé par les égoïsmes nationaux et le renouveau des protectionnismes, la chute avérée des valeurs chrétiennes, et la remontée des violences totalitaires, y compris dans cette Rome où les mouvements d'extrême-droite tiennent le haut du pavé, la xénophobie galopante et la brutalité du capitalisme, la tâche du pape relève davantage de la nostalgie que de l'action pratique. C'est pourquoi un sentiment d'utopique impuissance est-il éprouvé quand Jean-Paul II proclame inlassablement cet idéal européen. Ce qu'il reconnaissait lui-même dans la fameuse interview qu'il avait accordée à Jas Gawronski le 24 octobre 1993 : « La communauté européenne, repliée sur elle-même, est trop indifférente et inefficace [...] ainsi les appels du pape et du Saint-Siège sont-ils presque une voix dans le désert. »

Évoquant nostalgiquement les grands penseurs de l'Europe, Monnet, Adenauer, Schuman, de Gasperi, il déclare : « Chez les hommes politiques d'aujourd'hui, [la vision du monde] est limitée. Alors que la vision des fondateurs de l'Europe était vaste, complète, intégrale. [...] Ils songeaient non seulement à l'unité économique et politique, mais aussi à l'unité culturelle et spirituelle[61]. »

BILAN PROVISOIRE D'UNE VIE

Octobre 1994. Anniversaire de la seizième année du pontificat de Jean-Paul II. Le pape a soixante-quatorze ans. Ce dont sa vie a témoigné, c'est d'un attachement total en la foi de Jésus-Christ. La terre sur laquelle il est né malgré les occupations des puissances étrangères, malgré les tentations d'extermination dont elle fut l'objet, a toujours résisté par la religion. La défense territoriale s'est ainsi assimilée constamment à la défense de la religion catholique et la force d'âme de ce peuple s'est puisée dans la ferveur populaire à Marie et au Christ. « Lorsque la Pologne a été occupée et disloquée, écrivit Karol Wojtyla, c'est le patrimoine chrétien de notre culture et de notre histoire qui nous a permis de survivre. Notre problème fondamental est donc de rester fidèles à cette tradition[1]. »

C'est dans ce contexte de ferveur, dans cette spécificité religieuse, où ont fusionné « des éléments slaves, d'ordre purement naturel, et des concepts surnaturels introduits par la religion », que Karol Wojtyla a forgé sa foi. En Pologne, il s'agit toujours de rappeler sa « promesse » au Christ, d'où cette exubérance baroque qui surprend les Occidentaux, habitués à des manifestations plus sobres et dont la foi s'est singulièrement « diluée », comme dirait

Jean-Paul II, au contact de la modernité. Les pèlerinages, les démonstrations sentimentales d'une foi qui ressemble fort à celle d'un XIXe siècle arc-bouté contre les assauts progressistes ont donné à cette pratique polonaise des airs de romantisme désuet et réducteur qui l'ont assimilée à un certain intégrisme. Relative erreur néanmoins puisque de tous les pays catholiques, la Pologne est parmi ceux qui ont le mieux appliqué les réformes conciliaires du Vatican II. L'élection de Jean-Paul II a symbolisé une synthèse habile entre une fidélité à la tradition et une lutte pour la dignité de l'homme.

« Depuis que la Pologne est une nation, elle appartient au Christ », déclarait un texte distribué aux fidèles de Jasna Gora, en 1966, alors que le pape Paul VI s'était vu refuser un visa d'entrée.

Cette appartenance au Christ, Karol Wojtyla l'a ressentie depuis son enfance. Sans fanatisme néanmoins. Elle lui était en quelque sorte constitutive. C'est cette conviction qui l'anime et lui donne cette assurance exemplaire, cette autorité que d'aucuns pourraient appeler théocratique. La virilité de son caractère, l'assurance de sa parole, et sa manière frontale d'agir ont fait de lui un adversaire redouté des autorités communistes. Il ne fut un prêtre ni timoré ni fragile. Sans concessions, avec le cardinal-primat de Varsovie, il a tenu tête à un pouvoir athée qui ne cessait de multiplier les brimades et les exactions. Il a appris sur sa propre terre natale l'art de la résistance, ce qui somme toute lui convenait bien, imitant en cela la pastorale de Jésus-Christ lui-même. Cette certitude a bâti un homme sans faiblesses. Lors du concile Vatican II, écrivant toujours sous le pseudonyme de Andrzej Jawien, il conçut ce poème en arpentant le pavement de Saint-Pierre :

> C'est ici que nos pieds touchent le sol, le même qui fut matière
> A tant de murs, aux colonnes nombreuses.

Si tu ne t'y perds pas mais avances, retrouvant le sens et l'unité
C'est parce qu'il te conduit, lui !

... C'est toi Pierre.

Ici à cette place, tu veux être le pavement afin qu'ils passent sur toi, marchant droit devant, sans savoir, pour qu'ils cheminent là où tu conduis leurs pieds.

... Tu veux être celui qui soutient nos pieds, comme le roc sous les sabots des brebis.

Et le roc aussi est le pavement d'un temple gigantesque. La croix, le pâturage.

S'est-il souvenu de ce texte écrit, lors de son homélie urbi et orbi prononcée devant le collège des cardinaux à la chapelle Sixtine le 17 octobre 1978 quand il leur déclarait qu'à la suite de Pierre il serait le « rocher de l'Église » ?

Cette foi aussi inébranlable que la pierre des cathédrales a donc incarné son pontificat comme elle avait nourri toute sa vie précédente. L'élan nouveau auquel il appelait tous les fidèles du monde n'eut peut-être pas l'écho qu'il souhaitait. Force est de constater que même (forcément) provisoire, le bilan de ces seize années révèle des malentendus qui se sont successivement installés et risquent de ternir l'image globale d'un règne prestigieux. A l'euphorie des premières années, 1978-1983, où le monde découvrait un pape à peine sexagénaire, auréolé de gloire populaire et bénéficiant d'un capital de sympathie exceptionnel, sublimé par un attentat auquel il avait échappé, succédèrent le soupçon, la banalisation et la critique. La reprise en main doctrinale affirmée dès 1984, l'exigence d'une éthique dont les principes sont fortement contestés par un Occident qu'il juge laxiste, le rappel d'une vérité « splendide » qui martèle l'idée que le Bien et le Mal sont distincts et qu'il ne peut y avoir aucune compromission possible, la revendication d'une Église de purs, quitte à ce qu'elle soit de plus en plus désertée, un centralisme affiché qui rompt avec cette collégialisation épiscopale qu'il revendiquait pourtant en 1978, et qu'il avait approuvée au temps de Vatican II, ses sympathies marquées avec des mouvements droitiers aux influences obscures comme l'Opus Dei et avec les nouvelles communautés charismatiques à la foi exaltée et «polonaise», les exhortations apostoliques qu'il a formulées en matière de sexualité, particulièrement en Afrique, comme la rigidité exprimée à propos de la théologie de la libération, la manière universelle de propager le dépôt sans trop s'attacher aux réalités locales, tout a conduit à une sorte d'incompréhension de son pontificat et même d'hostilité de la part de certains membres du corps de l'Église comme de beaucoup d'observateurs intellectuels et politiques.

Pourtant, pour ceux qui avaient pris la peine de bien analyser les discours-programmes de Jean-Paul II et de mesurer l'importance de la «polonitude», le malentendu n'existe pas. En effet, il est remarquable d'observer que tout avait été dit du temps de Karol Wojtyla et lors des cérémonies d'intronisation d'octobre 1978: la fidélité absolue aux principes de Jésus-Christ et au magistère, la reconnaissance sans nuance de l'autorité du successeur de Pierre, la dénonciation des idéologies illusoires et trompeuses, la réaffirmation du droit à la vie, la fidélité au sacrement du mariage et l'apologie de l'abstinence. La recommandation de Jean-Paul II «faites l'Église» en vous, en votre famille, dans votre travail et en société en attendant la Rédemption ne laisse pas de doutes sur ses intentions. Tout s'est cependant passé comme si une grande partie des chrétiens avait été comme déçue ou trompée. L'arsenal médiatique dont Jean-Paul II s'est paré, le «staff» ultrasophistiqué de techniciens propres à transmettre le message, la qualité conviviale du pape lui-même, la stratégie réthorique, théâtrale, et médiatique avaient conduit à assimiler le pape à un chef d'État ou à une star comparable à ces gourous évangéliques qui font salle comble aux États-Unis. De là à penser, à l'Ouest du moins, que Jean-Paul II pouvait adapter le discours pontifical aux nécessités du siècle, il n'y eut qu'un pas, franchi. L'érosion de la popularité de Jean-Paul II et surtout du crédit de son enseignement viennent du fait que l'on crut très longtemps avoir affaire à un pape progressiste, inflexible sur les droits de l'homme et résolument moderne. C'était encore une fois sous-estimer l'intransigeance de sa pratique religieuse. Celle-ci procède de cette Pologne des pèlerinages où les fidèles prient couchés, face contre terre et bras en croix.

« Pape populaire qui n'est pas écouté », comme le définit Philippe Levillain[2], spécialiste du Saint-Siège, Jean-Paul II garde pourtant cette aura de prestige due surtout aux acquis précédents, à son charisme naturel qui lui permet encore d'irradier et de toucher. Ses voyages « hors les murs », s'ils rassemblent foules et images fortes, n'ont plus la même influence sur les médias qui les relayent moins. La récurrence des discours et du prêche en matière de morale se perd dans le grand chaos du monde ou bien scandalise ceux qui attendent de l'autorité du pape un certain infléchissement, voire une tolérance. L'inexorable épidémie du sida, l'excessive démographie en Afrique qui nécessite une politique de contraception, n'ont pas trouvé d'écho chez Jean-Paul II qui préconise la chasteté et la fidélité. Maigre et sublime réponse tout à la fois qui ne peut satisfaire cependant une politique d'urgence. Le pape, lui, continue à camper sur les positions doctrinales et intouchables de la Révélation. Mais que peut dire d'autre le successeur de Pierre ? En 1982, Jean-Paul II proclamait à Libreville, lors d'une messe célébrée dans un immense centre sportif : « Certains sont tentés de demander à l'Église d'assouplir ses exigences, que ce soit par exemple pour le mariage chrétien ou le sacerdoce. En réalité, vous le pressentez, l'Église cesserait alors d'être le sel et le levain dont parlait Jésus ; elle serait encore moins crédible, son message serait affadi, ambigu, et son témoignage encore moins vigoureux. » Argumentation que reprend André Frossard : « Jean-Paul II n'est pas venu pour accommoder l'Évangile à l'état des mœurs d'aujourd'hui. Si saint Paul avait concilié son message sur la Résurrection avec l'état d'esprit des Athéniens, il n'y aurait pas de christianisme. L'Église est là pour contredire le siècle quand il le faut : elle n'est pas là pour l'épouser[3]. »

C'est cette permanence que le pape enseigne. Constance du « chemin escarpé », car « la porte des béatitudes est étroite » qui est « folie aux yeux de certains hommes, mais qui est sagesse de Dieu et force de Dieu ».

Il fallait aussi à tout prix maintenir la cohésion de cette Église universelle au risque de susciter l'implantation d'Églises autonomes, « bananières » comme disait Paul VI, cimenter l'Église, d'autres diraient la « verrouiller ».

Pouvait-il en être autrement, à bien considérer la nature de Jean-Paul II et les fondements de sa vie ? La prépondérance polonaise, que déplore une partie de la hiérarchie, montre à quel point la trace originelle est tenace et combien le pape lui est fidèle. Ses proches et ceux qu'il a nommés sont des Polonais qui n'ont pas acquis le fameux *stylus curiae*, à la différence même du pape qui a su néanmoins, grâce peut-être à Mgr Casaroli, tempérer sa polonitude.

Lors de son élection, il a dit aux Polonais : « C'est votre foi qui m'a fait aller de l'avant. » Cette foi, c'est celle qu'il porte à Marie, intercesseur majeur de sa relation à Jésus-Christ, et elle ne peut souffrir aucune concession. « Voudrait-on, déclare ironiquement Frossard, qu'il préconise l'usage des préservatifs, autrement dit qu'il bénisse les expériences multiples, ou qu'il prêche l'avortement ? »

Sa politique « normative » ne peut en vérité souffrir aucun aménagement qui trahirait en quelque sorte la manière même du dépôt. Il reste néanmoins qu'au terme de seize années, la Bonne Parole qu'il a inlassablement prêchée, si elle a contribué à l'effondrement des pays communistes, n'a pas réussi à endiguer la sécularisation en Occident, et les flux désastreux d'une société de consommation toujours plus égoïste et solitaire, pas plus qu'elle n'est parvenue à maintenir aussi vibrante qu'auparavant, du temps de la résistance au communisme, l'ardeur de la foi dans les pays de l'Est. Les Polonais sont eux aussi séduits par le mirage occidental des biens de consommation et de la vie facile, et les témoignages ne manquent pas pour révéler la perte de conscience religieuse en Pologne au bénéfice d'une invasion de la consommation que le pape n'hésite pas à qualifier de « satanique », et d'un déchaînement des mœurs.

Ainsi le corps de l'Église a-t-il ses deux poumons malades, comme disait Philippe Levillain, « l'un est gangrené [l'Occident] et l'autre [l'Est] est asthmatique ».

Au Vatican, l'impression générale qui demeure est celle d'une fin de règne. La Curie est peut-être lassée du rythme même du travail forcené et imposé, fatiguée de la « méthode Jean-Paul II ». On y estime que les acquis très importants du pontificat risquent de buter contre l'incompréhension et l'indifférence. De l'avis de beaucoup d'observateurs, une certaine paralysie bloque la dynamique de ce règne. Les nominations d'évêques, tous de même sensibilité, c'est-à-dire d'un « épiscopat selon Jean-Paul II », suscitées par l'« Éminence noire » de la Curie, Mgr Bernardin Gantin, ancien archevêque de Cotonou, ne laissent pas de doute sur ce durcissement.

Certes le pape voudrait encore promouvoir des initiatives spectaculaires dont le voyage à Jérusalem en 1995 serait l'apothéose, certes il retrouve des accents prophétiques, semblables à ceux qu'il avait en 1979 en Pologne, pour stigmatiser la guerre en Bosnie, mais il semble que les derniers actes du pontificat (publication du *Catéchisme de l'Église catholique*, lancé à grands renforts médiatiques, publication de l'encyclique *Veritatis splendor* elle aussi médiatisée comme un pur objet commercial de grande librairie, alors qu'il s'agit d'un ouvrage destiné aux membres de l'Église, projet « Lumen 2000 » de diffusion planétaire de l'Évangile par canaux satellites) consacrent surtout la pensée de Jean-Paul II, malgré les apparences, dans ce qu'elle a de plus conservateur.

De surcroît la rumeur d'une maladie du pape, un cancer au côlon, bien qu'on la certifie bénigne, affecte sûrement son énergie et son sens de l'audace. C'est dans ce contexte que la presse fait déjà écho des tractations secrètes auxquelles la haute hiérarchie paraît se livrer. Ce qui aurait été impensable il y a à peine quelques années se proclame maintenant sans pudeur. « Qui aura les clefs du Vatican ? » interroge tel hebdomadaire français[4], « serez-vous enterré dans la crypte de Saint-Pierre ? » demande-t-on à Mgr Martini, archevêque de Milan, pape-bis par la solennité de son train de vie. Déjà des *papabili* sont nommés : Mgr Gantin, Mgr Lustiger, Mgr Arinze, nigérian, Mgr Sodano, secrétaire d'État, Mgr Saldarini, archevêque de Turin, Mgr Meisner, archevêque de Berlin, Mgr Lucas Moreira Neves, archevêque de San Salvador de Bania, nommé par Jean-Paul II primat du Brésil.

Cette ambiance quelque peu délétère amène certains prélats à affirmer que le plus grand geste charismatique de Jean-Paul II serait maintenant de démissionner, cohérent en cela avec lui-même, puisque le pape a demandé à tous les évêques en diocèse atteints de plus de soixante-quinze ans de démissionner afin de rajeunir les cadres du grand corps de l'Église. Il pourrait ainsi appliquer à lui-même cette consigne. C'est dire que Jean-Paul II semble assez isolé actuellement, et cette solitude qu'il sent autour de lui n'est pas la moins pathétique pour un homme dont l'action fut un des moteurs les plus forts de sa vie. Aussi donne-t-il l'impression d'être plus qu'avant ramassé sur lui-même, rocher inexpugnable, ou bien « buté » diraient certains, isolé dans cette foi de Dieu « folle », et cependant sûr de son rôle de pasteur intégral, de prophète, dont il sait bien qu'il n'est jamais en phase avec le temps contemporain, rôle de fortificateur de la foi, de propagateur.

Peut-on parler d'échec d'un projet si vaste ? Il est sûr que le bilan même provisoire du pontificat révèle des réussites, ne serait-ce que de faire entendre, haut et fort, la voix de l'Église. Jean-Paul II lui a redonné cette autorité qu'elle avait quelque peu perdue, sur la scène internationale ; les multiples réseaux dont elle dispose, la finesse de sa diplomatie, surtout depuis que Mgr Casaroli l'a influencée en préconisant une politique des « petits pas » plutôt que des prises de position trop frontales, la part essentielle que le pape a jouée dans la chute du bloc communiste, les avertissements sévères à l'égard de certaines dictatures fascistes qui ont amené à leur ébranlement et à leur destruction, et cette réaffirmation de l'identité catholique ont contribué à donner à ce pontificat ses lettres de noblesse.

Cette souffrance, il la vit comme une des données inévitables du martyre où l'a engagé depuis l'enfance sa foi. Aujourd'hui, derrière l'ordre éprouvé du protocole pontifical, derrière les routines auxquelles sa fonction l'astreint – audiences publiques, angélus, célébrations publiques, etc. –, il y a un homme qui éprouve l'incompréhension et l'aveuglement du monde au plus vif de sa chair. « Aucune humiliation, dira un membre de la Curie, ne lui est épargnée », et jusqu'aux défaites et aux trahisons morales auxquelles la Pologne natale s'est livrée consciemment. Du retour des communistes aux échecs des catholiques aux dernières élections, de la perte de la ferveur populaire aux errances de Solidarnosc, de la déroute des valeurs morales à la recrudescence de l'alcoolisme et de la délinquance, de la fascination des valeurs capitalistes aux naïves illusions de la société de consommation, il accueille cette infidélité avec une détresse et une amertume comparables au questionnement douloureux du Christ sur sa croix. C'est pourquoi il place souvent son espérance dans les jeunes, dans cette force encore intouchée, qu'il aime et voudrait protéger.

La situation hésitante et ambiguë de l'Église en Pologne en laquelle Jean-Paul II avait tant espéré et misé pour l'avenir du monde (l'idée du modèle polonais, malgré les dénégations de beaucoup d'ecclésiastiques polonais proches du cardinal Glemp, est chez lui tenace), est évidemment pour le Saint Père une source de peine et de regret. Respecté unanimement dans son pays, il sait aussi qu'il fait écran paradoxalement à l'évolution des rapports Église-État dans la société polonaise. La présence d'un pape polonais grippe en effet les rouages et crée des réflexes anticléricaux, militants et prosélytes de toutes sortes. L'Église de Pologne est-elle ainsi au cœur du débat politique. Une attitude critique ne cesse de se développer à son égard en cet été 1994, après les erreurs qu'elle a commises (alliée à des partis politiques de droite qui se réclament du titre de catholiques qui ont largement été battus au point de ne pas être représentée au Parlement ; revendications excessives : récupérations des biens matériels de l'époque tsariste, obscurantisme de certains de ses représentants qui voient partout un complot judéo-maçonnique, polémique autour des lois abortives, prétentions morales sur l'audiovisuel, etc.). C'est pourquoi tous les esprits éclairés même les plus fidèles à l'Église, comme les milieux intellectuels de *Znak* et de *Tygodnik Powszechny* prétendent que l'Église de Pologne n'a pas encore fait son apprentissage de la liberté. Comme le souligne le directeur de *Znak*, Henri Wozniakowski, l'Église polonaise, trop préoccupée par la lutte anticommuniste, n'a pas eu le temps de réfléchir à la différence des autres pays libres. Aussi tient-elle un discours négatif sur la liberté (mise en garde contre le capitalisme, influence néfaste de l'Occident, certitude que le pays peut se suffire à lui-même, rejet de l'idée de l'intégration européenne) négligeant ce formidable défi de la liberté. Empêtrée dans ses contradictions et ses structures hiérarchisées, elle ne parvient pas à pratiquer cette « pastorale de la liberté » (entretien avec l'auteur, 22 juillet 1994) et n'arrive pas à trouver sa place dans un état démocratique. Comme le dit le journaliste Adam Krzeminski, dans le numéro de *Poli-*

tyka du 16 juillet 1994, « habituée à une position spéciale dans l'histoire de la Pologne, elle cherche maintenant des conditions spéciales. »

La perte d'écoute et d'autorité de l'Église est ressentie par le pape comme une infidélité au regard de ce que l'Église a fait pendant les années noires. Et même s'il a voulu toujours se tenir quelque peu en retrait des affaires de la Pologne pour ne pas donner le sentiment d'une ingérence insupportable, il y a, ancrée en lui, l'idée que l'on ne doit pas, comme dira d'ailleurs Mgr Deskur, « critiquer la Mère ».

L'échec politique de Lech Walesa contribue à dé-router l'image de cette Pologne légendaire que Jean-Paul II avait appelée de ses vœux. L'absence de vision d'État de l'actuel président, son esprit étant incapable d'englober les problèmes du monde, brise sinon les projets du pape, du moins ses aspirations confuses. Ainsi s'accroît de plus en plus cette réelle solitude de Jean-Paul II. Considéré comme un obstacle pour que la Pologne s'élance sur la voie de la modernité, il n'en est pas moins critiqué par les cercles nationalistes qui lui en veulent d'avoir à leurs yeux, « vendu la Pologne à l'Ouest », de l'en avoir rendue « dépendante ». Assimilé par ailleurs par le peuple à la religion, si lourde à vivre, on lui en fait aussi confusément reproche. De toutes parts, des signaux critiques s'allument. Le poids accablant de sa charge fait qu'il n'a à rendre compte à personne de ses décisions. De ce fait même, un manque de sincérité règne autour de lui, dont il souffre. Les lettres qu'il écrit à ses amis de Cracovie en témoignent. Des histoires drôles courent sur son sujet pour ironiser à leur manière sur le désir d'un changement de cap et de méthode, comme celle-ci qui raconte la rencontre de Jean-Paul II et de Jésus dans les jardins du Vatican : le Saint Père s'inquiète des menaces qui pèsent sur le célibat des prêtres.

– N'aie crainte, mon Fils, lui répond Jésus, tant que tu vivras, rien de tel n'arrivera.

Mais Jean-Paul II insiste et évoque l'accession des femmes à la prêtrise :

– N'aie crainte, mon Fils, rétorque Jésus. Tant que tu vivras, rien de tel n'arrivera.

Alors Jean-Paul II demande à Jésus s'il y aura après lui un pape polonais et Jésus lui répond :

– N'aie crainte, mon Fils, tant que je vivrai, il n'y en aura pas... ».

Anecdote plaisante dont le pape lui-même pourrait sourire mais qui n'est pas sans signification.

Les débats qui se tiennent à l'intérieur même des cercles intellectuels sont perçus comme des trahisons exemplaires, comme si l'Église n'avait pas, malgré tout cet aggiornamento dans lequel Karol Wojtyla avait entraîné son pays, avant son élection. *Tygodnik Powszechny*, la revue tant aimée du pape, subit elle-même des critiques violentes de la part de la droite dite catholique : soupçonnée de complaisances philosémites, franc-maçonnes, cryto-communistes, elle est l'objet d'attaques de la droite nationaliste, xénophobe et néanmoins catholique. De même *Polityka* déclare : « Est-ce que l'Église va comprendre que nous avons besoin d'un tout petit peu d'éthique protestante qui... appelle à l'effort et à la responsabilité des individus et non pas à l'émotion des masses ? »

Trouver un nouveau rôle pour les femmes, rendre le célibat des prêtres moins sévère, faire participer l'Église de manière moins hiérarchisée, c'est ce qui est sans cesse réclamé depuis les dernières élections.

La réalité tragique du monde, ses dernières convulsions, témoignages de la barbarie des hommes, venues spécialement de cette Afrique tant aimée et en laquelle tant d'espoirs ont été fondés, appellent à ses yeux le redressement et un sursaut spirituel dont la « violence » elle-même, l'intransigeance et le radicalisme sont justement nécessaires, comme des antidotes poétiques et héroïques porteurs d'imaginaire et de renouveau. S'expliquerait aussi par là l'affection (la complaisance, diraient certains) que Jean-Paul II porte à l'Opus Dei. L'engagement « révolutionnaire » à leur manière de ces jeunes numéraires dans l'Œuvre ressemble à celui de ces séminaristes fervents dont il était autrefois, en Pologne. Le don de soi, de ses biens, l'abandon à ces nuits très sanjuanistes lui paraissent sans nul doute le front le plus avancé d'une Église en danger d'être banalisée, laïcisée, vidée de sa tradition.

Pour Jean-Paul II, l'Opus Dei dont tant d'observateurs estiment qu'elle est la « sainte Mafia », adoptant toutes les règles de la « Pieuvre » – l'omerta, le sacrifice, le réseau, etc. –, une sorte de franc-maçonnerie catholique, aux buts inavoués, l'Œuvre de saint Balaguer, est plus le signe familier de sa propre expérience religieuse qu'une organisation stratégiquement protégée à des fins obscures. Comment, connaissant la rigueur morale de Jean-Paul II, pourrait-on comprendre autrement son attachement à l'Opus Dei ?

La virilité d'une foi sans cesse réclamée dans les « commandements » du désormais saint José Maria Balaguer stigmatise le désir de Jean-Paul II de relancer la machine catholique, bien éprouvée sur tous les continents par les coups de boutoir des systèmes idéologiques et par la nature même des hommes à y céder. Que l'Œuvre prenne des allures de secte, dénoncées par ceux mêmes qui s'en sont exclus ou fait exclure, est, aux yeux du Saint Père, moins important que ce qu'elle véhicule au plan de la foi : docilité, obéissance, fidélité, rigueur morale, ascétisme et mortification, esprit de croisade et aspiration au martyre comme à la sainteté. Autant de principes qui, dans un monde délité, n'en excluent pas moins l'autre idée que la Voie royale est précédée de la voie étroite, qu'empruntent quelques-uns, poignées de fidèles, sûrs et irrévocables, élus pour tracer le sens.

L'histoire de ce pontificat puise sa grandeur et sa force dans l'incarnation lyrique, romanesque et messianique de Jean-Paul II.

Il a relayé, portant l'Église polonaise au faîte de sa gloire, tout ce que le cardinal-primat Wyszynski avait pressenti, conçu et déployé, malgré l'incarcération, les brimades, les répressions : l'Évangile est porteur en lui-même de libération. Mais il a aussi relayé ce que l'ample tradition romantique polonaise avait véhiculé : la nature éducatrice, la présence incarnée du divin, le culte de la nation, le principe spirituel comme âme de toutes choses, et surtout, commune à tous les poètes, la vaste exaltation lyrique.

C'est pourquoi la vie et l'œuvre de Jean-Paul II se rattachent à la fresque frémissante d'un roman slave. Toutes les composantes d'une poésie épique où s'affrontent martyrs et tyrans, mort et vie, guerre et paix, bien et mal, Mammon, Moloch et les saints archanges, y sont rassemblés La dimension romanesque de Karol Wojtyla-Jean-Paul II tient à ce rôle de « grand prêtre » aux résonances antiques.

La désillusion qu'il a inspirée en Europe occidentale surtout et dans les nations hautement industrialisées, après les premières impressions d'enthousiasme et de proximité, voire de complicité avec le monde moderne, a ainsi gravement déstabilisé l'ordre de ce pontificat. Mais céder aux tentations d'un monde matérialiste aurait été pour Jean-Paul II vécu comme un retour aux temps ambigus d'une pratique religieuse casuiste, compromise ou démagogique. Et il ne pouvait être, compte tenu de son rôle messianique, le pape du doute et du relativisme. La lecture du dépôt s'interprétant selon lui dans ce « cadre de l'éthos romantique et héroïque » que ses propres « mythologies » lui dictent, tout ne pouvait qu'entraîner un malentendu. Certes, il est apparu aussi comme médiateur, tempérant, gommant, aménageant certains aspects de cette dialectique épique pour rassembler les diversités de l'Église universelle, mais les fondations sont restées inébranlables et plantées dans cette terre polonaise, émotive et brutale.

Loin d'abaisser la fonction pontificale, comme on pourrait le concevoir, par un usage trop spectaculaire des outils modernes de communication ou par des prises de paroles que la société sécularisée lui dénie (à propos des problèmes du morale sexuelle par exemple), Jean-Paul II l'a restaurée dans sa grandeur et sa majesté : « il est le pape de l'obéissance *perinde ac cadaver*, parce qu'il est le pape de la certitude absolue », comme disait le philosophe italien Paolo Flores d'Arcais[6].

Les figures archétypales du père même de Jean-Paul II, de Kotlarczyk, de Tyranowski, du « prince » Sapieha et, dans une autre mesure, du cardinal Wyszynski, sont trop ancrées dans son imaginaire pour que ses certitudes puissent être ébranlées. La crispation même que les observateurs peuvent remarquer s'inscrit aussi dans cet ancrage « mythologique », dont la référence est réactivée par l'âge du Saint Père, ses souffrances physiques et cet « exil » qu'il ressent. Sous la fonction, l'homme est toujours de Cracovie, du temps des catacombes et des fidélités, c'est un intraitable croisé. Cette exigence ne peut se comprendre qu'en admettant l'existence d'une mystique. Jean-Paul II est en ce sens différent des autres pontifes qui l'ont précédé au XXe siècle, et des plus hautes instances religieuses qui l'entourent au Vatican car son action est sans cesse sollicitée par une sentimentalité, une foi, une approche intellectuelle, slaves en toutes circonstances. L'atypisme de sa personnalité provoque ainsi d'imprévisibles initiatives, inspire des desseins romanesques. On peut à ce titre parler d'une cohérence absolue de son règne et de son action. Du prêtre bucolique et sulpicien de Negowic au prince de l'Église, à la pastorale si dynamique, rien n'a réellement changé dans la perception catéchétique de Jean-Paul II. Pour lui, le ministère à conduire ne peut négocier avec une société ambiante qui, par ses complaisances, ses trahisons, face à la Vérité qu'il proclame, ses laxismes, part à la dérive. La Vérité véhiculée par Jean-Paul II paraît au regard des masques et des mensonges d'une simplicité naïve d'image pieuse. Au vagabondage du libertinage, il oppose l'activité artisanale de la Sainte Famille (Joseph travaillant le bois et Marie filant la laine), aux errances spéculatives, il oppose la fidélité obéissante de l'Esprit Saint, aux assauts du mal il oppose la figure de saint Michel l'Archange terrassant le dragon, aux tentations de l'individualisme, l'exemplarité béate des saints.

Mais la cohérence de l'action pastorale menée dans le diocèse du monde n'a pas altéré la faculté d'adaptation du pape et même sa capacité d'évolution. Au cours du pontificat, sa sensibilité l'a tourné résolument vers le tiers-monde. L'Afrique et l'Amérique latine l'ont vu en communion toujours plus étroite avec les pauvres, les déshérités, les exclus, les laissés-pour-compte des sociétés nanties.

Peu à peu s'est affirmée l'« option préférentielle » aux démunis, un attachement qui rejoignait de toute manière les exigences d'un Évangile auquel Jean-Paul II s'est toujours référé. De sorte que le substrat polonais, son élan héroïque, se sont étendus par capillarité à tous ces peuples qui, à l'instar de la Pologne, ont subi les violences et les humiliations des colonisations et des exploitations, et sont gravement menacés néanmoins par les tentations matérialistes.

Le combat de Jean-Paul II, au risque de paraître obscurantiste, s'inscrit dans ce dilemme. Au-delà des géostratégies vaticanes et subtiles, la vision du Saint Père est plus eschatologique et se définit par rapport à une poétique du Salut. Rappeler avec tant d'obstination l'enseignement intégral de l'Église, à contre-courant des modes et des idéologies dé-routantes, c'est en effet tenter le pari du Salut, être mû par l'Espérance, ne pas être tenté par le désenchantement. La rhétorique de conviction de Jean-Paul II n'a d'autres accents que ceux, prophétiques, d'une autre libération, plus authentique. C'est ainsi que s'exprime Mgr Martini, archevêque de Milan. Répondant à une question posée par un journaliste sur l'incompréhension d'une opinion face aux règles prescrites par le pape, il déclare : « Ce qui est substantiel, ce n'est pas que les gens se rallient à l'observance étroite des règles. C'est qu'ils retrouvent le courage d'obéir aux exigences intérieures de leur dignité. [...] L'Église ne se limite pas à des préceptes. Elle veut avant tout susciter la foi, annoncer l'Évangile, montrer comment puiser dans la prière, la lecture de la Bible, les sacrements, la force pour vivre selon l'idéal de liberté, de justice et d'amour[7]. »

L'inépuisable activité de Jean-Paul II l'a porté jusqu'aux limites de l'épuisement et de la maladie. De multiples accidents ont entravé quelquefois son dynamisme et sa vélocité : chutes, luxations, fractures ont attisé les rumeurs de départ et de vacance du pouvoir pontifical. Des informations sont même tombées sur les téléscripteurs en décembre 1993 pour annoncer en pleine psychose européenne de contamination virale par transfusion du sang que le souverain pontife aurait été lui aussi contaminé lors de l'attentat de 1981.

Aussitôt s'est déployée une rumeur folle prétendant que Jean-Paul II serait atteint du sida, ce qui enjoliverait la légende : comme le Christ, il endosserait ainsi tous les péchés du monde. Mais les défaillances de sa santé, qui pourraient affecter son état intellectuel, sont démenties par son porte-parole, J. Navarro Valls, et jugées « de pure fantaisie[8] ».

Bien que le pape ait beaucoup vieilli en seize années si intenses (les clichés récents montrent un homme courbé et tassé sous le poids de ses responsabilités et de son labeur), il dément lui-même toute idée d'abandon de son poste. L'itinérance même se poursuit, comme le seul enseignement digne de Jésus-Christ, celui qui fait de ses fidèles des apôtres, arpentant les routes du monde et délivrant des messages qui ressourcent.

Plus fréquemment encore que pour un chef d'État, des informations renseignent sur l'état de santé de Jean-Paul II. L'été 1994 est à ce titre fécond en bulletins, rumeurs contradictoires, démentis et nouvelles sensationnelles : insuffisances respiratoires, cancer des os, après celui du côlon, maladie de Parkinson, mauvaise irrigation cérébrale, tout est jeté sur la place publique, pour désigner le délabrement physique du pape. Cependant même si le chirurgien de la clinique Gemelli tient comme en ce jeudi 14 juillet à contredire les rumeurs de cancer des os, il n'en reste pas moins qu'il en est, semble-t-il, fini de cette activité « surhumaine » (comme elle a été définie), qui montrait un Jean-Paul II, éternellement vigoureux et dynamique. La fréquence même des informations d'agence trahissent, même sans fondement, le climat à tous points de vue de fin de règne.

Le malaise de ces dernières années, ressenti au cœur même du Vatican, l'impression de déréliction éprouvée comme une « tragédie » selon les mots mêmes d'un cardinal, ne sont pas cependant le signe patent de l'échec. L'exemple de Paul VI reste présent à ce titre dans tous les esprits. Ce pontificat qu'on avait pu croire voué à un long purgatoire n'a jamais été aussi présent qu'aujourd'hui. Beaucoup s'en réclament, et l'analysent comme un des plus avancés et des plus authentiques de l'histoire de la papauté. C'est pourquoi on pourrait parler, à l'instar du cardinal Poupard[9], de « mystère du pontificat ». Le signe d'une déréliction ne prévient pas d'une fin forcément sombre et un sursaut ou une grâce pourraient bien à terme donner raison à la rigueur morale de Jean-Paul II.

Même si les leçons de l'Histoire et le message de Vérité proclamés depuis tant d'années avec la vigueur du « fou de Dieu » n'ont pas toujours porté, malgré le mouvement général de frilosité qui crispent les nations dans leur identité spécifique, bien que le souffle d'Assise se soit légèrement tari, bien que les guerres se durcissent et se « tribalisent », malgré les difficultés dans lesquelles se débat sa « chère Pologne », et les déceptions qu'il a dû essuyer, à la suite de ses choix matérialistes, il reste que

Jean-Paul II a recentré l'Église dans sa dimension spirituelle, osant en cela se placer résolument ailleurs.

Peut-être même a-t-on plus que jamais besoin d'êtres bardés de certitude comme lui : le retour aux vieilles peurs, au « vieil homme », place cette fin du XXe siècle en plein désert. Jean-Paul II, avec sa pastorale de rigueur, avec sa technique d'ensemencement, rappelle l'essentiel.

Retrouver en nous la « foi de Moïse, les yeux de Moïse qui, dit l'Épître aux Hébreux, marchait comme s'il voyait l'invisible, c'est-à-dire rempli de la confiance de Dieu » c'est à cela que son message et son « harcèlement » nous invitent.

NOTES BIBLIOGRAPHIQUES

Chapitre 3 (p. 57 à 89)

1. André Frossard, *Le Point*, 13 novembre 1978.
2. Pierre de Boisdeffre, *La France catholique*, n° 1663.
3. André Frossard, *Le Point*, 1er novembre 1978.
4. In *La Vie*, 26 octobre 1978.
5. *Libération*, 29 décembre 1978.
6. *La Vie*, 26 octobre 1978.

Chapitre 4 (p. 93 à 119)

1. Message au diocèse de Cracovie, octobre 1978.
2. G. Blazynski, *Jean-Paul II, un homme de Cracovie*, p. 59.
3. Informations tirées du livre de Georges Castellan, *Dieu garde la Pologne !...*, p. 118.
4. Georges Castellan, *op. cit.*, p. 124.
5. *Ibid.*, p. 125.
6. Charles Delvert, *La Vivante Pologne*, p. 64.
7. G. Blazynski, *op. cit.*, p. 63.
8. Rocco Buttiglione, *La Pensée de Karol Wojtyla,* p. 39.
9. Cf. *Ibid*, p. 36.
10. Georges Castellan, *op. cit.*, p. 163-164.
11. *Ibid.*
12. Cité par Georges Castellan, in *op. cit.*, p. 163.
13. *Ibid.*, p. 165.
14. Cf. Gian Franco Svidercoschi, *Lettre à un ami juif*, chap. 2.
15. *Ibid.*, chap. 2.3.
16. Rapporté par Henri Tincq in *L'Étoile et la Croix*, p. 128.
17. Gian Franco Svidercoschi, *op. cit.*, p. .
18. *Ibid.*
19. Henri Tincq, *op. cit.*, p. 126.
20. Cf. Marie-Vic Charpentier, *Jean-Paul II, un miracle polonais*, p. 26-31.
21. Gian Franco Svidercoschi, *op. cit.*, p. 37.
22. *Ibid.*, p. 38.

Chapitre 5 (p. 121 à 150)

1. Discours prononcé le 1er juin 1980 à l'Institut catholique de Paris.
2. Rapporté par Raffaello Uboldi, in *Vita di papa Wojtyla*..., p. 23.
3. Rapporté par Gian Franco Svidercoschi, *op. cit.*, p. 45.
4. Antoine de Saint-Exupéry, *Pilote de guerre*, chap. 16.
5. Gian Franco Svidercoschi, *op. cit.*, p. 49.
6. Cf. Raffaello Uboldi, *op. cit.*, p. 28.
7. Marie-Vic Charpentier, *op. cit.*, p. 36.
8. Adresse aux travailleurs étrangers, Mayence, 17 novembre 1980.
9. *Ibid.*.
10. Blazynski, *op. cit.*, p. 78.
11. *Ibid*, p. 80.
12. Rocco Buttiglione, *op. cit.*, p. 324.
13. In *La Boutique de l'orfèvre*; cité par R. Buttiglione, *op. cit.*, p. 358-359.
14. Cf. Marie-Vic Charpentier, *op. cit.*, p. 47.
15. Jean Chélini, *Jean-Paul II, le pèlerin de la liberté*, p. 42.
16. Henri Tincq, *op. cit.*, p. 131.
17. Saint Jean de la Croix, Œuvre poétique, p. 122.
18. *Ibid.*
19. *Ibid.*, p. 123.
20. Cf. l'allocution aux jeunes à Gniezno, le 3 juin 1979.
21. Rapport du cardinal Hlond, Rome, le 6 janvier 1940; cité in Georges Castellan, *op. cit.*, p. 195.
22. *Ibid.*, p. 197.
23. *Ibid.*, p. 202.
24. Georges Castellan, *op. cit.* p. 212-213.
25. Blazynski, *op. cit.*, p. 95.

Chapitre 6 (p. 151 à 246)

1. Marie-Vic Charpentier, *op. cit.*, p. 61-62.
2. I Cor, VI, 19.
3. Blazynski, *op. cit.*, p. 96.
4. 11 novembre 1982.
5. 17 juin 1983.
6. Cité in Blazynski, *op. cit.*, p. 101.
7. *Ibid.*, p. 99.
8. 19 juin 1983, monastère de Jasna Gora.
9. Rocco Buttiglione, *op. cit.*, p. 58.

10. *Ibid.*, p. 78.
11. *Ibid.*, p. 82.
12. 6 juin 1979, à Jasna Gora, aux mineurs de Haute-Silésie.
13. 10 juin 1979, Cracovie.
14. 9 juin 1979, Nowa Huta.
15. In Georges Castellan, *op. cit.*, p. 219.
16. Cf. Raffaello Uboldi, *op. cit.*, p. 73-74.
17. Cité in Rocco Buttiglione, *op. cit.*, p. 336.
18. Marie-Vic Charpentier, *op. cit.*, p. 83.
19. Jean-Paul II, sur la tombe du cardinal, le 16 juin 1983.
20. Cité in extenso in Georges Castellan, *op. cit.*, p. 227-229.
21. Homélie prononcée dans la cathédrale Saint-Jean de Varsovie, le 16 juin 1983.
22. Mgr Wyszynski, 18 janvier 1954, en prison.
23. Cf. Georges Castellan, *op. cit.*, p. 231.
24. Jean Chélini, *op. cit.*, p. 52.
25. Cf. Blazynski, *op. cit.*, p. 107.
26. *Ibid.*, p. 108.
27. Mieczyslaw Malinski, *Mon ami Karol Wojtyla*, p. 97.
28. *Ibid.*, p. 99-100.
29. Cf. *Ibid.*, p. 103.
30. *Ibid.*, p. 116.
31. Cf. Jean Chélini, *op. cit.*, p. 52.
32. Rapporté par Blazynski, *op. cit.*, p. 121.
33. Cité in Georges Castellan, *op. cit.*, p. 241.
34. Homélie prononcée le 8 mars 1964 à Cracovie, lors de son intronisation comme archevêque métropolitain.
35. Discours du 2 juin 1980 à l'Unesco.
36. Jean, VIII, 32.
37. Cf. Jean Chélini, *op. cit.*, p. 57.
38. André-Vincent Philippe, *Les droits de l'homme dans l'enseignement de Jean-Paul II*, p. 76.
39. Cf. Jean Chélini, *op. cit.*, p. 56.
40. Rocco Buttiglione, *op. cit.*, p. 139.
41. *Ibid.*, p. 141.
42. *Amour et Responsabilité*, p. 218.
43. *Frère de notre Dieu*, suivi d'*Écrits sur le théâtre*, p. 126.
44. Rocco Buttiglione, *op. cit.*, p. 362.
45. *La Boutique de l'orfèvre*; cité in Buttiglione, p. 367-368.
46. Cf. Jean Chélini, *Le Vatican sous Jean-Paul II*, p 168.
47. Mieczyslaw Malinski, *op. cit.*, p. 135.
48. *Ibid.*
49. *Ibid.*, p. 161.

50. Discours à Radio-Vatican, 20 octobre 1965.
51. *Acta synodolia sacrosaneti concilii œcumenici*, II, p. 155.
52. Rocco Buttiglione, *op. cit.*, p. 267.
53. *Ibid.*, p. 274.
54. Cité par Mieczyslaw Malinski, *op. cit.*, p. 177.
55. *Ibid.*
56. Rocco Buttiglione, *op. cit.*, p. 277.
57. *Acta synodolia...*, II, p. 660.
58. Mieczyslaw Malinski, *op. cit.*, p. 178.
59. *Ibid.*, p. 204.
60. *Ibid.*, p. 205.
61. *Ibid.*, p. 220.
62. Cf. *Ibid.*, p. 216.
63. Cardinal Wyszynski, *Un évêque au service du peuple de Dieu*, p. 82.
64. *Ibid.*
65. 22 octobre 1964.
66. Cité in Georges Castellan, *op. cit.*, p. 252-253.
67. Mieczyslaw Malinski, *op. cit.*, p. 242.
68. *Ibid.*
69. *Ibid.*, p. 255-256.
70. Georges Castellan, *op. cit.*, p. 263.
71. Lettre du 21 mars 1968, adressée à M. Cyrankiewicz, président du Conseil.
72. Cité in Mieczyslaw Malinski, *op. cit.*, p. 280.
73. *Acta synodolia...*, p. 299.
74. *Aux sources du renouveau.*
75. *Ibid*; cité par Rocco Buttiglione, *op. cit.*, p. 293.
76. *Lumen Gentium*, n° 35.
77. Cf. Rocco Buttiglione, *op. cit.*, p. 303-321.
78. *Gaudium et spes*, n° 20.
79. Cité in Mieczyslaw Malinski, *op. cit.*, p. 300.
80. Constance Colonna-Cesari, *Urbi et Orbi*, p. 32.
81. Cité in Georges Castellan, *op. cit.*, p. 271.
82. *Ibid.*, p. 278.
83. Cf. Blazynski, *op. cit.*, p. 173.
84. Mgr Lefebvre, *Ils l'ont découronné*, p. 163.
85. *Ibid.*, p. 226.
86. Mieczyslaw Malinski, *op. cit.*, p. 315.
87. Jean Guitton, *Le Temps d'une vie*, p. 100.
88. Mieczyslaw Malinski, *op. cit.*, p. 317.
89. *Ibid.*, p. 319.
90. Jean Guitton, *op. cit.*, p. 103.

Chapitre 7 (p. 249 à 255)

1. Georges Huber, *Jean-Paul Ier ou la vocation de Jean-Baptiste*, p. 95.
2. *Gazzettino di Venezia*, 8 août 1978.
3. Cf. *Libération*, 28 août 1978.
4. Cardinal Oddi, en réponse aux questions de l'agence de presse italienne ANSA.

Chapitre 8 (p. 257 à 264)

1. Georges Huber, *op. cit.*, p. 15.
2. *L'Osservatore Romano*, 8 octobre 1978 ; cité in Georges Huber, *op. cit.*, p. 148.
3. *Il tempo*, 7 octobre 1978.
4. Cf. Georges Huber, *op. cit.*, p. 125.
5. *Libération*, 28 août 1978.
6. *Ibid.*, 30 septembre 1978.
7. *Libération*, 1er octobre 1978.
8. *Informations catholiques internationales*, novembre 1978.
9. Cité in Georges Huber, *op. cit.*, p. 156.

Chapitre 9 (p. 265 à 271)

1. Mieczyslaw Malinski, *op. cit.*, p. 346.
2. *Libération*, 1er octobre 1978.
3. Jacques Duquesne, *Le Point*, 23 octobre 1978.
4. *Libération*, 18 octobre 1978.

Chapitre 10 (p. 275 à 286)

1. Saint-Domingue, 25 janvier 1979.
2. Fulda (RFA), 17 novembre 1980.
3. Japon, 24 février 1981.
4. Calcutta, 3 février 1986.
5. Homélie urbi et orbi, 17 octobre 1978
6. Puebla, 28 janvier 1979.
7 Constance Colonna-Cesari, *Le Jour*, 15 octobre 1993.
8 *Libération*, 2 novembre 1993.
9. Fulda, 17 novembre 1980.

10. Christine de Montclos, *Les Voyages de Jean-Paul II*, p. 56.
11. *Ibid.*, p. 61

Chapitre 11 (p. 287 à 390)

1. Mieczyslaw Malinski, *op. cit.*, p. 273.
2. *Libération*, 2 novembre 1993.
3. Olivier Chevrillon, *Le Point*, 28 février 1978.
4. Mieczyslaw Malinski, *op. cit.*
5. Cité par Jean Chélini, *Jean-Paul II, le pèlerin de la liberté,* p. 137.
6. Cf. Jean-Marie Benjamin, *L'Octobre romain, Jean-Paul II,* p. 229.
7. 14 juin 1987.
8. Cf. *Jean-Paul II à Puebla*, p. 91.
9. *Ibid.*, p. 145.
10. *Libération*, 18 novembre 1978.
11. *Ibid.*, 17 novembre 1978.
12. Cité par Joseph de Roeck, *Jean-Paul II*, p. 102.
13. Alain Woodrow, *Le Monde*, 6 juin 1979.
13. Henri Fesquet, *Le Monde*, 8 juin 1979.
14. *Le Monde*, 7 juin 1994.
15. *Ibid.*
16. In *Le Monde*, 8 juin 1979.
17. Alain Woodrow, *Le Monde*, 9 juin 1979.
18. Cf. André Frossard, *N'oubliez pas l'amour*. *La passion de Maximilien Kolbe.*
19. Lire à ce sujet Henri Tincq, *op. cit.*, chap. 6.
20. *Ibid.*, p. 149.
21. *Ibid.*, p. 167.
22. *Ibid.*, p. 171.
23. Jacques Malaude, *Le Monde*, 16 juin 1979.
24. Henri Tincq, *op. cit.*, p. 209.
25. *Libération*, 2 juin 1979.
26. *Ibid.*, 11 juin 1979.
27. Michel Debré, *Le Monde*, 11 juin 1979.
28. André Frossard, *Le Figaro*, 11 juin 1979.
29. François Mitterrand, *Le Figaro*, 9 juin 1979.
30. André Frossard, *Le Figaro*, 11 juin 1979.
31. *Le Figaro,* 11 juin 1979.
32. *Ibid.*
33. Alain Woodrow, *Le Monde*, 20 septembre 1979.

34. *Ibid.*
35. *Le Monde,* 30 septembre 1979.
36. Dublin, 28 septembre 1979.
37. Drogheda, 29 septembre 1979.
38. *Ibid.*
39. *Libération*, 3 octobre 1979.
40. Henri Fesquet, *Le Monde*, 9 octobre 1979.
41. Xavier Graal, *Le Monde*, 6 octobre 1979.
42. *Le Nouvel Observateur*, 10 octobre 1979.
43. *Le Monde*, 28 mai 1980.
44. *Ibid.*, 30 mai 1980.
45. *Libération*, 30 mai 1980.
46. Henri Fesquet, *Le Monde*, 28 mai 1980.
47. Cf. *Le Monde*, 1er juin 1980.
48. 30 mai 1980.
49. *La Croix*, 1er juin 1980.
50. *Ibid.*
51. *Ibid.*
52. *Le Figaro,* 2 juin 1980.
53. Cf. *Le Monde,* 3 juin 1980.
54. Homélie aux prêtres, 30 mai 1980.
55. Cf. *La Croix*, 3 juin 1980.
56. Henri Fesquet, *Le Monde*, 28 mai 1980.
57. Cf. *Le Monde*, 3 juin 1980.
58. *La Croix*, 3 juin 1980.
59. André Frossard, *Le Figaro*, 3 juin 1980.
60. Pierre Georges, *Le Monde*, 4 juin 1980.
61. André Frossard, *Le Figaro*, 3 juin 1980.
62. Alain Woodrow, *Le Monde*, 4 juin 1980.
63. *Libération,* 3 juin 1980.
64. R. P. Bruekberger, *Le Parisien libéré*, 3 juin 1980.
65. Pierre Charpy, *La Lettre de la Nation*.
66. Henri Fesquet, *Le Monde*, 4 juin 1980.
67. Audience générale du 21 mai 1980, Rome.
68. *Ibid.*
69. Nairobi, 6 mai 1980.
70. 18 février 1982.
71. Brazzaville, 5 mai 1980.
72. Côte-d'Ivoire, 10 mai 1980.
73. *Ibid.*
74. Kinshasa, 3 mai 1980.
75. *Ibid.*
76. Kampala, 6 février 1993.

77. MFI Culture Société, N° 001.90.01.05.
78. Cotonou (Bénin), 17 février 1982.
79. AFP, 1er février 1990.
80. Angélus du dimanche 27 avril 1980.
81. André Frossard, *Le Figaro*, 27 novembre 1980.
82. Kampala, 8 février 1993.
83. Assise, 27 octobre 1986.
84. Henri Tincq, *op. cit.*, p. 79.
85. Conférence de presse de Mgr Etchegaray, Assise, 27 octobre 1986.
86. *Ibid.*
87. Université de Pérouse, 27 octobre 1986.
88. *Ibid.*
89. *Ibid.*
90. Rome, 22 décembre 1986.
91. « Géopolis », France 2, 2 avril 1994.
92. Vatican, 22 décembre 1986.
93. *Le Monde*, 11 novembre 1980.
94. *Le Monde*, 15 novembre.
95. *Le Monde*, 16 juin 1984.
96. Mayence, le 17 novembre 1980.
97. 26 janvier 1986.
98. Jean-Paul II, 20 décembre 1984.
99. 6 juin 1989, à la résidence de l'évêque de Roskilde.
100. *Ibid., Le Monde.*
101. *Le Monde*, 10-11 juin 1984.

Chapitre 12 (p. 391 à 397)

1. 4 juillet 1986.
2. Kinshasa, 3 mai 1980.
3. Altötting, 18 novembre 1980.
4. *Ibid.*
5. *Ibid.*
6. Fulda (RFA), 17 novembre 1980.
7. Puebla, 28 janvier 1979.
8. *Ibid.*
9. Altötting, 18 janvier 1980.
10. Entretien avec Jas Gawronski, 24 octobre 1993.
11. *Ibid.*
12. Fulda, 18 novembre 1980.

Chapitre 13 (p. 399 à 414)

1. Message des évêques catholiques de Pologne aux évêques catholiques d'Allemagne, 18 novembre 1965.
2. Georges Castellan, *op. cit.*, p. 295.
3. *Ibid.*
4. *Ibid.*, p. 298.
5. Lettre du 2 janvier 1986 aux présidents de l'OCCE.
6. Allocution au symposium des évêques, 10 novembre 1985.
7. « Crise de la culture européenne et crise de la culture chrétienne », symposium des évêques, 5 novembre 1988.
8. *Ibid.*
9. *Ibid.*
10. Cuzco (Pérou), février 1985.
11. Encyclique *Divini Redemptoris.*
12. Jean Chélini, *La Vie quotidienne au Vatican sous Jean-Paul II*, p. 234.
13. *Ibid.*, p. 235.

Chapitre 14 (p. 415 à 476)

1. *Le Monde*, 20 avril 1980.
2. Basilique Saint-Jean-de-Latran, 12 novembre 1978.
3. Alain Woodrow, *Le Monde*, 28 décembre 1978.
4. Mgr Lefebvre, *J'accuse le concile.*
5. Jean Guitton, *Paul VI Secret*, p. 153.
6. Mgr Lefebvre, *Ils l'ont découronné...*, p. 249-250.
7. Cf. *Le Monde*, 20 novembe 1978.
8. *Le Monde*, 7 septembre 1979.
9. Cité in *Le Monde*, 27 mars 1979.
10. *Le Monde*, 7 septembre 1979.
11. *Libération*, 15 juillet 1987.
12. *Ibid.*, 9 juin 1988.
13. *Ibid.*, 16 juin 1988.
14. Cf. *Libération*, 1er juillet 1988.
15. *Ibid.*
16. *Ibid.*, 4 juillet 1988.
17. *Ibid.*, 1er juillet 1988.
18. Jean Chélini, *Ibid.*, p. 117.
19. Cf. *Le Monde*, 20 décembre 1979.
20. Cf. *Ibid.*
21. *Ibid.*

22. Cf. René Laurentin, *Le Figaro*, 2 juin 1980.
23. Cité in Yves Jéhanno, *L'Enjeu du Renouveau charismatique*.
24. *Ibid.*, p. 123.
25. Monique Hébrard, *Les Nouveaux Disciples, dix ans après*.
26. Adresse aux Polonais, Rome, 23 octobre 1978.
27. Mai 1987.
28. Place Saint-Pierre, 22 octobre 1978.
29. Cité in Constance Colonna-Cesari, *op. cit.*, p. 183.
30. *Ibid.*, p. 196-197.
31. La Nouvelle-Orléans, septembre 1987.
32. Discours d'arrivée à Saint-Domingue, 25 janvier 1979.
33. Cf. Constance Colonna-Cesari, *op. cit.*, p. 57-64.
34. 21 octobre 1978.
35. *Le Nouvel Observateur*, 30 juin 1994.
36. *Ibid.*
37. *Ibid.*
38. *Ibid.*
39. Cité par Constance Colonna-Cesari, *op. cit.*, p. 58.
40. Rapport sur l'évangélisation prononcé à l'assemblée de 1974.
41. Cardinal Wyszynski, *Un évêque au service du peuple de Dieu*, p. 82.
42. *In sollicitudo res sociolis*.
43. Constance Colonna-Cesari, *op. cit.*, p. 96.
44. Paul Blanquart, *Le Retour des certitudes*, p. 165.
45. Bernard Besret, *Lettre ouverte au pape qui veut nous assener la vérité absolue dans toute sa splendeur*, p. 145.
46. Constance Colonna-Cesari, *Le Jour*, 16-17 octobre 1993.
47. Sur TF 1, le 1er décembre 1989.
48. Pr. Marc Gentilini, *L'Événement du jeudi*, 19 mai 1994.
49. *Ibid.*
50. A Radio-France, le 4 novembre 1985.
51. Bernard Besret, *op. cit.*, p. 121.
52. *Ibid.*, p. 123.
53. Message du 26 décembre 1993, destiné à la Journée mondiale des vocations.
54. André Frossard, *Le Monde de Jean-Paul II*, p. 151.
55. *Lettre aux familles*, p. 98.
56. *Ibid.*, p. 105.
57. *Ibid.*
58. *Ibid.*, p. 83.
59. Jean, VIII, 44.
60. *Lettre aux familles*, p. 106-107.

61. Message pour la Journée mondiale des communications sociales, 24 janvier 1994.
62. Paul VI, 1969 ; cité in *ibid.*
63. XII, 2.
64. *La Splendeur de la vérité*, p. 51.
65. *Ibid.*, p. 18.
66. Bernard Besret, *op. cit.*, p. 89.
67. *Ibid.*, p. 135.
68. Cf. *L'Événement du jeudi*, 19 mai 1994.
69. *Ibid.*
70. *Ibid.*
71. In Bernard Besret, *op. cit.*, p. 122.
72. Au Nsambya Hospital, Ouganda, le 7 février 1983.
73. *L'Événement du jeudi*, 19 mai 1994.
74. Ouganda, 7 février 1983.
75. André Frossard, *op. cit.*, p. 162.
76. *Ibid.*, p. 124.
77. *Ibid.*

Chapitre 15 (p. 477 à 485)

1. Rocco Buttiglione, *op. cit.*, p. 345.
2. *Ibid.*, p. 346.
3. *La Splendeur de la vérité*, p. 189.
4. *Ibid.*, p. 193.
5. 20 février 1994.
6. *La Splendeur de la vérité*, p. 185.
7. 16 avril 1994.
8. *La Splendeur de la vérité*, p. 13.
9. *Ibid.*
10. *Ibid.*, p. 13-14

Chapitre 16 (p. 487 à 497)

1. Cité in Henri Tincq, *op. cit.*, p. 11.
2. Osnobrück, 16 novembre 1980.
3. *Ibid.*
4. Synagogue de Rome, 16 mars 1986.
5. *Ibid.*
6. Henri Tincq, *op. cit.*, p. 20.
7. Cité in *Ibid.*, p. 65.

8. Serge Klarsfeld, *Passages*, octobre 1989.
9. Cité in Henri Tincq, *op. cit.*, p. 240.
10. *Ibid.*, p. 271.
11. *Le Monde*, 31 décembre 1993.
12. *L'Osservatore Romano*, édition en langue française, 4 janvier 1994.
13. Michel Kubler, *La Croix*, 29 décembre 1993.
14. *Le Nouvel Observateur*, 23 septembre 1993.
15. *L'Osservatore Romano*, 4 janvier 1994.

Chapitre 17 (p. 499 à 508)

1. Mieczyslaw Malinski, *op. cit.*, p. 198.
2. Allemagne, 18 novembre 1980.

Chapitre 18 (p. 509 à 579)

1. Varsovie, 2 juin 1979.
2. Rapporté in Bernard Lecomte, *La vérité l'emportera toujours sur le mensonge*, p. 142.
3. 28 août 1980.
4. *Le Monde*, 17 janvier 1981.
5. 24 octobre 1981.
6. 10 janvier 1982.
7. 1er janvier 1982.
8. Bernard Guetta, *Le Monde*, 10 novembre 1982.
9. *Le Figaro*, 31 décembre 1982.
10. Bernard Guetta, *Le Monde*, 11 mars 1983.
11. *Le Monde*, 8 juin 1983.
12. Agence Tass, 29 décembre.
13. In *Libération*, 4 novembre 1993.
14. Bernard Guetta, *Le Monde*, 22 juin 1983.
15. *Le Canard enchaîné*, 29 juin 1983.
16. André Fontaine, *Le Monde*, 2 juillet 1983.
17. Gdansk, 12 juin 1987.
18. Gdynia, 11 juin 1987.
19. Gdansk, 12 juin 1987.
20. *L'Osservatore Romano*, 2 décembre 1989.
21. André Frossard, *Le Courrier français*, 11 juin 1983.
22. Drogheda (Irlande), 29 septembre 1979.
23. Cité in P. Labo, *L'Attentat contre le pape*, p. 13-14.

24. Mgr Poma, Bologne, 14 mai.
25. Mgr Martini.
26. Message lu le 14 mai à la cathédrale Saint-Jean de Varsovie.
27. Cité in P. Labo, *op. cit.*, p. 42.
28. *Le Monde*, 15 mai 1981.
29. Cité in *Le Monde*, 21 juillet 1981.
30. P. Labo, *op. cit.*, p. 145.
31. Maxime Rodinson, *Le Monde*, 25 mai 1981.
32. *Ibid.*
33. Vilnius, 5 septembre 1993
34. Gniezno (Pologne), 6 juin 1979.
35. Henri Tincq, *Le Monde*, 4 septembre 1993.
36. *La Croix*, 26 juin 1986.
37. In *La Croix*, 30 juin 1986.
38. In *Le Figaro*, 4 juillet 1990.
39. Cité in Constance Colonna-Cesari, *op. cit.*, p. 147.
40. *La Documentation catholique*, n° 2077.
41. Constance Colonna-Cesari, *op. cit.*, p. 144.
42. 3 juin 1979.
43. Cité in *Le Figaro*, 31 mai 1979.
44. Jean et Blandine Chélini, *L'Église de Jean-Paul II face à l'Europe*, p. 41.
45. Jean Chélini, *Jean-Paul II, le pèlerin de la liberté*, p. 199.
46. Varsovie, 2 juin 1979.
47. Cracovie, 10 juin 1979.
48. Allocution au symposium des évêques, 10 octobre 1985.
49. Au symposium des évêques, 5 octobre 1988.
50. Discours « Sur la crise de l'Occident et la mission spirituelle de l'Europe », 12 novembre 1981.
51. Au colloque international sur « les racines chrétiennes communes des nations européennes », 6 novembre 1981.
52. *Ibid.*
53. Rocco Buttiglione, *op. cit.*, p. 401.
54. Homélie de Spire, « L'appel à l'Europe », 4 mai 1987.
55. « Géopolis », Antenne 2, 2 avril 1994.
56. Lima, 1er février 1985.
57. Montevideo, 8 mai 1988.
58. Cité in Jean et Blandine Chélini, *op. cit.*, p. 136-137
59. Message adressé à la Comece à l'occasion des élections européennes, 12 avril 1984.
60. *Aux sources du renouveau*, p. 272.
61. Interview par Jas Gawronski, 24 octobre 1993.

Conclusion (p. 581 à 599)

1. Joseph de Roeck, *Jean-Paul II...*, p. 94.
2. Philippe Levillain, *Le Point*, 16 octobre 1993.
3. André Frossard, *Le Figaro*, 27 août 1992
4. *Point de vue*, 9 novembre 1993.
5. *Le Monde*, 4 janvier 1994.
6. Paolo Flores d'Arcais, *Libération*, 6 janvier 1994.
7. *Le Monde*, 4 janvier 1994.
8. *La Croix*, 19 novembre 1993.
9. A l'auteur, 6 juillet 1994.
10. Mgr Martini, 4 janvier 1994.

INDEX

BIBLIOGRAPHIE

Œuvres de Karol Wojtyla avant son pontificat et publiées en France.

Amour et Responsabilité, Paris, Stock, 1978.
La Boutique de l'orfèvre, Paris, Cerf, 1979.
Le Signe de contradiction, Paris, Fayard, 1979.
Poèmes, Paris, Cerf, 1979.
La Fede secondo s. Giovanni della Croce, Rome, Herder, 1979.
Personne et Acte, Paris, Le Centurion, 1983.
Aux sources du renouveau : étude sur la mise en œuvre du concile de Vatican II, Paris, Le Centurion, 1981.
Frère de notre Dieu suivi de *Ecrits sur le théâtre*, Paris, Cerf, 1983.

Encycliques

Redemptor hominis, 1979, Paris, Cerf, 1979.
Dives in misericordia, 1980, Paris, Cerf, 1980.
Laborem exercens, 1981, Paris, Le Centurion, 1982.
Slavorum Apostoli, 1985, Paris, Médiaspaul, 1985.
Dominum et Vivificantem, 1986, Paris, Le Centurion, 1986.
Redemptoris Mater, 1987, Paris, Le Centurion, 1987.
Sollicitudo rei socialis, 1987, Paris, Le Centurion, 1987.
Redemptoris missio, 1990, Paris, Cerf, 1991.
Centesimus annus, 1991, Paris, Le Centurion, 1991.
Veritatis splendor, 1993, Paris, Mame / Plon, 1993.

Travaux homélitiques, liturgiques, administratifs et catéchitiques

A l'image de Dieu, homme et femme : une lecture de Genèse 1-3, Paris, Cerf, 1980.

A tous les jeunes du monde, Lettre apostolique à l'occasion de l'année internationale de la jeunesse, Paris, Le Centurion, 1985.

« Allez dans le monde entier », Lettre apostolique « Euntes in mundum » à l'occasion du millénaire du baptême de la Russie : 25 janvier 1988, Paris, Le Centurion, 1988.

L'Amour de la vie, Paris, Le Laurier, 1989.

Anges et démons : la foi de l'Église, Paris, Le Laurier, 1987.

Appelé à veiller : saint Joseph, Lettre apostolique sur la figure et la mission de saint Joseph, Paris, Cerf, 1989.

Appels à la jeunesse, Paris, Le Laurier, 1983.

Apprendre de Marie et de Joseph, Paris, Le Laurier, 1983.

Aux évêques, aux prêtres : lettre à l'occasion du Jeudi Saint 1979, Paris, Le Centurion, 1979.

Aux jeunes d'aujourd'hui : 1985-1989, Paris, Le Sarment-Fayard, 1990.

Avec vous, je suis prêtre : homélies et exhortations, 1978-1986, Paris, Cerf, 1986.

Le Baptême, Paris, Le Laurier, 1985.

Le Baptême et la confirmation, Paris, SOC, 1981.

Le Bonheur de la famille chrétienne, Paris, Le Laurier, 1989.

La Catéchèse de Jean-Paul II, Paris, L'Escalade, 1986.

La Catéchèse, exhortation apostolique, Paris, la Documentation Catholique, 1979.

Catéchèse sur le Credo, Paris, Cerf, 1987.

Catéchèse sur le sacrement de la réconciliation, Paris, Le Laurier, 1990.

Chrétiens dans le monde, Paris, SOC, 1982.

Christifideles laici : exhortation apostolique sur la vocation et la mission des laïcs dans l'Eglise et dans le monde, Rome, Libreria editrice Vaticana, Paris, Mediaspaul, 1989.

Code de droit canonique annoté, Paris, Cerf, 1989.

Le Corps, le cœur et l'esprit : pour une spiritualité du corps, une lecture de Matthieu 5, 27-28, Paris, Cerf, 1984.

Le Créateur du ciel et de la terre, Paris, Cerf, 1988.

Credo : vivre la foi avec Jean-Paul II, Montréal, Paulines, Paris, Mediaspaul, 1986.

Deuxième Guerre mondiale : 50ᵉ anniversaire, lettre apostolique, 27 août 1989, *Message à la Conférence épiscopale polonaise : 26 août 1989*, Paris, Téqui, 1989

Dieu et l'existence du mal, Paris, Le Laurier, 1989.
La dignité de l'homme, Paris, SOC, 1981.
La dignité de la femme, Lettre apostolique « Mulieris dignitatem » sur la dignité et la vocation de la femme, à l'occasion de l'année mariale, Paris, Le Centurion, 1988.
Discours à l'ONU : 2 octobre 1979, Paris, Le Centurion, 1979.
Discours aux scientifiques d'Allemagne et d'ailleurs en l'honneur d'Albert le Grand, Paris, FAC, 1981.
Les Dix Commandements : l'avenir de l'homme, Paris, Le Laurier, 1991.
Doctrine et action sociale de l'Eglise, Paris, Mame, 1991.
Le Don de l'Esprit Saint, Paris, Le Laurier, 1991.
Le Don de la rédemption : exhortation apostolique aux religieux et religieuses sur leur consécration à la lumière du mystère de la rédemption, Paris, Mediaspaul, 1984.
Jean-Paul II en Afrique, 2e voyage apostolique, Paris, Téqui, 1982.
Eglise de lumière et de charité : recueil d'allocutions à des évêques, Paris, Téqui, 1985.
L'Eglise et la libération, Paris, Le Laurier, 1985.
L'Enseignement de Jean-Paul II, Paris, Téqui, 1978 (et suivantes).
L'Eucharistie, Paris, Le Laurier, 1985.
Exhortation apostolique « Catechesi tradendae », Paris, le Centurion, 1979.
Exhortation apostolique post-synodale « Reconciliatio et paenitentia », Paris, Cerf, 1984.
Exhortation apostolique « Redemptionis donum », Paris, Cerf, 1984.
L'Existence de Dieu : raison et foi, Paris, Le Laurier, 1985.
La Famille, Paris, SOC, 1980.
La Famille, exhortation apostolique « Familiaris consortio », Paris, Paulines, 1982.
Les Fidèles laïcs : exhortation apostolique post-synodale, Paris, Le Centurion, 1989.
France, que fais-tu de ton baptême ?, Paris, Le Centurion, 1980.
Les Grands Mystères de la foi, Paris, Le Centurion, 1991.
« J'étais malade et vous m'avez visité », Paris, Le Laurier, 1988.
Je crois en Dieu, Paris, Cerf, 1987.
Je crois en Jésus-Christ, le Fils unique de Dieu, Paris, Cerf, 1990.
Je crois en Jésus-Christ, le Sauveur, Paris, Cerf, 1992.
Je crois en l'Esprit Saint, la Pentecôte, Paris, Cerf, 1992.
Je partage vos soucis : allocution aux évêques de France en visite auprès du Saint-Siège apostolique, Paris, Le Centurion, 1983.
« Je vous donnerai des pasteurs » : sur la formation des prêtres. Exhortation apostolique post-synodale, Paris, Le Centurion, 1992.

Jean-Paul II à Genève : 15 juin 1982, Paris, Téqui, 1982.

Jean-Paul II à Lourdes : 14-15 août 1983, Paris, Téqui, 1983.

Jean-Paul II à Nancy : 10 octobre 1988, Jarville-la-Malgranche, Edition de l'Est, 1988.

Jean-Paul II à Pérouse et à Assise : journée mondiale pour la paix : 26-27 octobre 1986, Paris, Téqui, 1987.

Jean-Paul II à Puebla, Paris, Le Centurion, 1979.

Jean-Paul II à Saragosse, en République Dominicaine et à Porto-Rico, Paris, Téqui, 1984.

Jean-Paul II au Brésil, 30 juin-11 juillet 1980, Paris, Téqui, 1980.

Jean-Paul II au Canada, 9-20 septembre 1984, Paris, Téqui, 1984.

Jean-Paul II au Chili, Paris, Téqui, 1987.

Jean-Paul II aux jeunes de France, Paris, 1980, Bulat, l'Icône de Marie, 1992.

Jean-Paul II aux jeunes de France, Lyon, 1986, Bulat, l'Icône de Marie, 1993.

Jean-Paul II aux Pays-Bas, Luxembourg et Belgique : 11 mai – 21 mai 1985, Paris, Téqui, 1985.

Jean-Paul II aux religieux et religieuses. Principales allocutions (à partir de novembre 1978). Saint-Pern, La Tour-Saint-Joseph, Congrégation des Petites Sœurs des Pauvres, 1981 (et années suivantes).

Jean-Paul II aux universitaires et au monde culturel et scientifique, Paris, Téqui, 1984.

Jean-Paul II en Afrique : Togo, Côte d'Ivoire, Cameroun, Centre Afrique, Zaïre, Kenya, Maroc : 8-19 août 1985, Paris, Téqui, 1985.

Jean-Paul II en Allemagne Fédérale : 34e voyage pastoral, Paris, Téqui, 1987.

Jean-Paul II en Amérique Centrale : du 2 au 9 mars 1983, Paris, Téqui, 1983.

Jean-Paul II en Angleterre, Ecosse, Pays de Galles (28 mai – 2 juin 1982), Paris, Téqui, 1982.

Jean-Paul II en Asie, en Océanie et en Alaska, Paris, Téqui, 1984.

Jean-Paul II en Colombie et à Sainte-Lucie, (1er-8 juillet 1986), Paris, Téqui, 1986.

Jean-Paul II en Espagne : 31 octobre – 9 novembre 1982, Paris, Téqui, 1983.

Jean-Paul II en Extrême-Orient, 16 au 26 février 1981, Paris, Téqui, 1981.

Jean-Paul II en France : 30 mai au 2 juin 1980, Paris, Cerf, 1980.

Jean-Paul II en Inde : 1er- 8 février 1986, Paris, Téqui, 1986.

Jean-Paul II en Pologne : 16-23 juin 1983, Paris, Téqui, 1983.

Jean-Paul II en Pologne : 8-14 juin 1987, Paris, Cana, 1987.

Jean-Paul II en Suisse : visite pastorale, 12-17 juin 1984, Paris, Téqui, 1984.

Jean-Paul II en Tchécoslovaquie : 21-22 avril 1990, Paris, Téqui, 1990.

Jean-Paul II et les jeunes à Czestochowa : 14 et 15 août 1991, Paris, Téqui, 1991.

Jean-Paul II s'adresse à la Vie Montante : Rome, basilique Saint-Pierre, 4 octobre 1982, Neuilly-sur-Seine, la Vie Montante, 1984.

Jésus-Christ mort et ressuscité pour notre salut : recueil d'allocutions et d'écrits de Paul VI et Jean-Paul II, Saint-Céneré, Téqui, 1983.

Jésus-Christ, vrai Dieu et vrai homme, Paris, Cerf, 1990.

Jeunes de France, mes amis, Paris, Téqui, 1987.

Jeunes de l'an 2000, l'avenir vous appartient, Paris, Téqui, 1985.

Les jeunes de la Réunion aux adultes de la Réunion : « Nous voulons réussir notre vie ». Sainte-Clothilde, Nouvelle Imprimerie Dyonisienne, 1987.

Jeunes, mes amis : le pape Jean-Paul II parle à la jeunesse du monde, Paris, Lito, 1982.

Lettre apostolique : « Augustinum Hipponensem » (28 août 1986), Paris, Saint-Céneré, Bruxelles, Téqui, 1986.

Lettre du Saint Père Jean-Paul II à toutes les personnes consacrées des communautés religieuses et des instituts séculiers à l'occasion de l'année mariale, Paris, Téqui, 1988.

Liberté et Vérité, Paris, SOC, 1982.

Le Mariage chrétien, Paris, Le Laurier, 1990.

Mariage et Famille, Paris, Le Laurier, 1984.

Marie, ma Mère : recueil de discours et de lettres sur la Vierge Marie, Paris, Mediaspaul, 1984.

Maximilien Kolbe : patron de notre siècle difficile, Paris, P. Lethielleux, 1983.

Message au congrès eucharistique de Lourdes, Paris, Cèdre, 1982.

Message d'amour : pensées pour chaque jour, Paris, Desclée de Brouwer, 1987.

Message de Sa Sainteté Jean-Paul II pour la célébration de la journée mondiale de la paix : 1er janvier 1987, Paris, Téqui, 1987.

Mon Rosaire avec Jean-Paul II, Paris, Téqui, 1990.

Le Mystère de l'Eglise, Paris, Le Laurier, 1992.

Le Mystère et le culte de la Sainte Eucharistie, Paris, Le Centurion, 1980.

« Notre Père » : commentaire de la prière du Seigneur, Paris, Desclée, 1985.

L'Œcuménisme, Paris, Le Laurier, 1984.

« Ouvez vos portes au Rédempteur » : pèlerinage de Jean-Paul II à

Lourdes, fête de l'Assomption, 14-15 août 1983, Paris, Le Centurion, 1983.

Paix et Réconciliation : entretiens spirituels, Paris, Desclée, 1985.

Le Pape parle aux équipes Notre-Dame, Paris, Equipes Notre-Dame, 1979.

Le Pape prie Notre-Dame, Paris, SOC, 1980.

Le Pape s'adresse au monde : message de la Paix, 1er janvier 1990, Paris, Téqui, 1990.

Passez une année avec moi : méditations quotidiennes, Paris, Desclée de Brouwer, 1984.

Le Péché originel, Paris, Le Laurier, 1988.

Pèlerinage de Jean-Paul II à Compostelle, 19-20 août 1989, Paris, Téqui, 1989.

Pèlerinage de Jean-Paul II en Pologne, Paris, Le Centurion, 1979.

Pèlerinage de Jean-Paul II en Irlande, à l'ONU, Paris, Le Centurion, 1979.

Pourquoi Jésus-Christ a-t-il fait des miracles ?, Paris, Le Laurier, 1989.

Pourquoi la liberté d'enseignement ?, Paris, SOC, 1982.

Les Prêtres, Paris, SOC, 1982.

Prêtres du XXIe siècle, Paris, Mame, 1991.

Prier avec Jean-Paul II, Paris, J.P. Delarge, 1981.

Prières à Marie, Paris, Téqui, 1984.

Les Racines de la joie, Paris, SOC, 1981.

La Réconciliation et la pénitence dans la mission de l'Eglise aujourd'hui, Paris, Le Centurion, 1984.

La Réforme de la liturgie dans l'esprit de Vatican II : lettre apostolique sur la sainte liturgie « Sacrosanctum Concilium » pour le 25e anniversaire de la Constitution conciliaire, Paris, Le Centurion, 1989.

Restez fermes dans la foi : voyage apostolique en France, Paris, Le Centurion, 1986.

Résurrection, mariage et célibat : l'Evangile de la Rédemption du corps, Paris, Cerf, 1985.

Le Retour à Dieu, Paris, SOC, 1981.

Rosaire et Chemin de Croix, Paris, Cerf, 1982.

Le Rosaire, ma prière préférée, Paris, Le Laurier, 1987.

Le Saint Père parle aux jeunes : 1980-1985, Paris, Fayard, 1986.

La Sainte-Trinité, Paris, Le Laurier, 1986.

Le Sens chrétien de la souffrance humaine, Paris, Le Centurion, 1984.

Le Sens de la vie, Paris, Le Laurier, 1986.

Les Sept Paroles du Christ sur la croix, Paris, Le Laurier, 1991.

Les Sept Sacrements, Paris, Le Laurier, 1993.

Sur la paix et la guerre, Paris, le Sarment-Fayard, 1991.
Les Tâches de la famille chrétienne : exhortation apostolique, Paris, Cerf, 1981.
Le Témoignage de la foi chrétienne, Paris, Le Laurier, 1988.
La Très Sainte Vierge Marie : allocutions et écrits, Paris, Téqui, 1985.
Le Trésor caché de l'Eglise, Paris, Le Laurier, 1982.
Le Trésor des béatitudes, Paris, Le Laurier, 1989.
365 Jours en face de Dieu, Paris, Plon, 1985.
Les Universités catholiques : constitution apostolique, 15 août 1990, Paris, Le Centurion, 1990.
Une Véritable Communion : les évêques français chez le pape, Rome, 1992, visites « ad Limina », Paris, Le Centurion, 1993.
Les Vertus cardinales, Paris, SOC, 1980.
Vocations dans l'Eglise, Paris, Fayard, 1990.

Bibliographie critique succincte

Benjamin (Jean-Marie), *L'Octobre romain*, Jean-Paul II, Paris, France-Empire, 1979.
Besret (Bernard), *Lettre ouverte au pape Jean-Paul II qui veut nous asséner la vérité absolue dans toute sa splendeur*, Paris, Albin Michel, 1993.
Blaise (Anik), *Jean-Paul II* (études réunies par), Paris, MA éd. 1984, collection Tels qu'ils sont.
Blazynski (Georges), *Jean-Paul II, un homme de Cracovie*, Paris, Stock, 1979.
Boniecki (Adam), *Kalendarium zycia Karola Wojtyy*, Cracovie, Znak, 1983.
Bourdarias (Jean), Chevallier (Bernard) et Vandrisse (Joseph), *Les Fumées du Vatican*, Paris, Fayard, 1979.
Bruckberger (R.L.), *Lettre à Jean-Paul II, pape de l'an 2000*, Paris, Stock, 1979.
Bruckberger (R.L.), *Jean-Paul II en France*, Paris, Flammarion, 1980.
Bujak (Adam), *Jean-Paul II, le pèlerin de l'éternel*, Vaison-la-Romaine, R.M.C.S., Paris, Fixot, 1990.
Buttiglione (Rocco), *La Pensée de Karol Wojtyla*, Paris, Fayard, 1984.
Castellan (Georges), *Dieu garde la Pologne : Histoire du catholicisme polonais*, Paris, R. Laffont, 1981.

Chabanis (Christian), *Jean-Paul II*, Paris, Le Sarment-Fayard, 1981.

Charpentier (Marie-Vic), *Jean-Paul II, miracle polonais,* Paris, Téqui, 1981.

Chélini (Jean), *Les Nouveaux Papes de Jean XXIII à Jean-Paul II*, Paris, Jean Goujon, 1979.

Chélini (Jean), *Jean-Paul II, pèlerin de la liberté*, Paris, Jean Goujon, 1980.

Chélini (Jean), *La Vie quotidienne au Vatican sous Jean-Paul II*, Paris, Hachette, 1985.

Chélini (Jean et Blandine), *L'Eglise de Jean-Paul II face à l'Europe : dix années d'action, 1978-1988*, 1989, Nouvelle Cité.

Colonna-Césari (Constance), *Urbi et Orbi, enquête sur la géopolitique vaticane*, Paris, La Découverte, 1992.

Decaux (Alain), *Le Pape pèlerin : les voyages de Jean-Paul II*, Paris, Perrin, 1986.

Defois (Georges), *Jean-Paul II, pèlerin de Dieu sur les chemins des hommes*, Paris, Le Centurion, 1989.

Dormann (Johannes), *L'Etrange théologie de Jean-Paul II et l'esprit d'Assise*, Editions Fideliter, 1992.

Dustin (Daniel), *La Politique selon Jean-Paul II*, Editions Universitaires, Paris, 1993.

Frossard (André), *Portrait de Jean-Paul II*, Paris, Laffont, 1988.

Frossard (André), *Le Monde de Jean-Paul II*, Paris, Fayard, 1991.

Frossard (André), *N'ayez pas peur !*, Paris, Fayard, 1991.

Gauthier (Jean-Louis), *Jean-Paul II à Ars*, Paris, France-Empire, 1986.

Gordon (Thomas) et Morgan-Witts (Max), *Les Emissaires du Vatican*, Paris, Stock, 1985.

Grant (Steven) et Tartaglione (John), *Jean-Paul II*, Paris, Carrère, 1985.

Gordon (Thomas) et Morgan-Wittz (Max), *Dans les couloirs du Vatican*, Paris, Stock, 1983.

Gritti (Jules), *le Pape à la une, nouveaux visages de la papauté*, Mulhouse, Ed. Salvato, 1980.

Guitton (Jean), *Le Temps d'une vie*, Paris, Le Centurion, 1980.

Hebblewaite (Peter) et Kaufman (Ludwig), *Jean-Paul II, pape de l'an 2000*, une biographie en couleurs, Paris, Stock, 1979.

Huber (Georges), *Jean-Paul Ier ou la vocation de Jean le Baptiste.*

Kalinowski (Georges), *La Pensée de Jean-Paul II sur l'homme et la famille*, Paris, Association Sacerdotale Lumen Gentium, 1981.

Laurentin (René), *Comment la Vierge lui a rendu la liberté*, Paris, Œil, 1992.

Lecomte (Bernard), *La Vérité l'emportera toujours sur le mensonge*, Paris, Lattès, 1992.

Lefebvre (Mgr), *Ils l'ont découronné !*, Escurolle, Editions Fideliter, 1987.

Le Roux, (abbé Daniel), *« Pierre, m'aimes-tu ? » : Jean-Paul II pape de tradition ou pape de la révolution ?* Editions Fideliter, 1988.

Malinski (Mieczyslaw), *Mon Ami Karol Wojtyla*, Paris, Le Centurion, 1981.

Manaranche (André), *Le Magistère et les théologiens*, Paris, Association sacerdotale Lumen Gentium, 1980.

De Montclos (Christine), *Les Voyages de Jean-Paul II*, Paris, Le Centurion, 1990.

Mroz (Mirosaw), *Il Principio sacramentale dell'uomo et del matrimonio alla luce delle'insegnamento di Giovanni-Paolo II*, Pontificia Università Lateranense, 1988.

Offredo (Jean), *Jean-Paul II, l'aventurier de Dieu*, Paris, Carrère, 1986.

Offredo (Jean), *Jean-Paul II, le rouge et le blanc*, Paris, M. Lafon, 1988.

D'Orazi (Lucio), *Tre Mesi per tre papi*, Bologna, Ponte Nuovo, 1979.

Philippe (André-Vincent), *Les Droits de l'homme dans l'enseignement de Jean-Paul II*, Paris, LGDJ, 1980.

Philippe (André-Vincent), *La Doctrine sociale de Jean-Paul II*, Paris, France-Empire, 1982.

Potier (Georges), *Jean-Paul II*, Paris, Fleurus, 1985.

Regamey (Pie R), *La Vie religieuse selon Jean-Paul II*, Paris, Cerf, 1981.

Rémond (René), « L'Intégrisme catholique », in *Etudes* de janvier 1989.

De Roeck (Joseph), *Jean-Paul II, le pape qui vient de Pologne*, Paris, Cerf, 1978.

Robillard (Denise), *Le Pape au risque du monde*, Montréal, Bellermin, 1984.

Roulette (Christian), *Jean-Paul II-Antonov-Agça, la filière*, Paris, le Sorbier, 1984.

Roulette (Christian), *Le Procès*, Editions des Halles de Paris, 1985.

Sarazin (Michel), *Jean-Paul II et l'Eglise de France, la confiance et la crainte*, Paris, Orban, 1980.

Di Schiena (Luca), *Karol Wojtyla*, Roma, Editalia, 1991.

Senart (Roger), *Cet homme est en danger*, Paris, Le Carrousel, Fleuve noir, 1983.

Serrou (Robert), *Jean-Paul II au service du monde*, Paris, Hachette Gamma, 1980.

Sterling (Claire), *le Temps des assassins*, Paris, Mazarine, 1984.

Svidercoschi (Gian Franco), *Lettera a un amico ebreo*, Mondadori, 1993.

Tincq (Henri), *L'Etoile et la Croix, Jean-Paul II-Israël, l'explication*, Paris, Lattès, 1993.

Tindal-Robertson (Timothy), *Fatima, la Russie et le pape Jean-Paul II*, Paris, Téqui, 1983.

Toulat (Jean), *Le Pape contre la guerre du Golfe*, Paris, Œil, 1991.

Trémollet de Villers (Jacques), *Défendre l'homme, le message social de Jean-Paul II*, Paris, CLC, 1980.

Uboldi (Raffaello), *Vita di Papa Wojtyla, narrata come da lui stesso*, Milano, Rizzoli, 1983.

Winowska (Maria), *Jean-Paul II, tout à tous*, Paris, Apostolat des éditions, 1979.

Jean-Paul II à Puebla, Paris, Le Centurion, 1979.

Juifs et Chrétiens pour une entente nouvelle, Paris, Cerf, 1986.

Le Pape Jean-Paul II, biographie en bandes dessinées, Editions Arédit-Marvel, 1983.

Pour une bibliographie plus détaillée, consulter celle établie par Viktor Gramatowski et Zofia Wilinska : *Karol Wojtyla w Swietle publik acji. Karol Wojtyla negli scritti*, cité du Vatican, 1980.

REMERCIEMENTS

Ma plus vive reconnaissance va à tous ceux qui, dans l'entreprise ardue et complexe que j'ai conduite, m'ont apporté leur aide, entouré de leur bienveillante sollicitude, transmis leurs témoignages et donné de mieux cerner la personnalité et l'œuvre de Jean-Paul II, sa singularité polonaise, sa traversée dans un siècle qu'il a pleinement vécu.

C'est pourquoi je remercie en premier lieu Son Excellence le Nonce apostolique en France, Mgr Lorenzo Antonetti, Son Eminence le cardinal Poupard, Mgr Valdrini, recteur de l'Institut catholique de Paris, Mgr Baltazar Enrique Porras Cardozo, évêque de Merida (Vénézuéla), Ks. Dr Andrzej F. Dziuba, secrétaire du Primat de Pologne, MM. Jerzy Turowicz, directeur historique de *Tygodnik Powszechny*, Stefan Wilkanowicz, directeur de la revue *Znak*, Henrik Wozniakowski, président des éditions «Znak», Jerzy Baczynski, rédacteur en chef de l'hebdomadaire *Polityka* à Varsovie, Crucifix, directeur de l'Institut français de Merida (Vénézuéla), Mme Maria-Sabina Devrim, dont les qualités d'interprète et de traductrice m'ont été si précieuses.

Mes remerciements vont aussi à tous ceux qui m'ont confié leurs témoignages de foi et ont ainsi constitué le tissu même de mes recherches : laïcs engagés, membres de communautés charismatiques, catholiques intégristes, lycéens et étudiants œuvrant à des tâches pastorales, séminaristes, religieuses et prêtres.

Au terme de cette longue enquête et de cette analyse, je tiens encore à remercier Mme Nathalie Houzé de son efficace assistance, je lui dois de m'être mieux repéré dans l'ample bibliographie internationale consacrée à Jean-Paul II.

Que soient enfin remerciés tous les services de documentation consultés, notamment ceux de La Documentation catholique, de l'Archevêché de Paris, des quotidiens *La Croix, Le Monde, Libération, L'Humanité*, des hebdomadaires *L'Express, Le Point, Le Nouvel Observateur*, sans oublier la bibliothèque de l'Institut catholique de Paris.

En couverture : Visite pastorale de Jean-Paul II à Matera-Potenza

Ce volume a été composé
par Charente-Photogravure à L'Isle-d'Espagnac
et imprimé sur presse CAMERON
dans les ateliers de B.C.A.
à Saint-Amand-Montrond (Cher)

N° d'Édition : 122. N° d'Impression : 94/658.
Dépôt légal : septembre 1994.

ISBN 2-260-01145-4